세상이 변해도 배움의 즐거움은 변함없도록

시대는 빠르게 변해도
배움의 즐거움은
변함없어야 하기에

어제의 비상은
남다른 교재부터
결이 다른 콘텐츠
전에 없던 교육 플랫폼까지

변함없는 혁신으로
교육 문화 환경의 새로운 전형을
실현해왔습니다.

비상은 오늘, 다시 한번
새로운 교육 문화 환경을 실현하기 위한
또 하나의 혁신을 시작합니다.

오늘의 내가 어제의 나를 초월하고
오늘의 교육이 어제의 교육을 초월하여
배움의 즐거움을 지속하는 혁신,

바로, 메타인지 기반 완전 학습을.

상상을 실현하는 교육 문화 기업 비상

메타인지 기반 완전 학습

초월을 뜻하는 meta와 생각을 뜻하는 인지가 결합한 메타인지는
자신이 알고 모르는 것을 스스로 구분하고 학습계획을 세우도록 하는
궁극의 학습 능력입니다. 비상의 메타인지 기반 완전 학습 시스템은
잠들어 있는 메타인지를 깨워 공부를 100% 내 것으로 만들도록 합니다.

· 완벽한 자율학습서 ·

자율학습시 비상구 완자로 53

동아시아사

Structure

01 | 핵심 내용 파악하기

이 단원에서 꼭 알아야 하는 핵심 개념을 확인하고, 친절하게 설명된 내용 정리로 동아시아사 교과 내용을 이해할 수 있습니다.

이 단원에서 학습해야 할 핵심 개념을 한눈에 파악할 수 있습니다

교과서에서 다루는 내용을 명확하게 정리하고, 어려운 개념이나 용어, 사례 등에는 친절한 설명을 덧붙였습니다.

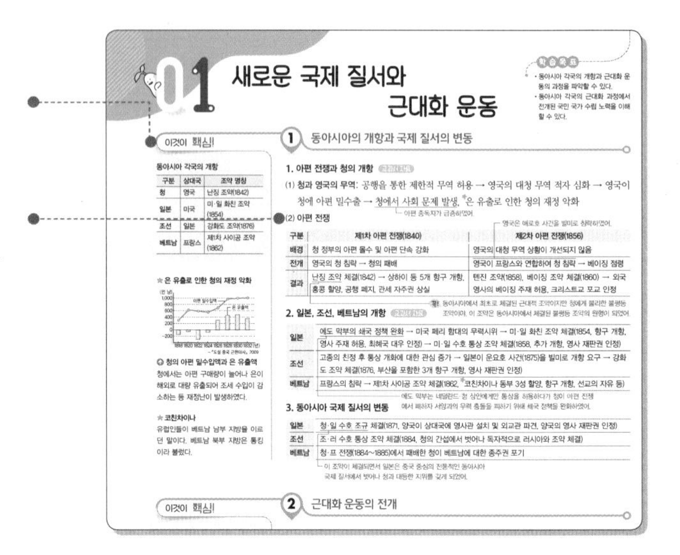

01 새로운 국제 질서와 근대화 운동

이것이 핵심!

1 동아시아의 개항과 국제 질서의 변동

동아시아 각국의 개항

구분	상대국	조약 명칭
청	영국	난징 조약(1842)
일본	미국	미·일 화친 조약(1854)
조선	일본	강화도 조약(1876)
베트남	프랑스	제1차 사이공 조약(1862)

1. 아편 전쟁과 청의 개항

(1) 청과 영국의 무역: 공행을 통한 제한적 무역 허용 → 영국의 대청 무역 적자 심화 → 영국이 청에 아편 밀수출 → 청에서 사회 문제 발생, 은 유출로 인한 청의 재정 악화

(2) 아편 전쟁

구분	제1차 아편 전쟁(1840)	제2차 아편 전쟁(1856)
배경	청 정부의 아편 몰수 및 아편 단속 강화	영국의 대청 무역 상황이 개선되지 않음
전개	영국의 청 침략 → 청의 패배	영국이 프랑스와 연합하여 청 침략 → 베이징 점령
결과	난징 조약 체결(1842) → 상하이 등 5개 항구 개항, 홍콩 할양, 공행 폐지, 관세 자주권 상실	톈진 조약(1858), 베이징 조약 체결(1860) → 외국 영사의 베이징 주재 허용, 크리스트교 포교 인정

2. 일본, 조선, 베트남의 개항

일본	에도 막부의 쇄국 정책 완화 → 미국 페리 함대의 무력시위 → 미·일 화친 조약 체결(1854, 항구 개항, 영사 주재 허용, 최혜국 대우 인정) → 미·일 수호 통상 조약 체결(1858, 추가 개항, 영사 재판권 인정)
조선	고종의 친정 후 통상 개화에 대한 관심 증가 → 일본이 운요호 사건(1875)을 빌미로 개항 요구 → 강화도 조약 체결(1876, 부산을 포함한 3개 항구 개항, 영사 재판권 인정)
베트남	프랑스의 침략 → 제1차 사이공 조약 체결(1862, 코친차이나 동부 3성 할양, 항구 개항, 선교의 자유 등)

3. 동아시아 국제 질서의 변동

일본	청·일 수호 조규 체결(1871), 양국이 상대국에 영사관 설치 및 외교관 파견, 양국의 영사 재판권 인정
조선	조·러 수호 통상 조약 체결(1884), 청의 간섭에서 벗어나 독자적으로 러시아와 조약 체결
베트남	청·프 전쟁(1884~1885)에서 패배한 청이 베트남에 대한 종주권 포기

은 유출로 인한 청의 재정 악화

청의 아편 밀수입액과 은 유출액

코친차이나

이것이 핵심!

2 근대화 운동의 전개

03 | 다양한 유형의 내신 문제 풀기

학교 시험에 자주 출제되는 유형의 문제들을 단계별로 풀어 보면서 실력을 향상시킬 수 있습니다. 또한 시험에서 비중이 높아진 서술형 문제도 자신있게 대비할 수 있습니다.

STEP 1 핵심 개념 확인하기

1 다음 설명이 맞으면 ○표, 틀리면 ×표를 하시오.

(1) 동아시아 지역은 계절풍의 영향을 받아 겨울철에 강수량이 많다. ( )

(2) 동아시아의 지형은 동쪽에서 서쪽으로 갈수록 고도가 점점 낮아진다. ( )

STEP 2 내신 만점 공략하기

01 선생님의 질문에 옳은 답변을 한 학생을 모두 고른 것은?

16 (가)에 들어갈 유물의 사진으로 적절한 것은?

동아시아사 유물 카드

- 시기: ○○○ 시대
- 지역: 만주와 한반도 일대
- 용도: 곡물 저장, 음식 조리
- 특징: 새기개를 이용하여 표면을 누르거나 그어서 무늬를 새김

서술형 문제

01 다음 지도를 보고 물음에 답하시오.

(1) (가)~(다) 지역에서 이루어지는 주요 생업을 각각 쓰시오.

(2) (1)의 생업들이 이루어질 수 있는 기후 조건을 서술하시오.

04 | 수능 문제로 1등급 정복하기

사고력과 변별력을 요구하는 수능 유형의 문제를 풀면서 실력을 향상시키고 난이도 있는 시험 문제에도 자신감을 얻을 수 있습니다.

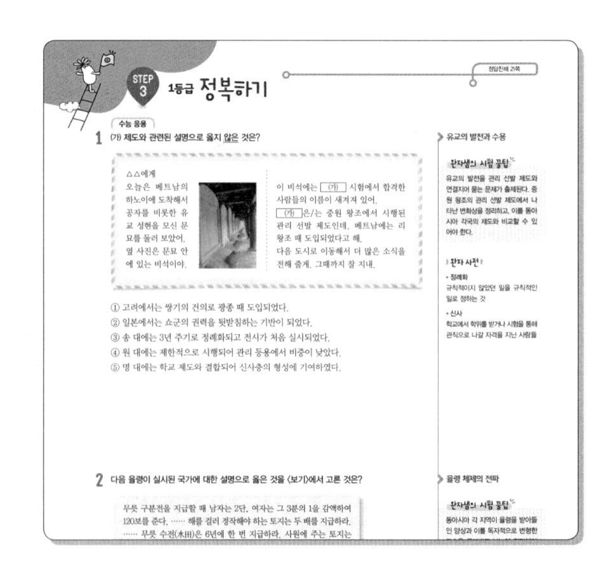

STEP 3 1등급 정복하기

1 (가) 제도와 관련된 설명으로 옳지 않은 것은?

① 고려에서는 쌍기의 건의로 광종 때 도입되었다.
② 일본에서는 쇼군의 권력을 뒷받침하는 기반이 되었다.
③ 송 대에는 3년 주기로 정례화되고 전시가 처음 실시되었다.
④ 원 대에는 제한적으로 시행되어 관리 등용에서 비중이 낮았다.
⑤ 명 대에는 학교 제도와 결합되어 신사층의 형성에 기여하였다.

유교의 발전과 수용

2 다음 율령이 실시된 국가에 대한 설명으로 옳은 것을 <보기>에서 고른 것은?

율령 체제의 성립

02 | 빈출 자료 파악하기

교과서에서 강조하는 빈출·핵심 자료는 포인트를 확실하게 짚어 주는 자료 설명으로 구성하였습니다.

한눈에 보이는 정리 비법, 간단한 문제로 확인하는 개념, 함께 알아 두어야 할 자료 등을 선생님이 강의하듯 꼼꼼하게 정리하였습니다.

학교 시험은 물론 수능에도 출제될 가능성이 높은 중요 자료를 질문과 답변 형식으로 철저하게 분석하였습니다.

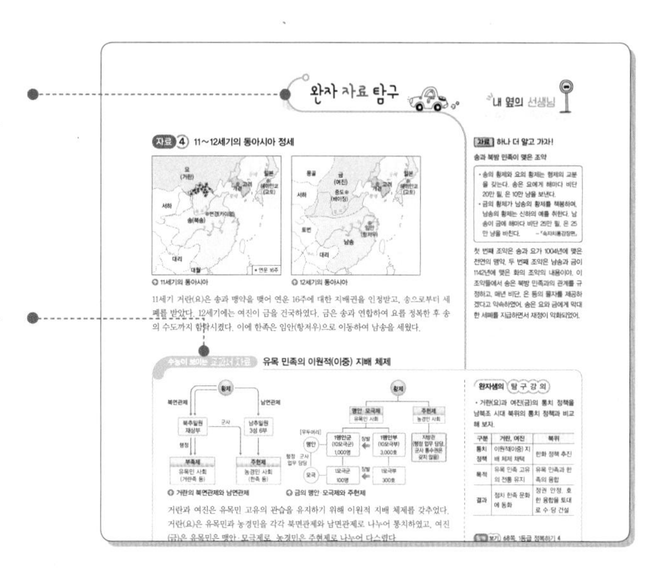

05 | 통합형 문제로 마무리하기

대단원의 핵심 내용을 한눈에 정리하고, 통합형 문제까지 풀어보면서 대단원 학습을 최종 점검할 수 있습니다.

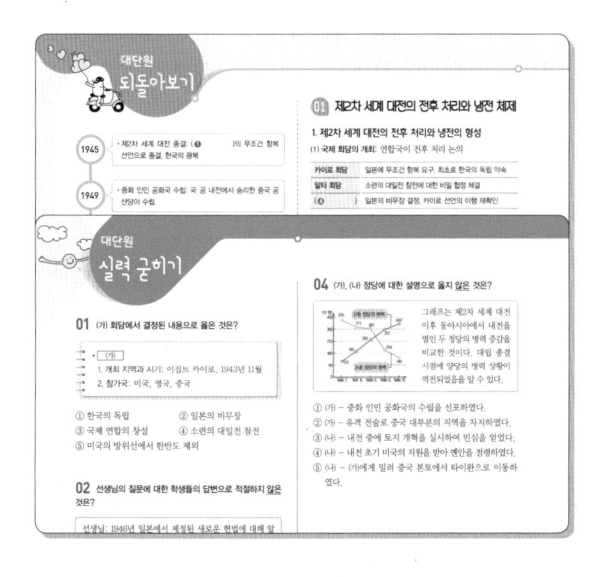

06 | 주제별 논술형 문제

교과 내용에서 강조하는 논술 주제들을 별도 구성하고, 논술 포인트, 자료 분석 등을 통해 입체적인 논술 답안을 제공하였습니다.

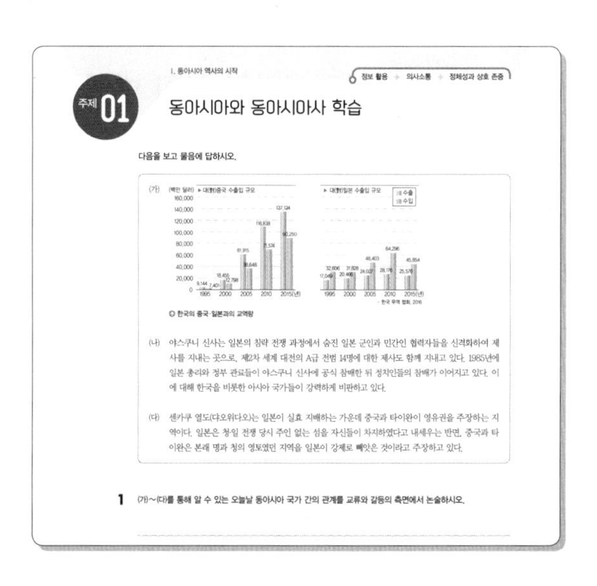

Contents

Ⅳ 동아시아의 근대화 운동과 반제국주의 민족 운동

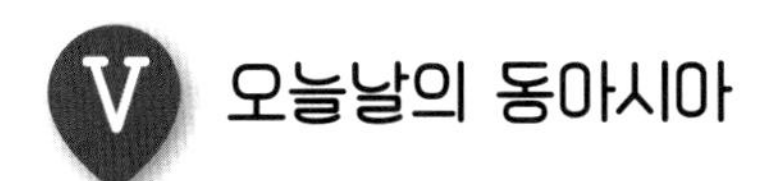

Ⅴ 오늘날의 동아시아

논술형 문제

완자와 내 교과서 비교하기

		완자	비상교육	천재교육	미래엔	금성출판사
Ⅰ 동아시아 역사의 시작	01 동아시아의 자연환경과 선사 문화	10~23	10~25	10~27	10~23	12~31
	02 국가의 성립과 발전	24~37	26~35	28~41	24~33	32~41
Ⅱ 동아시아 세계의 성립과 변화	01 인구 이동과 정치·사회 변동	46~55	40~49	46~53	38~47	46~55
	02 국제 관계의 다원화	56~69	50~63	54~65	48~61	70~81
	03 율령과 유교에 기초한 통치 체제	70~77	64~70	66~69	62~67	56~59
	04 불교의 전파와 성리학의 확산	78~91	71~81	70~81	68~81	60~69
Ⅲ 동아시아의 사회 변동과 문화 교류	01 17세기 전후의 동아시아 전쟁	100~109	86~95	86~97	86~95	88~101
	02 교역망의 발달과 은 유통	110~119	96~107	98~109	96~107	102~111
	03 사회 변동과 서민 문화의 발달	120~133	108~119	110~123	108~121	112~123

동아시아 역사의 시작

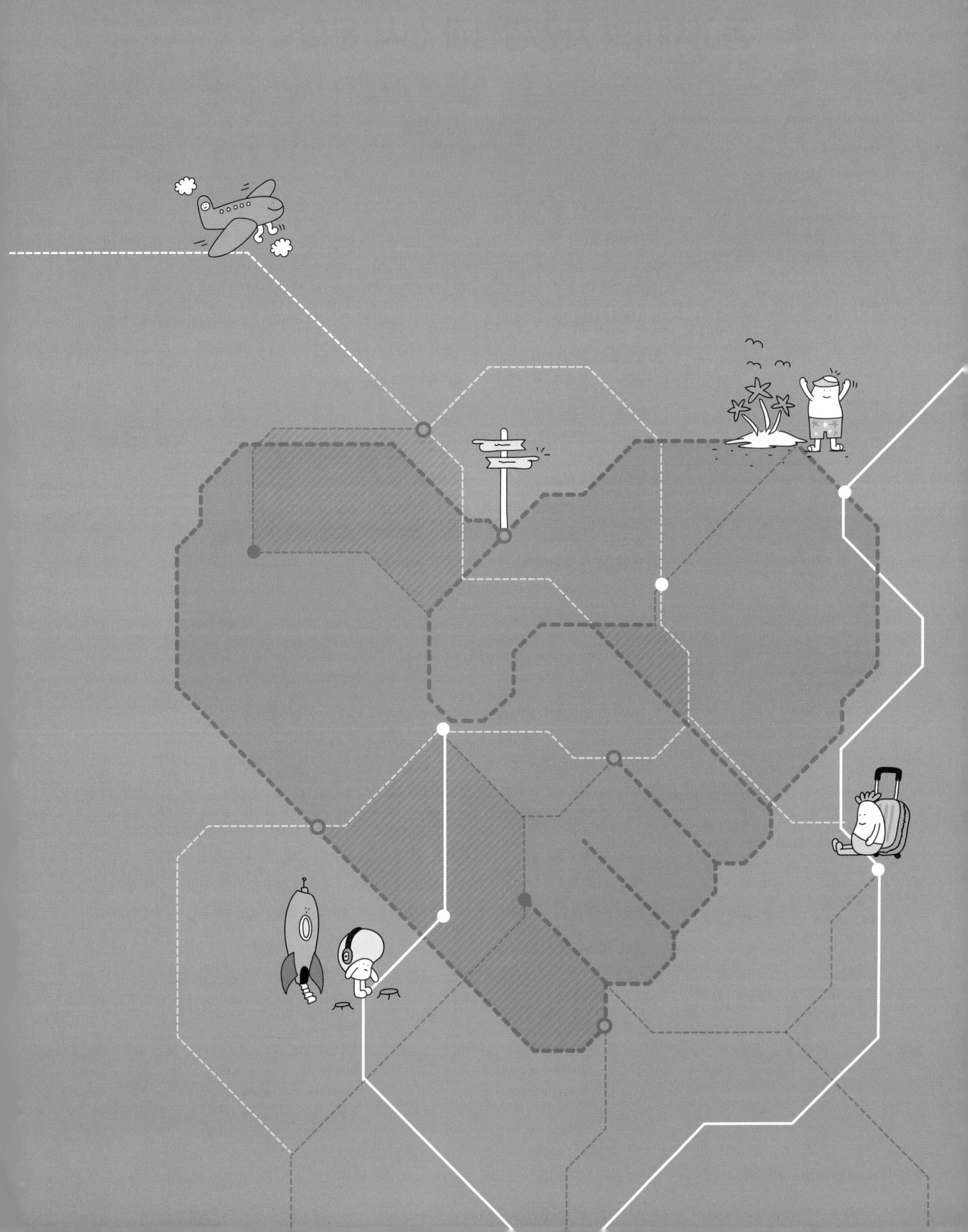

01 동아시아의 자연환경과 선사 문화

학습목표
- 동아시아의 자연환경에 따른 생업의 특징을 설명하고, 농경민과 유목민의 생활 모습을 구분할 수 있다.
- 동아시아 각 지역의 선사 문화를 유물을 중심으로 비교할 수 있다.

1 동아시아와 동아시아사 학습

이것이 핵심!

동아시아 세계의 형성

지리적 범위	동서로 일본 열도~티베트고원, 남북으로 베트남 북부~몽골고원
국가	한국, 중국, 일본, 몽골, 베트남 등
민족	한민족, 한족, 일본 민족, 몽골족, 비엣족 등
문화적 특성	한자, 불교, 유교, 율령 등의 문화 요소 공유

★ **일본 열도**
네 개의 큰 섬(홋카이도, 혼슈, 시코쿠, 규슈)과 오키나와를 비롯한 여러 개의 부속 섬으로 이루어져 있다.

★ **베트남 북부**
베트남의 지형은 남북으로 길어 지역 간의 문화적 차이가 나타난다. 북부는 동아시아 문화권에 속하고, 남부는 인도 문화의 영향을 많이 받았다.

1. 동아시아 세계

(1) **지리적 범위**: 동서로 *일본 열도에서 티베트고원, 남북으로 *베트남 북부에서 몽골고원
└ 동아시아는 유라시아 대륙의 동쪽에 있고 북서 태평양과 접해 있어.

(2) **국가와 민족 구성**

국가	한국, 중국, 일본, 몽골, 베트남 등
민족	한민족, 한족, 일본 민족, 몽골족, 위구르족, 티베트족, 비엣족 등

└ 위구르족: 중국의 신장 위구르 자치구와 중앙아시아에 살고 있는 튀르크계 소수 민족이야.

(3) **문화적 특성**: 한자, 불교, 유교, 율령 등의 문화 요소를 공유하는 동아시아 문화권 형성

2. 오늘날의 동아시아 자료①

(1) **교류**: 경제적·인적·문화적 교류 증가 → 세계 경제에서 동아시아 경제권의 비중 확대, 동아시아 국가 간 상호 의존도 증대, 국가 간 협력 모색(동아시아 공동체 설립 구상)
└ 지리적으로 인접한 국가 간에 경제 협력 강화를 위한 경제 공동체의 필요성이 커지고 있어.

(2) **갈등**: 역사 인식의 차이, 영토 주권 등을 둘러싸고 발생 → 동아시아 공동체의 평화 위협
└ 예 센카쿠 열도(댜오위다오)를 둘러싼 일본과 중국의 갈등

3. 동아시아사 학습

(1) **동아시아사 학습의 의의**: 동아시아 각국의 역사적 독자성과 공통점 파악 → 동아시아 국가 간의 신뢰 회복, 동아시아 세계의 당면 과제 이해 및 해결 방안 모색

(2) **동아시아사 학습에 필요한 자세**: 객관적이고 균형 잡힌 시각 유지, 동아시아 각국의 역사와 문화 존중, 상호 협력과 평화 추구

2 동아시아의 자연환경과 생업

이것이 핵심!

동아시아의 자연환경

지형	서쪽에서 동쪽으로 갈수록 점점 낮아짐(서쪽에 티베트고원 위치, 동쪽에 큰 강과 평원 지대 분포)
기후	열대에서 한대까지 다양한 기후 분포, 계절풍과 장마 전선의 영향으로 여름철 강수량이 많음

★ **홍강**
베트남의 수도 하노이를 거쳐 남중국해로 흐르는 강

★ **계절풍**
계절에 따라 주기적으로 일정한 방향으로 부는 바람

1. 동아시아의 지형: 서쪽에서 동쪽으로 갈수록 점점 낮아짐 자료②

서쪽	평균 해발 고도 4,500m 이상의 티베트고원 위치, 높고 험준한 지형
동쪽	구릉과 평원 지대 분포, 황허강·창장강 등 큰 강 발달, 일본 열도와 타이완 등 다수의 섬 존재
북쪽	몽골고원 위치, 사막과 초원 분포, 토양이 척박한 편임
남쪽	베트남 북부 *홍강 하류에 삼각주 형성

└ 일본 열도와 타이완 등: 이 지역은 평야가 적고 산지가 많은 편이야. 환태평양 조산대에 속해 화산 활동과 지진이 자주 일어나고 있어.

2. 동아시아의 기후: 다양한 기후 분포(열대, 건조, 온대, 냉대, 고산 기후 등) 자료②

(1) ***계절풍의 영향**: 겨울에는 기온이 낮고 강수량이 적음, 여름에는 기온이 높고 강수량이 많음

(2) **장마 전선 형성**: 여름철에 형성 → 태평양 연안, 한반도, 일본 열도 등에 많은 비를 내림
└ 북태평양 기단과 오호츠크해 기단이 충돌하여 만들어지는 전선이야.

3. 동아시아의 생업: 기온과 강수량 등 기후 조건에 따라 구분 자료③

기온과 강수량	주요 생업	해당 지역
연평균 기온이 높고 강수량이 풍부함(연 강수량 600mm 이상)	벼농사	중국 화이허강 이남, 한반도 중·남부, 일본 혼슈 이남, 베트남 등
벼농사 지역보다 기온이 낮고 강수량이 적음(연 강수량 400~600mm)	밭농사	중국 화이허강 이북, 만주, 한반도 북부, 일본의 홋카이도 등
기온이 낮고 강수량이 적음(연 강수량 400mm 미만)	유목	만주 일부, 몽골, 티베트 등
	수렵과 어로	한반도 동·북부, 연해주 등

완자 자료 탐구

내 옆의 선생님

자료 1 동아시아 국가 간의 교류 증대

중국, 일본, 베트남 등 동아시아 국가들이 한국의 무역에 큰 비중을 차지하고 있다는 것을 알 수 있어.

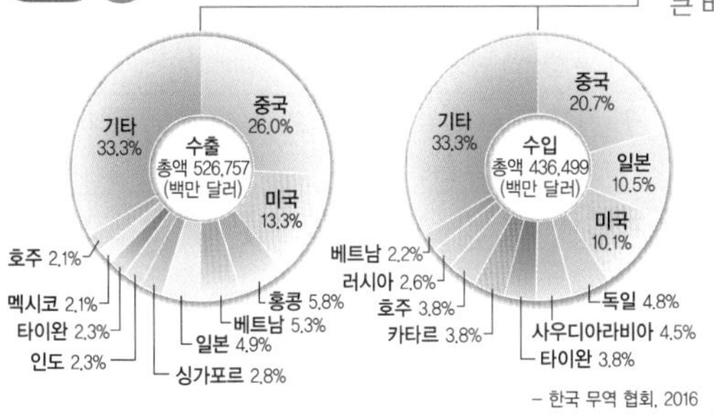

한국의 국가별 수출입 현황(2015)

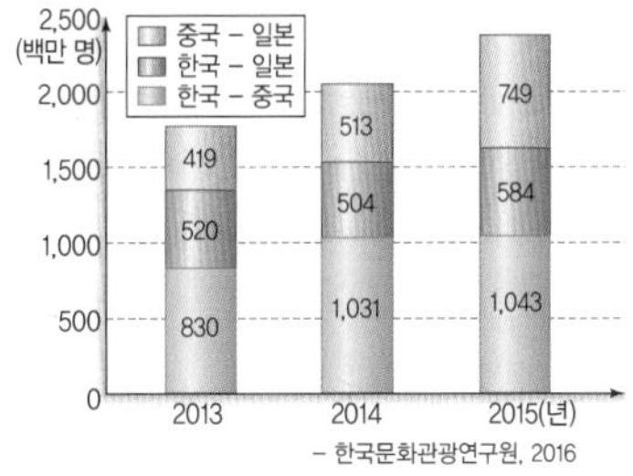

한국, 중국, 일본의 관광 교류 규모

오늘날 동아시아 국가들은 상호 긴밀한 관계를 형성하고 있다. 국가 간 물품 교역과 관광객을 비롯한 인적 교류가 증가하였고, 문화 교류도 확대되었다. 이처럼 동아시아 세계의 상호 의존도가 높아지면서 국가 간 협력이 더욱 중요해지고 있다.

자료 2 동아시아의 지형과 기후

대륙 내부로 갈수록 건조하고 기온의 연교차가 큰 대륙성 기후가 뚜렷하게 나타나.

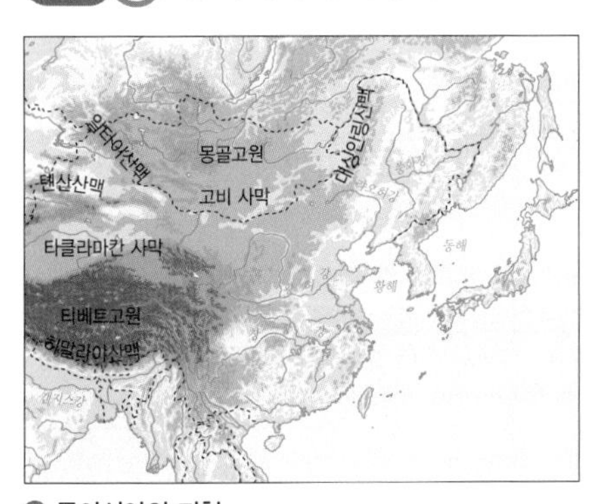

동아시아의 지형

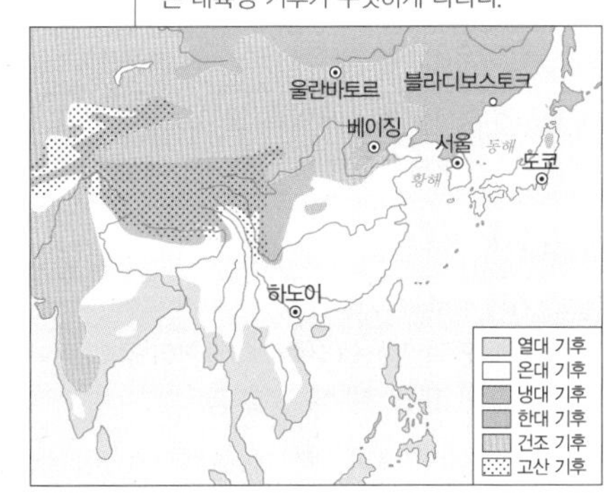

동아시아의 기후

동아시아의 지형은 서쪽의 티베트고원을 중심으로, 동쪽으로 갈수록 점차 낮아지는 형세이다. 기후는 열대에서 한대까지 다양하게 나타나며, 중국 본토의 태평양 연안·한반도·일본 열도 등은 계절풍의 영향을 많이 받는다.

자료 3 동아시아의 생업 구분

중국 남부, 일본 규슈 남부, 베트남 등은 기온이 높고 강수량이 풍부해서 벼의 이기작이 가능해.

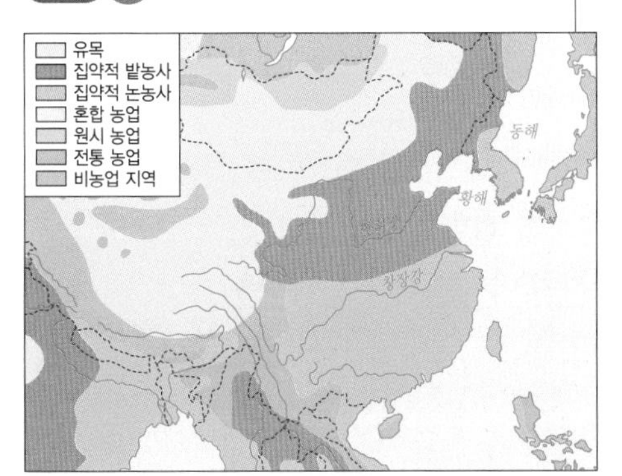

기온과 강수량 등의 기후 조건은 동아시아 각 지역의 생업에 큰 영향을 미쳤다. 중국 동부, 한반도 중·남부, 일본 열도 등지에서는 연평균 기온이 높고 강수량이 풍부하여 주로 농업이 이루어진다. 이와 달리 몽골고원, 티베트고원 등지에서는 기온이 낮고 강수량이 적어 유목이 행해진다.

동아시아의 생업

문제로 확인할까?

오늘날의 동아시아 지역에 대한 설명으로 옳지 않은 것은?

① 국가 간 상호 의존도가 높아지고 있다.
② 지역 공동체 설립의 필요성이 제기되고 있다.
③ 국가 간 경제적·인적·문화적 교류가 증가하고 있다.
④ 영토 분쟁과 역사 인식의 차이 등으로 갈등이 발생하고 있다.
⑤ 세계 경제에서 동아시아 경제권이 차지하는 비중이 낮아지고 있다.

⑤ 답

자료 하나 더 알고 가자!

동아시아 여러 국가의 면적과 인구 구성

국가	면적(km^2)	인구(명)
대한민국	99,720	50,924,172
중국	9,596,960	1,373,541,278
일본	377,915	126,702,133
몽골	1,564,116	3,031,330
베트남	331,210	95,261,021

동아시아 인구의 대부분은 고도가 낮은 중국 동부 지역, 만주, 한반도, 일본 열도 지역에 거주하고 있어. 반면, 초원이나 사막이 대부분인 티베트고원과 몽골고원 등은 인구 밀도가 낮아.

정리 비법을 알려줄게!

동아시아의 생업

다양한 지형 분포, 지역별 강수량의 차이

↓

벼농사	연 강수량 600mm 이상인 지역(중국 화이허강 이남, 한반도 중·남부 등)
밭농사	연 강수량 400~600mm(중국 화이허강 이북, 한반도 북부 등)
유목	연 강수량 400mm 미만(만주 일부, 몽골, 티베트 등)

01 동아시아의 자연환경과 선사 문화

이것이 핵심!

농경 사회와 유목 사회

구분	농경 사회	유목 사회
생업	농업	목축, 수렵
주거 방식	경작지 근처에서 정착 생활	계절에 따른 이동 생활
사회 모습	사회 조직 발달 → 국가 형성	부족 단위로 생활, 유목 국가 건설
상호 관계	필요한 물품 교역, 서로의 생활 범위 침범 및 약탈	

★ 우경
소를 이용하여 논밭을 가는 경작 방법이다. 노동력이 절감되고, 땅을 깊이 갈 수 있어서 지력이 빨리 회복되었다.

★ 시비법
토양이나 작물에 비료를 공급하여 농작물의 생육을 촉진시키는 농작법

★ 유목민의 가옥
유목민은 이동 생활을 위해 조립과 해체가 쉬운 이동식 가옥에서 거주하였다. 몽골의 초원 지대에서는 나무로 뼈대를 세우고 그 위에 가죽이나 천으로 덮어 만든 게르가 보급되었다.

몽골의 전통 가옥인 게르

★ 흉노
동아시아에서 최초로 유목 국가를 세운 민족이다. 진·한 대에 몽골고원을 중심으로 초원 지대를 장악하여 북방의 강력한 세력으로 성장하였다.

★ 농경민과 유목민의 상호 인식
농경민은 유목민을 약탈을 일삼고 도덕성을 갖추지 못하였다고 인식하였다. 반면, 유목민은 농경민을 땅에 얽매여 사는 부자유스러운 존재로 인식하였다.

3 동아시아의 농경과 목축

1. 농경과 농경민의 생활

(1) 밭농사와 벼농사 자료④

밭농사	기원전 8000년경 황허강 유역에서 시작, 조·수수·기장·콩 등 잡곡 재배, 토양 유실과 지력 감소가 심해 생산력이 상대적으로 낮음(지력 유지를 위해 *우경, *시비법 등 활용)
벼농사	기원전 6000년경 창장강 유역에서 시작, 단위 면적당 생산성이 높음 → 한반도, 일본 열도, 베트남 등 동아시아 여러 지역으로 전파

- 생육 기간이 짧고 척박한 환경에서도 잘 자라는 장점이 있어.
- 벼농사는 집중적인 노동력과 다양한 농기구가 필요하기 때문에 사람이 함께 이동하면서 전파되었을 것으로 보고 있어.

(2) 농경민의 생활 자료⑤

생업 활동	계절에 맞추어 씨를 뿌리고 곡물 수확, 저수지·제방 등 대규모 수리 시설 설치, 개간과 간척 등으로 농경지 확보
사회 모습	경작지 근처에서 정착 생활, 하늘을 신앙의 대상으로 숭배, 토지 관리와 공동 경작을 위해 사회 조직 발달(→ 국가 형성)

왜? 농경민은 농작물의 성장과 수확에 영향을 주는 비를 중요하게 여겼고, 하늘에서 비를 내려 준다고 믿어 하늘을 숭배하였어.

2. 목축과 유목민의 생활

(1) 목축

① 실시 지역: 강수량이 적고 기온이 낮아 곡물 재배가 어려운 고원 및 초원 지대

② 방식

방목	목초지가 충분할 때 이루어짐, 일정한 구역 안에 가축을 풀어놓고 기름
유목	목초지가 충분하지 못할 때 이루어짐, 계절에 따라 이동하면서 가축을 기름

(2) 유목민의 생활 자료⑥

생업 활동	가축 사육과 수렵 병행, 계절에 따라 이동 생활(*이동식 가옥 발달)
사회 모습	부족 단위로 생활(부족장의 권한이 강함), 우수한 기마 능력과 전투 능력을 바탕으로 유목 국가 건설(*흉노, 돌궐, 위구르, 몽골 등)

(3) 가축의 활용: 식량(고기, 젖, 유제품 등), 의복과 생활용품(가죽, 털), 땔감(배설물), 이동·운반·전투 수단 등으로 활용

- 안장과 등자가 발명되어 말 위에서 안정적으로 활을 쏠 수 있게 되면서 전투력이 더욱 강해졌어.

3. 농경민과 유목민의 관계

(1) 교역: 농경민의 곡물, 차, 황금, 비단 등 ↔ 유목민의 가축, 모피, 말 등

(2) 충돌: 교역이 제한되거나 물자가 부족할 때 충돌 → 농경민은 경작지를 확보하기 위해 목초지 침략, 유목민은 생필품을 확보하기 위해 농경지 약탈

(3) *상호 인식: 생업의 차이에 따른 이질성, 교역과 충돌 반복 → 서로에 대한 편견 형성

잠깐! 농경과 유목은 자연환경에 적응한 결과 나타난 생활 모습이야. 문화의 우열을 나타내는 것이 아님을 기억해 두자.

4. 수렵과 어로 생활

(1) 수렵 생활

① 실시 지역: 삼림이 넓게 분포한 지역(만주, 연해주, 한반도 북부 지역 등)

② 방식: 사슴, 멧돼지 등 사냥(농경만으로 충족하기 어려운 식량 자원 보충)

- 농경이 발달한 후에도 농한기에 꾸준히 수렵 활동을 전개하였어.

(2) 어로 생활

① 실시 지역: 큰 강 주변이나 해안가

② 방식: 조개 채취, 물고기잡이, 고래 사냥 등

자료 4 동아시아의 농경

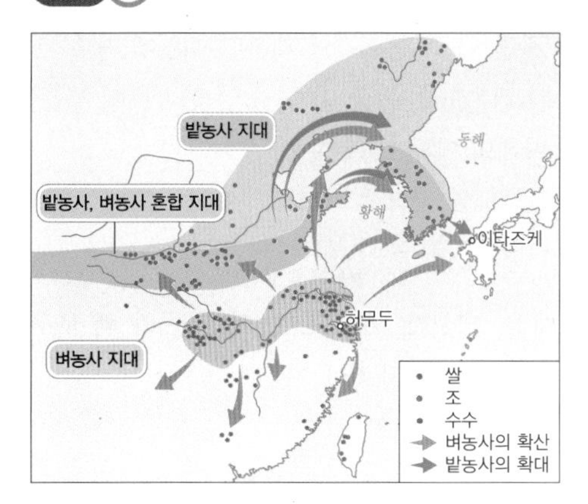

농경은 연평균 기온이 높고 강수량이 풍부한 지역을 중심으로 이루어진다. 벼농사는 창장강 유역에서 시작되어 주변으로 확산되었다. 창장강 유역과 한반도 남부 지역은 오늘날에도 벼농사의 비중이 높은 편이다. 한편, 황허강 유역에서 시작된 밭농사는 만주 일대와 한반도 북부 등 강수량이 비교적 적고 기온이 낮은 지역에서 주로 이루어진다.

◀ 농경의 분포와 확산

정리 비법을 알려줄게!

밭농사와 벼농사

구분	밭농사	벼농사
시작	기원전 8000년경, 황허강 유역	기원전 6000년경, 창장강 유역
특징	• 잡곡 중심 재배(작물의 생육 기간이 짧고, 척박한 환경에서도 잘 자람) • 토양 유실과 지력 감소가 심해 생산성이 낮음	• 재배 과정이 복잡함 • 많은 노동력과 다양한 농기구가 필요함 • 다른 작물에 비해 단위 면적당 생산성이 높음

자료 5 농경민의 생활

마한 사람들이 농경을 바탕으로 정착 생활을 하였음을 알 수 있어.

> 마한의 백성은 토착 생활을 하였으며, 곡식을 심으며 누에치기와 뽕나무를 가꿀 줄을 알고 면포를 만들었다. …… 해마다 5월이면 씨뿌리기를 마치고 제사를 지낸다. 떼를 지어 모여서 노래와 춤을 즐기며 술을 마시고 노는데 밤낮을 가리지 않는다. …… 10월에 농사일을 마치고 나서도 이렇게 한다.
>
> –『삼국지』 위서 동이전

▲ 농경 지대

농경민은 계절의 변화에 따라 씨를 뿌리고 곡물을 수확하였다. 사람들은 경작지 근처에 마을을 이루고 정착 생활을 하였으며, 공동으로 수리 시설과 제방을 만들었다. 이 과정에서 권력이 소수에 집중되고 국가 조직이 만들어졌다.

문제로 확인할까?

농경민의 생활 모습으로 옳지 않은 것은?

① 하늘을 신앙의 대상으로 숭배하였다.
② 개간과 간척 등으로 농경지를 확보하였다.
③ 조립과 분해가 쉬운 이동식 가옥에 거주하였다.
④ 경작지 근처에 마을을 이루고 정착 생활을 하였다.
⑤ 농사를 짓기 위해 대규모 수리 시설과 제방을 만들었다.

③ 답

자료 6 유목민의 생활

유목 사회에서는 큰 힘이 필요한 일이 많아 상대적으로 노인의 역할이 크지 않았는데, 농경 사회에서는 이를 도덕에 어긋난다고 보았어.

> 흉노는 물과 풀을 따라 옮겨 다녀 성곽이나 일정한 주거지가 없고 농사를 짓지도 않는다. …… 한가할 때는 가축을 기르면서 새나 짐승을 사냥하는 것을 생업으로 삼고, …… 장정들이 살지고 기름진 음식을 먹고, 노약자가 나머지를 먹는다. 건장한 자를 소중히 여기고 노약자를 가볍게 여기는 것이다.
>
> –『사기』 흉노 열전

▲ 유목 활동

초원 지대에서 생활한 유목민들은 계절의 변화에 따라 이동 생활을 하였고, 이동 수단과 식량 및 생필품을 얻기 위해 가축 사육과 수렵을 병행하였다. 유목민은 평소 부족 단위로 생활하였으며, 뛰어난 기마 능력과 전투 능력을 바탕으로 유목 국가를 건설하기도 하였다.

자료 하나 더 알고 가자!

유목민의 이동 생활

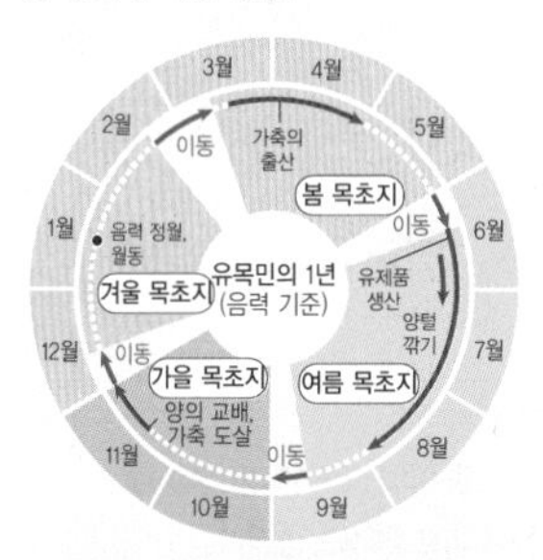

유목민의 이동은 정처 없이 떠돌아다니는 방랑이 아니고, 일정한 반경 안에서 계절에 따라 주기적으로 오가는 이동이야.

01 동아시아의 자연환경과 선사 문화

이것이 핵심!

동아시아의 구석기 문화

생활 모습	채집·수렵·어로 생활, 이동 생활, 뗀석기·뼈 도구 사용
변화	기온과 해수면 상승 → 오늘날과 같은 동아시아 지형 형성

★ 주먹도끼

동물의 가죽을 벗기거나 나무를 다듬을 때 사용하였다.

4 동아시아의 구석기 문화

1. 구석기 문화의 등장 자료 ⑦

(1) **동아시아인의 등장**: 약 170만 년 전 등장 → 약 20만 년 전 동아시아 대부분 지역에 거주

└ 중국 남서부 위안머우에서 인류의 치아 화석이 발견되었어.

(2) **동아시아 인류의 흔적**: 중국 시허우두, 한국 상원 검은모루 동굴 및 연천 전곡리 등에 분포, 중국 위안머우, 베이징 등에서 호모 에렉투스 단계의 인류 화석 발굴

(3) **현생 인류의 출현**: 약 4만 년 전 출현, 후기 구석기 문화 영위

2. 구석기 시대의 생활

(1) **생활 모습**: 채집·수렵·어로 생활, 불과 언어 사용, 뗀석기(*주먹도끼, 찍개 등)와 뼈 도구 사용, 사냥감을 따라 무리지어 이동 생활(동굴이나 강가의 막집에 거주)

└ 꼭! 하나의 석기를 여러 가지 용도로 사용하였다가 점차 용도에 맞게 다양한 석기를 제작하였어.

(2) **예술 활동**: 동굴 벽이나 바위에 동물을 그려 사냥의 성공 기원

3. 구석기 시대의 변화

기원전 1만 년경 마지막 빙하기가 끝날 무렵 기온과 해수면 상승 → 한반도와 일본 열도 분리(→ 오늘날과 같은 동아시아 지형 형성), 작고 날렵한 동물 번성

└ 매머드와 같은 대형 동물이 줄어들고, 사슴이나 멧돼지 등 작고 빠른 동물이 번성하였어.

이것이 핵심!

동아시아 각 지역의 신석기 문화

황허강 유역	양사오 문화, 다원커우 문화 형성 → 룽산 문화로 발전
창장강 유역	허무두 문화 형성 → 량주 문화로 발전
랴오허강 유역	훙산 문화 형성(채도, 옥기 제작)
만주·한반도	빗살무늬 토기 문화 형성
일본 열도	조몬 문화 형성(조몬 토기 제작)

★ **신석기 혁명**
영국의 고고학자 고든 차일드는 농경과 목축의 시작이 산업 혁명과 더불어 인류 사회 발전에 크게 영향을 미쳤다고 보고, 이를 신석기 혁명이라고 하였다.

★ **애니미즘**
태양, 강 등 자연물에 영혼이 있다고 믿어 이를 숭배하는 신앙

★ **토테미즘**
특정한 동식물이나 자연물을 자신들의 조상신이라고 여기는 신앙

5 동아시아의 신석기 문화

1. 신석기 시대의 생활 자료 ⑧

(1) **새로운 생활 양식의 출현**: 자연환경과 생태계 변화 → 농경과 목축 시작(*신석기 혁명)

(2) **생활 모습**: 큰 강이나 해안가에 정착 생활(움집 거주), 간석기(돌화살, 갈판, 갈돌 등) 사용, 토기 사용(곡물 보관, 음식 조리), 뼈 도구 제작(뼈바늘)

└ 움집: 50~60cm 정도 땅을 파고 가운데와 둘레를 따라 기둥을 세운 후 그 위에 지붕을 덮는 형태로 만들어졌어.

└ 뼈바늘: 옷감과 그물을 제작하는 데 사용되었어.

(3) **신앙 활동**: *애니미즘, *토테미즘, 조상 숭배 등 → 공동으로 제사 의식 거행

(4) **사회 변화**: 씨족 중심의 마을 형성, 씨족 구성원들 사이에 분업 발생, 규약 제정, 부족장의 권한 강화

└ 구성원들 사이에 갈등이 늘어나자, 이를 해결하기 위해 규약이 만들어졌어.

2. 동아시아 각 지역의 신석기 문화 교과서 자료

황허강	중류	양사오 문화: 밭농사 위주, 채도 제작	룽산 문화로 발전: 흑도·회도 제작, 회전판을 사용하여 토기 제작
	하류	다원커우 문화: 밭농사 위주, 홍도·흑도·백도 제작	
창장강 유역		허무두 문화: 벼농사 실시, 흑도·회도·홍회도 제작, 고상 가옥에서 생활	량주 문화로 발전: 주로 옥기 제작
랴오허강 유역		훙산 문화: 밭농사 실시, 채도 제작, 옥기(용 모양, 여신상 등) 제작, 대규모 신전 유적 발견	
만주·한반도		• 경제: 조·기장 등 잡곡류 재배(돌괭이, 돌보습 등 사용), 수렵·채집·어로 병행 • 토기: 이른 민무늬 토기, 덧무늬 토기 제작 → 빗살무늬 토기 문화 형성	
일본 열도		조몬 문화: 농경보다 수렵·채집·어로로 식량 확보, 조몬 토기 제작, 여성 모양의 토우 제작(풍요와 다산 기원)	

└ 조몬 토기: 표면에 새끼줄 무늬가 새겨져 있어.

3. 신석기 문화의 교류

(1) **교류**: 동아시아 지역 간 신석기 문화의 교류가 이루어짐

(2) **사례**: 덧무늬 토기(동아시아 지역 전반에 분포), 흑요석(일본 규슈 지역에서 한반도 동남부로 전파), 벼농사(창장강 유역에서 시작, 한반도·일본 열도 등지로 전파) 등

완자 자료 탐구

내 옆의 선생님

자료 7 동아시아의 구석기 인류

동아시아의 구석기 문화는 약 100만 년 전부터 나타났고, 동아시아 대부분의 지역에 사람들이 살게 된 것은 약 20만 년 전이다. 약 4만 년 전에는 현생 인류가 출현하여 후기 구석기 문화를 일구었다. 중원 지역의 베이징인과 산딩둥인, 한반도의 흥수아이, 일본 열도의 미나토가와인 등이 대표적인 구석기 인류이다.

문제로 확인할까?

구석기 시대의 생활 모습으로 옳지 않은 것은?

① 뗀석기를 사용하였다.
② 평등 사회를 이루었다.
③ 무리를 지어 이동 생활을 하였다.
④ 토기를 만들어 식량을 저장하였다.
⑤ 동굴 벽이나 바위에 동물 그림을 그렸다.

답 ④

자료 8 신석기 시대의 생활 모습

집터 유적

곡식이나 열매의 껍질을 벗기고 가루를 내는 데 사용되었어.

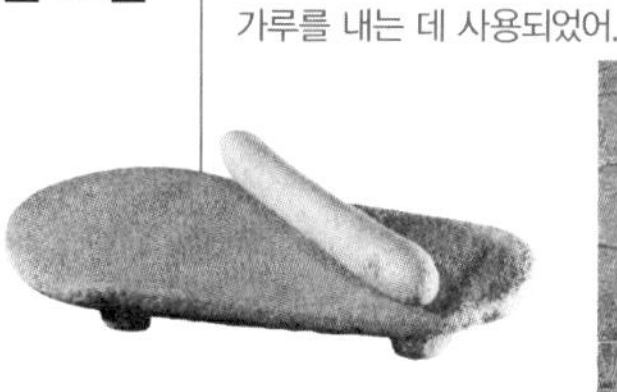
갈돌과 갈판

바위에 사람 얼굴, 태양 등이 그려져 있어.

장군애 바위그림

신석기 시대에 이르러 인류는 농경과 목축을 시작하였다. 그에 따라 정착 생활을 하였고, 갈돌과 갈판 등 다양한 간석기를 만들어 사용하였다. 한편, 사람들은 풍성한 수확을 기원하면서 자연물이나 자연 현상, 또는 조상을 신으로 모시고 공동으로 제사를 지냈다.

정리 비법을 알려줄게!

신석기 시대의 생활

경제	농경과 목축 시작
도구	간석기 사용, 토기 제작
거주	정착 생활(움집 거주)
사회	씨족 중심의 마을 형성
신앙	애니미즘, 토테미즘, 조상 숭배

문제로 확인할까?

신석기 시대 사람들은 돌을 작고 정교하게 갈아 만든 (　　　)를 사용하였다.

답 간석기

수능이 보이는 교과서 자료 동아시아의 신석기 문화

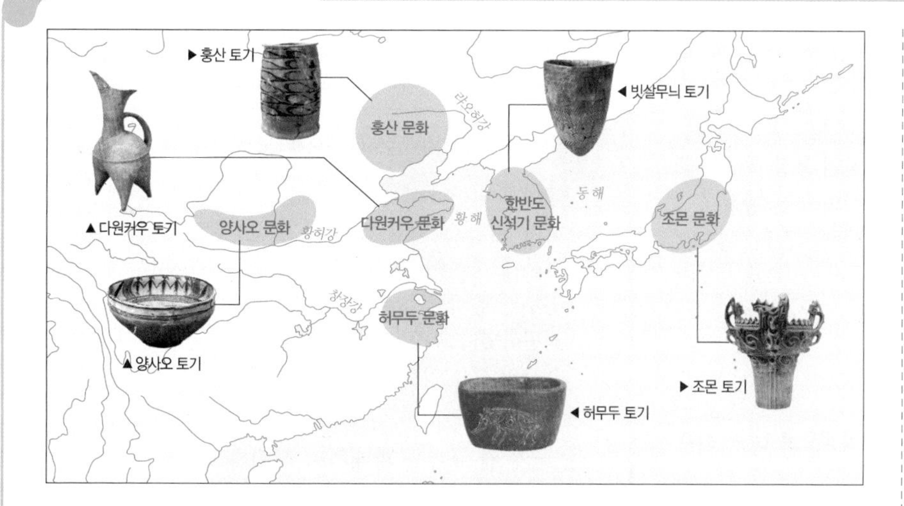

동아시아에서는 큰 강과 해안가를 중심으로 각기 고유한 신석기 문화가 형성되었다. 중원 지역에서는 양사오 문화, 다원커우 문화 등이 발전하였다. 만주와 한반도 지역에서는 빗살무늬 토기 문화가 나타났고, 일본 열도에서는 조몬 문화가 발전하였다.

완자샘의 탐구 강의

• 동아시아 신석기 문화의 특징을 토기를 중심으로 비교해 보자.

구분	특징	토기
다원커우 문화	황허강 하류 지역에서 형성, 양사오 문화와 함께 룽산 문화로 발전	홍도, 흑도, 백도 등
허무두 문화	창장강 유역에서 형성, 벼농사 실시, 량주 문화로 발전	흑도, 회도, 홍회도 등
조몬 문화	일본 열도에서 발전, 수렵·채집·어로 중심, 토우 제작	조몬 토기

함께 보기 23쪽, 1등급 정복하기 5

STEP 1 핵심 개념 확인하기

정답친해 02쪽

STEP 2 내신 만점 공략하기

1 다음 설명이 맞으면 ○표, 틀리면 ×표를 하시오.

(1) 동아시아 지역은 계절풍의 영향을 받아 겨울철에 강수량이 많다. ( )

(2) 동아시아의 지형은 동쪽에서 서쪽으로 갈수록 고도가 점점 낮아진다. ( )

(3) 동아시아 지역 중 연 강수량이 400mm 미만인 곳에서는 유목이 발달하였다. ( )

2 ㉠, ㉡에 들어갈 내용을 각각 쓰시오.

> (㉠)는 기원전 8000년경에 황허강 유역에서 시작되었고, 조·수수·기장·콩·보리 등의 잡곡을 재배하였다. (㉡)는 기원전 6000년경에 창장강 유역에서 시작되어 한반도, 일본 열도 등 동아시아 여러 지역으로 전파되었다.

3 다음 괄호 안의 내용 중 알맞은 말에 ○표를 하시오.

(1) 농경민은 계절에 맞추어 농사를 지었고, (이동, 정착) 생활을 하였다.

(2) 유목민은 부족을 중심으로 생활하였으며 부족장의 권한이 (강하였다, 약하였다).

4 각 시대의 생활 모습을 〈보기〉에서 고르시오.

보기

ㄱ. 간석기 사용 ㄴ. 원시 신앙의 등장

ㄷ. 동굴이나 막집에 거주 ㄹ. 씨족 중심의 마을 형성

(1) 구석기 시대 ( )

(2) 신석기 시대 ( )

5 창장강 유역에서 형성되었으며, 옥기를 특징으로 하는 량주 문화로 발전한 신석기 문화는?

6 신석기 시대 초기 한반도에서는 이른 민무늬 토기와 덧무늬 토기가 만들어졌고, 이후 ( )가 제작되었다.

01 선생님의 질문에 옳은 답변을 한 학생을 모두 고른 것은?

① 갑, 을 ② 갑, 병 ③ 을, 병
④ 을, 정 ⑤ 병, 정

02 다음 신문 기사에 나타난 갈등을 해결하기 위한 방안으로 적절하지 <u>않은</u> 것은?

> **동아시아사 신문**
>
> **센카쿠 열도(댜오위다오)를 둘러싼 갈등**
>
> 중국과 일본이 센카쿠 열도(댜오위다오)의 영유권을 놓고 또다시 충돌하였다. 센카쿠 열도는 일본이 실효 지배하는 가운데 중국이 영유권을 주장하는 지역이다. 최근 일본 정부가 중국 해경국 배 3척이 센카쿠 열도 인근 영해를 침범하였다고 중국 측에 항의하자, 중국은 센카쿠 열도가 중국의 고유 영토라며 강하게 반발하였다.

① 국가 간 교류를 확대하여 신뢰를 회복한다.
② 평화와 공존의 가치를 추구하는 태도를 갖는다.
③ 배타적 민족주의를 바탕으로 해결 방안을 모색한다.
④ 영토를 둘러싼 갈등이 일어나게 된 배경을 파악한다.
⑤ 균형 잡힌 시각으로 동아시아의 과거와 현재를 탐구한다.

03 (가) 지역의 지리적 특징으로 옳은 것은?

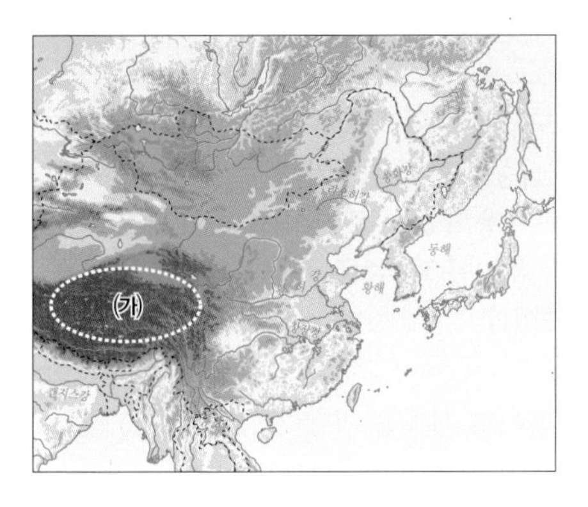

① 사막과 초원이 분포한다.
② 낮고 평평한 지대가 나타난다.
③ 넓은 삼각주가 형성되어 있다.
④ 세계에서 가장 높은 고원 지대이다.
⑤ 화산 활동과 지진이 자주 일어난다.

중요
04 (가)~(다)에 대한 설명으로 옳은 것은?

동아시아의 생업

주요 생업	연 강수량	해당 지역
(가)	600mm 이상	중국 화이허강 이남, 한반도 중·남부, 일본 혼슈 이남 등
(나)	400~600mm	중국 화이허강 이북, 한반도 북부, 일본의 홋카이도 등
(다)	400mm 미만	만주 일부, 몽골, 티베트 등

① (가) – 조, 수수, 기장 등 잡곡을 주로 재배한다.
② (가) – 지력 감소가 심해 생산력이 상대적으로 낮다.
③ (나) – 일부 지역에서 벼의 이기작이 이루어진다.
④ (나) – 여름에 기온이 높고 강수량이 풍부하여 벼농사에 유리하다.
⑤ (다) – 계절에 따라 일정한 지역을 오가며 가축을 기른다.

중요
05 지도의 경로를 따라 전파된 작물에 대한 설명으로 옳지 않은 것은?

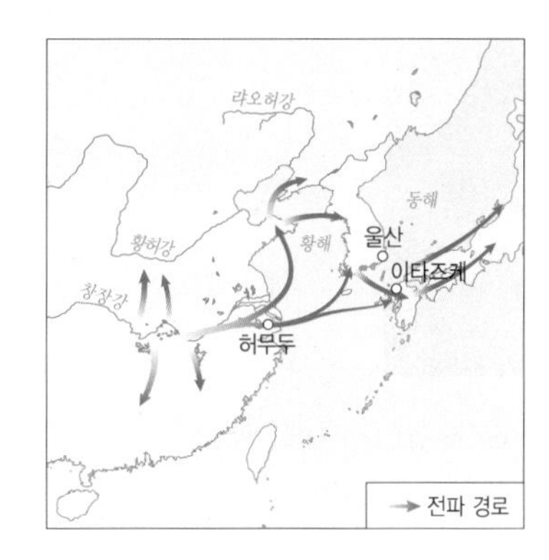

① 생육 기간이 짧고, 척박한 환경에서도 잘 자란다.
② 공동 노동을 위한 사회 조직 형성에 영향을 미쳤다.
③ 다른 작물에 비해 단위 면적당 생산성이 높은 편이다.
④ 재배 시 대규모 수리 시설과 다양한 농기구를 필요로 한다.
⑤ 인구의 이동과 함께 다른 지역에 전파되었을 것으로 추정한다.

06 자료와 같이 생활한 사람들에 대한 설명으로 옳은 것을 〈보기〉에서 고른 것은?

> 5무를 가진 집에 뽕나무를 심으면 오십 먹은 사람이 비단 옷을 입을 수 있고, 때를 놓치지 않고 닭, 돼지, 개를 기르면 칠십 먹은 사람이 고기를 먹을 수 있다. 100무의 땅에 때를 놓치지 않고 농사를 지으면 식구 수가 많아도 굶주리지 않을 것이고, 학교에서 효도와 우애를 힘써 가르치면, 머리가 희끗희끗한 사람들이 길에서 물건을 이고 지지 않아도 될 것이다. –『맹자』

보기
ㄱ. 경작지 근처에서 정착 생활을 하였다.
ㄴ. 저수지, 제방 등의 대규모 수리 시설을 축조하였다.
ㄷ. 안장과 등자를 이용하여 전투력을 크게 향상시켰다.
ㄹ. 가축의 털과 가죽으로 의복과 이동식 가옥의 천막을 만들었다.

① ㄱ, ㄴ ② ㄱ, ㄷ ③ ㄴ, ㄷ
④ ㄴ, ㄹ ⑤ ㄷ, ㄹ

07 다음과 같은 형태의 가옥에서 주로 거주한 사람들에 대한 설명으로 옳지 않은 것은?

① 계절에 따라 이동 생활을 하였다.
② 가축을 기르는 유목 생활을 하였다.
③ 대부분의 생필품을 가축으로부터 얻었다.
④ 가축의 가죽, 모피 등을 농경 지역의 곡물과 교환하였다.
⑤ 농경에 영향을 주는 비를 중요하게 여겼고, 하늘을 숭배하였다.

중요
08 지도에 표시된 인류에 대한 설명으로 옳은 것은?

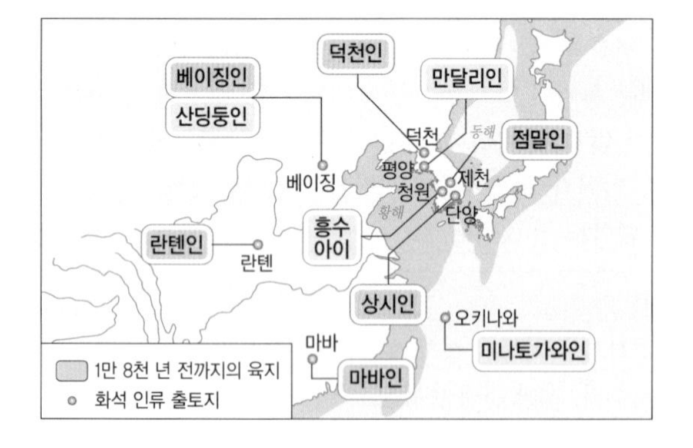

① 움집에 거주하였다.
② 무리지어 이동 생활을 하였다.
③ 강가나 구릉 지대에서 작물을 재배하였다.
④ 토기를 만들어 곡식이나 열매를 저장하였다.
⑤ 자신들의 조상을 신으로 모시고 제사를 지냈다.

09 다음 도구가 사용되기 시작한 시기의 생활 모습으로 옳지 않은 것은?

이 도구는 주로 동물을 사냥하는 데 쓰였으며, 짐승의 가죽을 벗기고 고기를 자르는 데에도 이용되었다. 또한 식물의 가지를 자르거나 뿌리를 채취하는 등 다양한 용도로 사용되었다.

① 채집과 물고기잡이로 식량을 얻었다.
② 동굴이나 강가에 막집을 짓고 살았다.
③ 작은 무리를 이루어 공동생활을 하였다.
④ 뼈바늘을 이용하여 옷과 그물을 만들었다.
⑤ 동굴 벽에 동물을 그려 사냥의 성공을 기원하였다.

10 다음 축제에서 체험할 수 있는 활동이 아닌 것은?

신석기 문화 축제

신석기인들의 생활을 경험해 볼 수 있는 행사에 초대합니다.
• 일시: ○○○○년 ○○월 ○○일
• 장소: □□ 박물관 체험 학습실

① 막집 모형 만들기 ② 토기에 무늬 그리기
③ 뼈바늘로 그물 만들기 ④ 사람 모양의 토우 만들기
⑤ 갈돌, 갈판으로 곡식 갈기

11 밑줄 친 '이 시대'의 사회 모습으로 옳은 것을 〈보기〉에서 고른 것은?

이 시대로 진입하면서 사람들은 돌을 갈고 정교하게 갈아 만든 간석기를 사용하였다.

보기
ㄱ. 계급이 분화되고 국가가 형성되었다.
ㄴ. 갈등을 해결하기 위한 규약이 만들어졌다.
ㄷ. 강력한 권력을 가진 지배자가 등장하였다.
ㄹ. 씨족 구성원들 사이에 분업이 이루어졌다.

① ㄱ, ㄴ ② ㄱ, ㄷ ③ ㄴ, ㄷ
④ ㄴ, ㄹ ⑤ ㄷ, ㄹ

12 중요 다음 신석기 문화의 유물로 옳은 것은?

황허강 하류 지역에서 발전한 이 문화에서는 처음에는 홍도가 만들어지다가 점차 흑도가 제작되었다. 이 흑도 제작 기술은 룽산 문화로 계승되었다.

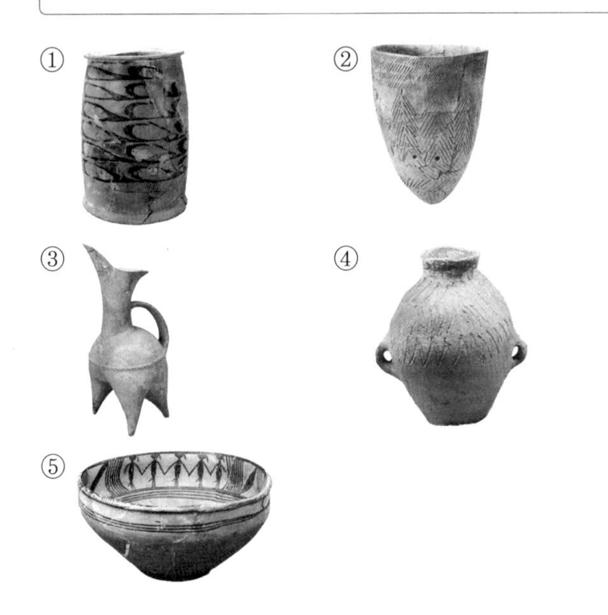

①
②
③
④
⑤

13 다음에서 설명하는 지역을 (가)~(마)에서 고른 것은?

대규모의 신전 유적이 발견되었으며, 돼지 머리를 한 용 모양의 옥기, 눈을 옥으로 만든 여성 머리 모양의 조각상 등이 출토되었다.

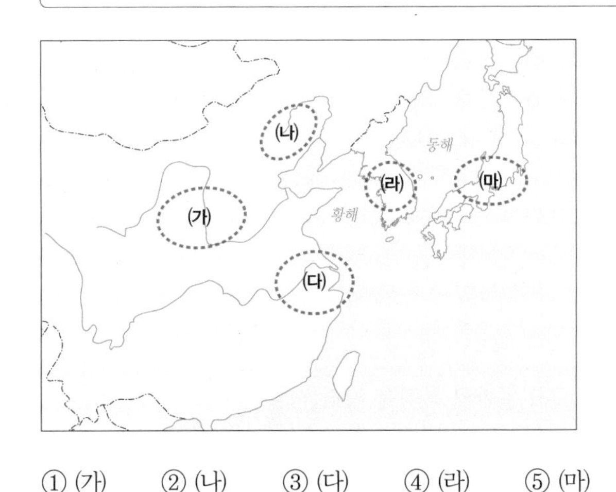

① (가)　② (나)　③ (다)　④ (라)　⑤ (마)

14 (가), (나) 토기에 대한 설명으로 옳은 것을 〈보기〉에서 고른 것은?

(가)　(나)

보기

ㄱ. (가) – 황허강 하류 지역에서 발굴되었다.
ㄴ. (가) – 허무두 문화를 대표하는 토기이다.
ㄷ. (나) – 토기 표면에 새끼줄 무늬가 새겨져 있다.
ㄹ. (나) – 랴오허강 유역에서 발전한 신석기 문화와 관련이 있다.

① ㄱ, ㄴ　② ㄱ, ㄷ　③ ㄴ, ㄷ
④ ㄴ, ㄹ　⑤ ㄷ, ㄹ

15 다음 유물이 발견된 지역의 신석기 문화에 대한 설명으로 옳은 것은?

이 유물은 흙으로 사람의 모습을 본떠 만든 토우이다. 여성의 모양을 하고 있는 이 토우가 발견된 지역에서는 사람들이 다산과 풍요를 기원하는 마음을 담아 여성 모양의 토우를 많이 제작한 것으로 보인다.

① 회전판을 사용하여 토기를 만들었다.
② 랴오허강 유역을 중심으로 발전하였다.
③ 움집 대신 고상 가옥을 지어 생활하였다.
④ 이른 민무늬 토기와 덧무늬 토기를 제작하였다.
⑤ 농경보다 어로, 사냥, 채집 등으로 생계를 유지하였다.

16 (가)에 들어갈 유물의 사진으로 적절한 것은?

동아시아사 유물 카드

(가)	• 시기: ○○○ 시대 • 지역: 만주와 한반도 일대 • 용도: 곡물 저장, 음식 조리 • 특징: 새기개를 이용하여 표면을 누르거나 그어서 무늬를 새김

①

②

③

④

⑤

17 (가)에 들어갈 내용으로 가장 적절한 것은?

탐구 주제: (가)

모둠별 활동 과제

1모둠: 벼농사의 전파 경로 분석

2모둠: 덧무늬 토기의 분포 지역 조사

3모둠: 한반도 동남부 지역의 흑요석 산지 조사

① 농경민의 생활 방식
② 신석기 문화의 교류
③ 자연환경에 따른 생업의 차이
④ 동아시아 지역의 구석기 문화
⑤ 농경 사회와 유목 사회의 교류

서술형 문제

● 정답친해 04쪽

01 다음 지도를 보고 물음에 답하시오.

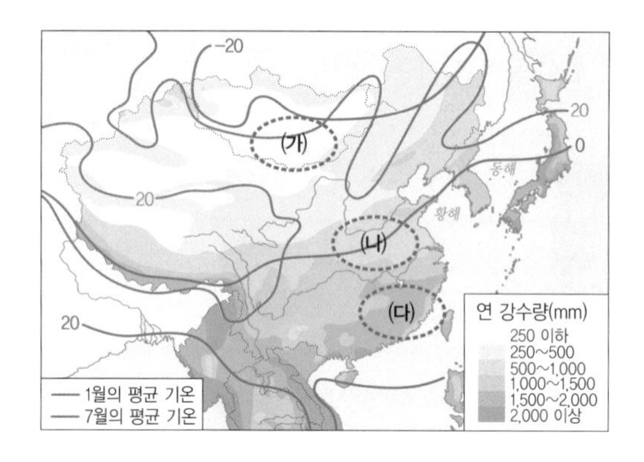

(1) (가)~(다) 지역에서 이루어지는 주요 생업을 각각 쓰시오.

(2) (1)의 생업들이 이루어질 수 있는 기후 조건을 서술하시오.

길잡이 동아시아 지역의 기온과 강수량에 주목하여 서술한다.

02 다음을 읽고 물음에 답하시오.

> 동아시아에서는 큰 강과 해안가를 중심으로 각기 고유한 신석기 문화가 발전하였다. 황허강 중류 지역에서는 채도가 특징인 양사오 문화가, 황허강 하류 지역에서는 (가) 이/가 발전하였다. 그리고 창장강 하류 지역에서는 (나) 이/가 발전하였다. (나) 은/는 옥기를 특징으로 하는 량주 문화로 발전하였다.

(1) (가), (나)에 들어갈 문화를 각각 쓰시오.

(2) (가), (나) 문화의 특징을 각각 서술하시오.

길잡이 동아시아의 신석기 문화는 제작된 토기를 중심으로 구분한다는 사실에 유의한다.

STEP 3 1등급 정복하기

1 갑과 을이 다녀온 지역을 지도에서 찾아 옳게 연결한 것은?

> 동아시아의 자연환경과 생업

- 갑: 제가 다녀온 지역은 기온이 높고 비가 많이 와 벼농사가 주로 이루어집니다. 특히 이곳은 벼의 이기작이 가능하다고 합니다.
- 을: 저는 '세계의 지붕'이라고 불리는 티베트고원에 다녀왔습니다. 이곳에서 넓게 펼쳐진 초지와 유목을 하는 사람들을 볼 수 있었습니다.

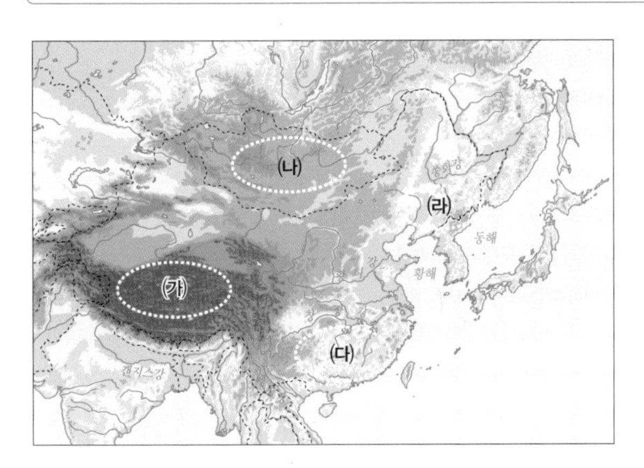

	갑	을		갑	을
①	(가)	(다)	②	(가)	(라)
③	(다)	(가)	④	(다)	(라)
⑤	(라)	(나)			

완자샘의 시험 꿀팁
동아시아 각 지역의 자연환경과 생업의 특징을 지도와 연결하여 파악하고 있어야 한다.

완자 사전
- **이기작**
같은 경작지에서 한 해에 동일한 곡물을 두 번 수확하는 재배 방식

2 (가), (나)와 같은 생활 모습을 보이는 사람들에 대한 설명으로 옳은 것을 〈보기〉에서 고른 것은?

> 동아시아 사람들의 생활 모습

(가) 이들은 토착 생활을 하였으며, 곡식을 심으며 누에치기와 뽕나무를 가꿀 줄을 알고 면포를 만들었다. …… 해마다 5월이면 씨뿌리기를 마치고 제사를 지낸다. 떼를 지어 모여서 노래와 춤을 즐기며 술을 마시고 노는데 밤낮을 가리지 않는다.
(나) 이들은 물과 풀을 따라 옮겨 다녀 성곽이나 일정한 주거지가 없고 농사를 짓지도 않는다. …… 한가할 때는 가축을 기르면서 새나 짐승을 사냥하는 것을 생업으로 삼고, 위급할 때는 모두가 싸움에 참여하여 침략하고 공격하는데 이것이 그들의 천성이다.

보기
ㄱ. (가) – 수리 시설과 제방을 공동으로 만들었다.
ㄴ. (가) – 생활에 필요한 생필품을 대부분 가축에게서 얻었다.
ㄷ. (나) – 고지대와 저지대를 정기적으로 오가며 가축을 길렀다.
ㄹ. (나) – 부족이 흩어져 있어 통일된 국가를 건설하지 못하였다.

① ㄱ, ㄴ ② ㄱ, ㄷ ③ ㄴ, ㄷ
④ ㄴ, ㄹ ⑤ ㄷ, ㄹ

완자 사전
- **제방**
물이 넘쳐흐르는 것을 막거나 물을 저장하기 위하여 흙이나 돌 등으로 쌓은 둑

3 (가)에서 (나)로 육지가 변화하면서 나타난 현상으로 적절한 것은?

① 계층의 분화가 나타났다.
② 불을 사용하기 시작하였다.
③ 매머드와 같은 대형 동물이 번성하였다.
④ 한 개의 뗀석기를 여러 용도로 사용하였다.
⑤ 돌을 갈아 정교하게 다듬은 간석기를 제작하였다.

> 선사 시대의 변화

완자 사전

• **분화**
단순하거나 등질인 것에서 복잡하거나 이질인 것으로 변하는 것

평가원 응용

4 선생님의 질문에 대한 학생의 답변으로 옳지 않은 것은?

① 씨족 중심으로 마을을 형성하였습니다.
② 사냥감을 쫓아 이동 생활을 하였습니다.
③ 구성원들 사이에 분업이 이루어졌습니다.
④ 뼈바늘로 옷감과 그물을 만들어 사용하였습니다.
⑤ 조상을 신으로 모시고 공동으로 제사를 지냈습니다.

> 선사 시대의 생활 모습

완자샘의 시험 꿀팁

선사 시대의 유물과 유적을 통해 당시의 생활 모습을 묻는 문제는 출제 빈도가 높은 편이다. 각 시대를 대표하는 유물과 유적을 파악하고 이를 통해 당시의 생활 모습을 유추할 수 있어야 한다.

완자 사전

• **화덕**
취사와 난방을 위해 설치한 화로

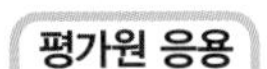

5 다음 특별전에서 볼 수 있는 유물로 적절한 것은?

> **□□□ 문화 특별전**
>
> 우리 박물관에서는 '채도에 새겨진 다양한 무늬'를 주제로 □□□ 문화 특별전을 개최합니다. 기원전 5000년경 황허강 중류 지역에서 시작된 □□□ 문화의 채도를 만날 수 있는 기회를 마련하였으니, 많은 관람 바랍니다.
>
> 기간: ○○○○년 ○월 ○일~○월 ○일
> 장소: △△ 박물관 특별 전시실

> **신석기 시대의 토기**
>
> **완자샘의 시험 꿀팁**
> 동아시아의 신석기 문화를 그 지역에서 출토된 토기를 통해 살펴보는 문제가 자주 출제된다. 각 지역의 신석기 문화의 특징을 토기를 중심으로 비교할 수 있어야 한다.
>
> **완자 사전**
> - **채도**
> 토기의 표면에 그림을 그려 넣은 토기

6 (가)~(마) 지역에서 발전한 신석기 문화에 대한 설명으로 옳은 것은?

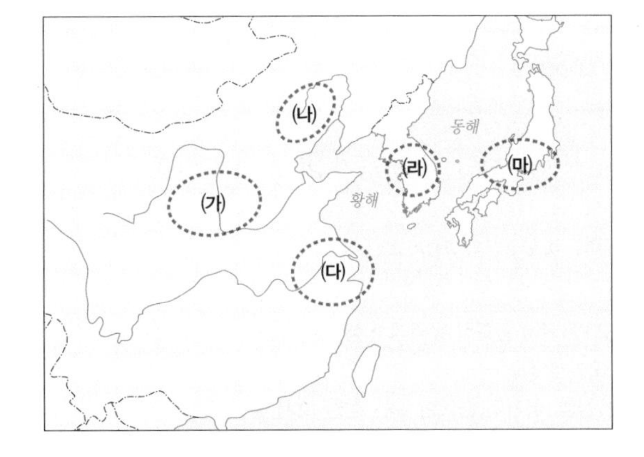

① (가) – 새끼줄 무늬를 새긴 조몬 토기를 제작하였다.
② (나) – 이른 민무늬 토기와 덧무늬 토기를 제작하였다.
③ (다) – 옥기를 특징으로 하는 량주 문화로 발전하였다.
④ (라) – 용, 봉황, 멧돼지 등을 형상화한 옥기를 제작하였다.
⑤ (마) – 흑도와 회도를 제작하였고, 고상 가옥에서 생활하였다.

> **동아시아의 신석기 문화**
>
> **완자 사전**
> - **흑도**
> 그릇 표면이 검고 반들반들하게 간 토기
> - **회도**
> 잿빛을 띠고 거칠게 만들어진 토기

02 국가의 성립과 발전

- 동아시아 여러 지역에서 발전한 청동기 문화의 특징을 설명할 수 있다.
- 동아시아 각 지역에서 성립한 국가들의 통치 제도와 발전 과정을 정리할 수 있다.

1 동아시아의 청동기 문화

이것이 핵심!

동아시아 각 지역의 청동기 문화

중원 지역	얼리터우 문화 발전, 황허강을 중심으로 농경 집단 통합
몽골 초원 지대	유목 문화와 관련된 독자적 문화 형성
만주·한반도	비파형 동검 제작, 고인돌 조성
일본 열도	한반도에서 청동기·철기·벼농사 기술 전래 → 야요이 시대 시작
베트남	동선 문화 발전

1. 사회 변화: 신석기 시대 말 농경 기술과 도구의 발달로 농업 생산력 증대 → 잉여 생산물 축적, 인구 증가 → 사유 재산 제도 출현, 계층 분화

2. 청동기의 사용 (구리와 주석의 합금으로, 800℃ 정도의 온도에서 만들어졌어.)

(1) **등장**: 기원전 2000년경부터 동아시아에서 청동기 사용

(2) **용도**: 주로 지배층의 장신구와 무기, 제사용 도구로 사용

(3) **영향**: 청동기를 보유한 집단의 정복 활동 → 주변 세력 통합 → 국가 출현, 군대·법률·감옥 등 국가 통치를 위한 제도 마련

왜? 청동을 만드는 재료인 구리와 주석이 풍부하지 않아 권력을 가진 지배층이 주로 차지하였기 때문이야.

3. 동아시아 각 지역의 청동기 문화 자료 ①

지역	등장 시기	특징
중원 지역	기원전 2000년경	• 얼리터우 문화: 황허강을 중심으로 룽산 문화권의 농경 집단 통합, 도시 출현 → 초기 국가 단계로 발전(대규모 궁전 유적 발굴) • 상 왕조: 기원전 1600년경 성립, 청동기 문화가 본격적으로 발전, 청동 무기·청동 제기 등 제작
몽골 초원 지대	기원전 2000년경 ~ 기원전 1700년경	유목 문화에 바탕을 둔 독자적 문화 형성, 청동 무기와 기마 도구(재갈, 편자 등) 제작, 사슴돌·*판석묘·돌무지 제사 유적 조성
만주·한반도	기원전 2000년경 ~ 기원전 1000년경	청동 무기(비파형 동검, 화살촉 등)와 청동 제기(청동 거울, 청동 방울 등) 제작, 돌과 나무로 생활 용구 제작(*반달 돌칼, 홈자귀 등), 고인돌과 돌널무덤 조성 (고인돌: 지배층의 무덤으로 추정되고 있어.)
일본 열도	기원전 3세기경	한반도로부터 청동기·철기와 벼농사 기술 전래 → 야요이 시대 시작(쇠를 덧댄 농기구 사용, 청동 제기와 장신구 제작, 철제 공구와 무기 사용)
베트남	기원전 2000년경	동선 문화 발전, 청동북 제작 (청동북: 태양, 새, 새의 머리를 한 사람 등이 새겨져 있어.)

★ **판석묘**
시신을 매장한 주변에 판석을 세워 만든 무덤

★ **반달 돌칼**

청동기 시대에 주로 사용된 농기구로 곡식의 이삭을 자르는 데 사용되었다.

2 중원 지역의 국가 성립과 발전

이것이 핵심!

중원 지역의 국가 성립

하	문헌상 동아시아 최초의 국가
상	신정 정치 실시
주	봉건제 실시, 덕치주의와 천명사상 강조
춘추·전국 시대	제후들이 정국 주도, 철제 무기와 농기구 보급
진	법가 사상에 기반, 군현제 실시
한	유가 사상에 기반, 군국제 실시 이후 군현제 시행

1. 동아시아의 국가 성립: 청동기 시대 생산력 발달, 인구 증가, 빈부 격차 발생 → 계급 분화, 정치체 형성과 통합 → 국가 성립

(정치체: 경제력과 무력을 갖춘 집단이 그렇지 못한 지역의 사람들을 지배하면서 정치체가 생겨났어.)

2. 하·상·주의 성립과 발전

하	문헌상 동아시아 최초의 국가(기원전 2000년경 황허강 유역에서 성립하였을 것으로 추정)
상	• 성립: 기원전 1600년경 연맹 형태의 국가로 성립 • 발전: 신정 정치 실시(왕이 제사장을 겸함, 국가의 중요한 일은 점을 쳐서 결정, 갑골문 발달), 청동 제기 제작(왕의 권위 상징), 주변의 소국들을 정복하며 세력 확대 자료 ② • 멸망: 기원전 11세기경 주의 침입을 받아 멸망
주	• 성립: 기원전 11세기경 상을 멸망시키고 중원 지역 차지 • 발전: 혈연관계를 바탕으로 한 종법적 봉건제 실시, 덕치주의와 천명사상을 통치 이념으로 삼아 다스림(→ 왕의 통치 정당화) 자료 ③ • 쇠퇴: 주 왕실의 권위 약화, 기원전 8세기 견융족의 침입으로 주가 동쪽으로 천도 → 주 왕실이 제후에 대한 통제력 상실

용어 덕치주의: 백성을 무력이 아닌 덕으로 통치해야 한다는 사상

꼭! 봉건제: 주 왕은 도읍 부근을 직접 통치하고 나머지 영토는 친족과 공신에게 나누어 주어 다스리게 하였어.

용어 천명사상: 덕을 가진 사람이 하늘의 명을 받아 국가를 통치해야 한다는 사상

완자 자료 탐구

내 옆의 선생님

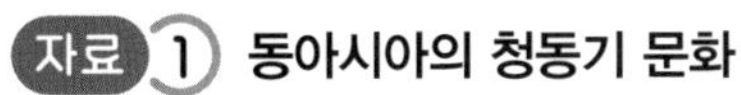

자료 1 동아시아의 청동기 문화

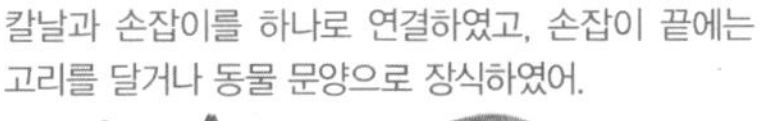

칼날과 손잡이를 하나로 연결하였고, 손잡이 끝에는 고리를 달거나 동물 문양으로 장식하였어.

일본 열도에서 만들어진 제사용 도구야.

↑ 얼리터우의 청동 술잔 ↑ 북방식 단검 ↑ 비파형 동검 ↑ 동탁

동아시아의 청동기 문화는 각 지역별로 고유한 특징이 나타났다. 중원 지역에서는 얼리터우 문화가 발전하였고, 몽골 초원 지대에서는 중원 지역과는 계통을 달리하는 청동기가 등장하였다. 만주와 한반도 지역에서는 비파형 동검과 고인돌로 대표되는 청동기 문화가 나타났고, 일본 열도에서는 농경에 바탕을 둔 야요이 문화가 발전하였다.

자료 하나 더 알고 가자!

얼리터우 문화

↑ 얼리터우 궁전(복원 모형)

얼리터우 문화는 룽산 문화권에서 발전한 청동기 문화야. 이곳에서 각종 청동기와 더불어 도시의 흔적과 대규모 궁전 유적이 발견되었어. 이 유적은 초기 도시 국가의 모습을 보이는데, 하 왕조와 관련된 것으로 보고 있어.

자료 2 상의 신정 정치

사방의 면에 사람의 얼굴을 새긴 청동 제기로, 상의 뛰어난 청동 제조 기술을 엿볼 수 있어.

↑ 갑골문 ↑ 상의 청동 제기

상은 왕이 제사장을 겸하였고, 국가의 중요한 일은 점을 쳐서 결정하였다. 이때 점친 내용을 거북의 배 껍질이나 동물의 뼈에 새겨 넣었는데, 이를 갑골문이라고 한다. 또한 상은 신에게 제사 지내는 것을 매우 중요하게 여겨 청동으로 제기를 만들어 사용하였다. 왕은 거대한 청동 제기를 만들어 자신의 권위를 내세웠다.

문제로 확인할까?

상 왕조에 대한 설명으로 옳은 것은?

① 봉건제를 실시하였다.
② 창장강 유역에서 성립하였다.
③ 국가의 중요한 일은 점을 쳐서 결정하였다.
④ 주를 멸망시키고 중원 지역을 차지하였다.
⑤ 덕치주의와 천명사상을 통치 이념으로 삼았다.

③ 답

자료 3 주의 봉건제

주의 무왕은 공신과 왕족을 제후로 삼았고, 이전 왕조의 귀족들도 제후로 임명하였어.

> 무왕은 선대의 훌륭하신 제왕들을 추모하고 나서 신농씨의 후손을 포상하여 초에 분봉하였다. 황제의 후손은 축에 분봉하였으며, 요임금의 후손은 계에, 순임금의 후손은 진(陳)에, 우임금의 후손은 사에 분봉하였다. 공신과 모사(謀士)들에게도 분봉하였는데, 제일 먼저 군사(軍師) 태공망을 분봉하였다. 태공망을 영구(營丘)에 분봉하고, 제후국의 이름을 제(齊)라 하였다. – 『사기』 주본기

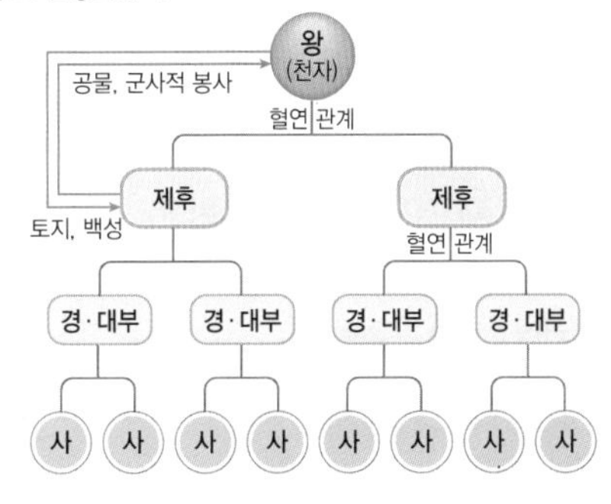

주의 봉건제는 왕이 혈연관계를 바탕으로 제후를 임명하고, 제후에게 대대로 그 지역을 다스리게 한 제도이다. 제후는 영토를 받은 대가로 왕에게 공물을 바쳤고, 전쟁이 일어나면 군사력을 제공하였다. 이러한 원리는 제후와 경·대부와의 관계에도 적용되었다.

자료 하나 더 알고 가자!

주의 세력 범위

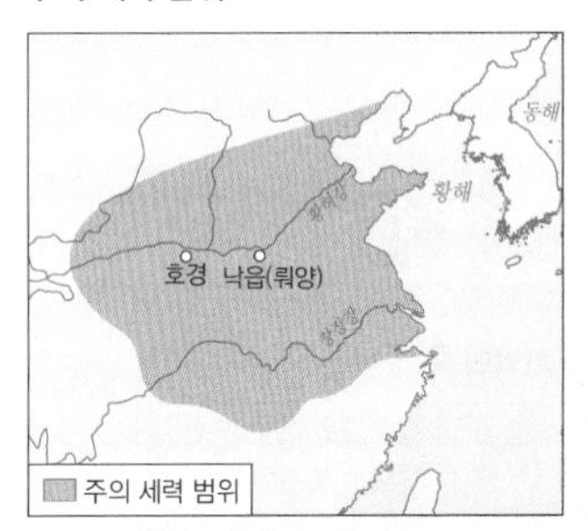

주는 호경에 도읍하여 중원을 지배하였고, 기원전 8세기 견융족이 침입해 오자 수도를 낙읍(뤄양)으로 옮겼어.

02 국가의 성립과 발전

★ **군현제**
왕이 각 지방에 관리를 파견하여 통치하는 제도이다. 지방에 파견된 관리는 임기가 정해져 있었으며 급료를 받았다.

★ **법가**
제자백가 중 하나로 엄격한 형벌을 통치의 근본으로 삼아야 한다고 주장한 학파

★ **3공 9경**

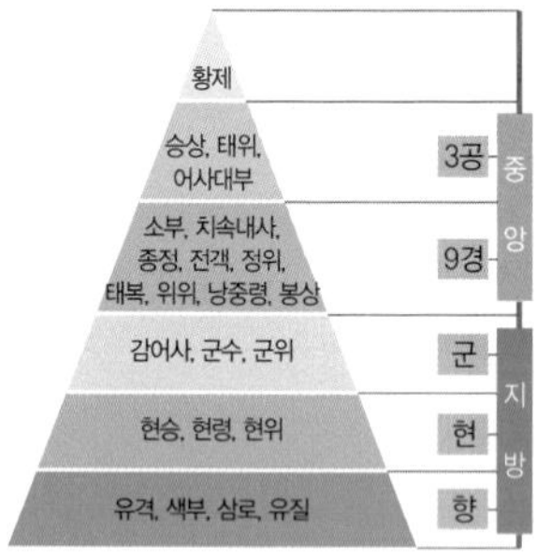

3공은 승상, 태위, 어사대부이고, 9경은 중앙 부서의 장관에 해당한다.

★ **군국제**
수도와 가까운 곳에는 군현을 두어 황제가 직접 다스리고, 그 외의 지역은 제후(왕)에게 맡겨 통치하게 한 제도

★ **전매제**
국가가 재정 수입을 목적으로 특정 원료나 제품을 독점 판매하는 제도

★ **황건적의 난(184)**
후한 말기에 장각이 이끄는 태평도라는 종교 결사를 중심으로 일어난 농민 봉기

3. 춘추·전국 시대의 전개와 사회 변화

(1) 전개(기원전 770~기원전 221) 자료 ④

춘추 시대	세력이 강한 제후가 다른 제후들과 맹약을 맺고 정국 주도 → 춘추 5패 형성
전국 시대	기원전 5세기경 제후와 경·대부들 사이에 봉건 질서 붕괴, 제후들이 스스로 왕이라 칭하며 주변의 소국 병합, 하극상과 약육강식의 시대 전개 → 전국 7웅 형성

용어 하극상: 계급이나 신분이 낮은 사람이 예의나 규율을 무시하고 윗사람을 꺾고 오름

(2) 사회 변화

정치	• 통치 체제의 변화: 봉건제를 대신하여 *군현제 실시, 관료제 정비 • 군사력 강화: 철제 무기와 유목민의 기마술 도입
경제	• 농업: 우경과 철제 농기구 보급 → 농업 생산력 증대, 경작 방식 변화 • 상공업: 상업과 수공업 발달, 도시 발전(대도시 등장), 대상인 출현, 금속 화폐 사용
사회	제자백가 등장, 인재 등용에서 신분보다 능력 중시(→ 사(士) 계층의 성장)

경작 방식 변화: 마을 단위의 공동 경작에서 가족 단위의 경작으로 농업 방식이 바뀌었어.

'제자'는 여러 학자라는 뜻이고, '백가'는 수많은 학파를 가리켜. 각국의 제후가 부국강병을 위해 인재를 모집하면서 제자백가가 등장하였어.

4. 진의 통일과 시황제의 정책

(1) 통일: *법가 사상을 바탕으로 부국강병 실현 → 전국 통일(기원전 221)

(2) 시황제의 정책 교과서 자료

분서갱유: 시황제는 국가의 정책을 비판하는 사상가들의 서적을 모두 태우고, 수백 명의 유학자들을 구덩이에 생매장하였어.

대내 정책	황제 칭호 사용, 군현제 실시, 관료제 시행(*3공 9경 설치), 도로망 정비, 도량형·화폐·문자 통일, 사상 통일(법가 이외의 사상 탄압 → 분서갱유 단행)
대외 정책	만리장성 축조(흉노 견제 목적), 베트남 북부 지역으로 진출

(3) 쇠퇴: 엄격한 법치와 대규모 토목 공사로 농민 봉기 발생 → 진 멸망(기원전 206)

5. 한의 성립과 발전

(1) 성립: 진 멸망 후 유방(고조)이 항우를 물리치고 중원 재통일(기원전 202)

(2) 발전

고조	봉건제와 군현제를 절충한 *군국제 실시
무제	• 군현제 확대 실시: 중앙 집권 체제 확립 • 유학 장려: 유학을 통치 이념으로 채택, 유교적 교양을 갖춘 인물을 관리로 등용 • 경제 정책: 상공업 통제, 소금과 철의 *전매제 시행 • 대외 정책: 흉노를 고비 사막 이북으로 축출(장건을 대월지에 파견), 남비엣과 고조선 정복 후 각각 군현 설치

왜? 잦은 전쟁 때문에 악화된 국가 재정을 회복하기 위해서였어.

(3) 신의 성립과 멸망: 외척 왕망이 한을 멸망시키고 신 건국(8) → 농민 봉기로 멸망(23)

(4) 후한의 성립과 멸망: 광무제가 후한 건국(25) → 외척·환관 세력의 권력 다툼 발생, *황건적의 난을 계기로 유력 호족들의 독립 → 위·촉·오 삼국으로 분열(220)

호족: 지방의 토착 세력으로, 대토지를 소유하였어.

3 여러 지역의 국가 성립과 발전

이것이 핵심!

여러 지역의 국가 성립

유목 지역	흉노가 동아시아 최초의 유목 민족 국가 건설
만주·한반도	청동기 문화를 기반으로 고조선 성립
일본 열도	야마타이국을 중심으로 소국 통합

1. 유목 지역의 흉노 자료 ⑤

흉노 제국은 여러 부족이 연합한 연맹체적 국가였어.

성립	북방의 초원 지대에서 기마술과 기동성을 바탕으로 성장 → 기원전 3세기경 동아시아 최초의 유목 민족 국가 건설
발전	• 통치 체제: 선우·좌현왕·우현왕이 영토를 분할하여 통치, 행정 조직과 군사 조직이 일치 • 세력 확대: 묵특 선우 시기 만리장성 이북의 초원 지대 통일(동호 복속, 월지 축출), 한을 공격하여 한 고조를 굴복시키고 공물 징수
쇠퇴	한 무제의 공격으로 세력 약화, 내분 발생 → 남흉노와 북흉노로 분열

선우: 흉노 군주의 칭호로, '탱리고도선우'의 줄임말이야. '탱리'는 하늘, '고도'는 아들, '선우'는 위대하다는 뜻이야.

자료 4 춘추·전국 시대의 전개

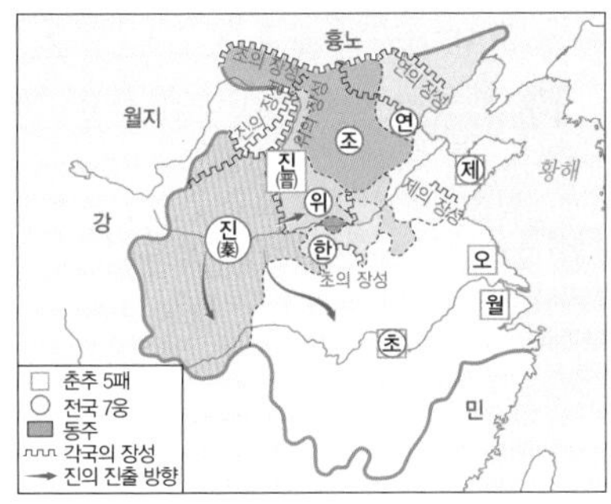

춘추 5패와 전국 7웅

기원전 8세기 견융족이 침략하자 주는 수도를 동쪽으로 옮겼다. 이때부터를 춘추 시대라 하는데, 춘추 시대에는 유력한 제후들이 왕을 받든다는 명분을 내세워 정치를 주도하였다. 기원전 5세기에는 춘추 5패 중 하나인 진(晉)이 한, 위, 조 3국으로 분열되면서 전국 시대가 시작되었다. 전국 시대에는 제후들이 스스로 왕이라 칭하면서 주변의 소국을 병합하였다.

정리 비법을 알려줄게!

춘추·전국 시대의 전개와 사회 변화

전개	주의 통치력 약화, 제후의 성장 → 춘추 5패 성립(춘추 시대) → 기원전 5세기 진(晉)의 분열(한·위·조) → 전국 7웅 형성(전국 시대)
사회 변화	군현제와 관료제 실시, 철제 무기와 농기구 보급, 상공업 발달, 도시 발전, 제자백가 등장

수능이 보이는 교과서 자료 진 시황제의 정책

- "옛적에 천황·지황·태황이 있었는데 태황이 가장 존귀하였습니다. 그래서 신들은 감히 '왕'을 '태황'으로 바꾸어 존호를 올립니다. …… 천자께서 스스로 칭하실 때는 '짐(朕)'이라 하시기를 바라옵니다." 왕이 답하기를, "태황에서 '태'를 빼고 '황'만을 남겨두고, 상고 시대의 '제(帝)'라는 칭호를 채용하여 '황제'라고 하겠다. 다른 것들은 그대들이 의논하여 정한 바대로 하라."라고 하였다. – 『사기』 진시황 본기
  - └ 진의 왕은 기존의 왕호를 '황제'로 바꾸고 스스로를 '짐'이라고 칭하여 자신의 위업을 과시하였어.
- "학술, 저서를 가지고 있는 자에게 이것을 거두어 들여 불태워야 합니다. 가져도 좋은 것은 의약과 복서, 농사에 관한 서적에 국한해야 합니다." …… 시황제는 시서와 백가의 저서를 몰수하여 불태우고 비판하는 자들을 구덩이를 파고 묻어 버렸다. – 『사기』 이사 열전
  - └ 법가 이외의 사상을 철저히 탄압하였음을 알 수 있어.

중원 지역을 최초로 통일한 시황제는 황제라는 칭호를 사용하는 한편, 전국에 군현제를 실시하고, 중앙에 3공 9경의 관료제를 시행하였다. 또한 도량형·화폐·문자를 통일하였고, 사상을 통제하기 위해 분서갱유를 일으켰다.

완자샘의 탐구 강의

• 시황제가 추진한 정책의 의의와 한계를 정리해 보자.

의의	황제 중심의 일원적인 지배 체제가 확립되면서 국가를 효율적으로 통치할 수 있었다. 특히 군현제의 실시는 후대 동아시아 국가들의 지방 통치 체제에 영향을 주었다.
한계	오랫동안 분열되어 있던 나라를 급격히 중앙 집권화하는 데 어려움이 있었고, 법과 형벌만으로 국가를 통치하는 데 한계가 있었다.

함께 보기 35쪽, 1등급 정복하기 2

자료 5 흉노의 성장

흉노 제국의 영역

흉노의 행정 조직은 그대로 군사 조직의 형태를 띠었기 때문에 정치 체제는 농경 국가보다 비교적 단순하고 느슨한 편이었어.

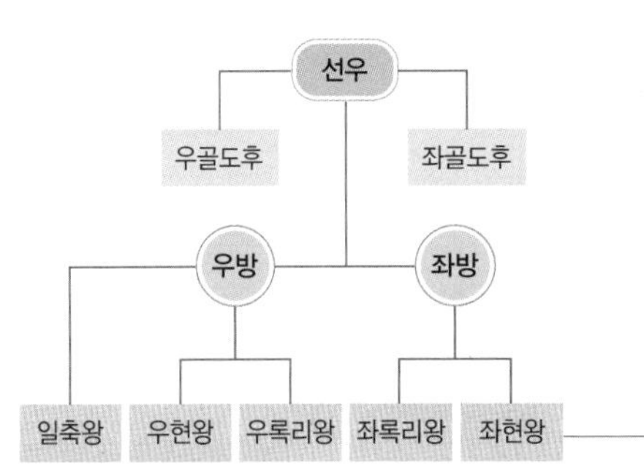

흉노의 통치 조직

흉노의 최고 통치자 선우는 제국을 중앙과 좌방, 우방으로 삼분하여 다스렸다. 중앙은 선우가 직접 통치하고 좌방은 좌현왕을 비롯한 좌방왕장들이, 우방은 우현왕을 비롯한 우방왕장들이 다스렸다. 각 왕은 영토와 군사 조직을 보유하고 하위 관료 조직을 두었다.

문제로 확인할까?

흉노에 대한 설명으로 옳지 않은 것은?

① 묵특 선우가 즉위한 이후 전성기를 맞이하였다.
② 동아시아 최초로 유목 민족 국가를 건설하였다.
③ 고조선과 남비엣을 공격하여 영토를 확장하였다.
④ 선우 아래 좌현왕과 우현왕이 각기 영토를 분할하여 통치하였다.
⑤ 군사 조직과 행정 조직이 일치하였고, 정치 체제가 비교적 느슨하였다.

Ⓔ 답

02 국가의 성립과 발전

★ **고조선의 문화 범위**

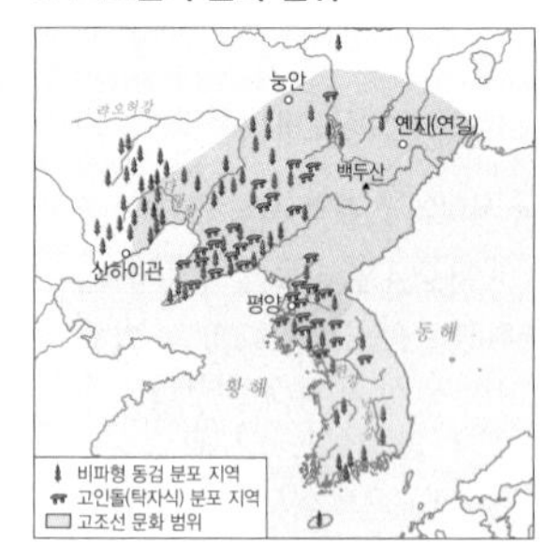

탁자식 고인돌과 비파형 동검이 분포하는 지역을 통해 고조선의 문화 범위를 짐작할 수 있다.

2. 만주·한반도의 국가 성립

(1) 고조선의 성립

┌ 부왕, 준왕과 같은 강력한 왕이 등장하여 왕위를 세습하였어.

① 성립: *청동기 문화를 바탕으로 랴오닝 지역에서 한반도 북부에 걸쳐 성립

② 발전: 기원전 3세기경 왕위 세습, 상·대부·장군 등 관직 설치, 8조법 제정

③ 위만의 집권: 진·한 교체기에 위만 망명, 위만 집권 이후 본격적으로 철기 문화 수용, 한과 한반도 남부를 잇는 중계 무역 주도 자료 ⑥

④ 쇠퇴: 한 무제의 침략 → 수도 왕검성 함락(기원전 108) → 한이 4개의 군현 설치

(2) 만주·한반도의 여러 나라

┌ 전국을 크게 네 구역으로 나누어 부족장이 각 지역을 다스렸어.

부여	만주 쑹화강 일대에서 예맥족이 건국, 왕권 미약, 대가들이 사출도 통치
고구려	부족 연맹체, 각 부(部)가 각자의 영역 통치
옥저·동예	한반도 중·북부 지역에서 성립
삼한	소국 연합 형태(마한, 진한, 변한), 제정 분리 사회, 벼농사 발달, 진한·변한 지역은 철 생산 및 수출

└ 군장 이외에 천군이라는 제사장이 따로 있어 소도를 다스렸어.

3. 일본 열도의 국가 성립: 기원 전후 여러 정치체 등장 → 3세기경 30여 개의 소국으로 통합(히미코 여왕의 야마타이국이 가장 강성)

└ 소국들 사이의 전쟁을 수습하고 종교적 권위를 이용하여 나라를 다스렸어.

이것이 핵심!

동아시아 국가의 체제 정비

국가 성립 초기
제정일치 사회, 건국 신화 유포
↓
통치 체제 정비
왕위 세습, 관료제 정비, 지방 통치 제도 정비, 법질서 확립 → 왕권 강화

★ **평성의 치욕**

기원전 200년 한 고조가 30만 명이 넘는 대군을 이끌고 흉노를 공격하였다가, 평성의 백등산에서 흉노에게 7일간 포위당한 사건

★ **'한위노국왕' 금인**

1784년 한 농부가 발견한 금인으로, 금인에는 '한위노국왕'이라 음각되어 있다. 『후한서』에서는 57년 왜의 노국왕이 후한에 공물을 바치고 금인을 받았다는 기록이 있다.

4 국가 체제 정비와 상호 교류

1. 국가 체제 정비

┌ 왕은 정치적 지배자이면서 제사장이기도 하였어.

(1) **국가 성립 초기**: 제정일치 사회, 건국자를 신성한 존재로 인식, 건국 신화 유포

(2) **통치 체제 정비**: 제도 정비를 통해 왕권 강화

왕위 세습	부자 상속제 확립
관료제 정비	• 진·한: 3공 9경 설치 • 고조선: 상, 대부, 장군 등의 관직 설치
지방 통치 제도 정비	봉건제, 군국제, 군현제 등 실시 자료 ⑦
법질서 확립	• 진: 상앙, 이사 등 법가 사상가 등용 • 고조선: 8조법 시행

VS 국가 성립 초기에는 세력이 가장 강한 부족의 대표가 왕위를 차지하였어.

2. 국가 간의 상호 교류

(1) 중원 왕조와 흉노의 충돌 자료 ⑧

진	기원전 3세기 후반 진이 흉노를 북방으로 몰아내고 오르도스 지방 차지, 만리장성 축조(흉노의 침입에 대비)
한	• 고조: 흉노의 묵특 선우가 한 공격 → 한의 패배(*평성의 치욕) → 한이 흉노에 공물을 바침 • 무제: 흉노 공격(→ 흉노가 고비 사막 이북으로 후퇴), 대월지에 장건 파견

└ 한은 흉노에 대항하기 위해 기마병을 육성하였고, 위청과 곽거병 등 유능한 장수의 활약으로 흉노에 승리를 거두었어.

(2) 만주·한반도·일본 열도 국가의 대외 교류

고조선	기원전 7세기경 제와 교역, 기원전 4세기 이후 연과 대립, 기원전 2세기 이후 한과 한반도 남부를 잇는 중계 무역 독점
부여	한과 우호 관계 유지, 북방의 여러 민족과 교류
삼한	한 군현과의 교류를 통해 중원 문물 수용, 진한과 변한은 덩이쇠를 만들어 화폐처럼 사용(→ 낙랑, 대방, 일본 열도에 수출)
일본 열도	1세기경 왜의 노국왕이 후한의 광무제에게 '*한위노국왕' 금인을 받음, 야마타이국의 히미코 여왕은 위에게 '친위왜왕'의 칭호를 받음

자료 6 위만의 집권과 고조선의 발전

위만이 상투를 틀고 고조선의 옷을 입었다는 점에서 고조선 사람일 가능성이 높아.

조선 왕 위만은 옛날 연 사람이다. …… 연왕 노관이 흉노로 들어가자 부관으로 있던 위만도 망명하였다. 무리 1천여 명을 모아 북상투에 오랑캐 복장을 하고서 동쪽으로 도망하였다. …… 차츰 진번과 조선의 오랑캐 및 옛 연, 제 지역의 망명자를 복속시켜 거느리고 왕이 되었으며, 왕검성에 도읍을 정하였다. …… 진번과 임둔도 복속하여 그 영역이 사방 수천 리가 되었다. – 『사기』 조선 열전

진·한 교체기의 혼란을 피해 위만이 연에서 무리를 이끌고 고조선에 망명하였다. 위만은 고조선의 변경을 관리하는 일을 담당하면서 세력을 키워 준왕을 몰아내고 왕이 되었다. 고조선은 철기 문화를 본격적으로 받아들이고 주변의 소국을 정복하면서 크게 발전하였다.

자료 하나 더 알고 가자!

고조선의 8조법

- 사람을 죽인 사람은 사형에 처한다.
- 남을 다치게 한 사람은 곡식으로 갚는다.
- 도둑질한 사람은 노비로 삼는데 만약 용서를 받으려면 50만 전을 내야 한다.

– 『한서』 지리지

8조법은 고조선 사회가 개인의 생명과 노동력, 사유 재산을 중시하였으며, 형벌과 노비가 존재한 계급 사회였음을 보여 줘.

자료 7 중원 왕조의 지방 통치 제도

왕관은 수도에서 먼 지역은 왕이 직접 통치하기가 어렵기 때문에 제후왕에게 다스리게 해야 한다고 주장하고 있어.

승상 왕관 등이 건의하였다. "제후들이 모두 격파되었지만, 연·제·초는 거리가 멀어 그 지역에 제후왕을 세우지 않으면 다스릴 수 없습니다. 황자(皇子)들을 그 지역의 왕으로 세우시기를 청하오니, 허락하여 주시기 바랍니다." …… 정위 이사는 반대하며 말하였다. "주의 문왕과 무왕은 일족의 자제들에게 분봉하였습니다. 그러나 그 후손들은 관계가 소원해지면서부터 원수처럼 서로 공격하였으며, 제후들이 서로 토벌하는 상황에 이르렀으나 주의 천자는 이를 막을 수가 없었습니다." …… 진시황이 말하였다. "정위의 의견이 옳다." 그러고는 천하를 36군으로 나누고, 각 군마다 수(守)·위(尉) 감(監)을 두었다. – 『사기』 진시황 본기

진 시황제가 군현제를 실시하였음을 보여 줘.

제시된 사료는 진이 중원을 통일한 직후 여러 지역을 어떻게 다스릴 것인지 논의한 내용이다. 진은 주에서 실시한 봉건제를 폐지한 후 전국을 군과 현으로 나누고 각각 군수와 현령 등을 보내어 다스리게 하는 군현제를 실시하였다.

정리 비법을 알려줄게!

중원 왕조의 지방 통치 제도 비교

봉건제	수도 부근은 왕이 직접 통치, 지방은 제후에게 위임
군국제	수도 주변은 군현제 실시, 지방은 봉건제 실시
군현제	전국에 군현 설치, 군수·현령 등 지방관 파견

문제로 확인할까?

진과 한은 전국에 군현을 설치하고 지방관을 파견하여 통치하는 (   )를 시행하였다.

답 군현제

자료 8 한 무제의 대외 정책

지금의 중국 남부로부터 베트남 북부에 걸쳐 있었던 남비엣을 가리켜.

한의 무제가 …… 남쪽으로는 백오를 멸하고 7군을 세웠으며 북쪽으로는 흉노를 물리쳐 …… 풍요로운 영토를 빼앗았다. 동쪽으로는 고조선을 정벌하고 현도와 낙랑을 세워 흉노의 왼팔을 잘랐으며, 서쪽으로는 대원을 정벌하여 36국을 병합하고 오손과 결맹하여 돈황, 주천, 장액군을 세워 야강을 막아 흉노의 오른팔을 잘랐다. – 『한서』 위현전

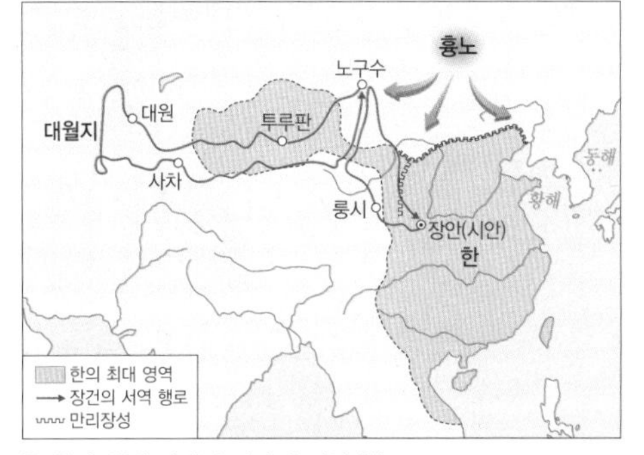

한의 최대 영역과 장건의 서역 행로

한 무제는 흉노와 전쟁을 벌여 흉노를 고비 사막 이북으로 몰아냈고, 남비엣과 고조선을 멸망시켜 그 지역에 군현을 설치하였다. 또한 무제는 흉노를 공격하는 과정에서 장건을 서역으로 파견하여 대월지와 동맹을 맺고자 하였다.

한 무제가 고조선을 정복한 이유는 고조선이 중계 무역으로 성장하고 있었고, 흉노와 연합할 가능성이 있었기 때문이야.

자료 하나 더 알고 가자!

장건의 서역 파견과 비단길 개척

서역으로 떠나는 장건 일행

장건은 대월지의 동맹 거부로 본래의 목적을 달성하지는 못하였어. 그러나 장건의 서역 파견을 계기로 한은 비단길을 장악하여 동서 교역의 주도권을 확보하였어.

STEP 1 핵심 개념 확인하기

정답친해 05쪽

1 동아시아 각 지역에서 발전한 청동기 문화의 특징을 옳게 연결하시오.

(1) 중원 지역 • • ㉠ 비파형 동검 제작
(2) 만주와 한반도 • • ㉡ 얼리터우 문화 발전
(3) 몽골 초원 지대 • • ㉢ 사슴돌, 판석묘 조성

2 주는 왕이 수도 부근을 통치하고 수도를 제외한 지역은 제후가 다스리게 하는 (　　　)를 시행하였다.

3 다음 설명이 맞으면 ○표, 틀리면 ×표를 하시오.

(1) 진 시황제는 중앙 집권 체제를 확립하기 위해 군국제를 실시하였다. (　　)
(2) 전국 7웅 중 하나였던 진은 유가 사상을 바탕으로 부국강병을 이루었다. (　　)
(3) 춘추·전국 시대에는 우경과 철제 농기구가 보급되어 농업 생산력이 증대되었다. (　　)

4 한 무제의 정책을 〈보기〉에서 모두 고르시오.

보기
ㄱ. 군현제 실시　　ㄴ. 고조선 정복
ㄷ. 분서갱유 단행　　ㄹ. 만리장성 축조

5 기원전 3세기경 국가를 수립하였으며, 묵특 선우 시기에 전성기를 맞은 유목 민족은?

6 다음 빈칸에 들어갈 내용을 쓰시오.

(1) 만주 쑹화강 일대에서 예맥족이 세운 (　　　)는 대가들이 사출도를 나누어 다스렸다.
(2) 한반도 남부 지역의 (　　　)는 수십 개의 소국이 형성한 연맹체로 제정이 분리된 사회였다.

STEP 2 내신 만점 공략하기

01 밑줄 친 '이 도구'를 사용하였던 시기의 동아시아 지역에 대한 설명으로 옳지 않은 것은?

> 동아시아 지역에서는 기원전 2000년경에 이 도구가 사용되기 시작하였다. 그러나 이 도구를 만드는 재료인 구리와 주석이 함께 생산되는 곳이 많지 않았기 때문에 이 도구는 주로 지배층의 장신구나 무기, 제사용 도구를 만드는 데 사용되었다.

① 사유 재산 제도가 나타났다.
② 잉여 생산물이 축적되고 인구가 증가하였다.
③ 빈부의 격차가 발생하고 계급이 분화하였다.
④ 청동제 농기구를 사용하면서 농업 생산력이 높아졌다.
⑤ 지배자가 주변 집단을 통합하면서 국가가 출현하였다.

02 중요 다음 유물이 발견된 지역의 청동기 문화에 대한 설명으로 옳은 것은?

이 유물은 청동기 시대에 제작된 청동 술잔입니다. 생긴 모양으로 보아 제사용으로 제작된 것 같습니다.

① 사슴돌과 판석묘를 조성하였다.
② 청동으로 비파형 동검을 제작하였다.
③ 지배층의 무덤으로 고인돌을 만들었다.
④ 한반도로부터 청동기와 벼농사 기술을 받아들였다.
⑤ 황허강 유역에서 성벽과 정치 조직을 갖춘 도시가 등장하였다.

03 다음에서 설명하는 청동기 문화가 형성된 곳을 (가)~(마)에서 고른 것은?

동물 모양의 청동기를 제작하였고, 기마에 적합하도록 고리가 달린 단검을 만들어 사용하였다. 또한 사슴돌, 판석묘, 돌무지 제사 유적과 같은 청동기 시대의 유적이 많이 남아 있다.

고리가 달린 단검

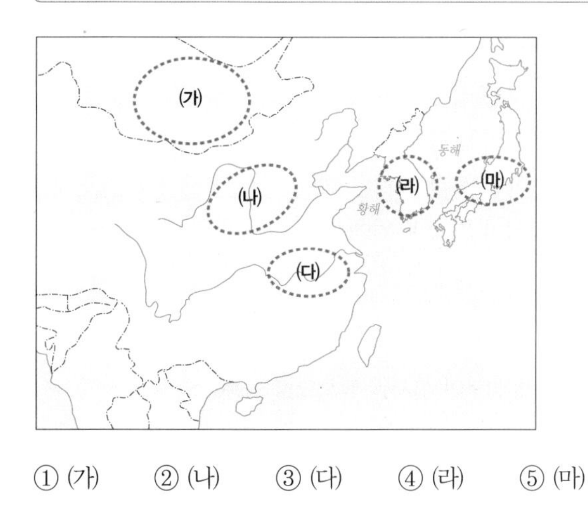

① (가) ② (나) ③ (다) ④ (라) ⑤ (마)

04 다음 유물과 유적을 남긴 청동기 문화에 대한 설명으로 옳은 것은?

① 황허강 유역에서 발전하였다.
② 얼리터우 궁전 유적이 발견되었다.
③ 야요이 문화를 바탕으로 성립되었다.
④ 곡식의 이삭을 따는 반달 돌칼을 사용하였다.
⑤ 표면에 태양과 새 등이 새겨진 청동북이 제작되었다.

05 (가)에 들어갈 유물로 적절한 것은?

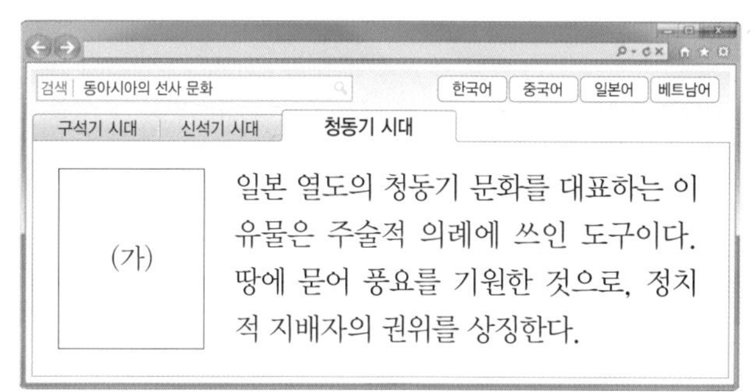

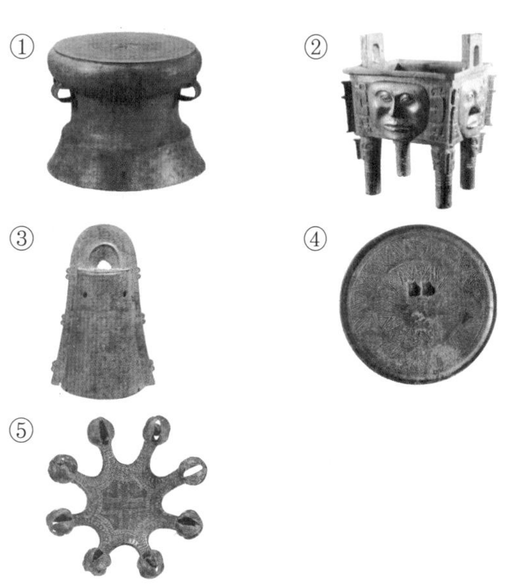

중요

06 다음 유물을 남긴 국가와 관련된 설명으로 옳지 않은 것은?

갑골문은 거북의 배 껍질이나 동물의 뼈에 점을 친 내용을 새긴 것으로, 오늘날 한자의 기원이 되었다. 갑골에 새겨진 내용을 살펴보면 전쟁, 날씨, 한 해 농사의 수확, 국왕의 제사, 사냥, 질병 등 다양하다.

① 왕이 제사장을 겸한 제정일치 사회였다.
② 문헌에 나타난 동아시아 최초의 국가이다.
③ 국가의 중요한 일은 점을 쳐서 결정하였다.
④ 주변의 소국들을 정복하며 세력을 확대하였다.
⑤ 기원전 11세기경 주의 침입을 받아 멸망하였다.

07 (가) 국가에 대한 설명으로 옳은 것을 〈보기〉에서 고른 것은?

> 기원전 11세기경 (가) 은/는 상을 무너뜨리고 호경을 도읍으로 삼았다. (가) 은/는 황허강 유역을 장악하고 창장강 유역까지 영향력을 확대하였다.

보기

ㄱ. 고고학적으로 확인된 최초의 국가이다.
ㄴ. 혈연관계를 바탕으로 하는 봉건제를 실시하였다.
ㄷ. 덕치주의와 천명사상으로 왕의 통치를 정당화하였다.
ㄹ. 철제 농기구를 사용하면서 농업 생산이 크게 증가하였다.

① ㄱ, ㄴ ② ㄱ, ㄷ ③ ㄴ, ㄷ
④ ㄴ, ㄹ ⑤ ㄷ, ㄹ

08 다음 중원 왕조의 통치 제도와 관련된 설명으로 옳은 것은?

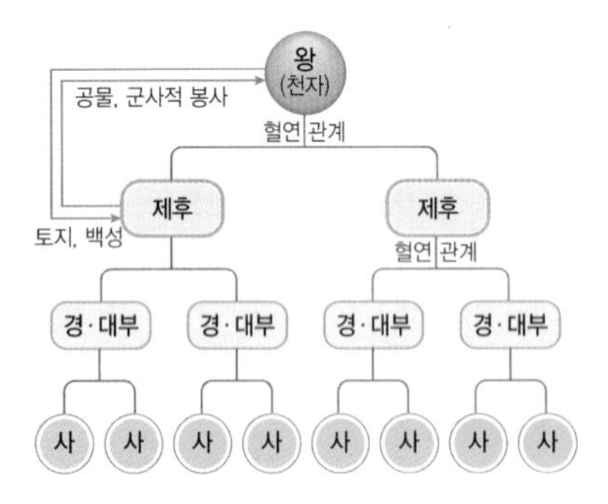

① 중앙 집권 체제 강화에 기여하였다.
② 춘추·전국 시대에 처음 시행되었다.
③ 봉건제와 군현제를 절충한 제도이다.
④ 혈연적 종법 관계를 바탕으로 운영되었다.
⑤ 이 제도가 시행되면서 제후의 권한이 약해졌다.

09 지도의 형세가 나타난 시기 중원 지역의 모습으로 적절하지 않은 것은?

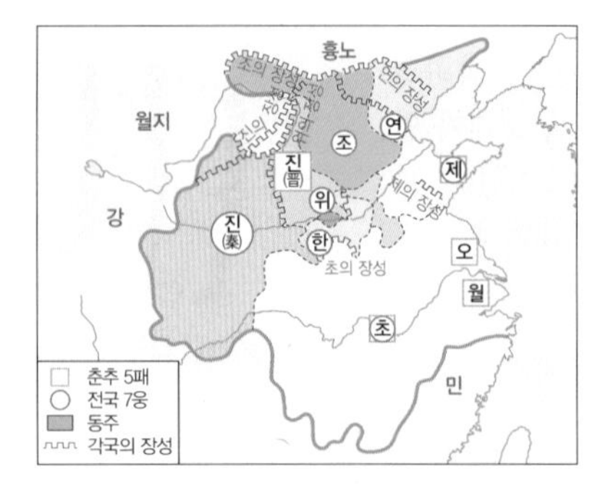

① 다양한 사상을 내세운 제자백가가 나타났다.
② 철제 무기의 보급으로 군사력이 강화되었다.
③ 지식과 학문을 갖춘 사(士) 계층이 성장하였다.
④ 경작 방식이 가족 단위에서 마을 단위로 바뀌었다.
⑤ 제후들이 스스로 왕이라 칭하며 소국을 병합하였다.

중요

10 밑줄 친 '왕'이 실시한 정책으로 옳은 것은?

> "옛적에 천황, 지황, 태황이 있었는데, 태황이 가장 존귀합니다. 신들은 왕의 칭호를 '태황'으로 바꾸어 존호를 올리고자 합니다." …… 왕이 답하기를, ""태'자를 빼고 '황'자를 남겨두고, '제'를 취하여 '황제'라고 하겠다." -「사기」

① 군국제를 실시하였다.
② 장건을 대월지에 파견하였다.
③ 유학 교육 기관을 설립하였다.
④ 도량형, 화폐, 문자 등을 통일하였다.
⑤ 소금과 철을 국가가 독점하여 판매하도록 하였다.

11 (가) 인물에 대한 탐구 활동으로 적절한 것은?

> 진이 혼란에 빠지자 (가) 와/과 항우는 군사를 일으켜 다투었고, 그 결과 (가) 이/가 중원을 다시 통일하였다.

① 상앙을 등용한 이유를 살펴본다.
② 8조법을 제정한 이유를 분석한다.
③ 군국제를 도입한 배경을 조사한다.
④ 소금과 철의 전매제를 시행한 배경을 파악한다.
⑤ 법가 사상을 통치 이념으로 삼은 목적을 알아본다.

12 빈칸에 들어갈 내용으로 적절하지 않은 것은?

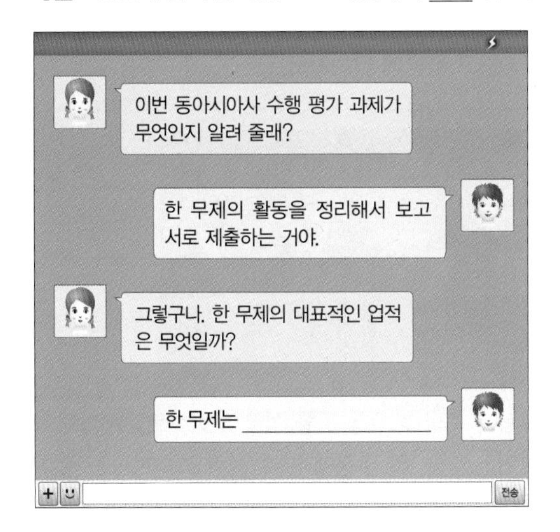

① 3공 9경의 관료제를 처음 시행하였어.
② 군현제를 전국으로 확대하여 실시하였어.
③ 흉노를 공격하여 고비 사막 이북으로 몰아냈어.
④ 대월지와 동맹을 맺기 위해 장건을 서역에 파견하였어.
⑤ 중계 무역으로 성장하던 고조선을 공격하여 멸망시켰어.

13 다음 건의가 채택되어 나타난 결과로 옳은 것은?

> 제왕은 하늘의 뜻을 받들어 정치를 행해야 합니다. 따라서 형벌의 힘을 빌려 다스리지 말고 덕과 교화의 힘을 빌려 다스려야 합니다. …… 옛날의 제왕들은 수도에는 태학을 설립하여 교육을 시행하였고, 읍에는 학교를 세워 백성을 교화시켰습니다. …… 그리하여 형벌을 가볍게 시행했음에도 불구하고 백성은 국가에서 금지하는 것을 하지 않았습니다. -『한서』

① 분서갱유가 일어났다.
② 제자백가가 등장하였다.
③ 소금과 철의 전매제가 시행되었다.
④ 사(士) 계층이 관료층으로 성장하였다.
⑤ 유교가 한의 통치 이념으로 자리 잡았다.

14 다음 통치 체제를 갖춘 국가에 대한 설명으로 옳지 않은 것은?

중요

> 최고 통치자인 선우 아래 좌현왕, 우현왕 등 여러 왕을 두었다. 각 왕은 각자의 군사 조직과 영역을 보유하였다.

① 유목 민족이 세운 동아시아 최초의 국가였다.
② 행정 조직과 군사 조직의 형태가 일치하였다.
③ 선우 지위를 놓고 내분이 발생하여 분열하였다.
④ 묵특 선우 때 세력이 강성해져 한을 압박하였다.
⑤ 탁자식 고인돌과 비파형 동검의 분포를 통해 문화 범위를 짐작할 수 있다.

15 다음은 고조선의 발전 과정에서 있었던 일들이다. (가)~(라)를 일어난 순서대로 나열한 것은?

> (가) 위만이 왕이 되었다.
> (나) 상, 대부, 장군 등의 관직이 설치되었다.
> (다) 한 무제의 공격을 받아 왕검성이 함락되었다.
> (라) 한과 한반도 남부를 잇는 중계 무역을 주도하였다.

① (가) - (나) - (다) - (라)
② (가) - (나) - (라) - (다)
③ (나) - (가) - (라) - (다)
④ (나) - (다) - (라) - (가)
⑤ (다) - (라) - (가) - (나)

16 다음 법 조항을 통해 알 수 있는 고조선 사회의 모습으로 옳은 것을 〈보기〉에서 고른 것은?

> • 사람을 죽인 사람은 사형에 처한다.
> • 남을 다치게 한 사람은 곡식으로 갚는다.
> • 도둑질한 사람은 노비로 삼는데 만약 용서를 받으려면 50만 전을 내야 한다.

보기

ㄱ. 형벌 제도를 시행하였다.
ㄴ. 농업보다 상공업을 중시하였다.
ㄷ. 개인의 생명과 노동력을 중시하였다.
ㄹ. 신분의 구별이 없는 평등한 사회였다.

① ㄱ, ㄴ
② ㄱ, ㄷ
③ ㄴ, ㄷ
④ ㄴ, ㄹ
⑤ ㄷ, ㄹ

17 다음 상황이 전개된 이후 일본 열도에서 있었던 일로 옳은 것은?

> 기원을 전후한 시기에 100여 개의 소국이 등장하였으며, 2세기 말에는 이른바 '왜국대란'이라고 불리는 전쟁이 일어나 사회가 혼란하였다.

① 새끼줄 무늬가 새겨진 토기를 제작하였다.
② 농경보다 수렵과 채집으로 식량을 확보하였다.
③ 한반도로부터 청동기와 벼농사 기술이 유입되었다.
④ 야요이 문화를 기반으로 여러 정치체가 등장하였다.
⑤ 야마타이국을 중심으로 30여 개의 소국이 형성되었다.

중요
18 밑줄 친 부분에 해당하는 사례로 옳지 않은 것은?

> 동아시아 지역에서는 국가 성립 초기에 왕의 권력이 미약하여 종교적 권위에 크게 의존하였다. 이후 정복 전쟁이 확대되고 각종 제도가 정비되면서 점차 왕권이 강화되었다.

① 상의 왕은 제사장을 겸하였다.
② 진은 3공 9경의 관료를 두었다.
③ 고조선에서 8조법을 만들어 시행하였다.
④ 한 무제가 군현제의 실시 지역을 확대하였다.
⑤ 진은 상앙, 이사 등의 법가 사상가를 등용하였다.

19 다음 정책을 추진한 공통적인 목적으로 적절한 것은?

> • 진 시황제는 몽염을 시켜 북방 지역을 장악하고, 1만여 리에 이르는 장성을 쌓았다.
> • 한 무제는 서역의 대월지와 군사 동맹을 체결하기 위해 장건을 사신으로 파견하였다.

① 흉노를 견제하고자 하였다.
② 고조선을 정벌하고자 하였다.
③ 서역으로 진출하고자 하였다.
④ 남비엣의 침략을 막으려고 하였다.
⑤ 중원 지역의 분열을 수습하고자 하였다.

서술형 문제

● 정답친해 08쪽

01 다음을 보고 물음에 답하시오.

> 제시된 그림은 중국 간쑤성 둔황 석굴의 벽화로, 이 그림에는 장건이 (가) 의 명령에 따라 서역으로 떠나는 장면과 서역으로 가는 길에 겪었던 일화가 표현되어 있다.

(1) (가)에 들어갈 황제를 쓰시오.

(2) (1)이 장건을 서역에 파견한 목적과 장건의 서역 파견이 한에 미친 영향을 각각 서술하시오.

길잡이 (1)의 집권 당시 한과 주변국과의 관계를 고려하여 서술한다.

02 다음을 보고 물음에 답하시오.

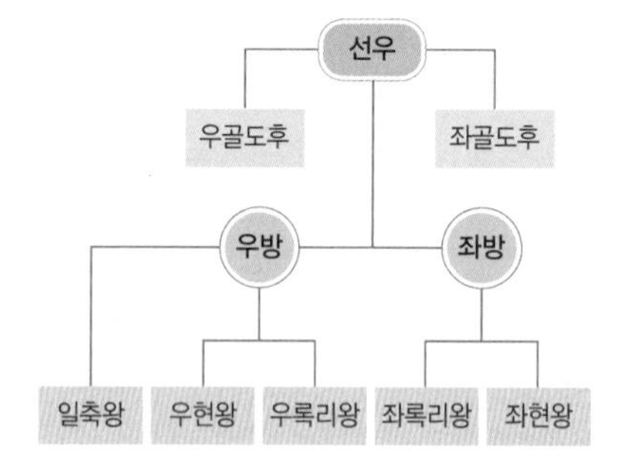

(1) 위와 같은 통치 조직을 갖춘 국가를 쓰시오.

(2) (1)의 통치 체제의 특징을 세 가지 서술하시오.

길잡이 (1)을 세운 민족의 특성에 주목하여 서술한다.

STEP 3 1등급 정복하기

정답친해 08쪽

평가원 응용

1 (가) 지역을 ㉠~㉤에서 고른 것은?

> 동아시아의 청동기 문화

▶ 지식 Q&A

(가) 지역의 청동기 문화에 대해 알려 주세요.

▶ 답변하기

이 지역에서는 얼리터우 문화가 발전하였습니다. 얼리터우 문화 유적에서 대규모 궁전 유적이 발굴되었는데, 청동으로 만든 도구와 무기, 제사 용기 등이 발견되었습니다. 궁전과 성벽을 갖춘 이 유적은 초기 도시 국가의 모습을 보입니다.

얼리터우 궁전(복원 모형)

① ㉠　② ㉡　③ ㉢　④ ㉣　⑤ ㉤

완자샘의 시험 꿀팁

유물과 유적을 통해 동아시아 각 지역에서 발전한 청동기 문화를 파악하는 문제가 자주 출제된다. 각 청동기 문화를 대표하는 유물과 유적을 정리하고 지도를 통해 위치를 파악하고 있어야 한다.

2 진이 다음과 같은 정책을 실시한 목적으로 가장 적절한 것은?

> 진의 통치 정책

- 전국의 도로망을 정비하고, 수레바퀴의 폭을 일정하게 맞추었다.
- 전국을 군과 현으로 나누고, 중앙에서 관리를 파견하여 다스리도록 하였다.
- 전국 시대에 여러 나라에서 각각 사용되던 화폐를 반량전으로 통일하고, 도량형을 일원화하였다.

① 재정 수입을 늘리고자 하였다.
② 농업 생산력을 높이고자 하였다.
③ 북방 민족의 침입을 막고자 하였다.
④ 유가 사상을 통치 이념으로 삼고자 하였다.
⑤ 황제 중심의 중앙 집권 체제를 강화하고자 하였다.

완자 사전

- **도량형**
길이·부피·무게, 또는 이를 측정하는 도구

3 (가), (나) 인물에 대한 설명으로 옳은 것을 〈보기〉에서 고른 것은?

• (가) 은/는 병사를 이끌고 가서 그들을 공격하였는데 …… 묵특은 거짓으로 싸움에 져 달아나는 척하여 한의 군대를 유인하였다. (가) 이/가 선두에 서 평성에 이르렀다. 한의 보병이 도착하기 전에 묵특은 정예 기병 40만 명을 풀어 황제를 백등산에서 일곱 날 동안 포위하였다. - 『사기』

• (나) 이/가 동쪽으로는 고조선을 정벌하고 현도와 낙랑을 세워 흉노의 왼팔을 잘랐으며, 서쪽으로는 대원을 정벌하여 36국을 병합하고 오손과 결맹하여 돈황, 주천, 장액군을 세워 야강을 막아 흉노의 오른팔을 잘랐다. - 『한서』

보기

ㄱ. (가) - 고조선의 준왕을 몰아내고 정권을 장악하였다.
ㄴ. (가) - 군현제와 봉건제를 절충한 군국제를 실시하였다.
ㄷ. (나) - 장군 몽염에게 군대를 주어 흉노를 공격하게 하였다.
ㄹ. (나) - 대월지와 동맹을 맺기 위해 장건을 서역에 파견하였다.

① ㄱ, ㄴ ② ㄱ, ㄷ ③ ㄴ, ㄷ
④ ㄴ, ㄹ ⑤ ㄷ, ㄹ

> 한의 대외 정책

완자 사전

• **오손**
중국의 북서부 지역에 살았던 유목 민족

평가원 응용

4 밑줄 친 '이 국가'에 대한 설명으로 옳지 않은 것은?

유물 조사 보고서

이 유물은 한 대에 제작된 석상으로, 이 국가의 병사가 말 아래에 깔려 있는 모습입니다. 한때 한에게 공물을 받을 만큼 강성하였던 이 국가는 한 무제의 공격으로 그 세력이 크게 위축되었습니다.

① 최고 통치자를 선우라고 불렀다.
② 행정 조직과 군사 조직이 일치하였다.
③ 여러 부족을 통합한 연맹체적 국가였다.
④ 한반도의 청동기와 철기 제작 기술을 받아들였다.
⑤ 왕은 소왕, 천장, 백장, 십장 등의 하위 조직을 거느렸다.

> 동아시아의 국가 성립과 발전

완자샘의 시험 꿀팁

주, 진, 한, 흉노, 고조선 등 동아시아 지역에 등장한 국가들의 발전 과정과 특징을 묻는 문제는 출제 빈도가 높은 편이다. 각 국가가 성립하여 발전해 가는 과정과 특징을 파악하고 있어야 한다.

5 다음 상황이 나타난 시기 동아시아의 정세로 옳은 것은?

> 연왕 노관이 흉노로 들어가자 부관으로 있던 위만도 망명하였다. 무리 천여 명을 모아 북상투에 오랑캐 복장을 하고서 동쪽으로 도망하였다. …… 차츰 진번과 조선의 오랑캐 및 옛 연과 제에서 도망한 자들을 복속시켜 왕이 되었으며, 왕검성에 도읍을 정하였다. …… 위만이 군사의 위엄과 재물을 얻자 주변 지역을 침략하여 항복시키니, 진번과 임둔도 모두 와서 복속하여 그 영역이 수천 리가 되었다. –「사기」

① 진의 왕이 춘추·전국 시대를 통일하였다.
② 왕망이 한을 무너뜨리고 신을 건국하였다.
③ 광무제가 호족의 지지를 얻어 후한을 세웠다.
④ 흉노가 동아시아 최초로 유목 민족 국가를 수립하였다.
⑤ 진이 멸망한 후 유방은 한을 세우고 중국을 재통일하였다.

동아시아의 정세

완자 사전

- **연(燕)**
춘추 시대의 제후국이자 전국 시대의 전국 7웅 중 한 국가

6 ㉠, ㉡에 해당하는 통치 체제에 대한 설명으로 옳은 것은?

> 정위 이사가 말하였다. "㉠ 주의 문왕과 무왕은 일족의 자제들에게 분봉하였습니다. 그러나 그 후손들은 관계가 소원해지면서부터 원수처럼 서로 공격하였으며, 제후들이 서로 토벌하는 지경에 이르렀으나 주의 천자는 이를 막을 수가 없었습니다. 이제 황상 폐하의 성덕으로 천하가 통일되고 ㉡ 전국에 군현을 설치하게 되었습니다. 황자와 공신들에게 국가의 부세(賦稅)를 후하게 하사하신다면 그들을 쉽게 통제할 수 있을 것입니다." –「사기」

① ㉠ – 강력한 황제 지배 체제의 바탕이 되었다.
② ㉠ – 한 무제가 시행하면서 한의 지방 통치 체제로 자리 잡았다.
③ ㉡ – 왕을 정점으로 하나의 혈연조직으로 묶인다는 인식이 형성되었다.
④ ㉡ – 진이 중원을 통일한 이후 지방을 통치하기 위한 제도로 수용하였다.
⑤ ㉡ – 왕이 제후에게 토지와 백성을 하사하는 대신 군역과 공납의 의무를 부과하였다.

지방 통치 제도의 정비

완자쌤의 시험 꿀팁

봉건제, 군현제, 군국제 등 중원 왕조가 시행한 지방 통치 제도의 차이점을 묻는 문제가 자주 출제된다. 각국이 정비한 지방 통치 제도의 특징을 비교할 수 있어야 한다.

완자 사전

- **정위**
형벌, 사법과 관련된 일을 관장한 관직

- 기원전 8000년경: • 농경 시작: 황허강 유역에서 밭농사 시작(잡곡 중심)
- 기원전 2000년경: • (❶) 문화 등장: 황허강 유역의 룽산 문화권의 농경 집단 통합, 도시 출현
- 기원전 1600년경: • 상 건국: 신정 정치 실시, 갑골문 발달
- 기원전 11세기경: • (❷) 건국: 상을 무너뜨리고 호경에 도읍, 봉건제 실시
- 기원전 770: • 춘추·전국 시대 시작: 주가 동쪽으로 천도 → 유력한 제후가 정국 주도
- 기원전 221: • 진의 중원 통일: 법가 사상을 바탕으로 부국강병 실현 → 전국 통일
- 기원전 209: • 묵특 선우 즉위: 흉노의 최고 통치자로 즉위
- 기원전 202: • (❸)의 중원 재통일: 유방(고조)이 항우를 물리치고 중원 재통일
- 기원전 111: • 남비엣 멸망: 한 무제의 침입으로 멸망 → 베트남 북부에 9개의 군현 설치
- 기원전 108: • (❹) 멸망: 한 무제의 침입으로 멸망 → 4개의 군현 설치
- 8: • 신 건국: 외척 왕망이 한을 멸망시키고 건국
- 220: • 후한 멸망: 중원 지역이 위·촉·오 삼국으로 분열

01 동아시아의 자연환경과 선사 문화

1. 동아시아와 동아시아사 학습

(1) 동아시아 세계

형성	• 지리적 범위: 동서로 일본 열도~(❺), 남북으로 베트남 북부~몽골고원 • 국가: 한국, 중국, 몽골, 일본, 베트남 등 • 민족: 한민족, 한족, 일본 민족, 몽골족, 비엣족 등 • 문화적 특성: 한자, 불교, 유교, 율령 등의 문화 요소 공유(동아시아 문화권 형성)
교류	경제적·인적·문화적 교류 증가 → 동아시아 국가 간 상호 의존도 증대, 국가 간 협력 모색
갈등	역사 인식의 차이, 영토 주권 등을 둘러싸고 갈등 발생

(2) **동아시아사 학습:** 서로의 역사와 문화에 대한 이해 → 동아시아 지역 공동체 건설과 평화 공존에 기여

2. 동아시아의 자연환경과 생업

자연환경	지형	서쪽에서 동쪽으로 갈수록 점점 낮아짐(서쪽에 티베트고원 위치, 동쪽에 구릉과 평원 지대 분포)
	기후	열대에서 한대까지 다양한 기후 분포, 계절풍·장마 전선의 영향
생업		• 벼농사: 연 강수량 600mm 이상인 지역(중국의 화이허강 이남, 한반도 중·남부, 일본 혼슈 이남 등) • 밭농사: 연 강수량 400~600mm인 지역(중국 화이허강 이북, 만주, 한반도 북부, 일본의 홋카이도 등) • 유목: 연 강수량 400mm 미만인 지역(만주 일부, 몽골, 티베트 등)

3. 동아시아의 농경과 목축

(1) 농경과 유목의 특징

농경	기원전 8000년경 황허강 유역에서 밭농사 시작 → 기원전 6000년경 창장강 유역에서 (❻) 시작
유목	계절에 따라 가축에게 먹일 물과 풀을 찾아 이동 생활

(2) 농경민과 유목민의 생활

농경민	경작지 근처에서 정착 생활, 대규모 수리 시설 설치, 토지 관리와 공동 경작을 위한 사회 조직 발달
유목민	가축 사육과 수렵 병행, 부족 단위의 이동 생활, 기마 능력과 전투 능력을 바탕으로 유목 국가 건설

(3) **농경민과 유목민의 관계:** 교역(생필품 교환)과 충돌(서로의 생활 영역 침범) 반복 → 서로에 대한 편견 형성

4. 동아시아의 구석기 문화

생활 모습	생활	채집·수렵·어로 생활
	주거	이동 생활, 동굴이나 막집에서 거주
	도구	용도에 따라 다양한 형태의 (❼) 사용(주먹도끼, 찍개 등)
	예술	동굴 벽이나 바위에 동물을 그려 사냥의 성공 기원
변화		기원전 1만 년경 해수면 상승 → 오늘날과 같은 동아시아 지형 형성, 작고 날렵한 동물 번성

5. 동아시아의 신석기 문화

(1) **사회 변화**: 농경과 목축 시작, 정착 생활(움집 거주), 간석기와 토기 사용, 씨족 중심의 마을 형성, 원시 신앙 출현

(2) **각 지역의 신석기 문화**

황허강 유역	양사오 문화(중류 지역, 채도 제작), 다원커우 문화(하류 지역, 홍도와 흑도 제작) → (❽)로 발전(흑도 제작)
창장강 유역	허무두 문화 형성(벼농사 실시) → 량주 문화로 발전(옥기 제작)
랴오허강 유역	훙산 문화 형성(밭농사 실시, 옥기 제작, 대규모 신전 유적 발견)
만주·한반도	조·기장 등 잡곡류 재배, 수렵·채집·어로 병행, 빗살무늬 토기 문화 형성
일본 열도	조몬 문화 형성(수렵·채집·어로로 생계 유지, 조몬 토기 제작)

02 국가의 성립과 발전

1. 동아시아의 청동기 문화

(1) **사회 변화**: 잉여 생산물 축적, 인구 증가 → 사유 재산 제도 출현, 계급 분화 → 정복 전쟁을 통해 국가 출현

(2) **각 지역의 청동기 문화**

중원 지역	황허강 유역에서 얼리터우 문화 발전
몽골 초원 지대	유목 문화에 바탕을 둔 독자적 문화 형성(청동 무기와 기마 도구 제작, 사슴돌·판석묘 조성)
만주·한반도	비파형 동검 제작, 청동 제기 사용, 반달 돌칼 사용, 고인돌과 돌널무덤 조성
일본 열도	기원전 3세기경 한반도로부터 청동기, 철기, 벼농사 기술 전래 → (❾) 시대 시작
베트남	동선 문화 발전, 청동북 제작

2. 중원 지역의 국가 성립과 발전

(1) **하·상·주의 성립과 발전**

하	문헌상 동아시아 최초의 국가
상	기원전 1600년경 성립(연맹 형태의 국가), 신정 정치 실시(국가의 중요한 일은 점을 쳐서 결정, 갑골문 발달) → 기원전 11세기경 주의 침입을 받아 멸망
주	종법적 봉건제 실시, 덕치주의와 천명사상 강조 → 주 왕실의 권위 약화, 기원전 8세기 견융족의 침입으로 주가 동쪽으로 천도 → 주 왕실이 제후에 대한 통제력 상실

(2) **(❿)의 전개와 사회 변화**

전개	유력한 제후가 정국 주도 → 춘추 5패 형성 → 기원전 5세기경 봉건 질서 붕괴, 제후들이 스스로 왕이라 칭하며 주변 소국 병합 → 전국 7웅 형성
사회 변화	군현제와 관료제 실시, 철제 무기와 농기구 보급, 상공업과 도시 발달, 제자백가 출현

(3) **진의 통일과 한의 발전**

진		• 통일: 법가 사상을 기반으로 부국강병 실현 → 전국 통일 • 시황제의 정책: 황제 칭호 사용, 도량형·화폐·문자 통일, 분서갱유 단행(사상 통일), (⓫) 축조(흉노 견제 목적) 등 • 쇠퇴: 엄격한 법치와 무리한 토목 공사로 멸망
한	고조	중원 재통일, 군국제 실시
	무제	군현제 실시, 유학 장려, 소금과 철의 전매제 시행, 흉노 정벌, 남비엣과 고조선 정복 등

3. 여러 지역의 국가 성립과 발전

유목 지역	기원전 3세기경 흉노가 동아시아 최초의 유목 민족 국가 건설, 한과 대립
만주·한반도	청동기 문화를 바탕으로 고조선 성립(→ 위만 집권 이후 본격적으로 철기 수용, 중계 무역으로 성장) → 한 무제의 공격으로 고조선 멸망 → 한이 4개 군현 설치
일본 열도	기원 전후 여러 정치체 등장 → 3세기경 히미코 여왕이 다스리는 (⓬)을 중심으로 30여 개 소국으로 통합

4. 국가 체제 정비와 상호 교류

국가 체제 정비	국가 성립 초기 왕권 미약 → 왕위 세습, 관료제 정비, 지방 통치 제도 정비, 법질서 확립 등 → 왕권 강화
상호 교류	영역 확장을 위해 주변국 통합 또는 정복, 교류를 통해 선진 문물 수용

●정답● ① 히말라야 ② 주 ③ 한 ④ 고조선 ⑤ 티베트고원 ⑥ 벼농사 ⑦ 뗀석기 ⑧ 룽산 문화 ⑨ 야요이 ⑩ 춘추·전국 시대 ⑪ 만리장성 ⑫ 야마타이국

01 다음 지역에 대한 설명으로 옳지 않은 것은?

- 동서로 일본 열도에서 티베트고원에 이르며, 남북으로 베트남 북부에서 몽골고원에 이르는 지역을 포함한다.
- 한민족, 한족, 일본 민족, 흉노족 등이 활동하였으며, 현재는 한국, 중국, 일본, 베트남 등의 나라가 있다.

① 한자, 불교, 유교 등의 문화 요소를 공유한다.
② 지역 내 공동체 구상의 필요성이 약해지고 있다.
③ 오늘날 국가 간의 관계가 더욱 긴밀해지고 있다.
④ 외부 지역과 교류가 쉽지 않은 지형을 이루고 있다.
⑤ 영토 주권 및 역사 인식을 둘러싼 갈등을 겪고 있다.

02 동아시아사를 학습하는 자세에 대해 옳게 말한 사람을 고른 것은?

갑: 자국사의 틀 안에서 동아시아 각국의 역사와 문화를 파악하는 것이 중요합니다.

을: 동아시아 여러 나라의 상호 공통성을 파악하고 다양성을 인정하는 자세가 필요합니다.

병: 배타적 민족주의를 바탕으로 동아시아의 과거와 현재를 탐구해야 합니다.

정: 동아시아의 역사에 대한 객관적인 이해를 바탕으로 평화를 추구하는 자세를 가져야 합니다.

① 갑, 을　② 갑, 병　③ 을, 병
④ 을, 정　⑤ 병, 정

03 ㉠~㉤ 중 옳지 않은 것은?

동아시아의 자연환경

1. 지형
- ㉠ 동쪽에서 서쪽으로 갈수록 점점 낮아짐
- 서쪽에 티베트고원 위치, ㉡ 동쪽에 구릉과 평원 지대 분포

2. 기후
- ㉢ 열대, 건조, 온대, 냉대 기후 등 다양한 기후 분포
- ㉣ 계절풍의 영향으로 겨울에는 기온이 낮고 강수량이 적음, ㉤ 여름에는 기온이 높고 강수량이 많음

① ㉠　② ㉡　③ ㉢　④ ㉣　⑤ ㉤

04 (가)~(다) 지역에 대한 설명으로 옳은 것은?

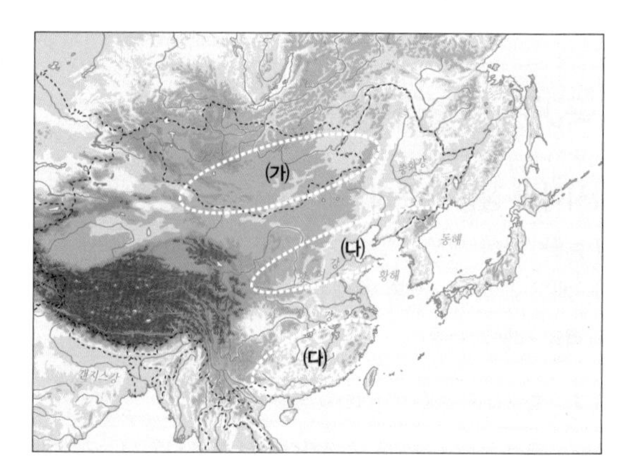

① (가) – 농경지가 고르게 분포하고 있다.
② (가) – 연 강수량이 600mm 이상인 지역이다.
③ (나) – 강수량이 적어 작물 재배가 불가능하다.
④ (나) – 주로 계절에 따라 일정 지역을 오가며 가축을 기르는 유목이 행해졌다.
⑤ (다) – 기온이 높고 강수량이 풍부하여 지역에 따라 벼의 이기작이 이루어진다.

정답친해 09쪽

05 자료와 같이 생활한 사람들에 대한 설명으로 옳은 것을 <보기>에서 고른 것은?

> 가축의 고기를 먹고 그 젖을 마시며 그 가죽으로 옷을 만들어 입는다. 물과 풀을 찾아 철마다 옮겨 다니며, 성곽도 정주지도 경작지도 없다. 문서를 사용하지 않고 구두로 약속을 한다. 어린아이도 말을 타고 활을 쏘아 새나 쥐를 맞히고, 좀 더 자라면 여우나 토끼를 잡아 음식으로 하며, 장정은 강궁을 사용하고 모두 기병이 된다. －『사기』

보기

ㄱ. 우수한 기마 전술을 바탕으로 국가를 건설하였다.
ㄴ. 주민을 조직적으로 동원하여 수리 시설을 축조하였다.
ㄷ. 계절에 따라 옮겨 다니며 이동식 가옥에서 거주하였다.
ㄹ. 우경과 시비법 등을 활용하여 농업 생산력을 늘리기 위해 노력하였다.

① ㄱ, ㄴ ② ㄱ, ㄷ ③ ㄴ, ㄷ
④ ㄴ, ㄹ ⑤ ㄷ, ㄹ

06 (가) 문화를 대표하는 유물로 옳은 것은?

> 동아시아 지역에서 (가) 문화가 등장한 것은 대략 100만 년 전으로 추정된다. 그리고 약 20만 년 전에는 동아시아 대부분의 지역에 사람이 살게 되었고, 약 4만 년 전에는 현생 인류가 살기 시작하여 후기 (가) 문화를 일구었다.

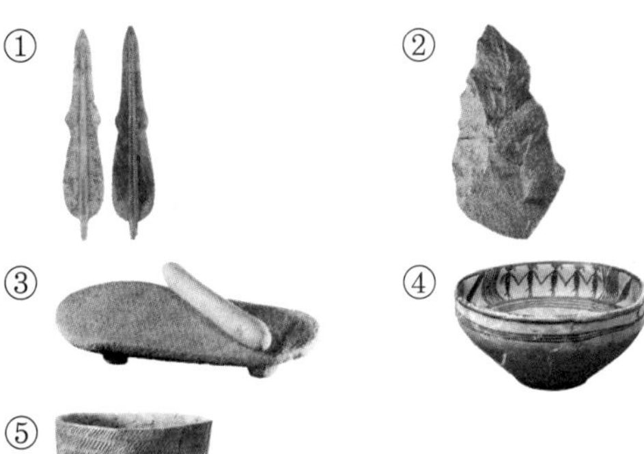

07 밑줄 친 '이 지역'을 (가)~(마) 중 고른 것은?

돼지 그림 토기

> <u>이 지역</u>에서는 다양한 형태의 간석기와 나무로 만든 농기구가 출토되었다. 특히 볍씨가 출토되어 <u>이 지역</u>에서 벼농사가 이루어졌음을 알 수 있다.

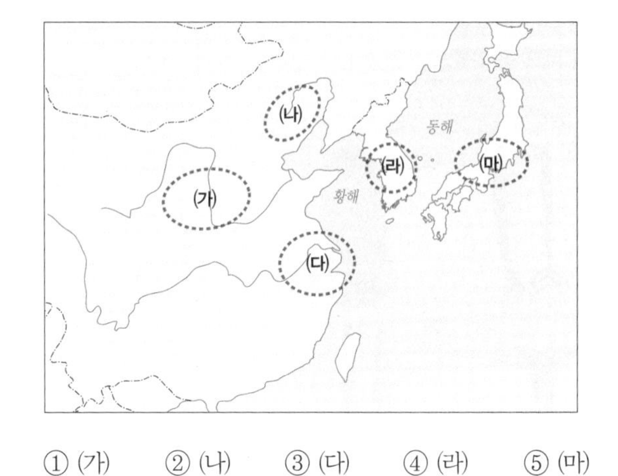

① (가) ② (나) ③ (다) ④ (라) ⑤ (마)

08 (가)에 들어갈 내용으로 적절한 것은?

> **동아시아의 ○○○ 문화**
>
> 1. ○○○의 등장: 주로 지배층의 무기와 의식용 도구로 사용
> 2. 사회 변화: (가)
> 3. 대표적인 유적
>
> 
>
> 얼리터우 궁전 / 고인돌

① 정착 생활의 시작
② 원시 신앙의 등장
③ 농경과 목축의 시작
④ 씨족 중심의 마을 형성
⑤ 부족 통합으로 국가 형성

09 (가)에 들어갈 유물로 적절한 것은?

POST CARD

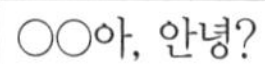

○○아, 안녕?
오늘은 몽골 초원 지대의 청동기 문화와 관련된 유적지를 다녀 왔어. 이곳의 청동기 문화는 기원전 2000년경에 유목 문화를 바탕으로 나타났다고 해. 이곳의 청동기 문화를 엿볼 수 있는 유물 사진이 들어간 엽서를 보내니 너도 꼭 와봤으면 좋겠다.

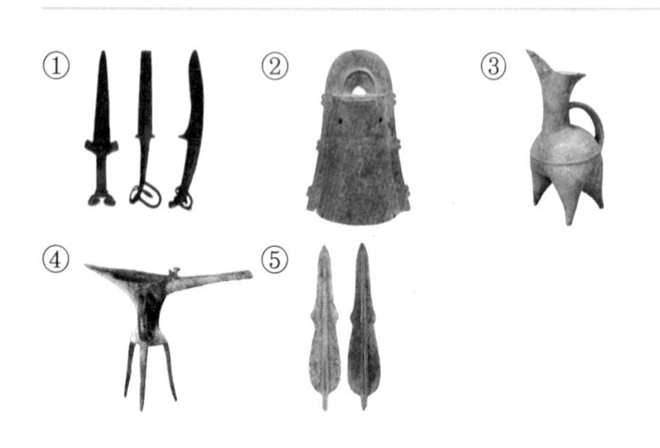

10 지도의 세력 범위를 확보한 국가에 대한 설명으로 옳은 것은?

① 기원전 11세기경 주에게 멸망하였다.
② 왕이 제사장을 겸한 제정일치 사회였다.
③ 문헌상 중국 최초의 왕조로 알려져 있다.
④ 철기 제작 기술을 바탕으로 세력을 확장하였다.
⑤ 덕으로써 백성을 다스린다는 이념을 제시하였다.

11 (가) 시기 중원 지역에 대한 설명으로 옳은 것은?

기원전 770	(가)	기원전 221
▲ 주, 낙읍(뤄양)으로 천도		▲ 진, 중원 통일

① 소금과 철의 전매제를 시행하였다.
② 중국 전역의 화폐가 반량전으로 통일되었다.
③ 우경이 보급되어 농업 생산량이 크게 늘었다.
④ 청동제 무기가 보급되어 군사력이 강화되었다.
⑤ 법가 사상이 국가를 통치하는 근본이념이 되었다.

12 밑줄 친 '황제'에 대한 설명으로 옳은 것은?

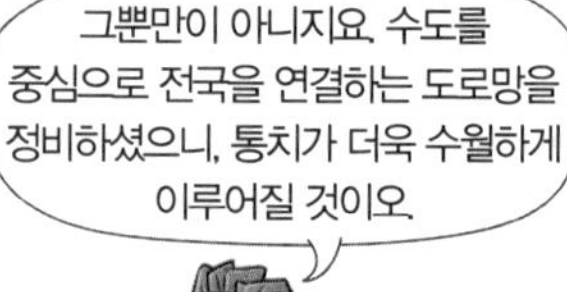

① 장건을 서역에 파견하였다.
② 유교를 통치 이념으로 채택하였다.
③ 전국 각 지역에 제후를 임명하였다.
④ 흉노를 막기 위해 만리장성을 쌓았다.
⑤ 국가의 중요한 일을 갑골문으로 기록하게 하였다.

13 한 무제가 다음 정책을 실시한 배경으로 옳은 것은?

> 국가가 철의 생산과 판매를 직접 담당하였고, 생산된 소금을 독점적으로 사들여 판매하였다.

① 외척과 환관의 권력 다툼이 심하였다.
② 잦은 대외 전쟁으로 재정이 악화되었다.
③ 철기가 본격적으로 보급되기 시작하였다.
④ 제후 간에 약육강식의 경쟁이 전개되었다.
⑤ 엄격한 법가적 통치로 백성의 불만이 고조되었다.

14 (가) 시기 흉노의 상황으로 옳은 것은?

진 시황제가 오르도스 지역에서 흉노를 몰아내고 그 북쪽에 만리장성을 쌓았다.

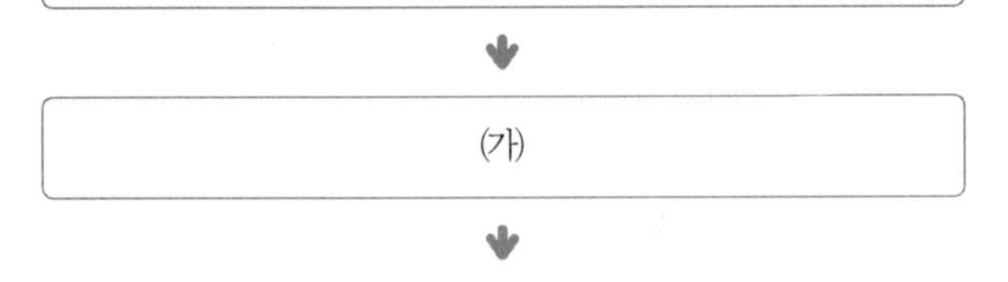

한은 흉노에 매년 막대한 재물을 보냈고, 한의 공주를 흉노의 선우에게 출가시켰다.

① 위청과 곽거병의 군대에 패하였다.
② 화친 조약을 깬 한 무제의 침략을 받았다.
③ 한 고조가 이끄는 군대에 승리를 거두었다.
④ 선우 지위를 놓고 내분이 일어나 분열하였다.
⑤ 한의 공격으로 고비 사막을 넘어 후퇴하였다.

15 다음과 같은 통치 조직에 대한 설명으로 옳은 것을 〈보기〉에서 고른 것은?

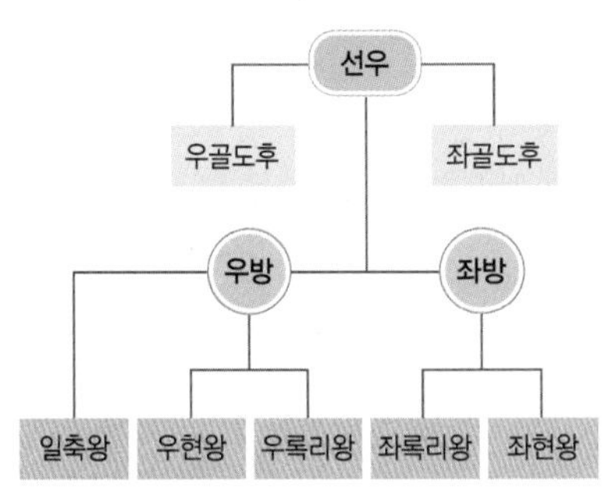

보기
ㄱ. 한 고조가 실시하였다.
ㄴ. 군사 조직과 행정 조직이 일치하였다.
ㄷ. 농경 국가보다 복잡한 구조를 갖추고 있다.
ㄹ. 선우 밑으로 여러 왕들이 각자 군사와 관료 조직을 거느린 분권적인 체제였다.

① ㄱ, ㄴ ② ㄱ, ㄷ ③ ㄴ, ㄷ
④ ㄴ, ㄹ ⑤ ㄷ, ㄹ

16 (가) 국가에 대한 설명으로 옳지 않은 것은?

① 철기 문화를 바탕으로 성립하였다.
② 기원전 3세기경 왕위 세습 체제를 확립하였다.
③ 왕 밑에 상, 경, 대부, 장군 등의 관직을 두었다.
④ 랴오닝 지역에서 한반도 북부에 걸쳐 자리 잡았다.
⑤ 한과 한반도 남부를 연결하는 중계 무역으로 경제적 이익을 얻었다.

17 다음 내용을 통해 알 수 있는 초기 국가의 공통적인 특징으로 적절한 것은?

- 야마타이국의 여왕 히미코는 기괴한 술법을 써서 백성을 미혹시켰다고 한다.
- 고조선의 통치자인 '단군왕검'은 제사장을 의미하는 단군과 정치적 지배자를 의미하는 왕검이 합쳐진 용어이다.

① 관료제를 정비하였다.
② 제정일치 사회를 형성하였다.
③ 왕위의 부자 상속제를 실시하였다.
④ 법률을 만들어 통치의 기본으로 삼았다.
⑤ 중앙에서 관리를 파견하여 지방을 통제하였다.

동아시아 세계의 성립과 변화

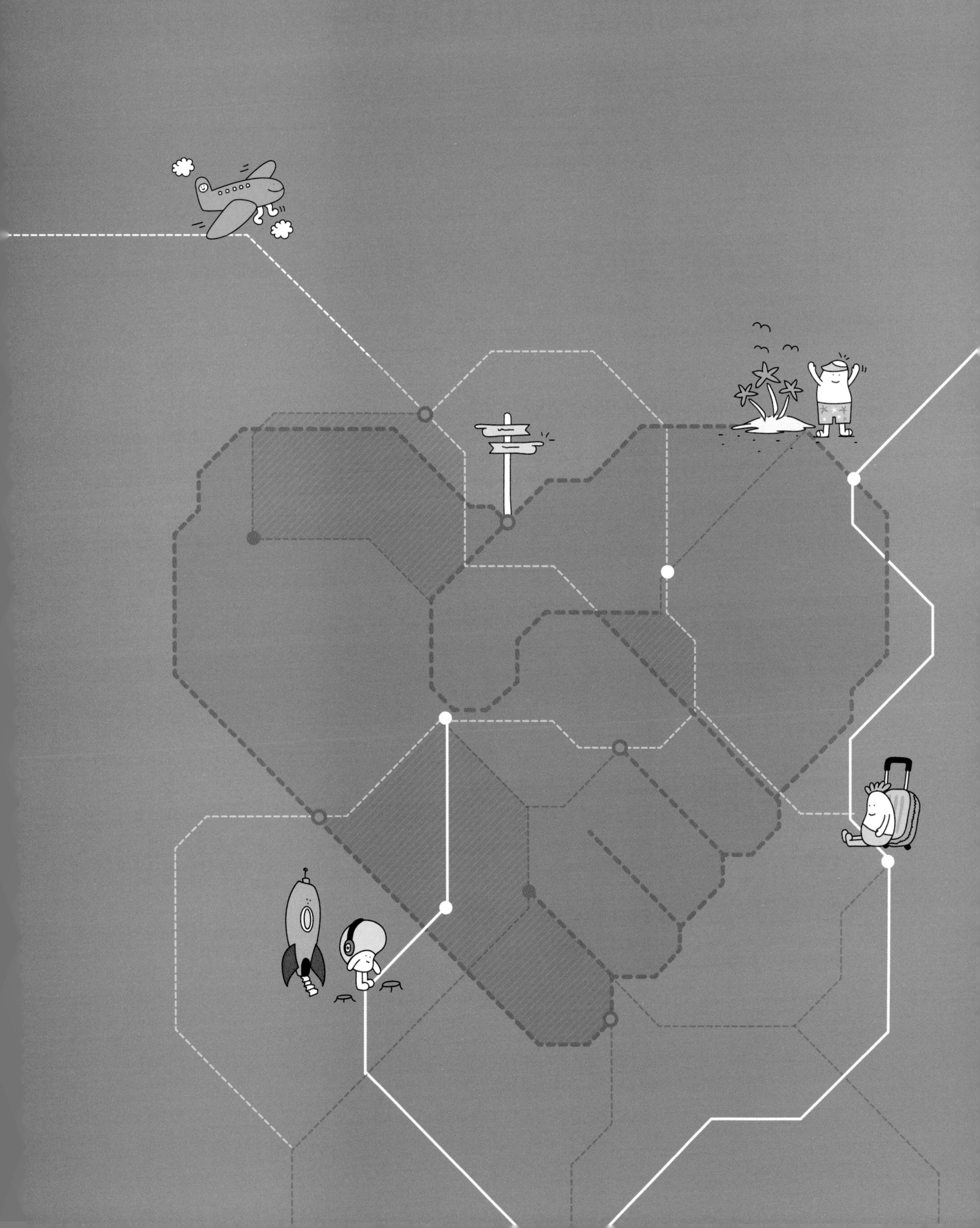

01 인구 이동과 정치·사회 변동

학습목표
- 동아시아에서 기원 전후부터 7, 8세기경까지 지속된 인구 이동의 원인과 경과를 설명할 수 있다.
- 인구 이동에 따른 국가의 형성과 발전 과정을 이해할 수 있다.

1 인구 이동의 전개

1. 인구 이동의 양상

(1) **배경**

① 환경적 원인: 기후 변화, 자연재해, 인구 증가 등 → 식량 부족, 개간지의 필요성 증대

② 정치적 요인: 정치 집단 내의 갈등, 이민족의 침략, 국가 간의 전쟁, 국가의 멸망 등

(2) **특징**: 기원 전후부터 7·8세기경까지 활발하게 진행, 주로 북쪽 방면에서 남쪽 방면으로 이동, 연쇄적인 이동 유발

(3) **영향**: 토착민과 이주민의 갈등 발생, 새로운 정권이나 국가 성립(→ 새로운 외교 관계 형성), 지역 간 문화 전파와 교류 촉진

왜? 이주민과 토착민, 이주민과 이주민 사이에 갈등과 전쟁이 나타나면서 2차, 3차의 인구 이동과 근거지 이동이 이루어졌어.

2. 중원 지역의 인구 이동 자료①

*5호의 이동	후한 말 혼란기에 대거 이동 → 화북 지역에 여러 국가 건국(5호 16국 시대 시작) → 선비족이 세운 북위가 화북 지역 통일(439) → 북조 형성
한족의 이동	5호의 화북 지역 점령 → 한족이 창장강 이남 지역으로 이동 → 동진 건국 → 남조를 형성하여 북조와 대립(*남북조 시대)

3. 한반도로의 인구 이동 자료①

만주 북부의 쑹화강 일대에 살던 민족이야.

고구려의 무덤과 백제 무덤의 모양과 축조 방식이 유사한 것에서 고구려 이동 세력이 백제 건국에 관여하였음을 짐작할 수 있어.

부여족의 이동	기원전 1세기경 부여족 내부 분열, 주몽 집단이 압록강 중류의 졸본 지역으로 남하 → 토착민과 함께 고구려 건국(→ 국내성으로 천도)
고구려인의 이동	고구려 정권 내부에서 갈등 발생, 온조 집단이 한강 유역으로 남하 → 백제 건국(→ 마한의 토착 세력을 압박하며 한반도 남부 지역으로 세력 확대)
고조선 유민의 이동	*고조선 멸망 후 유민의 일부가 한반도 남부 지역으로 남하 → 경주의 토착 세력과 연합(→ 신라 건국의 토대 마련)
낙랑군 유민의 이동	고구려에게 멸망한 낙랑군의 유민 일부가 한반도 남부 지역으로 이동 → 백제와 가야 연맹의 발전에 기여

진한의 소국 중 하나인 사로국에서 출발한 신라는 주변 소국을 병합하면서 진한의 주도 세력으로 발전하였어.

가야인의 일부가 일본 열도로 이주하면서 두 지역 사이의 인적·물적 교류가 활발해졌어.

4. 일본 열도의 인구 이동 자료②

(1) **인구 이동의 양상**: 중원 및 한반도에서 이주(*도왜인)

(2) **인구 이동의 영향**: 도왜인이 야요이 문화의 발전과 야마토 정권의 성립·발전에 기여, 일본 열도의 사람들이 중원과 한반도의 선진 문화 수용

야마토 정권이 안정되어 동쪽으로 세력을 확대해 가면서 일본 열도의 거주민은 동쪽으로 꾸준히 이동하였어.

5. 문물의 전파와 상호 교류 자료③

(1) **문물의 전파**

특히 가야는 철기를 일본 열도에 전파하여 한 군현과 한반도, 일본 열도를 연결하는 교역의 중심지로 발전하였어.

① 철기: 춘추·전국 시대에 중원 지역에 보급 시작 → 진·한 교체 시기 만주와 한반도에 전파 → 일본 열도에 전파

잠깐! 철기의 전파 경로는 인구 이동의 경로와 대체로 일치함을 알아두자.

② 농업 기술

중원 지역	한족의 이주로 강남 지역의 노동력 증가, 한족의 토목·관개 기술 전파(→ 농업 생산력 증대)
일본 열도	도왜인이 수전 농법, 관개 기술 등 전파

(2) **상호 교류**: 인구 이동에 따라 문물 전파, 지역 사이의 교류 활성화

이것이 핵심!

동아시아의 인구 이동

5호	만주·몽골 지역에서 화북 지역으로 이동 → 북조 형성
한족	화북 지역에서 강남 지역으로 이동 → 남조 형성
부여족	만주 쑹화강 유역에서 압록강 중류 졸본 지역으로 남하 → 고구려와 백제 건국
도왜인	중원의 강남 지역과 한반도에서 일본 열도로 이동

★ **5호**
다섯 오랑캐라는 뜻으로, 중국 북방의 유목 민족인 흉노, 선비, 저, 갈, 강족을 가리킨다.

★ **남북조 시대**

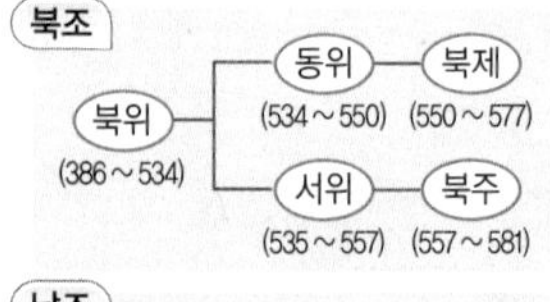

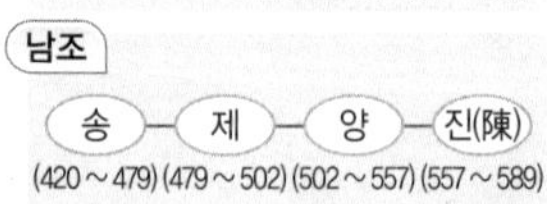

화북 지역의 5호 16국이 5세기 전반 북위에 의해 통일되면서 북조가 형성되었고, 강남 지역의 한족 왕조와 대립하면서 남북조 시대가 전개되었다.

★ **위만의 고조선 이동**
진·한 교체기에 위만이 망명 집단을 이끌고 고조선으로 이주한 후 반란으로 왕위를 차지하였다.

★ **도왜인(渡倭人)**
3세기 후반에서 7세기까지 한반도, 창장강 이남(강남) 등에서 바다를 건너 일본 열도로 이주한 사람들을 일컫는다. 일본에서는 '바다를 건너온 사람'이라는 뜻의 '도래인(渡来人)'으로 부른다.

내 옆의 선생님

자료 1 중원과 한반도의 인구 이동

- 원제가 창장강을 건너오고 나서 …… (동)진을 세운 것은 이로부터 시작되었다. …… 이때 백성이 난리를 만나 이 지역으로 흘러들어 왔고, 유민 대부분이 권세 있는 집에 의지하여 식객이 되었다. ── 이민족의 침략에 따른 인구 이동을 보여 줘. – 『남제서』 남연주지
- (금와왕의) 맏아들 대소가 왕에게 말하기를 "주몽은 …… 사람됨이 또한 용감합니다. …… 후환이 있을까 두려우니 그를 제거할 것을 청하옵니다."라고 하였다. …… 주몽이 이에 오이, 마리, 협보 등 세 사람과 친구가 되어 길을 떠났다. ─ 정치 집단 내의 갈등에 따른 인구 이동 사례야. – 『삼국사기』 고구려 본기

첫 번째 자료는 북방 민족의 침략을 피해 창장강 이남으로 내려간 한족이 (동)진을 세우는 과정을 보여 준다. 두 번째 자료에는 주몽 집단이 부여족 내부에서 발생한 정치적 갈등을 피해 이동하는 모습이 나타나 있다. 압록강 중류의 졸본 지역으로 남하한 주몽 집단은 이곳에서 토착 세력과 연합하여 고구려를 세웠다.

자료 하나 더 알고 가자!

5호의 성립과 한족의 이동

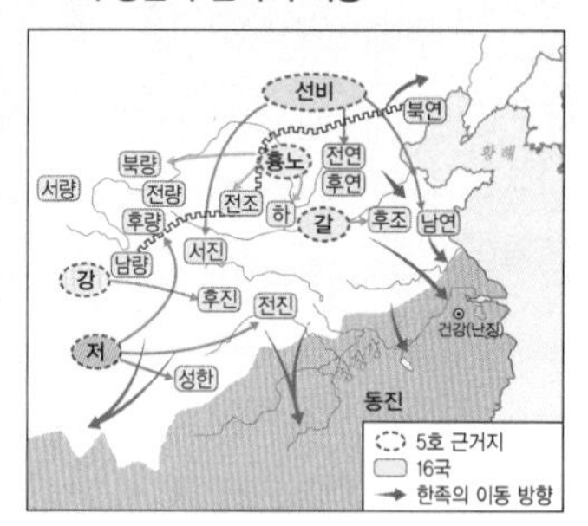

5호에게 화북 지역을 빼앗긴 한족은 강남 지역으로 내려와 동진을 세웠어. 이후 강남 지역에서는 한족 왕조인 송, 제, 양, 진이 차례로 들어섰어.

자료 2 도왜인의 이주와 활동

─ 일본 열도로 건너간 한반도 사람들에 대한 기록이야.

- 고구려인, 백제인, 신라인 등이 함께 건너왔다. 다케노우치노 스쿠네에게 명하여 여러 한인(韓人)을 거느리고 연못을 만들게 하였다. 그래서 그 연못을 '한인의 못'이라고 한다.
- 삼한(三韓)의 사람들에게 조를 내려 "귀화한 첫해에 함께 온 자손도 아울러 역의 부과를 모두 면제한다."라고 하였다. …… 당인(唐人), 백제인, 고구려인 147인에게 작위를 주었다. – 『일본서기』
  └ 도왜인에게 작위를 주어 지배층으로 편입시킨 후 이들을 체제 정비에 이용하였음을 유추할 수 있어.

삼국 간의 항쟁이 격화되고 정치적인 변화가 있을 때마다 고구려인, 백제인, 신라인, 가야인이 일본 열도로 이주하였다. 오랜 전란에 시달리던 한족도 한반도를 거쳐 이 대열에 동참하였다. 한반도에서 일본 열도로 건너간 사람들은 일본 열도에 연못을 만드는 기술, 유교 등을 전해 주었다. 도왜인이라 불린 이들은 야마토 정권의 성립과 발전에 기여하였다.

정리 비법을 알려줄게!

일본 열도 방면으로의 인구 이동

인구 이동의 양상
삼국 간 항쟁 시기의 한반도 주민, 중국 남북조 시기 한족이 일본 열도로 이주(도왜인)

↓

인구 이동의 결과
• 야요이 문화 발전 • 소국 성립: 3세기경 30여 개의 소국이 야마타이국을 중심으로 연합 • 야마토 정권의 발전: 각지의 호족들을 복속하며 세력 확대

자료 3 문물의 전파와 상호 교류

▲ 가야 토기(왼쪽)와 스에키(오른쪽)

가야로부터 오름 가마 기술이 보급되면서 일본 열도에서 스에키가 제작되었어.

▲ 중국 한 대의 금 상감 박산 향로(왼쪽)와 백제 금동 대향로(오른쪽)

두 향로의 형태와 표현 기법이 매우 유사해.

동아시아 지역의 인구 이동으로 다양한 문물이 전파되고 지역 사이의 교류가 활발해졌다. 선진 문물이 전파되면서 인구가 이주한 지역의 문화가 발전하였으며, 문물을 교류하는 과정에서 동아시아 각국은 점차 비슷한 문화를 공유하게 되었다.

자료 하나 더 알고 가자!

동아시아 각국의 반가 사유상

한국의 금동 미륵보살 반가 사유상(왼쪽)과 일본의 고류사 목조 미륵보살 반가 사유상(오른쪽)은 재질이 다르지만, 형태와 표현 기법 등이 유사해.

인구 이동과 정치·사회 변동

이것이 핵심!

지역 통일 국가의 성립

중원 지역	북위 → 수 → 당(동아시아의 질서 주도)
만주와 한반도	고구려·백제·신라가 서로 경쟁하며 발전 → 신라의 삼국 통일, 발해 성립
일본 열도	야마토 정권 → 나라 시대 → 헤이안 시대

★ 호한(胡漢) 융합
호족(한족이 북방 민족을 통칭할 때 사용한 표현)과 한족의 융합

★ 씨성 제도
'씨'를 기반으로 한 호족을 중앙에 복속시키기 위해 정치적·사회적 지위인 '성'을 하사하는 제도

★ 다이카 개신(645)
권신 소가 씨가 축출된 정변 이후 이루어진 일련의 개혁을 말한다. 당의 율령 체제를 본떠 군주 중심의 중앙 집권 체제를 구축하고자 하였다.

★ 아스카 문화
7세기 전반 아스카 지역(현재의 나라현)에서 발전한 일본 최초의 불교문화

★ 도호부
당이 이민족을 통치하기 위해 변경에 설치한 최고 통치 기관으로, 도독부와 그 아래의 주를 관할하였다.

★ 통일 신라의 체제 정비
신라, 고구려, 백제의 옛 땅에 각 3주씩 지방 구역을 나누어 설치하고, 국왕의 직속 부대인 9서당에 고구려인, 말갈인 등 피정복민을 포함하였다.

★ 국풍 문화
중국의 문화를 추종하는 이른바 '당풍'과 달리 일본 고유의 특색이 강한 문화 풍조이다. 가나 문학, 주거 문화, 종교 등에서 두드러졌다.

2 국가의 통합과 발전

1. 남북조와 수·당의 발전

(1) 남북조의 발전

한족 관료가 건의하여 시행한 균전제는 국가의 통합에 기여하였어.

왜? 뤄양은 한족의 문화가 축적된 곳이었어. 효문제는 한족의 문물을 흡수하기 위해 일부 선비족의 반발에도 불구하고 수도를 뤄양으로 옮겼어.

북위	균전제 실시(농민에게 토지 분배), 한화 정책 추진(뤄양으로 천도, 한족을 관리로 발탁, 한족의 언어와 풍습 수용, 선비족의 성을 한족의 성으로 교체, 한족과의 혼인 장려) → *호한 융합 교과서 자료
남조	한족 지배층이 권력 독점, 강남 지역의 농업 생산력 발전

풍부한 노동력과 화북 지역의 토목·관개 기술이 전파되면서 가능하였어.

(2) 수·당의 성립과 발전

수	남북조 통일(6세기 후반), 대운하 건설, 과거제 실시, 돌궐·고구려 공격(→ 무리한 원정으로 멸망) 자료 ④
당	수가 멸망한 후 중원 지역 장악, 고구려·토번 등 침공

대운하를 통해 강남과 화북을 연결하여 남북 간 경제 통합을 강화하였어.

2. 삼국의 항쟁과 야마토 정권의 성장

(1) 삼국의 항쟁: 만주와 한반도에서 고구려·백제·신라가 서로 경쟁, 치열한 외교전 전개

4세기	백제가 주도권 장악 → 남조 및 왜와 연계하여 세력 유지에 노력
5세기	고구려가 주도권 장악 → 한강 유역 장악(백제, 신라의 동맹 형성), 요동 차지, 중국의 남북조와 외교 관계 수립 (고구려는 신라에 왜가 침입하자 지원군을 보내 왜를 물리치고 가야 지역까지 공격하였어.)
6세기	신라가 주도권 장악 → 한강 유역 장악, 대가야 정복, 한강 유역을 거쳐 중국 남북조와 직접 교류(→ 이후 수·당과 연계

백제는 왜에 불교와 한자를 전하였어. 백제의 많은 기술자들이 왜로 건너가 사찰을 건립하였지.

(2) 야마토 정권

① 성립: 4세기경 야마토 분지에 기반을 둔 세력이 각지의 호족 세력을 통합하며 성장 → *씨성 제도 마련

② 발전

앞은 네모지고 뒤는 둥근 모양의 무덤으로, 무덤의 둥근 부분에 시신을 묻고 앞쪽 네모난 곳에서 제사와 같은 의식을 거행하였어.

정치	도왜인을 등용하여 체제 정비, 지배자들이 거대한 무덤(전방후원분)을 만들어 세력 과시, *다이카 개신 단행(관료제 도입)
문화	중국의 남조 및 한반도의 삼국과 가야의 선진 문물 수용 → 스에키 제작, *아스카 문화 발전

3. 각 지역 통일 정권의 등장

돌궐을 제압하고 서역을 정벌하였어.

(1) 당: 율령 체제 정비, 적극적인 팽창 정책을 추진하여 동아시아의 패자로 군림, *도호부 설치, 기미 정책 실시 → 당 중심의 동아시아 질서 형성

정복민의 부족장과 왕을 도독, 자사 등으로 임명하여 변방 지역을 간접적으로 다스렸어.

(2) 만주와 한반도

① 신라의 삼국 통일: 나·당 연합군 결성 → 백제 멸망(660) → 백강 전투(663) → 고구려 멸망(668) → 당이 한반도 전체 지배 야욕 표출 → 신라의 당 격퇴, 삼국 통일 완성(676) (→ *통일 후 체제 정비) 자료 ④

잠깐 신라의 삼국 통일 전쟁은 당과 일본이 개입한 국제전의 성격이었어. 7세기 동아시아 국제 질서와 관련된 중요한 사건임을 기억하자.

② 발해의 성립

건국	대조영이 고구려 유민을 중심으로 말갈족과 함께 건국(698, 통일 신라와 함께 남북국의 형세 형성)
발전	고구려의 옛 영토 회복에 노력, 건국 초기 당과 대립, 문왕 이후 당·일본과의 교류 확대

(3) 일본 열도 자료 ⑤

야마토 정권(4~7세기)	7세기 말 견당사를 파견하여 당의 문물 수용, '일본' 국호와 '천황' 칭호 사용 시작
나라 시대(710~794)	나라 지역에 헤이조쿄를 건설하고 천도, 견당사·견신라사를 파견하여 선진 문물 수용
헤이안 시대(794~1185)	헤이안쿄(교토)로 천도, 수도를 중심으로 *국풍 문화 발달, 9세기 말 견당사 파견 중지

당의 장안성을 모방하여 건설하였어.

완자 자료 탐구

내 옆의 선생님

수능이 보이는 교과서 자료 북위 효문제의 정책

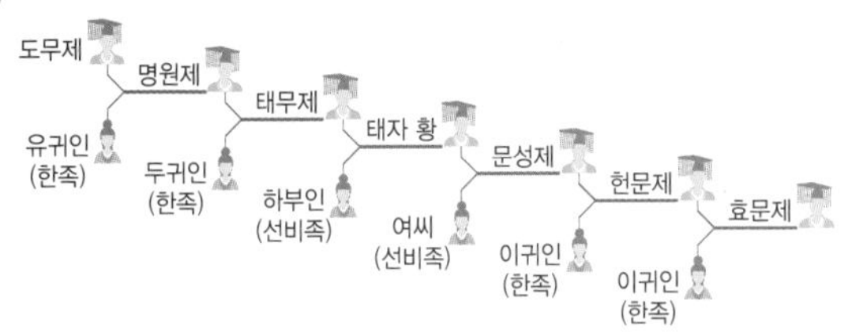

▲ **북위 황실 혈통의 중국화** — 북위의 황제는 선비족 출신이었지만 황후는 대부분 한족 출신이었어.

> 여러 북방의 언어를 쓰지 못하게 하고 오로지 올바른 중원의 언어만 사용하도록 하려 한다. …… 올바른 언어에 익숙해지면 풍속이 새롭게 교화될 것이다. －『위서』

북위의 효문제는 선비족과 한족 사이의 혼인을 장려하고, 선비족의 언어 사용과 의복 착용을 금지하였으며, 선비족의 성을 한족의 성으로 바꾸게 하는 등 한화 정책을 펼쳤다. 그 결과 북위는 유목 민족의 군사력과 한족의 문물제도를 융합한 국가로 발전하였다. 통일 제국인 수·당은 이러한 호한 협력의 집단에서 출현하였다.

완자샘의 탐구 강의

• 자료에 나타난 정책의 실시 목적과 영향을 정리해 보자.

목적	효문제는 선비족과 한족의 마찰을 줄여 정권의 안정을 꾀하고, 이를 바탕으로 남조를 통일하고자 하였다.
영향	화북 지역에서 유목 민족의 문화와 한족의 문화가 점차 융합되었다. 또 북위는 정권이 안정되며 점차 발전하였다.

함께 보기 54쪽, 1등급 정복하기 2

자료 4 7세기 동아시아에서 일어난 전쟁

> 백제(부흥군)는 여러 장수에게 "일본에서 우리를 구원하러 여원군신이 용사 1만여 명을 거느리고 바다를 건너오고 있다." …… 당의 장군이 함선 170척을 이끌고 백강에 진을 쳤다. 왜의 수군 중 처음 도착한 배들이 당의 수군과 전투를 벌였지만 왜군이 불리하여 후퇴하였다. …… 당군은 좌우에서 수군을 내어 왜에 협공하였다. 눈 깜짝할 사이에 왜군이 패배하였다. －『일본서기』

자료는 백제 부흥 세력과 왜의 연합 세력이 백강에서 나·당 연합군과 전쟁(663)을 벌이다가 패한 상황을 보여 준다. 7세기 동아시아 지역에서 '돌궐 – 고구려 – 백제 – 왜'의 남북 세력과 '신라 – 수·당'의 동서 세력 간 대립이 심화되었다. 당은 돌궐을 제압하고, 신라와 연합하여 백제와 고구려를 연이어 멸망시켰다.

자료 하나 더 알고 가자!

수의 고구려 공격

> (612년) 7월 살수에 이르러 반쯤 강을 건넜을 때, 우리 군사가 후방에서 적군의 부대를 공격하였다. …… 9군이 요하에 이르렀을 때는 30만 5천 명이었는데, 요동성으로 돌아간 것은 2천7백 명이었고 ……. －『삼국사기』 고구려 본기

수는 남북조를 통일한 후 주변 지역에 적극적인 공세를 취하였어. 고구려에 세 차례에 걸쳐 침공하였지만 고구려 복속에 실패하였고, 이를 계기로 멸망하였어.

자료 5 일본의 견당사 파견

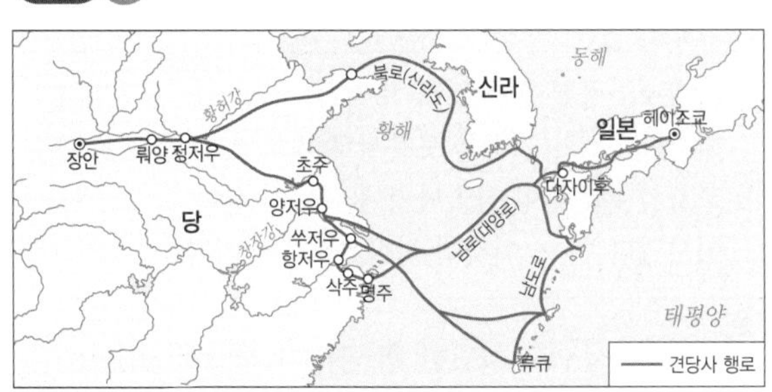

▲ 견당사의 주요 행로

견당선에는 사신 외에도 유학생, 유학승 등이 함께 승선하였어.

▲ 견당사가 타고 간 배(복원)

견당사는 야마토 정권과 나라·헤이안 시대에 일본이 당의 선진 문물 및 불교 경전 등을 수집할 목적으로 당에 파견한 사절을 가리킨다. 견당사 파견의 영향으로 일본은 당의 장안성을 본떠 헤이조쿄를 건설하였고, 당의 율령 체제를 본떠 군주 중심의 통치 체제를 마련하였다.

문제로 확인할까?

일본의 견당사 파견과 관련된 설명으로 옳지 않은 것은?

① 야마토 정권 때 처음 이루어졌다.
② 헤이안 시대인 9세기 말에 중지되었다.
③ 국풍 문화가 당에 전파되는 계기가 되었다.
④ 불교 경전과 당의 문물을 수집하려는 목적이 있었다.
⑤ 일본의 문화 발전과 정치 체제 확립에 영향을 주었다.

③ 답

STEP 1 핵심 개념 확인하기

정답친해 12쪽

1 인구 이동의 주체와 그 영향을 옳게 연결하시오.

(1) 5호 • • ㉠ 고구려, 백제 건국

(2) 한족 • • ㉡ 야마토 정권의 발전

(3) 도왜인 • • ㉢ 화북 지방에 16국 건설

(4) 부여족 • • ㉣ 창장강 이남에 농업 기술 전파

2 다음 설명이 맞으면 ○표, 틀리면 ×표를 하시오.

(1) 화북 지방을 통일한 북위는 호족과 한족의 융합을 도모하였다. ( )

(2) 신라는 4세기부터 중국의 남북조와 외교 관계를 맺고 교류하였다. ( )

3 5세기 고구려는 요동을 차지하고 한강 유역을 확보하였으며, 중원의 ( )와 다각적인 외교 관계를 맺었다.

4 야마토 정권이 당의 율령 체제를 본떠 군주 중심의 중앙 집권 체제를 도모한 개혁은?

5 고구려 유민과 말갈족을 이끌고 발해를 건국한 인물은?

6 7세기 전반 동아시아에서는 '돌궐 – 고구려 – 백제 – 왜'의 남북 세력과 ( )의 동서 세력이 대립하였다.

7 다음 괄호 안의 내용 중 알맞은 말에 ○표를 하시오.

(1) 7세기 후반 나·당 연합군은 차례로 백제, (발해, 고구려)를 멸망시켰다.

(2) 8세기 말 일본에서는 (헤이안쿄, 헤이조쿄)로 천도하면서 헤이안 시대가 시작되었다.

8 헤이안 시대에 등장하였으며, 일본인 고유의 특색이 강하게 나타나는 문화를 일컫는 말은?

STEP 2 내신 만점 공략하기

01 (중요) 자료에 나타난 인구 이동이 끼친 영향으로 적절한 것은?

> 원제가 창장강을 건너 (동)진을 세운 것은 …… 이때 유민들이 권세 있는 집에 의지하여 식객이 되었다. – 「남제서」

① 호족과 한족의 문화가 융합되었다.
② 강남 지방의 농업 생산력이 증가하였다.
③ 부여족의 일부가 졸본 지역으로 이동하였다.
④ 야마토 정권이 체제를 정비하며 발전하였다.
⑤ 아스카 지역을 중심으로 많은 사찰이 건립되었다.

02 (가) 시기 중원의 상황으로 옳은 것을 〈보기〉에서 고른 것은?

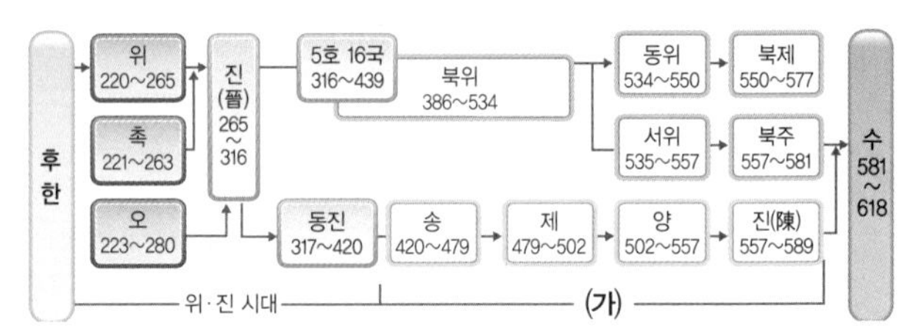

〈보기〉
ㄱ. 창장강 이남 지역에 새로운 농업 기술이 들어왔다.
ㄴ. 북방 민족인 흉노, 저, 강족이 각각 국가를 세웠다.
ㄷ. 선비족이 균전제를 시행하여 국가 통합을 꾀하였다.
ㄹ. 대운하가 건설되면서 강남과 화북 지역이 연결되었다.

① ㄱ, ㄴ ② ㄱ, ㄷ ③ ㄴ, ㄷ
④ ㄴ, ㄹ ⑤ ㄷ, ㄹ

03 (가), (나) 국가에 대한 설명으로 옳은 것은?

> (가) (주몽이) 졸본에 이르러 토지가 비옥하고 산하가 험한 것을 보고, 그곳을 도읍으로 정하였다.
> (나) 고조선 유민들이 산골짜기에 나누어 살아 사로 6촌을 이루었다. …… 이것이 진한 6부가 되었다.

① (가) – 국내성으로 천도한 후 국력이 신장하였다.
② (가) – 이주민과 토착민이 연합하여 사로국을 발전시켰다.
③ (나) – 마한 세력을 통합하며 세력을 확장해 갔다.
④ (나) – 철이 많이 생산되어 일본 열도에 수출하였다.
⑤ (가), (나) – 부여족의 일파가 남하하여 건국하였다.

04 다음 유물 제작에 직접적인 영향을 준 한반도의 국가에 대한 설명으로 옳은 것은?

① 왜에 불교를 전해 주었다.
② 남조, 일본 열도와의 관계를 중시하였다.
③ 한 군현과 일본 열도를 연결하는 무역을 하였다.
④ 고조선 유민과 경주 토착 세력이 연합하여 세웠다.
⑤ 5세기에 중국의 남북조와 외교 관계를 수립하였다.

05 수행 평가 계획서의 (가)에 들어갈 내용으로 적절한 것은?

• 탐구 주제: (가)
• 모둠별 조사 내용

1모둠	아스카 문화의 발전 양상
2모둠	야마토 정권의 성립과 발전 과정

① 고조선 유민의 이주와 활동
② 한족의 이주와 강남의 개발
③ 부여족의 이주와 백제의 발전
④ 도왜인(도래인)의 이주와 영향
⑤ 5호의 이주와 화북 지방의 발전

06 자료를 읽고 7세기까지의 일본 열도로의 인구 이동에 대해 잘못 추론한 학생은?

> 삼한(三韓)의 사람들에게 "귀화한 첫해에 함께 온 자손도 아울러 역의 부과를 모두 면제한다."라고 하였다. …… 당인(唐人), 백제인, 고구려인 147인에게 작위를 주었다.

① 갑: 이주민들을 위한 마을이 생겨났을 거야.
② 을: 이주민들은 체제 정비에 기여하였을 거야.
③ 병: 토착민을 중심으로 국풍이 유행하였을 거야.
④ 정: 선진 기술, 불교 등이 일본에 전해졌을 거야.
⑤ 무: 한반도에서 일본 열도로 건너간 사람이 많았을 거야.

07 중요 다음 대화의 주제로 가장 적절한 것은?

① 당의 기미 정책
② 몽골의 통치 정책
③ 북위의 한화 정책
④ 흉노의 세력 확장
⑤ 신라의 민족 융합 정책

08 다음 전쟁을 벌인 중원 왕조에 대한 설명으로 옳은 것은?

> 살수에 이르러 군사가 반쯤 강을 건넜을 때, 우리 군사가 후방에서 적군의 후속 부대를 공격하였다. …… 황제가 화가 나서 우문술 등을 쇠사슬로 묶어 돌아갔다. －『삼국사기』

① 호족과 한족의 혼인을 장려하였다.
② 중원 지역을 통일한 최초의 국가였다.
③ 발해와 대립하다가 교류를 시작하였다.
④ 무리한 대외 원정의 영향으로 멸망하였다.
⑤ 백강 전투에서 왜·백제의 군대와 충돌하였다.

09 ㉠~㉤ 중 옳지 않은 것은?

> 7세기 전반까지 만주와 한반도에서는 고구려, 백제, 신라가 경쟁하였다. ㉠ 4세기에 주도권을 잡은 것은 백제였다. ㉡ 백제는 북조, 왜와의 관계를 중시하였다. ㉢ 고구려가 주도권을 장악한 5세기에는 백제와 신라가 동맹을 맺고 대항하였다. ㉣ 6세기에는 신라가 한강 유역을 장악하였다. 이후 신라가 대외 팽창을 꾀하던 수·당과 연계하자 ㉤ 고구려는 백제, 돌궐, 왜와 연합하여 이에 맞섰다.

① ㉠ ② ㉡ ③ ㉢ ④ ㉣ ⑤ ㉤

10 다음 유적을 남긴 정권에서 있었던 사실로 옳은 것은?

> 5세기경 축조된 일본 최대 규모의 고분이다. 무덤의 둥근 부분에 시신을 묻고 앞쪽 네모난 곳에서 제사와 같은 의식을 거행하였던 것으로 보인다.

① 대운하를 완성하였다.
② 돌궐, 백제와 연합하였다.
③ 헤이안쿄로 수도를 옮겼다.
④ 씨성 제도를 통해 호족을 포섭하였다.
⑤ 여러 차례에 걸쳐 고구려에 원정군을 보냈다.

11 (중요) (가)~(라) 국가와 관련된 설명으로 옳은 것을 〈보기〉에서 고른 것은?

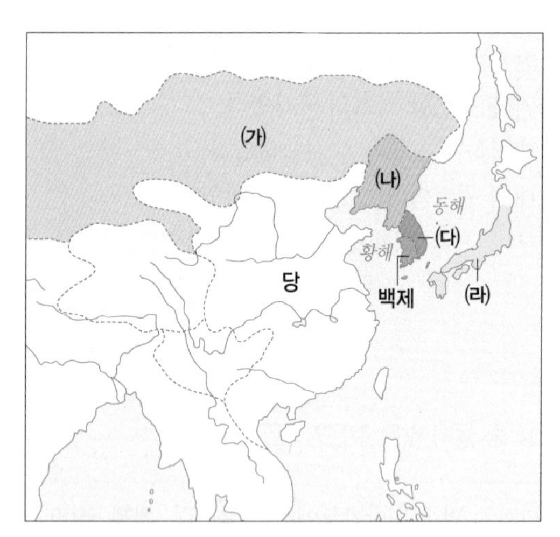

보기
ㄱ. (가)는 당과 연합하여 (나)를 멸망시켰다.
ㄴ. (나)는 (가), (라)와 남북 세력을 형성하였다.
ㄷ. (다)는 (나)와 함께 남북국의 형세를 이루었다.
ㄹ. (라)의 군대는 백강 전투에서 백제군과 연합하였다.

① ㄱ, ㄴ ② ㄱ, ㄷ ③ ㄴ, ㄷ
④ ㄴ, ㄹ ⑤ ㄷ, ㄹ

12 (중요) 밑줄 친 '이 나라'에 대한 설명으로 옳지 않은 것은?

> 백제는 여러 장수에게 "일본에서 우리를 구원하러 여원군 신이 용사 1만여 명을 거느리고 바다를 건너오고 있다." …… 이 나라의 장군이 함선 170척을 이끌고 백강에 진을 치고 신라군과 연합하여 왜군과 싸웠다. - 『일본서기』

① 신라와 연합하여 고구려를 멸망시켰다.
② 일본의 헤이조쿄 건설에 영향을 주었다.
③ 변방을 통치하기 위해 도호부를 설치하였다.
④ 수도를 뤄양으로 옮기고 호한 융합을 꾀하였다.
⑤ 정복민의 부족장과 왕을 도독, 자사 등으로 임명하였다.

13 (가), (나) 국가에 대한 옳은 설명을 〈보기〉에서 고른 것은?

> 부여씨와 고씨가 망한 다음 김씨의 (가) 이/가 남에 있고 대씨의 (나) 이/가 북에 있으니 이것이 남북국이다. 남북국사가 있어야 하는데 고려가 편찬하지 않은 것은 잘못이다. 대씨가 차지하고 있던 땅은 어떤 땅인가. 바로 고구려 땅이다.

보기
ㄱ. (가) – 전국을 9주 5소경으로 편제하였다.
ㄴ. (가) – 수의 침략을 여러 차례 격퇴하였다.
ㄷ. (나) – 문왕 이후 당과 친선 관계를 맺었다.
ㄹ. (나) – 남하 정책을 펼쳐 한강 유역을 장악하였다.

① ㄱ, ㄴ ② ㄱ, ㄷ ③ ㄴ, ㄷ
④ ㄴ, ㄹ ⑤ ㄷ, ㄹ

14 신라가 다음 정책을 추진한 목적으로 가장 적절한 것은?

> 통일 이후 신라, 고구려, 백제의 옛 땅에 각 3주씩 지방 구역을 나누어 설치하였다. 또 국왕의 직속 부대인 9서당에 고구려인, 백제인, 말갈인 등 피정복민을 포함하였다.

① 율령 체제를 정비하고자 하였다.
② 당의 선진 문물을 수용하고자 하였다.
③ 고구려의 옛 영토를 회복하고자 하였다.
④ 한강 유역을 거쳐 남북조와 교류하고자 하였다.
⑤ 민족 융합을 도모하여 국가 체제를 정비하고자 하였다.

15 다음 소설이 쓰인 시대에 대한 설명으로 옳은 것은?

이달의 추천 도서

- 서명: 겐지 이야기
- 선정 이유: 가나 문자로 쓰인 이 소설의 치밀한 구성, 인간 심리 묘사 등에서 당시 국풍 문화의 면모를 느낄 수 있을 것이다.

책에 수록된 그림

① 견당사의 파견을 중지하였다.
② 쇼토쿠 태자가 불교를 부흥시켰다.
③ '일본'이라는 국호를 사용하기 시작하였다.
④ 다이카 개신을 통해 국가 체제를 확립하였다.
⑤ 군주 중심의 중앙 집권화 개혁을 실시하였다.

16 다음 내용을 뒷받침할 수 있는 자료로 가장 적절한 것은?

일본은 630년부터 894년까지 총 19차례 견당사를 파견하였다. 이때 수집한 당의 선진 문물을 활용하여 제도를 정비하고 국가의 기틀을 다졌다.

①

쇼소인 소장 유리잔

②
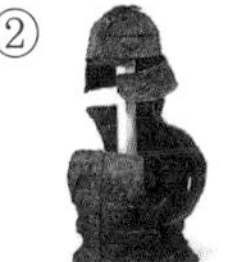
철제 갑옷과 투구

③

쇼소인 소장 비파

④

고류사 목조 미륵 보살 반가 사유상

⑤

헤이조쿄의 구조

서술형 문제

● 정답친해 14쪽

01 두 인구 이동의 공통점을 서술하시오.

- 선비, 흉노, 저, 갈, 강족이 화북 지역에 나라를 세운 후 한족이 창장강 이남으로 이주하였다.
- 나·당 연합군의 공격을 받아 백제가 멸망한 후 백제의 유민들이 바다를 건너 일본 열도로 들어갔다.

길잡이 두 인구 이동의 배경, 결과에 주목하여 공통점을 찾아본다.

02 다음을 읽고 물음에 답하시오.

3세기 후반에서 7세기까지 창장강 이남, 한반도 등지에서 일본 열도로 이주한 사람들을 일본에서는 '바다를 건너온 사람'이라는 뜻의 '도래인(渡來人)'이라고 부른다.

(1) 밑줄 친 사람들을 일컫는 명칭을 쓰시오.

(2) (1)의 이주가 일본 열도에 미친 영향을 서술하시오.

길잡이 정치적·문화적 측면으로 구분하여 서술한다.

03 다음을 읽고 물음에 답하시오.

(가) 은/는 "이제 북방의 언어를 금지하고, 오로지 올바른 중원의 언어만 사용토록 한다. 서른 살 이상인 사람은 어쩔 수 없지만, 조정에 있는 서른 살 이하의 사람은 예전처럼 말해서는 안 된다. 만약 고의로 북방의 언어를 쓴다면 관직을 박탈할 것이다."라고 하였다. -『위서』

(1) (가)에 들어갈 황제를 쓰시오.

(2) 북위에서 위와 같은 정책을 실시한 목적을 서술하시오.

길잡이 북위의 화북 통일 과정과 민족 구성에 대해 생각해 본다.

STEP 3 1등급 정복하기

1 (가)에 들어갈 내용으로 적절하지 않은 것은?

> 인구 이동의 특징
>
> **완자샘의 시험 꿀팁**
> 기원 전후부터 7세기경까지 중원, 한반도, 일본 열도로의 인구 이동 과정에서 나타난 특징을 구분할 수 있어야 한다. 아울러 인구 이동에 따른 영향도 정리해 두어야 한다.

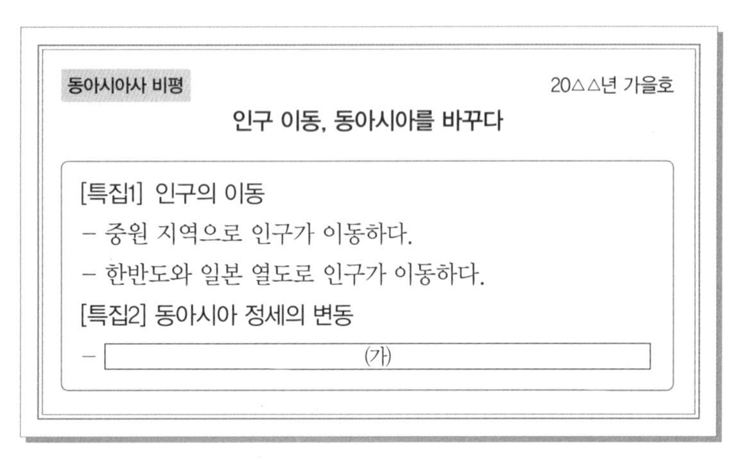

동아시아사 비평 20△△년 가을호

인구 이동, 동아시아를 바꾸다

[특집1] 인구의 이동
– 중원 지역으로 인구가 이동하다.
– 한반도와 일본 열도로 인구가 이동하다.
[특집2] 동아시아 정세의 변동
– (가)

① 야마토 정권이 성립하다.
② 유방이 중원 지역을 다시 통일하다.
③ 위만 집단이 한반도에 들어와 권력을 잡다.
④ 창장강 이남 지역에 새로운 농업 기술이 전파되다.
⑤ 북방 민족이 화북 지방에서 독자적 정권을 수립하다.

수능 응용

2 (가) 왕조 시기의 동아시아 상황으로 옳은 것은?

> 지역 국가의 성장
>
> **완자샘의 시험 꿀팁**
> 특정 왕조의 시기를 제시하고, 당시 동아시아 각국의 상황을 묻는 유형이 자주 출제된다. 동아시아 각 지역의 시기별 변화를 반드시 파악하고 있어야 한다.

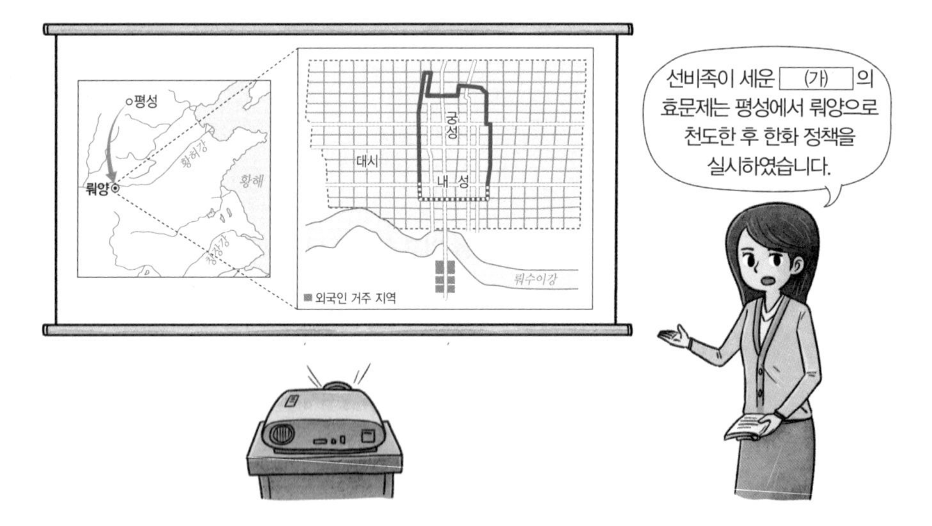

① 고선지가 중앙아시아에서 활약하였다.
② 일본 열도에서 견당사의 파견을 중지하였다.
③ 대조영이 고구려 유민과 함께 발해를 건국하였다.
④ 부여족의 일파가 한강 유역으로 남하하여 국가를 세웠다.
⑤ 고구려의 남하를 견제하기 위해 백제와 신라가 동맹을 맺었다.

3 (가), (나) 사이 시기에 동아시아에서 일어난 일을 〈보기〉에서 고른 것은?

> (가) 수의 9군이 패한 다음 하루 낮과 밤 동안 450리를 걸어 압록강으로 돌아갔다. 처음 9군이 랴오허강을 건널 때는 30만 5천 명이었는데, 요동성으로 돌아온 것은 다만 2천 7백 명이었다. -『수서』
>
> (나) 여러 성에서 도망하고 항복하는 자가 서로 이어졌다. …… 보장왕이 천남산을 보내 수령 98인을 거느리고 백기(白旗)를 가지고 (당의) 이적에게 나아가 항복하였는데 이적이 이를 예로 접대하였다. …… (당) 고종이 (고구려) 3만 8천3백 호를 강남, 회남, 산남, 경서 등 여러 주의 빈 땅으로 옮겼다. -『삼국사기』

보기

ㄱ. 신라가 고구려 유민과 함께 당의 세력을 축출하였다.
ㄴ. 나·당 연합군의 공격으로 백제의 사비성이 함락되었다.
ㄷ. 백제와 왜의 연합군이 백강에서 당과 신라의 연합군에 맞섰다.
ㄹ. 발해가 건국되어 만주와 한반도에서 남북국 시대가 시작되었다.

① ㄱ, ㄴ ② ㄱ, ㄷ ③ ㄴ, ㄷ
④ ㄴ, ㄹ ⑤ ㄷ, ㄹ

통일 정권의 형성과 발전

완자 사전

• 천남산(연남산)
고구려 연개소문의 셋째 아들로, 당의 침공 때 항쟁을 주도하였다. 그러나 평양성이 함락될 위기에 처하자 당에 항복하였다.

4 다음은 4세기 이후 일본 열도의 상황을 정리한 것이다. 밑줄 친 '정권'에 대한 설명으로 옳은 것은?

> 세토내해를 중심으로 규슈와 기나이 지방 사이에 인구 이동이 활발하게 일어났다. 정권이 안정되고 이주민을 수용하여 동쪽으로 세력을 점차 확대해 가면서 일본 열도의 거주민은 계속 동쪽으로 이동하였다. 이러한 인구 이동과 함께 일본 열도 동부 지역의 개발도 진척되어 갔다.

① 당의 수도 장안을 본떠 헤이조쿄를 건설하였다.
② 중원 왕조로부터 '한위노국왕'이라는 칭호를 받았다.
③ 궁정 귀족들 사이에서 가나 문학 작품이 유행하였다.
④ 수도인 헤이안쿄를 중심으로 고유의 국풍 문화가 발달하였다.
⑤ 당 유학생을 중심으로 소가 씨 세력을 타도하고 개혁을 추구하였다.

일본 열도의 발전과 변화

완자샘의 시험 꿀팁

일본 열도의 발전에 대해 묻는 문제에 대비하기 위해서는 야요이 시대, 야마토 정권, 나라 시대, 헤이안 시대를 구분하고, 각 시대의 성립 과정과 정치적·문화적 특징을 정리해야 한다.

02 국제 관계의 다원화

• 조공과 책봉을 포함한 동아시아의 다양한 외교 형식을 설명할 수 있다.
• 몽골 제국의 등장이 동아시아에 끼친 영향을 파악할 수 있다.

1 조공·책봉 체제의 형성

1. 조공·책봉 관계의 형성

(1) **주 대 *조공과 책봉 관계의 형성:** 정치적 연맹 관계를 맺은 주왕과 제후 사이에 성립

(2) **한 대의 외교 관계:** 조공과 책봉을 국가 간 외교 관계로 확대

① 외교의 변화 자료 ①

고조	흉노와의 전쟁에서 패배한 후 화친 체결, 흉노의 선우(군주)에게 공주를 보내고 물자 제공
무제	한이 동아시아의 강대국으로 성장, 유교적 통치 이념과 *화이관 확립 → 흉노 공격(→ 한 우위의 군신 관계 형성), 주변 국가에 조공과 책봉의 형식 적용

(한의 궁녀였던 왕소군이 공주로 위장하여 처음으로 흉노의 선우와 결혼하였어.)

② 조공·책봉 관계의 특징: 의례적 외교 관계이자 국제 교역의 형태, 주변국은 통치의 정당성 확보와 문화적·경제적 교류의 통로로 활용 → 중단, 교역을 위한 조공만 가능

(한의 직접 지배나 실질적인 간섭을 전제하지 않는 관계로, 형식적인 외교의 틀이었어.)

2. 남북조 시대의 다원화된 국제 외교 자료 ②

(1) **조공·책봉 관계의 변화:** 후한 멸망 후 새로운 국제 질서 성립 → 현실적·다원적 외교 질서 형성

(조공하는 나라는 정치적 필요와 실리를 고려하여 책봉국을 선택하였고, 동시에 여러 나라와 조공·책봉 관계를 맺기도 하였어.)

(2) **각국의 대외 관계**

남북조	남북조는 상대방을 조공국으로 간주, 주변국을 경쟁적으로 책봉
고구려	남북조와 모두 조공·책봉 관계 형성(→ 불교, 율령 수용), 만주에서 독자적 세력권 형성, 남진 정책 추진
백제	주로 남조와 조공·책봉 관계 유지(→ 불교, 유학, 건축 기술 등 수용)
신라	6세기 백제의 중개로 남조와 외교 관계 형성 → 한강 유역 장악 후 북조와 직접 교류
왜	5세기에 남조와 책봉 관계 형성, 백제·신라와 사절 교환

(왜? 국내외에서 정치권력의 정당성을 인정받기 위해서였어.)

이것이 핵심!

조공과 책봉 체제

주	주의 영역 안에서 조공·책봉의 관계 시작
↓	
한	국제 관계로 제도화

★ 조공과 책봉
조공은 황제에게 예물을 바치는 것이며, 책봉은 황제가 제후에게 관직을 내리거나 영토 지배를 인정하는 것이다.

후한의 광무제가 왜의 노국왕에게 하사한 것으로 추정되는 금 도장

★ 화이관
중국은 문명이 발달한 '중화(中華)'이고, 주변국은 오랑캐인 '이(夷)'라 칭하며 낮추어 보는 세계관

2 당 대 동아시아의 국제 관계

1. 당과 주변 민족과의 관계

(1) **유목 민족:** 돌궐, 위구르, 토번 등이 경제적 이익 여부에 따라 당과의 조공·책봉 관계 유지 또는 파기 → 8세기 이후 당이 화친 정책 추진(*화번공주 파견)

(돌궐: 유목 민족 최초로 문자를 이용하여 기록을 남겼어.)

(2) **신라, 발해:** 당 중심의 조공·책봉 관계 수용, 자국의 이익 우선시

신라	당의 산둥 지역에 신라방 형성, 나·당 전쟁을 통해 한반도 전체 지배 야욕을 표출한 당을 물리침
발해	건국 초 당의 산둥반도 공격, 당의 문물 수용(→ 당이 발해관 설치), 신라·일본과 교류

(당의 장안성을 본떠 수도 상경성을 건설하였어.)

(3) **일본:** 견당사 파견(→ 9세기 말 파견 중지), 신라·발해와 교류

2. 자국 중심의 천하관 대두 자료 ③

고구려	자국을 천하의 중심으로 여기고 독자적 연호 사용, '태왕' 칭호 사용, 백제와 신라에 조공 요구
백제	일부 마한의 소국을 남만이라고 부름, 탐라에게 조공을 받음
신라	독자적 연호 사용, 황룡사 9층 목탑 제작(주변 세계를 평정하겠다는 염원 반영)
발해	독자적 연호 사용(인안, 대흥 등), 주변의 말갈 부족들에게 복속 강요
일본	독자적 연호 사용, 신라와 발해를 속국으로 간주(→ 외교적 마찰 발생), 자국의 군주를 하늘에 비유하는 국서를 수에 보냄

(왜? '남만'은 중원 왕조가 남방의 나라를 멸시하여 부른 명칭이야. 백제가 마한의 소국을 남만이라고 부른 것은 스스로를 중화로 생각하였음을 알려 줘.)

이것이 핵심!

당과 주변국과의 관계

유목 민족	경제적 이익 여부에 따라 관계 변화, 당이 화번공주 파견
발해, 신라	당 중심의 조공·책봉 관계 수용, 자국의 실리 중시
일본	7세기 견당사 파견 → 9세기 견당사 파견 중지

★ 화번공주
중원 왕조가 주변국의 군주에게 출가시킨 황족 혹은 황제의 딸을 일컫는 말이다. 한의 왕소군은 흉노, 수의 안의 공주는 돌궐, 당의 문성 공주는 토번으로 출가하였다.

내 옆의 선생님

자료 1 한과 흉노의 관계 변화

곽거병은 무제 때 흉노와의 전쟁에서 활약하였어. 흉노인을 밟고 있는 형태를 한 것은 한이 성장하여 흉노보다 우위에 있다는 것을 나타내려 한 거야.

> 이 무렵 한나라 장수 가운데 흉노에 투항하는 자가 많았다. 묵특은 언제나 대군 일대를 넘나들며 약탈하였다. 한나라 고제(고조)는 고민 끝에 유경을 시켜 종실의 공주를 선우의 연지(왕비)로 삼게 하고, 해마다 흉노에게 일정량의 무명, 비단, 쌀 같은 식품을 보내어 형제의 나라가 되기로 약속하였다.
>
> – 『사기』 흉노 열전

곽거병 묘의 석각

한은 고조 때 흉노와의 전쟁에서 패한 후 화친을 맺어 황실의 여성을 흉노의 선우에게 출가시키고, 해마다 공물을 보내기로 하였다. 이는 실제로 흉노가 우세인 관계였다. 그러나 무제가 흉노를 공격한 이후 군신 관계를 맺으면서 한이 우세한 조공 관계로 바뀌었다.

자료 2 남북조 시대의 다원적 외교

적대 관계에 있던 북위와 남조는 고구려를 자기편으로 삼으려고 하였어. 특히 북위는 고구려를 남제와 동등하게 대우하여 남제의 항의를 받기도 하였어.

> (고구려는) 481년, 사신을 보내 (남조의 제에) 공물을 바쳤고, (북조의) 북위에도 사신을 보냈다. 그러나 (고구려의) 세력이 강성하여 통제받지 않았다. 북위는 사신의 숙소를 만들 때, 남조 제의 사신을 맞이하는 숙소를 가장 크게 만들고 고구려는 그 다음으로 하였다. 489년, (남제의) 사신이 북위에 갔을 때 고구려의 사신과 나란히 앉게 되었다. 남제의 사신이 "고구려는 우리 조정에 신하로 따르고 있는데, 감히 우리와 나란히 설 수 있는가?"라고 항의하였다. – 『남제서』

후한이 멸망한 후 동아시아 각국은 새로운 국제 정세에 대응하기 위해 적극적인 외교 활동을 벌였다. 중원의 통일 왕조가 사라지면서 조공과 책봉이라는 외교 관계의 성격이 상호 우호를 확인하기 위한 현실적이면서도 다원적인 성격으로 바뀌었다. 이때 고구려는 북위, 남제와 각각 조공·책봉 관계를 맺고 두 세력을 이용하는 외교 정책을 펼쳤다.

자료 3 동아시아 각국의 천하관

고구려가 스스로 천손 국가라고 생각하는 독자적인 천하관이 드러나 있어.

> • (동명왕의) 아버지는 천제의 아들이요, 어머니는 하백의 따님이시다. …… 태왕(광개토 대왕)의 은혜와 혜택은 하늘에 두루 미쳤으며 위엄과 무공은 온 세상에 떨쳤도다. …… 백제와 신라는 과거 우리의 속민이었기에 조공을 해 왔다. – 광개토 대왕릉비 비문
>
> • 짐은 제왕으로서 하늘의 도에 어긋나지 않게 노력한다. – 마운령 진흥왕 순수비 비문
>
> • 왜 사신이 가져온 국서에 이르기를, '해 뜨는 곳의 천자가 해 지는 곳의 천자에게 글을 보내노라. 평안하신가?'라고 하였다. 수 양제가 불쾌히 여겨 "앞으로는 오랑캐의 글 가운데 무례한 것은 보고하지 말라."라고 하였다. – 『수서』
>
> 왜는 수에 보낸 국서에 '해 뜨는 곳의 천자'라고 칭하며 대등한 위치에서 외교를 시도하였어.

동아시아 각국은 중원 왕조 중심의 조공·책봉 관계를 수용하는 한편, 독자적인 천하관을 바탕으로 스스로를 중심에 놓고 주변국과 또 다른 조공·책봉 관계를 맺었다.

정리 비법을 알려줄게!

한과 주변국의 다양한 국제 관계

유교적 통치 이념과 화이관 확립
→ 주변국에 조공과 책봉의 형식 적용

서역 국가	책봉 없이 교역이 필요할 때마다 사절 파견
한이 군사적 우위에 있는 경우	무력으로 점령하고 군현을 설치하여 통치(남비엣, 고조선 등)
한의 직접 통치가 어려운 경우	조공과 책봉이 이루어지거나(왜왕에게 금인 하사), 책봉을 하지 않고 교역을 위한 사절 수용

자료 하나 더 알고 가자!

돌궐의 성장과 외교 관계

> (돌궐의) 사근(카간)이 딸을 북주의 무주에게 보낼 것을 승낙하자 북제도 (돌궐에) 청혼하였다. …… 돌궐은 북주와 북제 양쪽으로부터 선물을 받아 냈다. 사근을 이은 타발 카간은 "나에게는 남방에 두 효성스러운 아들이 있으니 물자가 없어질 걱정이 결코 없다."라고 하였다.
>
> – 『주서』

6세기경 돌궐이 성장하면서 북조의 북주와 북제는 돌궐의 공주를 황후로 맞으려고 경쟁하였어. 북조의 뒤를 이은 수와 당도 건국 초기 돌궐에 조공 사절을 보냈어.

문제로 확인할까?

동아시아 각국의 천하관을 알 수 있는 사례를 옳게 연결한 것은?

① 왜 – 백제, 신라에 조공을 요구하였다.
② 발해 – 황룡사에 9층 목탑을 건립하였다.
③ 백제 – 인안, 대흥 등의 연호를 사용하였다.
④ 신라 – 주변의 말갈 부족에게 복속을 강요하였다.
⑤ 고구려 – 독자적 연호와 '태왕'이라는 칭호를 사용하였다.

⑤ 답

02 국제 관계의 다원화

이것이 핵심!

유목 민족의 성장과 국제 관계의 변화

거란(요)	야율아보기가 부족 통합(916) → 연운 16주 차지
서하	이원호가 건국(1038) → 비단길 장악, 동서 무역 주도
여진(금)	아구다가 건국(1115) → 화북 지역 차지

↓

다원적 국제 관계 형성

★ **5대 10국**
10세기 당과 송 사이에 있었던 분열 시기로, 5개의 왕조가 연이어 세워지고 10개의 나라가 할거하였다.

★ **연운 16주**
거란(요)이 5대의 한 왕조였던 후진을 도운 대가로 확보한 영역으로, 만리장성 이남에 있었다.

★ **정강의 변(1126~1127)**
북송의 정강 연간에 금의 침략을 받아 북송이 멸망하고 북송의 황제를 포함한 수천 명이 포로로 잡힌 사건

★ **세폐**
중원의 역대 왕조가 북방 민족 국가와 화친하기 위해 보낸 물자

★ **시박사**
당 왕조부터 청 제국 전반에 해상 무역 관련 업무를 담당하던 관청으로, 광저우, 취안저우, 항저우 등에 설치되었다.

3 북방 민족의 성장과 다원적인 국제 관계

1. 국제 질서의 재편 자료 ④

(1) 10세기 이후 동아시아 각국의 변화

여러 국가들의 다원적인 국제 관계는 안정적이지 않았고, 이 국가들 사이에 전쟁이 일어나기도 하였어.

중원	당 멸망 후 *5대 10국 성립 → 송의 건국(960) 후 중국을 통일할 때까지 분열의 시대 전개
한반도	후삼국의 분열 수습 → 고려 건국(918)
일본	미나모토노 요리토모가 가마쿠라 막부 수립(1185), 쇼군으로 임명됨

용어 막부 시대 무사 정권의 최고 실권자를 뜻하는 칭호

(2) **국제 관계의 다원화**: 여러 나라가 상호 교류하며 다원적 관계 형성, 군사적 대립과 충돌 발생

2. 북방 민족의 성장 교과서 자료

꼭! 거란과 여진은 이중 지배 체제를 갖추었어.

거란은 송에게 매년 은과 비단을 받기로 하였어.

거란(요)	• 성장: 야율아보기가 부족 통합(916) → 발해를 멸망시킴, *연운 16주 차지, 송과 전연의 맹약 체결 • 독자적 전통 유지: 북면관제(유목민)와 남면관제(농경민) 시행, 거란 문자 사용
서하	• 성장: 탕구트족의 이원호가 건국(1038), 비단길을 장악하여 동서 무역 주도, 거란과 조공·책봉 관계를 맺어 평화 유지, 송과 군신 관계를 맺는 대신 송으로부터 은과 비단을 제공받음 • 문화 발전: 불교 숭상, 서하 문자 사용
여진(금)	• 성장: 아구다가 건국(1115), 송과 연합하여 요 정복(1125), *정강의 변으로 송을 멸망시키고 화북 지역 차지(→ 북송 멸망, 남송 성립), 중도(베이징)로 천도, 남송·서하와 군신 관계 체결 • 독자적 전통 유지: 맹안·모극제(유목민)와 주현제(농경민) 실시, 여진 문자 사용

금은 여진족 고유의 풍습을 유지하려고 노력하였지만 점차 중원 문화에 동화되어 갔어.

3. 송의 대외 관계와 교역

과거의 마지막 단계로 황제가 주관하는 시험이야. 과거 합격자와 시험관 사이의 사적 관계 형성에 따른 붕당 형성을 막고, 황제에 대한 충성을 강화하였어.

(1) **송의 성장과 쇠퇴**

① 성립: 절도사 출신 조광윤이 5대 10국의 분열을 통일하여 건국(960) → 황제 독재 체제 구축, 문치주의 정책 추진(절도사의 권한 축소, 과거제에 전시 제도 도입)

② 쇠퇴: 문치주의 정책으로 군사력 약화 → 북방 민족과 맹약을 맺어 평화 유지, *세폐 제공으로 재정난 심화 → 왕안석의 개혁(신법) 시행(→ 실패)

③ 남송의 성립: 금의 공격으로 변경(카이펑) 함락, 북송 멸망 → 임안(항저우)에서 남송 건국(1127) → 금과 군신 관계를 맺고 평화 유지

왕안석은 재정 수입을 늘리고 군사력의 강화를 추진하였지만 시행을 둘러싸고 당쟁이 격화되면서 성공하지 못하였어.

(2) **해상 무역의 발달**: 송에서 조선술·항해술(나침반 이용) 발달, *시박사 설치 → 송의 취안저우가 동아시아 최대 무역항으로 성장, 동남아시아와 아라비아 상인과도 교역

고려는 예성강 어귀의 벽란도에 무역항을 열고 여러 나라와 교역하였어.

4. 고려와 일본의 대외 관계

(1) **고려의 실리 외교** 자료 ⑤

왜? 송은 북방 민족을 견제하기 위해 고려와 군사적·경제적으로 교류하였어.

① 송과의 관계: 친선 관계 유지, 경제적·문화적으로 교류

② 요와의 관계: 고려의 북진 정책 추진(거란 적대) → 거란의 1차 침략(993, 서희의 외교 담판으로 강동 6주 획득) → 거란의 2·3차 침입(강감찬의 귀주 대첩) → 요와 친선 관계를 맺고 조공, 고려의 천리장성 축조

③ 금과의 관계: 12세기 여진이 고려 위협 → 윤관의 별무반 편성과 여진 정벌(→ 동북 9성 축조) → 금의 군신 관계 요구 수용

(2) **일본의 외교**

송과의 무역으로 많은 양의 동전이 일본으로 들어왔어. 이에 따라 송의 동전이 일본에서 화폐로 유통되었어.

헤이안 시대	10세기 이후 주변국과 국교 단절, 송·고려와 경제적·문화적 관계 지속
가마쿠라 막부	대외 관계에 소극적, 고려와는 민간 교류와 문화 교류 지속

완자 자료 탐구

내 옆의 선생님

자료 4 11~12세기의 동아시아 정세

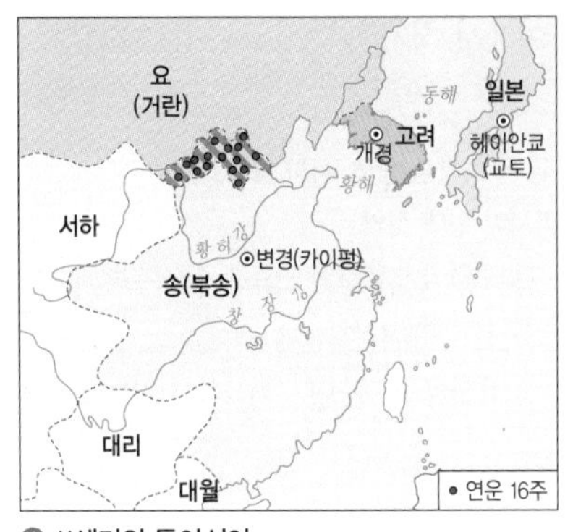

11세기의 동아시아

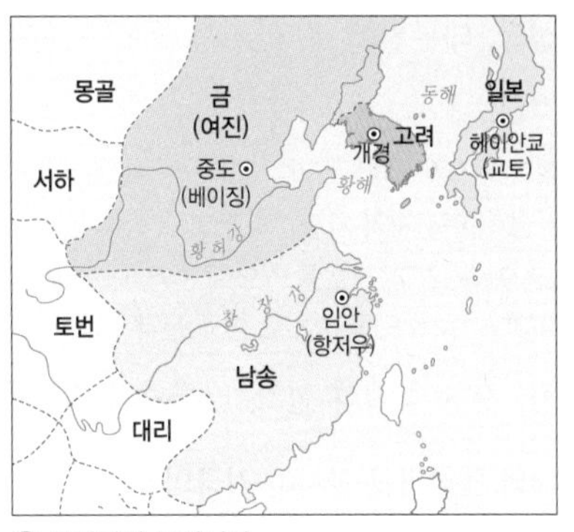

12세기의 동아시아

11세기 거란(요)은 송과 맹약을 맺어 연운 16주에 대한 지배권을 인정받고, 송으로부터 세폐를 받았다. 12세기에는 여진이 금을 건국하였다. 금은 송과 연합하여 요를 정복한 후 송의 수도까지 함락시켰다. 이에 한족은 임안(항저우)으로 이동하여 남송을 세웠다.

자료 하나 더 알고 가자!

송과 북방 민족이 맺은 조약

- 송의 황제와 요의 황제는 형제의 교분을 갖는다. 송은 요에게 해마다 비단 20만 필, 은 10만 냥을 보낸다.
- 금의 황제가 남송의 황제를 책봉하며, 남송의 황제는 신하의 예를 취한다. 남송이 금에 해마다 비단 25만 필, 은 25만 냥을 바친다. -『속자치통감장편』

첫 번째 조약은 송과 요가 1004년에 맺은 전연의 맹약, 두 번째 조약은 남송과 금이 1142년에 맺은 화의 조약의 내용이야. 이 조약들에서 송은 북방 민족과의 관계를 규정하고, 매년 비단, 은 등의 물자를 제공하겠다고 약속하였어. 송은 요와 금에게 막대한 세폐를 지급하면서 재정이 악화되었어.

수능이 보이는 교과서 자료 유목 민족의 이원적(이중) 지배 체제

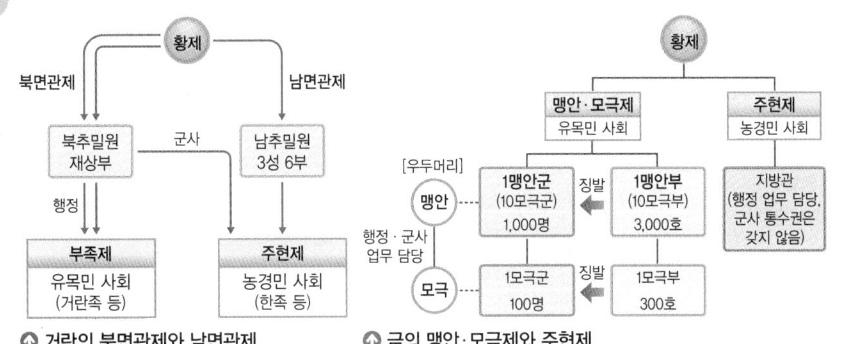

거란의 북면관제와 남면관제

금의 맹안·모극제와 주현제

거란과 여진은 유목민 고유의 관습을 유지하기 위해 이원적 지배 체제를 갖추었다. 거란(요)은 유목민과 농경민을 각각 북면관제와 남면관제로 나누어 통치하였고, 여진(금)은 유목민은 맹안·모극제로, 농경민은 주현제로 나누어 다스렸다.

완자샘의 탐구 강의

- 거란(요)과 여진(금)의 통치 정책을 남북조 시대 북위의 통치 정책과 비교해 보자.

구분	거란, 여진	북위
통치 정책	이원적(이중) 지배 체제 채택	한화 정책 추진
목적	유목 민족 고유의 전통 유지	유목 민족과 한족의 융합
결과	점차 한족 문화에 동화	정권 안정, 호한 융합을 토대로 수·당 건설

함께 보기 68쪽, 1등급 정복하기 4

자료 5 서희의 외교 담판

> 우리나라는 고구려의 옛 땅에서 일어난 나라요. …… 만일 영토의 경계로 따진다면 그대 나라의 동경(랴오허강 중류 부근)이 모두 우리 땅이거늘 어찌 침범이라 하리오. 또 압록강 안팎도 모두 우리 땅인데, …… 만일 여진을 내쫓고 우리의 옛 땅을 되찾은 다음에 성을 쌓고 도로를 통하게 하면 어찌 (그대 나라와) 친선 관계를 맺지 않으리오. -『고려사』

고려는 다원적 국제 관계 속에서 실리를 중시하는 외교를 펼쳤다. 거란의 침입 때 서희가 소손녕과 외교 담판을 벌인 결과 송과의 관계를 끊는 조건으로 강동 6주를 획득하였다.

자료 하나 더 알고 가자!

금에 대한 고려의 외교

> (1126년) 백관을 불러 금을 섬길지 말지를 의논하니 이자겸, 척준경이 사대를 주장하자 (인종은) 이를 따랐다. -『고려사』

여진이 금을 세운 후 조공을 요구하자 고려는 금이 강성해진 현실을 인정하고 국가 안전을 위해 금의 요구를 수용하였어.

02 국제 관계의 다원화

이것이 핵심!

몽골 제국의 등장과 동아시아

몽골 제국의 유라시아 통합
테무친이 몽골 부족 통합 → 호라즘 왕국·서하 공격, 러시아 일대 장악, 고려 복속, 남송 정복, 일본·대월 침공
↓
교역망의 통합과 교류
세계적 교역망 형성, 동서 문화 교류 활성화

★ **천호·백호제**
주민을 백호, 천호, 만호 단위로 편성하여 군사와 행정을 일치시킨 조직

★ **호라즘 왕국**
11~13세기 중앙아시아 지역에 있던 이슬람 제국

★ **몽골 지상주의**
원은 몽골인을 최고 지배층으로 삼아 주요 관직을 독점하게 하고, 이슬람교를 믿던 서역계 색목인은 재정을 담당하게 하였다. 금의 지배를 받던 한인, 남송 출신의 남인은 피지배층으로 삼아 차별하였다.

4 몽골의 성장과 동서 교역망의 발전

1. 몽골 제국의 성립과 발전 자료 ⑥

(1) **몽골 제국의 성립**: 테무친이 몽골 부족 통합 → 쿠릴타이에서 칭기즈 칸으로 추대(1206)

- 쿠릴타이: 몽골을 구성하는 주요 부족의 부족장 회의야. 국가의 주요 사항을 만장일치제로 결정하였어.

(2) **몽골 제국의 발전**

칭기즈 칸	*천호·백호제 재편(군사력 강화), 케식(친위대) 조직, 금·*호라즘 왕국·서하 공격
우구데이 칸	금 정복(화북 지역 차지), 고려 침략, 서방 원정으로 러시아 일대 장악
쿠빌라이 칸	고려 복속(1270), 국호를 원으로 변경, 대도(베이징)로 천도, 중국식 연호와 관료제 수용, 남송 정복(1279) → 유목 민족 최초로 중국 전역 지배

- 호라즘 왕국: 호라즘 왕국을 정복하면서 몽골 제국은 비단길을 장악하였어.

(3) **원의 중국 통치**: 지방에 행성 설치, 다루가치 파견, *몽골 지상주의 확립

2. 몽골 제국의 대외 팽창과 동아시아 각국의 대응

구분	몽골의 침략과 항쟁	영향
고려	몽골 사신 피살 사건을 빌미로 몽골이 침략 → 강화도 천도(→ 장기전 대비), 백성의 저항 → 무신 정권 붕괴 후 몽골과 강화, 개경으로 환도(1270), 삼별초의 항쟁 → 원의 부마국이 됨	역사서인 『삼국유사』, 『제왕운기』 편찬(단군을 시조로 하는 역사관 확립)
일본	몽골과 고려의 연합군이 두 차례 일본 침공 → 가마쿠라 막부의 저항, 태풍의 영향으로 침략을 막아 냄	'일본은 신이 지키는 나라'라는 신국 의식 확산
대월	몽골이 세 차례에 걸쳐 쩐 왕조 공격, 수도인 탕롱(하노이) 함락 → 쩐흥다오의 활약으로 몽골군 격퇴	쯔놈 문학 유행, 항전 과정에서 『대월사기』 편찬

- 영향: 몽골의 침략에 대응하는 과정에서 민족의식이 성장하였어.
- 쩐흥다오: 『격장사』라는 격문을 지어 장수들의 사기를 높였어.

3. 교역망의 통합과 동서 문화 교류 자료 ⑦

교역망의 통합	도로망 정비, 역참 설치, 항구에 시박사 설치 → 육로와 해로를 통한 교역망 형성, 교초 발행
원 대의 문화와 동서 문화 교류	• 외래 종교의 발달: 다른 종교와 문화에 대한 관용적 태도 → 이슬람교, 경교 등 발달 • 서아시아의 천문학·역법·수학·지도학 전래(→ 원의 수시력, 조선의 「혼일강리역대국도지도」·『칠정산』 제작에 영향), 중국의 화약·나침반·인쇄술 등이 서아시아와 유럽에 전파 • 원거리 여행 발달: 마르코 폴로, 이븐 바투타 등 서양인들의 여행 • 인적·문화적 교류: 만권당에서 고려와 원의 학자들이 교류, 몽골풍과 고려양의 유행

- 마르코 폴로, 이븐 바투타: 각각 여행기로 『동방견문록』, 『여행기』를 남겼어.

이것이 핵심!

명 중심의 국제 질서 일원화

명	영락제 때 항해 단행 → 각국에 조공 요구
조선	이성계가 건국(1392) → 태종 때 명과의 조공·책봉 관계 수용
일본	무로마치 막부 수립 → 아시카가 요시미쓰가 남북조 통일 → 명과 조공·책봉 관계 수립

★ **이갑제**
110호를 1리로 편성하여 부유한 10호는 이장호로 하고, 나머지 100호는 갑수호로 하여 10갑으로 나누어 징세 및 부역 단위로 삼은 지방 행정 조직

5 명의 건국과 국제 질서의 일원화

1. 명의 건국

성립	홍건적 출신의 주원장이 난징에 도읍하여 명 건국(1368) → 대도 점령, 몽골 세력 축출
발전	• 홍무제(주원장): 한족 문화 회복(몽골 풍습 금지, 성리학 중시), 육유 제정(유교 통치 강화), *이갑제 실시 • 영락제: 베이징으로 천도, 대외 정책 추진(몽골 원정, 대월 정복, 정화의 항해 단행), 자금성 건축

- 육유: 백성을 교화하기 위해 6개 항목의 대원칙을 만들었어.
- 대외 정책 추진: 하지만 조공 무역만 허용하고 조공 이외 민간의 무역 활동은 통제하였어.

2. 동아시아 질서의 재편 자료 ⑧

한반도	고려 말 공민왕의 개혁 추진 과정에서 신진 사대부 성장 → 고려의 요동 정벌 추진 → 이성계(신흥 무인 세력)가 급진파 사대부와 함께 조선 건국(1392) → 조선 건국 직후 요동 정벌 추진(명과 대립) → 태종 이후 조선이 명과 조공·책봉 관계 형성, 일본·여진·류큐와 교류
일본	아시카가 다카우지가 무로마치 막부 수립(1336) → 남북조 분열 → 3대 쇼군 아시카가 요시미쓰가 남북조 통일(명 황제가 아시카가 요시미쓰를 국왕으로 책봉 → 명과 조공·책봉 관계 형성, 감합 무역 시작)
대월	레 러이가 명의 군대를 물리치고 레 왕조 수립 → 명과 조공·책봉 관계 형성

- 남북조 분열: 남조와 북조에 각각 천황이 있었어.

내 옆의 선생님

자료 6 몽골 제국의 성장

울루스는 원래 사람, 백성을 뜻하는데, 부족, 나라와 같은 뜻으로도 쓰였어.

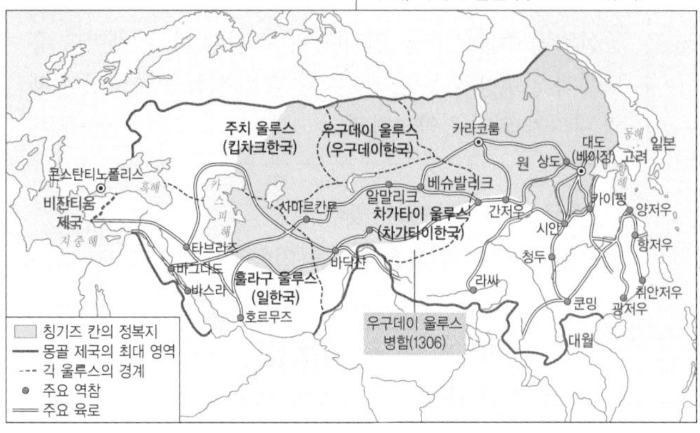

몽골이 대제국으로 성장할 수 있었던 요인으로는 천호·백호제와 단일한 법령 시행, 능력 중심의 인재 활용, 뛰어난 유목 기마 병력 등을 들 수 있어.

몽골 제국은 동쪽으로 금을 정복하고, 서쪽으로 아바스 왕조와 러시아·동유럽까지 세력을 확대하여 유라시아를 아우르는 대제국을 건설하였다. 칭기즈 칸 사후 유목 민족의 전통에 따라 분봉되었고, 쿠빌라이 칸 대에 원과 4개의 한국으로 나뉘었다.

자료 7 몽골 제국 시기의 동서 교류

> 여행자에게는 중국이 가장 안전한 고장이다. 전국의 모든 역참에는 관리자가 군사를 거느리고 상주하고 있다. 또 역참에는 식량을 비롯하여 여행자가 필요한 모든 것, 특히 닭과 쌀이 마련되어 있다.
>
> – 이븐 바투타, 『여행기』

역참은 수도 카라코룸에서부터 간선 도로를 따라 약 30㎞ 간격으로 배치되었어.

이 통행증을 가진 사람들은 역참에서 말과 마차, 식량, 숙소를 제공받았어.

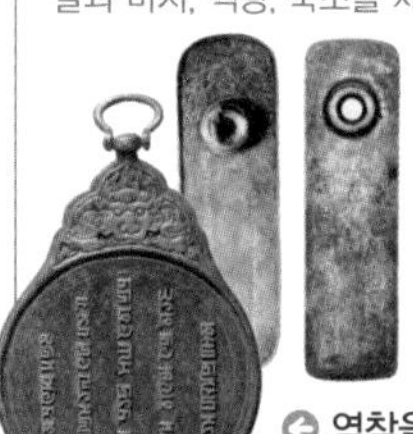

역참을 이용할 수 있는 증명패

역참제는 군사적 목적에서 출발하였지만 교역에도 큰 도움을 주었다. 또 몽골 제국이 바닷길을 장악하면서 동서 교역망이 안정되었고, 항저우와 취안저우에 시박사를 설치하면서 고려, 일본, 대월, 동남아시아를 잇는 동아시아 교역망이 형성되었다. 동서 교역망이 통합되면서 동서 간의 문화 교류도 활발해졌다.

자료 8 명 중심의 동아시아 질서 재편

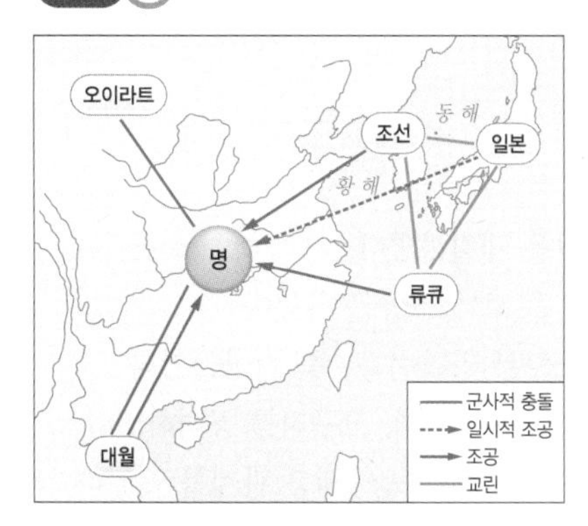

15세기 전반의 동아시아 세계

명은 영락제 때 정화를 해외로 보내 항해를 단행하였다. 이후 각지에 사신을 파견하여 조공을 요구하였고, 조선, 일본, 대월, 류큐 등이 이를 수용하면서 명을 중심으로 국제 질서가 재편되었다. 한편, 명이 조공 이외의 민간 교역을 통제함에 따라 원 대에 활발하였던 동서 교류와 동아시아 지역 내의 교류는 줄어들었다.

문제로 확인할까?

1. 몽골 제국은 쿠빌라이 칸 시기에 국호를 (　　　)으로 바꾸었다.

원 답

2. 몽골 제국에 대한 설명으로 옳지 않은 것은?

① 유목 민족 최초로 중국 전역을 지배하였다.
② 몽골 지상주의를 바탕으로 제국을 통치하였다.
③ 천호·백호제와 케식을 중심으로 정복 활동을 하였다.
④ 주요 도로에 역참을, 주요 항구에 시박사를 설치하였다.
⑤ 조공 무역만 허용하고, 조공 이외의 민간 무역 활동을 통제하였다.

⑤ 답

자료 하나 더 알고 가자!

교초의 발행

교초

몽골 제국 시기에 교역이 발달하여 단일 화폐의 필요성이 높아지자 교초를 발행하였어. 교초는 금이나 은으로 교환할 수 있는 안정적인 화폐였기 때문에 제국 전역에서 광범위하게 유통되었어.

정리 비법을 알려줄게!

명의 건국과 동아시아 질서의 재편

새로운 국가의 성립
• 중원: 명 건국 → 홍무제의 황제권 강화 → 영락제의 적극적인 대외 정책 추진 • 한반도: 이성계가 조선 건국 • 일본: 무로마치 막부 수립 → 남북조 통일

↓

동아시아 국제 질서의 재편
명과 주변국 간의 조공·책봉 관계 형성 → 밀무역 성행, 동아시아 지역 내 교류 감소

STEP 1

핵심 개념 확인하기

정답친해 15쪽

1 다음 설명이 맞으면 ○표, 틀리면 ×표를 하시오.

(1) 조공과 책봉은 주 대에 국제 관계로 확대되었다. ( )

(2) 한의 무제는 흉노의 묵특 선우에게 패하여 화친을 맺었다. ( )

(3) 북주와 북제는 돌궐의 공주를 황후로 맞기 위해 서로 경쟁하였다. ( )

(4) 고구려는 독자적 연호를 사용하고, 백제와 신라에 조공을 요구하였다. ( )

2 당은 유목 국가들에게 군사적 열세에 놓였을 때 문성 공주, 의성 공주 등을 ( )로 삼아 주변국에 보냈다.

3 해당 국가와 정복 활동을 옳게 연결하시오.

(1) 거란(요) • • ㉠ 연운 16주 차지

(2) 여진(금) • • ㉡ 고려, 대월 공격

(3) 몽골(원) • • ㉢ 송의 카이펑 함락

4 다음에서 설명하는 인물을 〈보기〉에서 고르시오.

보기
ㄱ. 왕안석 ㄴ. 야율아보기 ㄷ. 쿠빌라이 칸

(1) 거란 부족을 통합하여 국가를 수립하였다. ( )

(2) 국가의 이름을 원으로 바꾸고 남송을 정복하였다. ( )

5 다음 빈칸에 들어갈 내용을 쓰시오.

(1) 금은 농경민은 주현제로, 유목민은 ( )로 다스렸다.

(2) 고려의 ( )은 별무반을 이끌고 여진을 정벌한 후 동북 9성을 쌓았다.

(3) 몽골은 제국 전역에 도로와 ( )을 설치하여 원거리 여행을 가능하게 하였다.

(4) 무로마치 막부는 3대 쇼군 ( ) 때에 이르러 일본 열도에 대한 지배권을 확립하였다.

STEP 2

내신 만점 공략하기

01 다음 외교를 추진한 국가에 대한 설명으로 옳은 것은?

> 종실의 공주를 선우의 연지(왕비)로 삼게 하고, 해마다 흉노에게 일정량의 무명, 비단, 쌀 같은 식품을 보내어 형제의 나라가 되기로 약속하였다. -『사기』

① 남북조 시대를 통일하였다.
② 거대한 전방후원분을 축조하였다.
③ 조공과 책봉을 국제 관계로 확대하였다.
④ 견당사를 파견하여 선진 문물을 수용하였다.
⑤ 돌궐과 혼인 관계를 맺기 위해 주변국과 경쟁하였다.

02 자료의 외교 형식에 대한 설명으로 옳지 않은 것은?

> 건무 중원 2년(57), 왜 노국의 사신이 공물을 가지고 와서 스스로 신하라 칭하였고, 광무제는 관직을 하사하였다.

① 우호 관계를 확인하는 의례였다.
② 문화 교류의 통로로 이용되기도 하였다.
③ 경제적 교류를 위한 실리적 외교 형태였다.
④ 국가 간의 상황과 필요에 따라 다르게 나타났다.
⑤ 군사적 우위를 바탕으로 한 직접 지배의 한 형태였다.

03 지도의 형세가 나타난 시기 동아시아 정세로 옳은 것은?

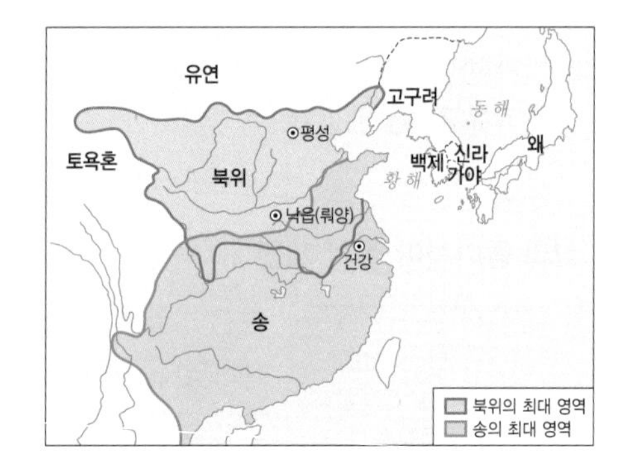

① 송 – 전연의 맹약을 체결하였다.
② 왜 – 북위에 사절을 보내 조공을 하였다.
③ 백제 – 중원 왕조로부터 화번공주를 받아들였다.
④ 북위 – 신라와 연합하여 백제, 고구려를 공격하였다.
⑤ 고구려 – 북위, 송과 각각 조공·책봉 관계를 맺었다.

04 (가) 국가에 대한 설명으로 옳은 것은?

> 사신을 보내 (남조의 제에) 공물을 바쳤고, 북위에도 사신을 보냈다. 그러나 [(가)]의 세력이 강성하여 통제받지 않았다. 북위는 사신의 숙소를 만들 때, 제의 숙소를 가장 크게 만들고 [(가)]은/는 그 다음으로 하였다. -『남제서』

① 돌궐에 화번공주를 파견하였다.
② 만주에서 독자적인 세력권을 형성하였다.
③ 주로 남조를 통해 선진 문물을 수용하였다.
④ 서하에 비단과 은을 바쳐 친선을 유지하였다.
⑤ '한위노국왕'이라는 글자가 새겨진 금인을 남겼다.

05 밑줄 친 '이 민족'에 대한 탐구 활동으로 적절한 것은?

> 6세기경 몽골 초원을 중심으로 거대 제국을 세운 이 민족은 유목 민족 최초로 고유 문자를 만들어 기록을 남겼다. 8세기경 건립된 비석의 내용을 통해 이 민족의 사회 조직, 관습, 주변 국가들과의 관계에 대해 알 수 있다.

① 수도를 뤄양으로 옮긴 이유를 찾아본다.
② 한에서 왕소군을 파견한 계기를 살펴본다.
③ 당으로부터 조공을 받게 된 배경을 알아본다.
④ 5호 16국 시대의 분열을 통일한 과정을 조사한다.
⑤ 선우 아래 있었던 좌현왕, 우현왕의 역할을 파악한다.

06 다음 대화의 주제가 된 왕조의 대외 관계에 대한 설명으로 옳지 않은 것은?

> • 갑: 중원 지역에서 수 왕조를 이어 들어선 왕조야.
> • 을: 전성기 때 수도인 장안의 인구가 100만 명이 넘을 정도였다고 해.

① 주변 국가들의 조공을 받았다.
② 신라와 동맹을 맺고 백제, 고구려를 공격하였다.
③ 발해의 사신을 접대하기 위해 발해관을 설치하였다.
④ 토번에게 문성 공주를 파견하여 화친 관계를 맺었다.
⑤ 일본으로부터 일본의 군주를 하늘에 비유하는 국서를 받았다.

07 지도는 7세기 동아시아의 형세를 나타낸 것이다. (가)~(라) 국가에 대한 옳은 설명을 〈보기〉에서 고른 것은?

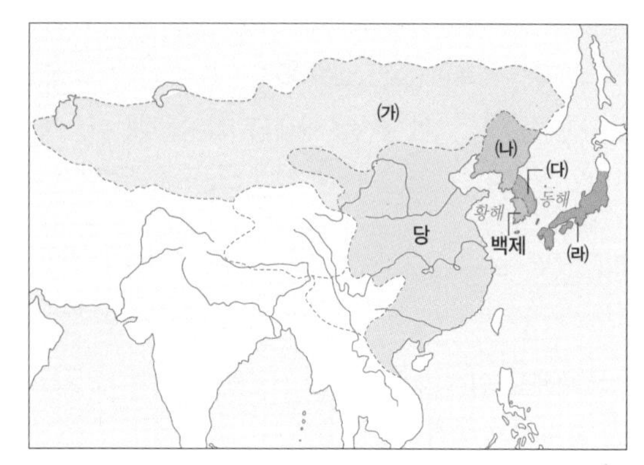

보기
ㄱ. (가) – 북주와 북제로부터 조공을 받았다.
ㄴ. (나) – 도호부를 설치하고 기미 정책을 실시하였다.
ㄷ. (다) – 당의 군대와 연합하여 백강 전투에서 승리하였다.
ㄹ. (라) – 주변국과 국교를 맺지 않고 경제적 교류만 하였다.

① ㄱ, ㄴ ② ㄱ, ㄷ ③ ㄴ, ㄷ
④ ㄴ, ㄹ ⑤ ㄷ, ㄹ

08 선생님의 질문에 대한 답변으로 적절하지 않은 것은?

① 신라는 황룡사 9층 목탑을 제작하였습니다.
② 백제는 마한의 소국을 남만이라고 불렀습니다.
③ 고구려는 백제와 신라에 조공을 요구하였습니다.
④ 발해는 주작대로가 펼쳐진 상경성을 건설하였습니다.
⑤ 일본은 신라와 발해를 속국으로 여기다가 외교적 마찰을 빚었습니다.

09 빈칸에 공통으로 들어갈 국가에 대한 설명으로 옳은 것은?

> **송과 ☐의 맹**
> • 송의 황제와 ☐의 황제는 형제의 교분을 갖는다.
> • 송은 ☐에게 해마다 비단 20만 필, 은 10만 냥을 보낸다.
> • 송과 ☐의 국경은 현재 상태로 한다.

① 맹안·모극제를 실시하였다.
② 여진을 물리치고 동북 9성을 쌓았다.
③ 만리장성 이남의 연운 16주를 차지하였다.
④ 문치주의를 내세워 절도사 세력을 약화시켰다.
⑤ 호라즘 왕국을 무너뜨리고 비단길을 장악하였다.

10 중요 (가) 국가에 대한 설명으로 옳은 것을 〈보기〉에서 고른 것은?

〈보기〉
ㄱ. 이원적 통치 체제를 갖추었다.
ㄴ. 고려에 군신 관계를 요구하였다.
ㄷ. 후진에게 연운 16주를 할양받았다.
ㄹ. 정복 지역에 다루가치를 파견하였다.

① ㄱ, ㄴ ② ㄱ, ㄷ ③ ㄴ, ㄷ
④ ㄴ, ㄹ ⑤ ㄷ, ㄹ

11 ㉠~㉤에 대한 설명 중 잘못된 것은?

> 11세기 초 ㉠ 이원호는 황제를 칭하며 서하를 세웠다. 서하는 ㉡ 비단길을 장악하였고, ㉢ 고유문화를 유지하기 위해 노력하였다. 송과 전쟁을 하다가 ㉣ 맹약을 체결하였으며, 13세기에는 ㉤ 칭기즈 칸의 공격을 받았다.

① ㉠ – 티베트 계통의 탕구트족이다.
② ㉡ – 동서 교역을 중계하며 이익을 얻었다.
③ ㉢ – 독자적인 문자를 사용하였다.
④ ㉣ – 송에게 매년 막대한 물자를 제공하기로 하였다.
⑤ ㉤ – 몽골과 전쟁을 하다가 멸망하였다.

[12~13] 다음을 읽고 물음에 답하시오.

> 서희: ㉠ 우리나라는 고구려의 옛 땅에서 일어난 나라요. 그대들의 동경(東京)이 우리의 땅이거늘 여진이 가로막고 있어, ㉡ 그대 나라와 교류하는 것이 ㉢ 바다 건너의 나라와 교류하기보다 어려운 형편이오.

12 ㉠, ㉡의 대외 활동과 관련된 설명으로 옳지 않은 것은?

① ㉠은 ㉡에 화번공주를 파견하였다.
② ㉠은 일본과 문화적·경제적으로 교류하였다.
③ ㉠과 ㉡은 전쟁을 하다가 조공 관계를 맺었다.
④ ㉠은 외교 담판을 통해 강동 6주를 획득하였다.
⑤ ㉠은 ㉡의 침입에 대비하여 천리장성을 축조하였다.

13 ㉢에 대한 옳은 설명에 모두 ○표를 한 학생은?

문항	갑	을	병	정	무
(1) 유목민을 북면관제로 통치하였다.			○		○
(2) 고려로부터 동북 9성을 돌려받았다.	○				
(3) 지방에 행성을 설치하고 다루가치를 파견하였다.			○	○	
(4) 주요 항구에 시박사를 설치하여 무역을 관할하게 하였다.	○	○			○
(5) 왕안석이 재정 확보, 국방력 강화를 위해 신법을 추진하였다.		○	○		○

① 갑 ② 을 ③ 병 ④ 정 ⑤ 무

14 표는 어느 시기 동아시아의 정세를 정리한 것이다. 이 시기의 국제 교류와 관련된 설명으로 옳지 않은 것은?

한반도	후삼국의 분열을 수습하고 고려 건국
일본	미나모토노 요리토모가 막부 수립

① 요와 고려는 벽란도를 통해 교역하였다.
② 송을 중심으로 해상 교역이 발달하였다.
③ 고려는 송과의 경제적·문화적 교류를 중시하였다.
④ 일본은 중원 왕조에 사신을 보내 문물을 받아들였다.
⑤ 송의 취안저우가 동아시아 최대 무역항으로 성장하였다.

15 몽골의 성장을 시간의 흐름에 따라 기술한 책의 찢어진 부분에 들어갈 내용으로 옳은 것을 〈보기〉에서 고른 것은?

○○○○년 △△월
테무친이 부족장들이 모인 회의에서 칭기즈 칸으로 추대되었다.

△△△△년 ○○월
수도를 카라코룸에서 대도로 옮기고 나라 이름을 원(元)으로 하였다.

보기
ㄱ. 대월과 일본에 원정군을 파견하였다.
ㄴ. 남송을 정복하여 중국의 전 지역을 차지하였다.
ㄷ. 바투를 서방으로 보내 러시아 일대를 장악하였다.
ㄹ. 호라즘 왕국을 무너뜨려 동서 무역로를 확보하였다.

① ㄱ, ㄴ ② ㄱ, ㄷ ③ ㄴ, ㄷ
④ ㄴ, ㄹ ⑤ ㄷ, ㄹ

16 다음 시기에 동아시아 지역에서 있었던 일이 아닌 것은?

몽골 제국은 정복 활동을 통해 중원 지역은 물론 아시아와 유럽 일부 지역까지 영역을 확장하였다.

① 베트남에서 역사서인 『대월사기』가 편찬되었다.
② 송은 화북 지역을 상실하고 강남 지역으로 옮겨 갔다.
③ 고려는 수도를 옮기며 항전하다가 몽골과 강화하였다.
④ 일본에서는 신이 자국을 지켜 준다는 의식이 생겨났다.
⑤ 유라시아를 잇는 교역망을 통해 문물 교류가 활발하였다.

17 밑줄 친 '원정'이 있었던 시기를 연표에서 고른 것은?

쿠빌라이 칸은 일본에게 조공 요구를 거부당하자 원정을 단행하였다. 그러나 일본군의 저항과 태풍의 영향으로 이 원정은 실패하였다. 남송을 멸망시킨 원은 남송의 군대를 포함한 14만 명의 군대로 다시 일본을 공격하였다.

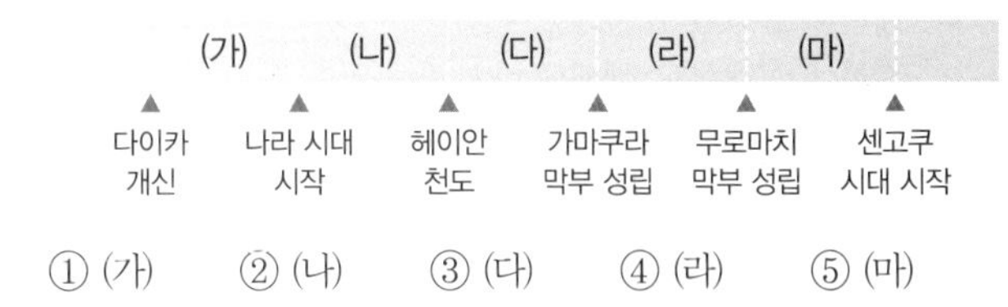

① (가) ② (나) ③ (다) ④ (라) ⑤ (마)

18 다음 글의 저자가 당시 볼 수 있었던 모습으로 적절하지 않은 것은?

여행자에게는 중국이 가장 안전한 고장이다. 전국의 모든 역참에는 식량을 비롯하여 여행자가 필요한 모든 것, 특히 닭과 쌀이 마련되어 있다. -『여행기』

① 견당사를 따라 바다를 건너는 일본 승려
② 통행증을 제시하고 역참을 이용하는 여행가
③ 관청에서 행정 업무를 처리하고 있는 색목인
④ 외국 선박의 상품을 검사하는 시박사의 관리
⑤ 교초를 이용하여 비단을 구입하는 이슬람 상인

19 밑줄 친 부분을 입증할 수 있는 사례로 적절한 것은?

이 화폐는 금이나 은으로도 교환할 수 있기 때문에 안정적으로 사용할 수 있다는 장점이 있다. 이 화폐가 제국의 전역에서 광범위하게 유통되면서 유라시아를 잇는 동서 교류가 안정적으로 이루어질 수 있었다.

① 경교가 중원 지역에 전해졌다.
② 중원 왕조가 전시 제도를 도입하였다.
③ 강남과 화북을 잇는 대운하가 건설되었다.
④ 이슬람 역법의 전래로 수시력이 제작되었다.
⑤ 청해진이 동아시아 국제 무역의 거점이 되었다.

20 다음 인물이 실시한 정책을 〈보기〉에서 고른 것은?

홍건적 출신으로, 원의 세력이 약해지자 명을 건국하고 원을 몽골 초원으로 몰아냈다.

보기

ㄱ. 수도를 베이징으로 옮겼다.
ㄴ. 몽골의 풍습을 금지하였다.
ㄷ. 정화에게 대규모 항해에 나서게 하였다.
ㄹ. 이갑제를 시행하여 향촌 질서를 재건하였다.

① ㄱ, ㄴ ② ㄱ, ㄷ ③ ㄴ, ㄷ
④ ㄴ, ㄹ ⑤ ㄷ, ㄹ

21 다음 학습 목표를 달성하기 위해 학생들이 조사할 내용으로 적절하지 않은 것은?

14세기에 명이 건국되면서 명과 주변 국가 사이에 새롭게 형성된 국제 질서를 이해할 수 있다.

① 무로마치 막부의 대외 관계
② 레 러이의 새 왕조 건설 과정
③ 쩐흥다오가 「격장사」를 작성한 이유
④ 명과 동남아시아 국가들 사이의 교역품
⑤ 조선이 사대교린의 외교 원칙을 표방한 배경

22 (가)에 들어갈 내용으로 적절한 것은?

일본은 몽골의 침입을 겪은 후 정세가 혼란해지면서 남북조로 분열하였어.

이러한 남북조의 분열을 아시카가 요시미쓰가 통일하고, (가) 하였어.

① 다이카 개신을 단행
② 가마쿠라 막부를 수립
③ 몽골과 고려의 연합군을 격퇴
④ 명의 책봉을 받아 감합 무역을 시작
⑤ 요시노와 교토에 두 명의 천황을 옹립

서술형 문제

● 정답친해 17쪽

01 다음을 읽고 물음에 답하시오.

중원 왕조가 이민족의 군주에게 출가시킨 공주(또는 황족 여인)를 (가) (이)라고 한다. (가) 의 파견으로 당은 해당 국가를 회유하며 변방의 안정을 꾀하였고, (나) 이러한 공주가 파견되는 국가는 여러 이익을 얻었다.

(1) (가)에 들어갈 용어를 쓰시오.

(2) (나)의 내용을 두 가지 서술하시오.

길잡이 당이 경제적·문화적으로 발전하였던 것에 주목하여 생각해 본다.

02 도표는 금의 통치 정책을 나타낸 것이다. 이를 실시한 목적을 북위의 효문제가 시행한 정책과 비교하여 서술하시오.

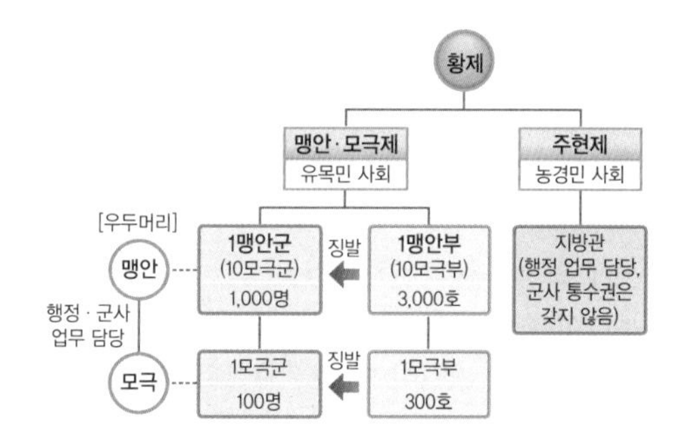

길잡이 북위와 금이 피정복민인 한족에 대해 취한 입장을 비교해 본다.

03 다음을 읽고 물음에 답하시오.

원은 제국 내의 신분을 네 등급으로 분류하였다. 첫 번째로 몽골인을, 두 번째로 (가) 을/를, 그 다음으로 몽골에 복속된 북중국의 한인과 거란·여진·발해인을 두었다. 남송 출신의 중국인은 남인이라 하여 최하위에 두었다.

(1) (가)에 들어갈 신분의 명칭을 쓰시오.

(2) (1)의 출신 성분과 이들이 원에서 수행하였던 역할을 각각 서술하시오.

길잡이 원은 유라시아 대륙을 아울렀고, (1)이 몽골인 다음 신분인 것에 유의한다.

STEP 3 1등급 정복하기

1 (가), (나) 국가를 둘러싸고 전개된 국제 관계에 대한 설명으로 옳은 것은?

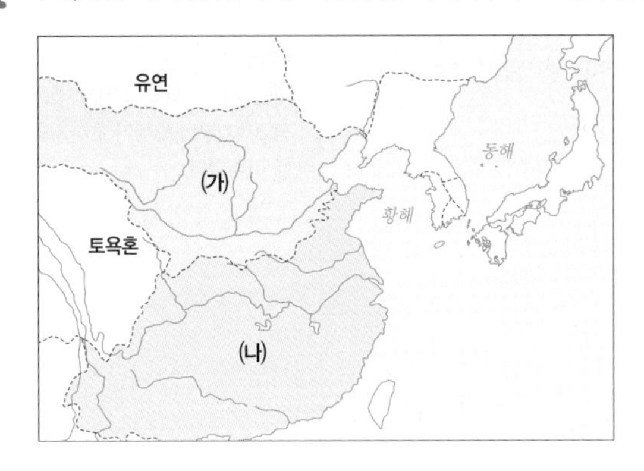

① 백제는 (가)와 교류하며 우호 관계를 유지하였다.
② (가)는 고구려에 대한 백제의 공격 요청을 거부하였다.
③ (나)는 (가)와 군신 관계를 맺고 해마다 공물을 바쳤다.
④ 신라는 (가)를 견제하고, 고구려를 통해 (나)와 교류하였다.
⑤ 왜는 (가), (나)에 사절을 보내 조공하고 책봉 관계를 맺었다.

> 다원화된 국제 관계

완자샘의 시험 꿀팁

다원화된 국제 관계 속에서 국가별 외교 관계의 특징을 묻는 문제가 자주 출제된다. 제시된 국가와 영역을 통해 지도가 어느 시기를 나타내는지 파악할 수 있어야 한다.

완자 사전

- **유연**
4세기 말부터 6세기까지 중국 북쪽 경계 지역에 존재한 유목 민족 또는 그들이 세운 국가
- **토욕혼**
4세기부터 7세기 중반까지 존속한 유목 민족 또는 그들이 세운 국가

수능 응용

2 (가) 왕조에 대한 설명으로 옳지 않은 것은?

문화재 검색

- [명칭] 보련도
- [소재지] 베이징 고궁 박물원
- [소개] 토번의 군주 송첸캄포와 문성 공주의 혼인을 소재로 한 그림이다. (가) 의 태종이 문성 공주를 맞이하러 온 토번의 사신을 접견하는 장면을 묘사하였다.

① 신라와 동맹을 맺고 백제, 고구려를 공격하였다.
② 건국 초기에 돌궐에 신하라 칭하고 공물을 바쳤다.
③ 농경 민족과 유목 민족에게 화번공주를 파견하였다.
④ 일본으로부터 조공을 받고 선진 문물을 전해 주었다.
⑤ 수도인 장안을 중심으로 국제적인 문화가 발전하였다.

> 중원 왕조의 외교 관계

완자샘의 시험 꿀팁

중원 왕조와 관련된 문제는 주로 당시 주변국과의 대외 관계가 어떠하였는가를 묻는 경우가 많다. 대외 관계뿐 아니라 문화 발달 및 교류 사례 등도 정리할 필요가 있다.

완자 사전

- **토번**
7세기부터 9세기 중반까지 존속한 티베트인들이 세운 국가

3 두 조약 체결 사이의 동아시아 상황으로 옳은 것은?

> 거란과 강화하고 사면령을 내렸다. 거란에 매년 은 10만 냥, 비단 20만 필을 주기로 약속하였으며, 서로 남조와 북조로 칭하기로 하였다.

> 금의 황제가 남송의 황제를 책봉하며, 남송의 황제는 신하의 예를 취한다. 남송이 해마다 비단 25만 필, 은 25만 냥을 바친다.

① 한국 – 외교 담판으로 강동 6주를 획득하였다.
② 중국 – 금이 송과 연합하여 요를 멸망시켰다.
③ 중국 – 역참이 설치되어 문화 교류가 활발해졌다.
④ 일본 – 아시카가 다카우지가 교토에서 막부를 수립하였다.
⑤ 베트남 – 외적의 침략에 대응하는 과정에서 『대월사기』가 편찬되었다.

> 국제 관계의 변화와 맹약의 체결

완자 사전

• **대월사기**
레반흐우가 저술한 역사서로, 기원전 3세기부터 13세기 초까지의 역사를 다루었다.

4 (가), (나) 국가에 대한 설명으로 옳은 것을 〈보기〉에서 고른 것은?

> (가) 고유의 풍속에 의거하여 관제를 북면관과 남면관으로 나누었다. 북면관은 국가 중대사의 결정과 군사 분야의 일을 장악하였고, 남면관은 한인의 주현, 조세, 군사 등을 다스렸다.
> (나) 300가구를 1모극, 10모극을 1맹안으로 두었다. 1모극에서 병사 100명을, 1맹안에서 병사 1,000명을 징발하여 운영하였다. 추장은 패극이라 불렸지만 전쟁에 동원될 때에는 맹안과 모극이라 하였다.

보기

ㄱ. (가) – 색목인에게 재정과 행정 업무를 담당하게 하였다.
ㄴ. (가) – 후진을 세운 석경당으로부터 연운 16주를 할양받았다.
ㄷ. (나) – 황제의 권력을 강화하기 위해 문치주의 정책을 실시하였다.
ㄹ. (나) – 정강의 변 이후 남송으로부터 은, 비단 등의 세폐를 받았다.
ㅁ. (가), (나) – 고유 문자를 사용하여 민족적 정체성을 지키고자 하였다.

① ㄱ, ㄴ, ㄷ ② ㄱ, ㄷ, ㅁ ③ ㄴ, ㄷ, ㄹ
④ ㄴ, ㄹ, ㅁ ⑤ ㄷ, ㄹ, ㅁ

> 북방 민족의 성장과 다원적인 국제 관계

완자쌤의 시험 꿀팁

북방 민족이 성장하는 과정을 국제 관계 속에서 정리하고, 이들이 실시한 중원 통치의 특징을 국가별로 나누어 파악해야 한다.

평가원 응용

5 (가)~(라) 국가에 대한 설명으로 옳지 않은 것은?

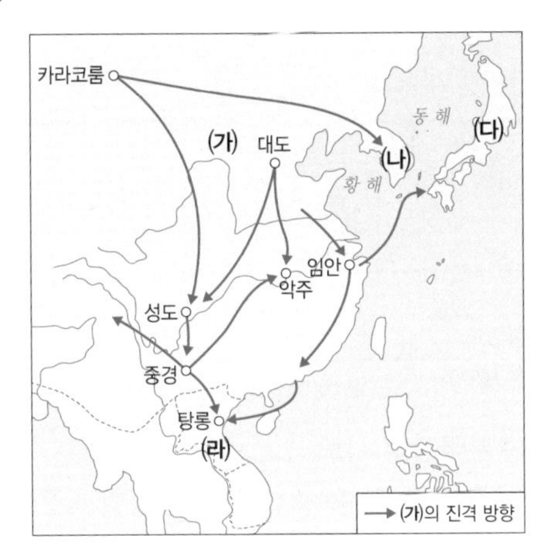

① (가)는 우구데이 칸 때 러시아 일대까지 장악하였다.
② (나)는 (가)의 침략 격퇴를 염원하며 8만여 판의 대장경을 만들었다.
③ (다)는 (가), (나) 연합군의 공격을 물리쳤으나 이후 집권 세력의 권력이 약해졌다.
④ (라)의 쩐흥다오는 바익당강 전투에서 (가)의 군대를 물리쳤다.
⑤ (다), (라)에서는 (가)의 침략에 맞서는 과정에서 '신의 나라'라는 인식이 확산되었다.

> 유목 민족의 성장과 국제 질서의 변화

완자샘의 시험 꿀팁

유목 민족이 세운 중원 왕조가 유라시아 전역으로 세력을 확대한 과정과 이와 관련된 동아시아 각국의 변화를 묻는 문제가 출제된다. 이 왕조 시기 동아시아 각국의 상황을 파악하고, 교역과 동서 문화 교류에 대한 내용도 정리해야 한다.

완자 사전

• 대장경
부처의 설법을 기록한 경장(經藏), 교단의 계율 및 그 해설을 쓴 율장(律藏), 경의 주석인 논장(論藏) 등을 모두 모은 책

6 밑줄 친 '이 황제'의 재위 시기에 있었던 일이 아닌 것은?

Beijing 볼거리

베이징 관광에서 빼놓을 수 없는 곳은 이 황제의 명령으로 건설되어 다음 왕조 시기까지 24명의 황제가 살았던 자금성이다. 자금성은 800여 채의 건물과 8,800여 개의 방을 가진 거대한 규모의 궁전으로, 현재 고궁 박물원으로 개관하여 다양한 유물을 전시하고 있다.

[관람 시간] 8:30~17:00 [입장료] 60위안

① 대월을 일시적으로 지배하였다.
② 육유를 제정하여 백성의 규범으로 삼았다.
③ 동남아시아의 국가들로부터 조공을 받았다.
④ 아시카가 요시미쓰를 일본 국왕으로 책봉하였다.
⑤ 정화를 여러 지역에 파견하여 조공 질서를 확대하였다.

> 동아시아 질서의 재편

완자 사전

• 아시카가 요시미쓰
무로마치 막부의 3대 쇼군

03 율령과 유교에 기초한 통치 체제

- 율령과 유교에 기초한 통치 체제가 확립되는 과정을 알 수 있다.
- 동아시아 각 지역의 율령과 유교에 기초한 통치 체제를 비교할 수 있다.

이것이 핵심!

율령과 유교의 발전

진 – 법치 시행, 엄격한 형벌 적용
↓
한 – 유교의 통치 이념화, 유가적 원리·법가적 원리 결합
↓
남북조 – 보완 법규(격, 식) 존재
↓
수·당 – 율령격식 체제 완성

★ 오경박사
『시경』, 『서경』, 『주역』, 『예기』, 『춘추』의 오경을 익힌 사람에게 박사 관직을 주고 제자를 양성하게 하는 제도

★ 문묘
유교의 성인인 공자를 모시는 사당으로, 유교가 동아시아 지역으로 전파되면서 동아시아 각국에 세워졌다.

★ 전시
황제가 과거의 최종 시험을 주관하는 것으로, 황제권의 강화에 기여하였다.

황제가 전시를 주관하는 모습

★ 문음
관료의 자손이 과거 시험을 치르지 않고 관리가 되는 제도

★ 독서삼품과
국학 학생들의 경전 이해 정도를 시험한 것으로, 시험 결과에 따라 3등급으로 나누어 관리 임용에 참고하였다. 그러나 골품제의 제약으로 하급 관리만 선발하는 데 그쳤다.

★ 격(格)과 식(式)
- 격: 율령을 개정, 보완, 추가한 규정
- 식: 율령 시행을 위한 세칙

1 율령과 유교

1. 율령과 법치의 시행

(1) 율령의 의미

율(律)	범죄 행위와 처벌을 규정한 것
영(令)	국가와 사회를 운영하기 위한 제도와 규범을 정한 것

└ 예 신분 제도, 수취 제도 등

(2) 법치의 시행

① 전국 시대: 제후들이 법가 사상가를 등용하여 부국강병 시도

② 진(秦): 상앙, 이사 등 법가 사상가를 등용하여 법치 시행(율 중심, 엄격한 형벌 적용)

2. 율령과 유교의 결합 자료 ①

(1) **한 무제의 유교 이념 채택**: 동중서의 건의 수용 → 유교를 국가 통치 이념으로 삼고 진흥책 추진(*오경박사와 태학 설치, 유교적 소양을 갖춘 지식인을 관료로 선발)

왜? 유교의 천명사상과 엄격한 윤리가 황제 지배 체제에 유용하였기 때문이야.

(2) **유가적 원리와 법가적 원리 결합**: 율령을 매개로 결합 → 법에 유교적 사고 반영

└ '효'와 '인'을 중시하는 유교 사상은 향촌 질서를 유지하고 백성의 자발적인 복종을 유도하는 데 효과적이었어.

3. 유교의 발전과 수용

(1) 유교의 전파 자료 ②

만주와 한반도	• 고구려: 태학(수도), 경당(지방)에서 유학 교육 • 백제: 오경박사 설치 • 신라: 원광법사의 세속 오계에서 유교적 가치 강조
일본	백제를 통해 유교 수용(아직기와 왕인이 한자와 유학 전파, 오경박사들이 유학 교육)

└ 세속 오계는 화랑이 지켜야 하는 계율이야. 여기에서 '충', '효'와 같은 유교 덕목이 강조되었어.

└ 왕인은 왜 태자의 스승이 되었다고 전해지고 있어. 현재 일본에는 왕인의 무덤이 남아 있어.

(2) 유교 통치 이념과 제도 정비 자료 ③

① 중원

수	과거제 도입
당	수의 과거제 계승, *문묘 설립, 중앙의 국자감과 지방의 향교에서 유학 교육
송	과거제 정비(*전시 도입, 3년 주기로 정례화), 점차 *문음의 비중 증가
명·청	학교 제도와 과거제를 연계하여 운영

왜? 유교 이념을 널리 보급하기 위해서였어.

└ 학교의 입학시험을 통과한 생원에게만 과거 응시 자격을 주었어.

VS 정복 왕조인 요, 금, 원에서는 관리 선발에서 과거제가 차지하는 비중이 적었어.

② 한반도

신라	국학 설립, *독서삼품과를 시행하여 유교적 소양을 갖춘 인재 양성
발해	주자감에서 유학 교육, 문적원에서 도서와 문서 관장
고려	광종 때 과거제 실시, 성종 때 유교 통치 이념 확립, 국자감에서 유학 교육
조선	성균관에서 유학 교육, 성균관과 향교에 문묘 설치, 과거제와 관련된 법률 제정

└ 후주에서 귀화한 쌍기의 건의로 과거제가 시행되었어.

③ 일본: 대학(료)에서 유학 교육, 문묘 설립

④ 베트남: 문묘 설립(학교 부설), 과거제 시행(부정기적으로 시행, 선발 인원 적음)

4. 율령의 체계화와 동아시아 전파

(1) **율령의 체계화**: 남북조 시대에 *격(格)과 식(式)이라는 보완 법규 존재 → 수·당 대에 율령격식 체제 완성

꼭! 동아시아 각국은 통치의 형태, 신분 질서, 백성의 권리 등에서 독자성을 반영하여 율령을 정비하였어.

(2) **율령의 동아시아 전파**: 한반도, 일본, 베트남 등에 전파 → 후대 왕조에 영향

완자 자료 탐구

내 옆의 선생님

자료 1 유교의 통치 이념화

동중서는 인간 사회의 차별적 질서가 하늘에 의해 결정된 것이라고 보고, 천자의 지위는 절대적이라고 하였어.

> 동중서가 무제에게 말하였다. "제왕은 하늘의 뜻을 받들어 정치를 행해야 합니다. 형벌의 힘을 빌려 다스리지 말고 덕과 교화의 힘을 빌려 다스려야 합니다. …… 옛날의 제왕들은 …… 수도에는 태학을 설립하여 교육을 시행하였고, 읍에는 학교를 세워 백성을 교화시켰습니다. 백성을 인(仁)에 젖어들게 만들고, 의(義)로 도야했으며, 예절로 절제하게 하였습니다. 그리하여 형벌을 가볍게 시행했음에도 백성은 국가에서 금지하는 것을 하지 않았습니다." – 『한서』 동중서전

한의 무제는 교화로 나라를 다스려야 한다는 동중서의 건의를 받아들였다. 이에 따라 태학을 설치하고 오경박사를 두었으며, 유교 도덕에 충실한 인물을 관리로 임명하였다. 그 결과 유학의 교양과 덕목을 익힌 사람이 관리가 된다는 원칙이 세워졌고, 유교가 국가의 통치 이념으로 떠올랐다. 유교가 통치 이념이 되면서 유교적 사고가 율령에 반영되었다.

문제로 확인할까?

한 대의 유교에 대한 설명으로 옳은 것을 <보기>에서 고른 것은?

보기
- ㄱ. 율령에 유교적 사고가 반영되었다.
- ㄴ. 학교 설립, 과거제 도입 등에 영향을 주었다.
- ㄷ. 천명사상이 통치를 정당화하는 데 이용되었다.
- ㄹ. 상앙의 건의에 따라 국가의 통치 이념이 되었다.

① ㄱ, ㄴ ② ㄱ, ㄷ ③ ㄴ, ㄷ
④ ㄴ, ㄹ ⑤ ㄷ, ㄹ

② 답

자료 2 유교·율령의 전파와 한자의 사용

신라의 문무왕이 외교 문서 작성에 뛰어났던 강수의 업적을 높게 평가하였음을 알 수 있어.

> • 보고해야 할 일이 있으면 반드시 문서로 하라. 구두로 청하거나 타인을 통해서 청하지 마라. – 『진률』
>
> • 강수가 문장을 맡아 중국과 고구려, 백제에 서한으로써 뜻을 다 전하였으므로 우호를 맺음도 성공할 수 있었다. 나의 선왕이 당에 군사를 청해 고구려와 백제를 평정한 것은 …… 문장의 도움도 있었기 때문이니 강수의 공을 소홀하다고 할 수 있겠는가? – 김부식, 『삼국사기』

동아시아 여러 나라가 유교와 율령을 수용하는 과정에서 한자와 한문에 대한 이해가 깊어졌고, 한문학이 발달하였다. 첫 번째 자료에는 문서 행정이 이루어지는 모습이 나타나 있으며, 두 번째 자료를 통해 당시 외교 문서를 중요하게 여겼음을 알 수 있다. 문서를 통한 외교는 한자 사용과 유교에 대한 이해 심화에 영향을 주었다.

자료 하나 더 알고 가자!

진의 법률이 적힌 죽간

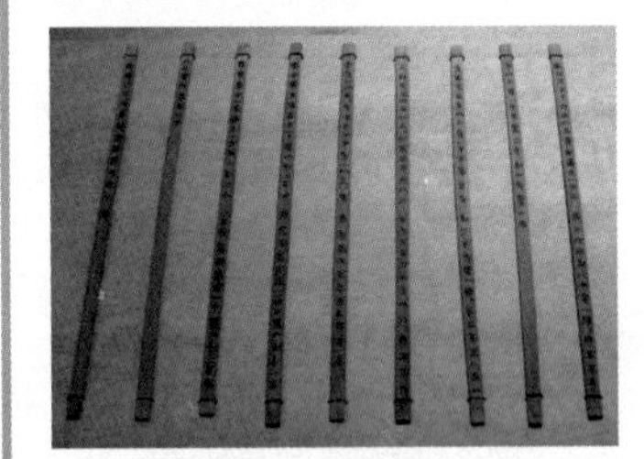

이 죽간은 진나라 관리의 무덤에서 발굴된 것인데, 진의 법률이 한자로 새겨져 있어. 진에서 완성된 법률 체계는 시황제가 중원을 통일한 후에도 사용되었어.

자료 3 과거제의 시행

과거제가 중요해지자 과거 시험에서 부정행위를 저지르는 일이 생겼어. 이에 따라 시험을 공정하게 치르기 위한 방법들이 마련되었지.

> • 한림학사 이방은 사사로운 정을 개입시켜 합격과 불합격을 결정하였다고 제소당하는 일이 있었다. 그렇기 때문에, 황제는 최종 시험장에서 불합격된 사람 360명의 이름을 명부에 기재한 뒤, 그들을 소견하고 195명을 선발하였다. …… 그리하여 전시가 통상의 제도로 되었다. – 『송사』
>
> • 신은 …… 일찍이 과거에 뜻을 두었으나 논리 정연하게 글 쓰는 능력이 없고 문서를 다루는 데 익숙하지 못합니다. 음서를 통해 관료가 되었으나, 유학으로 입신하지 않는다면 장차 무슨 명목으로 벼슬살이를 하겠습니까. – 이규보, 『동국이상국집』

고려에서 음서 출신자가 다시 과거를 통해 관료가 되는 것을 중시하였음을 알 수 있어.

유교를 통치 이념으로 삼은 동아시아 각국에서는 주로 유교 경전을 시험하여 관리를 선발하는 과거제가 시행되었다. 과거제의 시행으로 교육 기관이 정비되면서 학문 연구가 심화되고 새로운 학자 관료층이 형성되었으며, 학문적 능력을 중시하는 사회 풍조가 확산되었다.

정리 비법을 알려줄게!

동아시아 각국의 과거제

중국	수 대 처음 실시 → 당 대 제도적으로 정비 → 송 대 3년 주기로 정례화, 전시 도입 → 명·청 대에 학교 제도와 연계하여 운영
한반도	고려 광종 때 처음 시행 → 조선 태조 때 관련 법률 제정
베트남	리 왕조 때 도입

↓

새로운 학자와 관료층 형성, 학문적 능력을 중시하는 사회 풍조 확산

03 율령과 유교에 기초한 통치 체제

이것이 핵심!

수·당의 율령

율	형벌 정비 → 신분에 윤리 반영
영	3성 6부제 시행, 과거제 실시, 균전제 실시(균전제를 기반으로 조용조 수취, 부병제 실시)

★ 당 대 형벌의 종류

태형, 장형	매를 치는 형벌
도형	노역을 시키는 형벌
유형	유배를 보내는 형벌
사형	목숨을 끊는 형벌

★ 당의 3성 6부제

3성은 황제가 내린 명령에 따라 법령을 기초하는 중서성, 이를 심의하는 문하성, 심의에 통과한 법령을 실행하는 상서성으로 이루어졌다. 실무 부서인 6부는 상서성에 속하였다.

2 수·당의 통치 체제

1. 율령 체제의 정비 자료④

(1) **율령의 정비**: 율과 영의 계승 및 정리, 격과 식 추가 → 율령격식의 체계 완성

(2) **당률의 내용과 운영**

① *형벌 정비: 태형, 장형, 도형, 유형, 사형으로 정비

이전 시대와 달리 신체에 대한 가혹한 처벌을 완화하여 다섯 가지 형벌로 간소화하였어.

② 율의 특징: 신분에 따라 차등 적용, 유교적 가족 윤리 반영(부부·장유에 따라 차등 적용)

불효에 해당하는 부자 사이의 범죄를 가장 엄격하게 처벌하였어.

2. 당의 통치 제도 자료⑤

수의 3성 6부제, 과거제, 주현제를 계승하였어.

(1) **통치 조직**

① 중앙: *3성(황제의 통치 보좌), 6부(행정 업무 담당) 중심으로 운영

② 지방: 주·현 설치, 지방관 파견, 도호부 설치

정복지의 이민족을 다스리기 위해 설치되었어.

(2) **관리 선발 제도**: 과거제 시행, 관리를 9품으로 구분

(3) **토지 제도**: 균전제 실시 → 3년마다 호적 작성, 성인 남자에게 토지 지급

(4) **수취 제도**: 균전제를 기반으로 조용조 수취

각각 조세, 노역, 공물을 의미해.

(5) **군사 제도**: 부병제(농민의 병역 의무를 바탕으로 한 국가 상비군 제도) 실시

이것이 핵심!

동아시아 각국의 율령 수용

발해	3성 6부제 시행
고려	2성 6부제 시행
일본	2관 8성제 운영, 반전수수법 실시
베트남	11시기에 율령(형서) 반포

★ 신라 촌락 문서

서원경(청주) 부근 촌을 포함한 네 개 촌의 인구와 호수, 전답의 종류와 면적, 가축 수 등을 파악하여 기록한 문서

★ 반전수수법

농민에게 구분전을 지급하고 이를 바탕으로 조세를 징수한 제도

3 율령의 수용과 통치 제도의 정비

1. 만주와 한반도 국가의 율령 수용

삼국	왕권 강화와 중앙 집권 체제 정비를 위해 율령 반포
통일 신라	당의 제도 수용, 집사부를 중심으로 행정 체계 확대, 골품제를 바탕으로 관위나 관직에서 고유성 유지, *신라 촌락 문서 작성(백성의 호구와 재산 파악 → 조세와 부역 징수)
발해	당의 3성 6부제 수용(3성의 명칭 변경, 좌사정·우사정을 이용한 이원적 운영, 6부에 유교식 명칭 반영), 지방에 주·현 설치 교과서 자료
고려	당의 3성 6부제를 수용하여 2성 6부제로 운영(중서성과 문하성을 통합하여 중서문하성 설치), 독자적 기구 설치(도병마사, 식목도감 등)

6부의 순서는 당의 것과 달랐어.

충, 인, 의, 지, 예, 신이라는 유교 덕목을 사용하였어.

도병마사에서는 국방 문제, 식목도감에서는 법제와 관련된 업무를 주로 처리하였어.

2. 일본의 율령 수용과 통치 제도 정비

(1) **정비 과정**

① 다이카 개신(645): 당 문물 수용, 군주 중심의 중앙 집권화 도모

② 다이호 율령 반포(701): 당의 율령 모방 → 통치 기구 정비

(2) **통치 체제** 교과서 자료

신기관을 태정관보다 더 중시하였어.

① 중앙 관제: 2관(신기관은 제사 담당, 태정관은 행정 담당) 8성제(이원적 운영)

좌변관과 우변관이 각각 4성씩 8성을 관장하였어.

② 지방 행정: 지방에 군, 국, 리 설치

③ 관리 선발: 최고 관청 관직을 유력 귀족 중 임명, 군에는 지방 호족을 종신직으로 임명

꼭! 씨족제적 전통이 남아 있는 모습이야. 일본에서는 과거제가 시행되지 않았어.

④ 토지 제도: *반전수수법 시행

3. 베트남의 율령 수용: 11세기에 율령(형서) 반포 → 당률을 기본으로 하면서 고유의 관습과 사회 제도 유지

예) 부부의 재산권을 동등하게 인정, 부인의 이혼 요구 가능 등

완자 자료 탐구

내 옆의 선생님

자료 4 율령의 정비 과정

진의 법률이 형벌 위주였음을 추측할 수 있어.

- 5명이 집단으로 절도를 하고 장물이 1전 이상인 경우 참좌지(왼쪽 발을 자르는 형벌), 경성단(얼굴에 문신을 새긴 후 일정 기간 성벽을 쌓고 성을 지키도록 한 형벌)에 처한다. －『진율 법률답문』
- 전한 문제 때 신체형이 내려진 아버지를 위해 소녀가 상소를 올리는데, "육형을 받은 자는 다시 원래의 신체로 돌릴 수 없습니다. 제가 관노비가 되어 아버지의 죄를 갚겠으니 ……." 하니 문제가 감동을 받아 육형을 폐지하라고 명령하였다. 대신 태형이 만들어졌다. －『한서』 형법지
- 당률은 이전 왕조에 비해 형벌을 간략화하였다. 태형과 장형의 매의 수를 줄이고, 참형을 삭감하여 유형 92조를 만들었으며, 유형을 삭감하여 도형 71조를 만들었다. －『당률소의』

진·한 대에는 형벌 위주의 법률이 주로 시행되었다. 그러나 황제를 중심으로 국가 체제가 정비되면서 통치를 실현하기 위한 행정 법률이 늘어났다. 신체에 가혹한 형벌을 가하는 육형은 점차 축소되고, 신체를 감금하거나 노역을 시키는 형벌의 비중이 늘어났다.

정리 비법을 알려줄게!

율령의 정비

진	엄격한 형벌 적용
한	유교 윤리와 결합, 육형 폐지
당	형벌 정비, 율령격식 체제 완성

문제로 확인할까?

당 대의 율은 매로 다스리는 태형과 장형, 노역을 시키는 (　　　), 유배를 보내는 유형, 목숨을 끊는 사형의 다섯 가지로 형벌을 간소화하였다.

답 도형

자료 5 당의 통치 제도

토지 제도와 수취 제도는 세금 징수 대상과 기준을 확립하여 당이 중앙 집권을 유지하는 기반이 되었어.

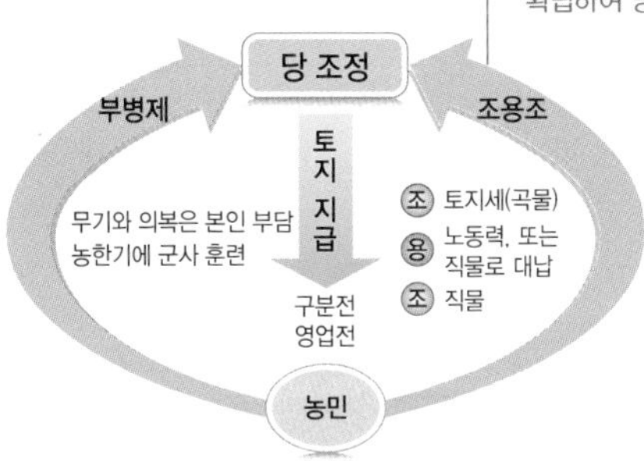

당의 토지·수취·군사 제도

무릇 정남(21~59세)에게 영업전(永業田) 20무와 구분전(口分田) 80무를 지급한다. …… 구분전을 지급할 경우, 해를 걸러 경작하는 토지는 배로 지급한다. …… 영업전은 모두 자손에게 상속되며, 이것은 국가에 반환하거나 주는 범위에 들어가지 않는다. －『천성령』

국가가 개인에게 나누어 주는 토지인데, 지급 조건이 사라지면 반환해야 하였어.

당은 균전제, 조용조, 부병제를 통해 백성을 통치하였다. 당은 호적을 근거로 백성에게 토지를 지급하고 그 대가로 조세, 노역, 공물을 받았으며, 병역의 의무를 지게 하였다.

자료 하나 더 알고 가자!

일본의 토지 제도

구분전을 지급할 때 남자는 2단, 여자는 그 3분의 1을 감액하여 120보를 준다. …… 해를 걸러 경작해야 하는 토지는 두 배를 지급하라. …… 수전(水田)은 6년에 한 번 지급하라. 사원에 주는 토지는 여기에 적용받지 않는다. －『영의해』

일본은 국가가 토지와 백성을 소유하고 백성의 생활을 보장한다는 이념을 내세우면서 토지 제도를 정비하였어. 당의 균전제를 모방한 반전수수법을 시행하여 백성에게 토지를 골고루 나누어 주었지.

수능이 보이는 교과서 자료 율령의 지역적 수용 – 각 나라의 중앙 관제

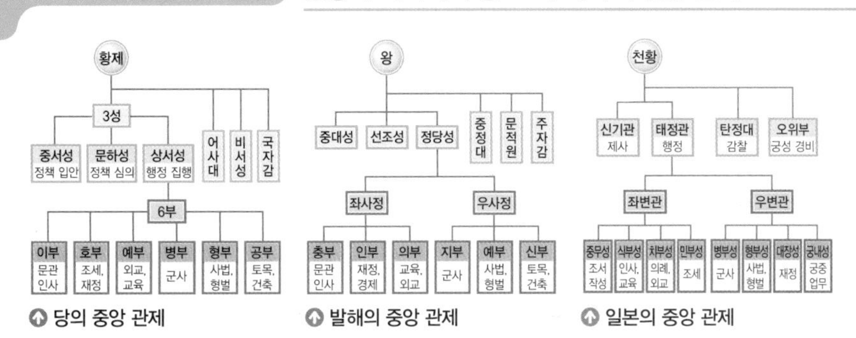

당의 중앙 관제　　발해의 중앙 관제　　일본의 중앙 관제

발해와 일본은 당의 3성 6부제를 수용하여 중앙 관제를 정비하였다. 이때 명칭, 관직 체계 등을 자국의 관습 및 전통적인 제도와 조화하여 운영하였다.

완자샘의 탐구 강의

- 발해, 일본의 중앙 관제에서 나타나는 독자성을 정리해 보자.

발해	3성의 명칭을 변경하고, 6부를 이원적으로 운영하였다. 6부의 명칭에 유교 덕목을 반영하였다.
일본	2관 8성제를 시행하였다. 태정관 아래 8성을 두고, 이원적으로 운영하였다.

함께 보기 77쪽, 1등급 정복하기 1

STEP 1 핵심 개념 확인하기

정답친해 19쪽

1 다음 빈칸에 들어갈 내용을 쓰시오.

(1) 진의 시황제는 상앙, 이사 등 (　　　　) 사상가를 등용하였다.

(2) 한의 무제는 (　　　　)의 건의를 수용하여 오경박사를 두고 태학을 세웠다.

(3) 율은 범죄 행위의 처벌을 규정한 것이고, (　　　　)은 국가와 사회를 운영하기 위한 제도와 규범이다.

2 황제가 과거의 최종 시험을 주관하는 것으로, 송 대에 도입되어 황제권 강화에 기여한 제도는?

3 당 대에 완성된 율령 체제 아래에서 형벌은 (　　　　), 장형, 도형, 유형, 사형으로 구성되었다.

4 다음 설명이 맞으면 ○표, 틀리면 ×표를 하시오.

(1) 수·당 대에 율은 신분에 따라 차등적으로 적용되었다. (　　)

(2) 발해는 최고 학부로 국자감을 설치하였고, 고려는 주자감을 설치하였다. (　　)

(3) 통일 신라는 독서삼품과를 시행하여 유교적 소양을 갖춘 인재를 선발하려고 하였다. (　　)

5 다음에서 설명하는 제도를 〈보기〉에서 고르시오.

보기

ㄱ. 문음	ㄴ. 부병제
ㄷ. 독서삼품과	ㄹ. 반전수수법

(1) 관료의 자손이 과거 시험을 치르지 않고 관리가 되는 제도 (　　)

(2) 농민에게 구분전을 지급하고 이를 바탕으로 조세를 징수하는 제도 (　　)

(3) 국학 학생들의 경전 이해 정도를 시험한 후 시험 결과를 관리 임용에 참고한 제도 (　　)

STEP 2 내신 만점 공략하기

01 자료와 관련된 중원 왕조에 대한 설명으로 옳은 것은?

> 신체형이 내려진 아버지를 위해 소녀가 상소를 올리는데, "육형을 받은 자는 다시 원래의 신체로 돌릴 수 없습니다. 제가 관노비가 되어 아버지의 죄를 갚겠으니 ……." 하니 문제가 감동을 받아 육형을 폐지하라고 명령하였다.

① 분서갱유로 사상을 통제하였다.
② 중앙 통치 기구로 3성 6부를 두었다.
③ 과거제를 시행하여 관리를 선발하였다.
④ 유가 사상을 통치 이념으로 채택하였다.
⑤ 제자백가라 불리는 사상가들을 등용하였다.

중요

02 밑줄 친 '건의'에 따라 한 대에 시행된 정책으로 옳은 것은?

> 동중서가 황제에게 건의하였다. "제왕은 하늘의 뜻을 받들어 정치를 행해야 합니다. 따라서 형벌의 힘을 빌려 다스리지 말고 덕과 교화의 힘을 빌려 다스려야 합니다."

① 국자감을 세우고 공자에 제사를 지냈다.
② 다이호 율령을 반포하고 체제를 정비하였다.
③ 태학과 오경박사를 설치하고 유학을 교육하였다.
④ 과거를 통해 유교적 소양을 갖춘 인재를 선발하였다.
⑤ 독서삼품과를 통해 국학 학생들을 관리로 등용하였다.

03 ㉠~㉤과 관련된 설명으로 옳지 않은 것은?

> ㉠ 유교는 전국 시대에 등장하여 한 무제 때 ㉡ 국가 통치 이념이 되었다. 유교가 주변 국가에 전파되면서 ㉢ 고구려는 학교를 설립하여 유학을 가르쳤고, 백제와 ㉣ 신라도 유학을 중시하였다. ㉤ 일본도 유학을 수용하였다.

① ㉠ – 형벌의 효율성을 주장한 법가와 대립하였다.
② ㉡ – 유교의 천명사상이 황제의 통치를 정당화하였다.
③ ㉢ – 태학, 주자감 등에서 유학을 가르쳤다.
④ ㉣ – 세속 오계에서 충, 효 등을 강조하였다.
⑤ ㉤ – 백제를 통해 유학을 받아들였다.

04 자료에 나타난 사상에 대한 설명으로 옳은 것을 〈보기〉에서 고른 것은?

> 공자께서 말씀하셨다. "백성을 다스리되 덕(德)과 예(禮)로 하면 백성은 부끄러움을 알아 장차 선에 이를 것이다."

보기

ㄱ. 율령 체제의 정립에 기여하였다.
ㄴ. 인재 양성과 관리 선발에 이바지하였다.
ㄷ. 진이 전국 시대를 통일하는 기반이 되었다.
ㄹ. 개인의 해탈보다 중생의 구제를 중시하였다.

① ㄱ, ㄴ ② ㄱ, ㄷ ③ ㄴ, ㄷ
④ ㄴ, ㄹ ⑤ ㄷ, ㄹ

05 밑줄 친 '교육 기관'에 해당하는 것은?

> 동아시아의 여러 국가는 인재를 양성하기 위해 유교 경전을 가르치는 교육 기관을 정비하였으며, 유교적 소양이 뛰어난 사람을 관리로 선발하였다.

① 당의 중서성 ② 발해의 정당성
③ 일본의 신기관 ④ 조선의 성균관
⑤ 고려의 중서문하성

06 (가)에 대한 설명으로 옳지 않은 것은?

> (가) 은/는 범법자를 처벌하는 형벌 위주의 법률과 국가 조직이나 제도 등을 규정하는 행정 법률을 일컫는다. 공동체적 질서를 중시하는 유가적 원리와 결합하여 중원 왕조들이 국가 체제를 지탱하는 주요 요소가 되었다.

① 나라마다 독자적인 전통에 따라 변형되었다.
② 진에서는 형벌 위주의 법률이 중심이 되었다.
③ 주에서 혈연 중심의 봉건제가 성립하는 데 영향을 주었다.
④ 한반도에서는 삼국이 국가 체제를 정비하는 과정에서 받아들였다.
⑤ 일본, 베트남을 포함한 동아시아 문화권의 중요 요소로 자리 잡았다.

07 다음은 어느 학생이 작성한 형성 평가의 답안지이다. 이 학생이 받을 점수는?

※ 자료를 읽고 당시의 율령에 대해 설명한 내용이 맞으면 ○표, 틀리면 ×표를 하시오.

> • 남편이 죽고 상복을 벗더라도 절개를 지키려고 하는데, 여자의 조부모나 부모가 아니면서 억지로 혼인시킨 자는 도형 1년에 처한다.
> • 태형과 장형의 매의 수를 줄이고, 참형을 삭감하여 유형 92조를 만들었으며, 유형을 삭감하여 도형 71조를 만들었다.

문항	답안
(1) 육형이 시행되었다.	○
(2) 법률에 유교의 가족 윤리가 반영되었다.	○
(3) 신체에 대한 처벌 강도가 이전 시기보다 강화되었다.	○
(4) 율령 체제는 중앙 집권 체제를 갖추는 데 기여하였다.	○
(5) 같은 죄를 지었다고 하더라도 신분에 따라 다른 처벌을 받았다.	○

(문항당 2점)

① 2점 ② 4점 ③ 6점 ④ 8점 ⑤ 10점

중요

08 도표는 당의 통치 제도를 나타낸 것이다. (가), (나) 제도에 대한 설명으로 옳지 않은 것은?

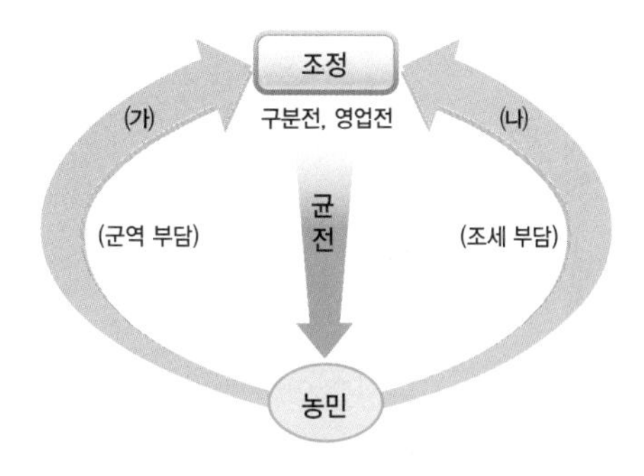

① (가) – 성인 남성이 교대로 군역을 부담하였다.
② (가) – 농병 일치를 바탕으로 한 국가 상비군 제도이다.
③ (나) – 일본의 반전수수법으로부터 영향을 받았다.
④ (나) – 백성이 국가에 노동력, 특산물 등을 제공하였다.
⑤ (가), (나) – 국가가 백성에 대한 지배를 강화하는 기반이 되었다.

09 다음과 같이 통치 조직을 정비한 국가에 대한 설명으로 옳은 것은?

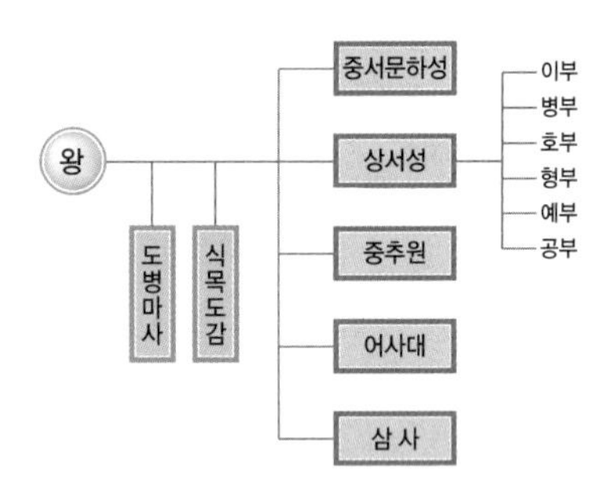

① 농민에게 구분전을 지급하였다.
② 일본에 한자와 유학을 전해 주었다.
③ 최고 교육 기관으로 국자감을 설립하였다.
④ 도서와 문서를 관장하는 문적원을 두었다.
⑤ 관직과 관등을 골품제와 연계하여 운영하였다.

10 중요 밑줄 친 부분을 탐구하기 위한 활동으로 적절하지 않은 것은?

① 고려가 2성 6부제를 마련한 과정을 알아본다.
② 베트남에서 과거제가 시행된 횟수를 확인한다.
③ 발해가 유교 덕목을 6부의 명칭에 사용한 이유를 조사한다.
④ 일본에서 씨성 제도를 마련한 목적과 실시의 영향을 분석한다.
⑤ 신라의 관직 운영 규정과 독서삼품과의 시행 양상을 함께 살펴본다.

서술형 문제

● 정답친해 20쪽

01 다음은 중원 왕조의 과거제에 대해 정리한 것이다. 이를 보고 물음에 답하시오.

(가)	최초 실시
송	황제가 직접 시험을 주관하는 (나) 도입
원	관리 선발에서 차지하는 비중이 높지 않음

(1) (가), (나)에 들어갈 내용을 각각 쓰시오.

(2) 송이 (나) 제도를 시행한 목적을 두 가지 서술하시오.

길잡이 (나) 제도가 황제의 권력에 미친 영향을 중심으로 서술한다.

02 자료에 나타난 토지 제도의 실시 효과를 당 조정의 입장에서 서술하시오.

> 정남에게 영업전 20무와 구분전 80무를 지급한다. …… 구분전을 지급할 경우, 해를 걸러 경작하는 토지는 배로 지급한다. …… 영업전은 자손에게 상속되며, 국가에 반환하거나 주는 범위에 들어가지 않는다. -「천성령」

길잡이 수취 제도, 군사 제도와의 연계성이 드러나도록 서술한다.

03 다음을 보고 물음에 답하시오.

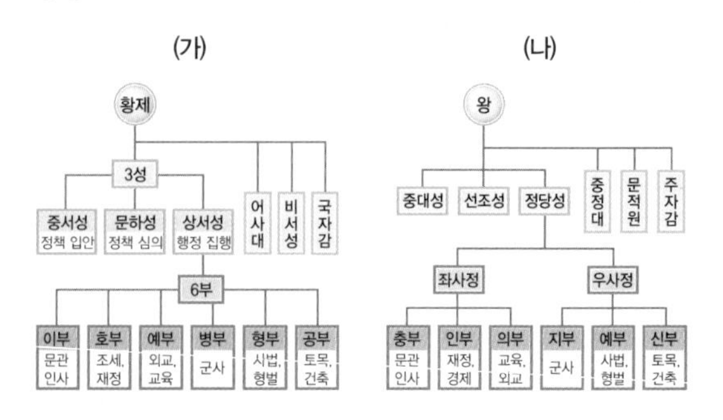

(1) (가), (나) 중앙 관제를 운영한 국가를 각각 쓰시오.

(2) (가), (나) 중앙 관제의 공통점과 차이점을 서술하시오.

길잡이 관제의 운영 방법, 부서의 명칭 및 중요도 등을 비교해 본다.

STEP 3 1등급 정복하기

정답친해 21쪽

수능 응용

1 (가) 제도와 관련된 설명으로 옳지 않은 것은?

> △△에게
> 오늘은 베트남의 하노이에 도착해서 공자를 비롯한 유교 성현을 모신 문묘를 둘러 보았어. 옆 사진은 문묘 안에 있는 비석이야.
>
> 
>
> 이 비석에는 (가) 시험에서 합격한 사람들의 이름이 새겨져 있어. (가) 은/는 중원 왕조에서 시행된 관리 선발 제도인데, 베트남에는 리 왕조 때 도입되었다고 해.
> 다음 도시로 이동해서 더 많은 소식을 전해 줄게. 그때까지 잘 지내.

① 고려에서는 쌍기의 건의로 광종 때 도입되었다.
② 일본에서는 쇼군의 권력을 뒷받침하는 기반이 되었다.
③ 송 대에는 3년 주기로 정례화되고 전시가 처음 실시되었다.
④ 원 대에는 제한적으로 시행되어 관리 등용에서 비중이 낮았다.
⑤ 명 대에는 학교 제도와 결합되어 신사층의 형성에 기여하였다.

> 유교의 발전과 수용
>
> **완자샘의 시험 꿀팁**
> 유교의 발전을 관리 선발 제도와 연결지어 묻는 문제가 출제된다. 중원 왕조의 관리 선발 제도에서 나타난 변화상을 정리하고, 이를 동아시아 각국의 제도와 비교할 수 있어야 한다.
>
> **완자 사전**
> • 정례화
> 규칙적이지 않았던 일을 규칙적인 일로 정하는 것
> • 신사
> 학교에서 학위를 받거나 시험을 통해 관직으로 나갈 자격을 지닌 사람들

2 다음 율령이 실시된 국가에 대한 설명으로 옳은 것을 〈보기〉에서 고른 것은?

> 무릇 구분전을 지급할 때 남자는 2단, 여자는 그 3분의 1을 감액하여 120보를 준다. …… 해를 걸러 경작해야 하는 토지는 두 배를 지급하라. …… 무릇 수전(水田)은 6년에 한 번 지급하라. 사원에 주는 토지는 여기에 적용받지 않는다. －『영의해』

보기

ㄱ. 좌변관과 우변관이 8성을 관장하였다.
ㄴ. 제사를 담당하는 신기관을 중시하였다.
ㄷ. 골품에 따라 관위와 관직의 승진을 제한하였다.
ㄹ. 주자감을 설립하여 유교적 소양을 갖춘 인재를 양성하였다.
ㅁ. 균전제를 실시하고 이를 바탕으로 백성에게 조용조를 걷었다.

① ㄱ, ㄴ　② ㄴ, ㄷ　③ ㄴ, ㅁ
④ ㄷ, ㄹ　⑤ ㄷ, ㅁ

> 율령 체제의 전파
>
> **완자샘의 시험 꿀팁**
> 동아시아 각 지역이 율령을 받아들인 양상과 이를 독자적으로 변형한 모습을 국가별로 나누어 정리해야 한다.
>
> **완자 사전**
> • 관위
> 신분의 서열을 나타내기 위해 제정된 계급

04 불교의 전파와 성리학의 확산

학습 목표
- 동아시아의 불교 수용 양상을 이해하고, 불교를 통한 문화 교류의 내용을 정리할 수 있다.
- 성리학의 성립과 동아시아 각국으로의 전파 양상을 설명할 수 있다.

이것이 핵심!

대승 불교의 동아시아 전파

중원	한 대 전래 → 남북조 시대에 발전, 거대 불상 건립
한반도	삼국 시대 전래 → 통일 신라 때 대중화
일본	6세기 백제를 통해 수용 → 아스카 시대에 확산

＊상좌부 불교
개인적인 노력을 기초로 하여 해탈을 추구하는 불교의 한 갈래

＊보살
깨달음의 경지에 이르렀으나 해탈을 이루지 않고 중생을 구제하고자 노력하는 존재

＊원효와 의상
- 원효: '나무아미타불'을 외우면 극락정토에서 다시 태어날 수 있다는 아미타 신앙(정토 신앙)을 보급하였다.
- 의상: 만물의 조화와 포용을 중시하는 화엄종을 개창하였다.

1 불교의 성립과 전파

1. 불교의 등장과 대승 불교의 성립

(1) **불교의 등장**: 기원전 6세기경 석가모니가 창시 → 수행을 통한 해탈, 자비와 평등 강조
— '다른 사람을 위한 행동'이라는 뜻이야. 중생의 구제에 힘쓰는 것을 의미해.

(2) **대승 불교의 성립**: 기원전 1세기경 성립(기존 불교를 ＊상좌부 불교라고 칭함), 이타행 강조, 부처 신격화, 중생 구제 강조, ＊보살 중시 → 주로 동아시아 지역으로 전파
— 대승은 '큰 수레'라는 뜻이야. 대승 불교 집단은 자신들을 대승이라고 하면서 종래의 불교를 소승이라고 낮추어 불렀어.

2. 불교의 동아시아 전파 자료①

(1) **중원으로의 불교 전파**: 기원 전후 비단길을 통해 북중국 지역에 대승 불교 전래

5호 16국	유목 민족 국가들의 후원으로 화북 지역에 확산
남북조	북조의 황제들이 '황제가 곧 부처'라는 논리로 지배 체제 정당화, 거대한 사원과 불상 건립 (예 룽먼 석굴 사원, 윈강 석굴 사원)

(2) **한반도의 불교 수용**: 중앙 집권 체제 강화와 백성의 사상 통일을 위해 수용

고구려	4세기 소수림왕 때 전진으로부터 수용
백제	4세기 침류왕 때 동진으로부터 수용
신라	5세기 고구려에서 전래, 전통 신앙을 가진 귀족들과의 마찰 발생 → 6세기 법흥왕 때 이차돈의 순교를 계기로 공인 → 통일 후 ＊원효, 의상 등 승려들의 활약으로 민중에게 확산

(3) **일본 열도의 불교 수용**: 6세기 백제에서 전래, 토착 신앙과의 갈등 발생

아스카 시대	쇼토쿠 태자의 적극적인 후원으로 불교 확산, 왕실과 유력 가문의 후원을 받은 사찰 건립
나라 시대	8세기 전국 각지에 고쿠분사(천황의 사찰) 건립, 도다이사가 각지의 고쿠분사를 통제
가마쿠라 막부	신란이 정토 사상의 체계화와 확산에 기여

— 신란: 복잡한 수행을 통해서가 아니라 염불만으로도 해탈할 수 있다고 하였어.

이것이 핵심!

동아시아의 불교

호국 불교의 성격	군주권 강화, 국가의 통제 등에 불교 이용
선종의 발달	깨달음과 참선 중시 → 신라 말, 가마쿠라 시대에 유행
전통 사상과 결합	유교, 토착 신앙 등과 결합

＊신토(神道)
일본의 민속 신앙 체계이자 일본 고유의 다신교

2 동아시아 불교의 특징

1. 호국 불교 자료②

(1) **배경**: 지배층이 군주권 강화 수단, 국가 통치 이념으로 불교 수용

(2) **사례**: 국가가 승려와 교단 통제, 승려가 왕실과 국가의 안녕을 비는 의례 주관, 군주가 불교식 왕명 사용, 군주의 얼굴을 본뜬 불상이나 거대한 사찰 건립, 대장경 간행 등
— 승려와 사찰을 관리하는 행정 기구를 두었고, 출가도 국가의 허락을 받게 하였어.
— 승려는 국사나 왕사가 되어 왕의 자문을 담당하기도 하였어.

2. 선종의 발달

남북조 시대에 달마가 창시, 깨달음과 참선 중시 → 신라 말 호족 세력과 결합하여 고려 왕조 개창에 영향, 가마쿠라 시대 무사들 사이에 유행
— 왜? 선종에서 강조하는 직관적 깨달음이 순간적인 승부를 추구하는 무사도와 잘 맞았기 때문이야.

3. 전통 사상 및 토착 신앙과 결합 자료③

(1) **유교와 결합**: 중원에서 『부모은중경』 간행 → 유교의 덕목인 효 강조, 한국·일본에 전파
— 당 대에 간행되어 주변 국가에도 전파되었어.

(2) **토착 신앙과 결합**

한반도	• 고려: 토속 신앙과 불교가 결합한 팔관회 개최 • 조선: 사찰에 산신각, 칠성각 건립
일본	고유의 토착 신앙인 ＊신토와 결합(하치만 신상 제작) → 신불습합으로 발전

— 신토의 신들이 부처나 보살로 모습을 바꾸어 나타난 것이라는 주장이 등장하였어.

완자 자료 탐구

내 옆의 선생님

자료 1 불교의 전파와 수용

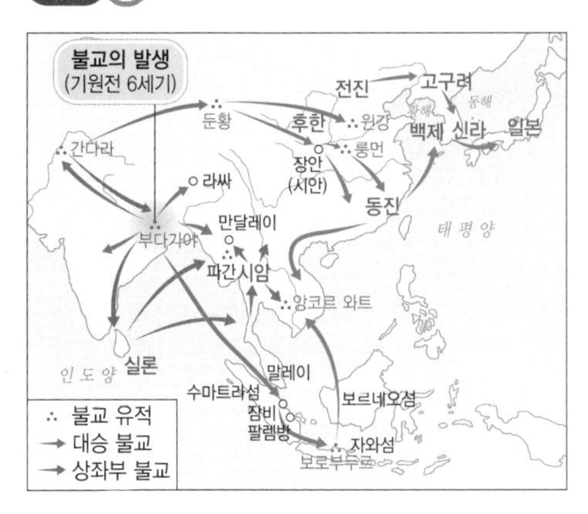

신라는 6세기 법흥왕 때 이차돈의 순교를 계기로 불교를 공인하였어.

> 법흥왕이 불교를 일으키려고 하였으나 …… (신하들이) 불평을 많이 하였으므로 이차돈이 "제 목을 베어 여러 사람의 논의를 진정시키십시오."라고 하였다. …… 목을 베자 …… 피가 솟구쳤는데 그 색이 우유빛처럼 희었다. 여러 사람이 괴이하게 여겨 다시는 불교를 헐뜯지 않았다.
>
> – 『삼국사기』 신라 본기

▲ 불교의 동아시아 전파

비단길을 통해 북중국으로 전파된 대승 불교는 한반도와 일본 열도에 전해졌다. 동아시아 각국이 불교를 수용하는 과정에서 전통 신앙이나 토착 세력과 갈등이 나타나기도 하였다.

자료 2 동아시아의 호국 불교

> (선덕)왕이 병이 들었는데 의술과 기도로 효과가 없었으므로 황룡사에서 백고좌(百高座) 강회를 열어, 승려를 모아 『인왕경』을 강론하게 하고, 1백 명에게 승려가 되는 것을 허락하였다.
>
> – 『삼국사기』 신라 본기

신라의 선덕 여왕은 승려들에게 왕실과 국가의 안녕을 비는 의례를 주관하게 하였어.

쇼무 천황은 반란과 질병 등으로 사회가 혼란하던 때에 국가 위기를 극복하기 위해 도다이사에 대형 불상을 만들게 하였어.

▲ 도다이사 대불(복원)

▲ 윈강 석굴 불상

북위 황제의 얼굴을 본떠 만들었어.

동아시아의 불교는 개인의 해탈에 치중한 인도의 불교와 다르게 호국 불교의 성격이 강하였다. 군주와 지배층을 중심으로 수용된 불교는 군주의 지배권과 권한을 정당화하고 지지하는 역할을 하였다. 동아시아의 군주들은 사회를 안정시키기 위해 불교를 활용하였다.

자료 3 불교의 토착화

어머니가 어린아이를 씻겨 주는 그림 옆에 '세탁부정은(더러운 것을 씻겨 주는 은혜)'이라고 적혀 있어.

▲ 부모은중경의 한 장면

▲ 하치만 신상

하치만은 원래 신토의 신이었는데, 불교의 신으로 간주되어 하치만 대보살이라는 칭호를 얻었어.

동아시아에 들어온 불교는 각국의 전통 사상이나 신앙과 결합하였다. 『부모은중경』은 중국에서 불교가 유교와 결합한 사례이다. 하치만 신상은 일본의 토착 신앙인 신토와 불교가 결합된 모습을 보여 준다.

문제로 확인할까?

1. 동아시아 각국의 불교 전파에 대한 설명으로 옳지 않은 것은?
① 일본은 백제를 통해 받아들였다.
② 고구려는 전진으로부터 수용하였다.
③ 동아시아 지역에는 주로 대승 불교가 전파되었다.
④ 중국에는 한 대에 서역과의 교역 과정에서 전래되었다.
⑤ 백제, 신라에서는 토착 세력과의 갈등으로 불교 공인이 늦어졌다.

답 ⑤

2. 신라는 6세기에 ( )의 순교를 계기로 불교를 공인하였다.

답 이차돈

정리 비법을 알려줄게!

동아시아의 호국 불교 사례

중원	황제의 얼굴을 본뜬 거대한 불상 건립(룽먼 석굴 불상, 윈강 석굴 불상 등)
한반도	불교식 왕명 채택(신라의 진흥왕, 진지왕, 선덕 여왕 등), 호국 사찰 건립, 승려가 국가 의례 주관·국가 수호의 논리 제시(신라 원광의 세속 오계), 외적의 침입 때 승병이 활약, 외적 격퇴를 염원하며 대장경 간행 등
일본	국가의 불교 후원, 국가 사찰 건립(도다이사), 거대한 불상 조성, 왕족의 출가 등

자료 하나 더 알고 가자!

불교와 토착 신앙의 결합

> 나는 선도산의 신모(神母)다. 네가 불전을 수리하는 것을 어여삐 여겨 금 10근을 주겠노라. 내 자리 밑에서 금을 꺼내어 불상을 장식하고 벽에는 부처와 대중, 천신과 산신을 그려 넣어라. – 『삼국유사』

한반도에서는 불교가 천신, 산신 등을 숭배하는 토착 신앙과 결합하였어.

04 불교의 전파와 성리학의 확산

이것이 핵심!

불교를 통한 교류

불교를 통한 문화 교류 활성화
↓
중국, 한반도, 일본 열도, 베트남 지역이 한자, 율령, 유교, 불교 등 공유

★ **무구정광대다라니경**
경주 불국사 3층 석탑에서 발견된 두루마리 형태의 인쇄본으로, 현존하는 목판 인쇄물 중 가장 오래되었다.

★ **이두**
한자의 음과 뜻을 빌려 우리말을 표기하는 데 사용한 문자

★ **국제인의 활동**
- 최치원(신라): 당의 빈공과에 합격
- 장보고(신라): 청해진 설치 → 동아시아 해상 무역 장악
- 아베노 나카마로(일본): 당의 빈공과에 합격
- 크엉꽁푸와 크엉꽁푹 형제(베트남): 당의 빈공과에 합격

3 불교를 통한 교류와 문화 발전

1. 승려들의 교류와 활동

사찰은 국적을 초월한 공간으로 많은 사람들이 교류하는 장소이자 지식을 전파하는 중심지였어. 또 승려들은 국적을 따지지 않는 국제인이었어.

중원	동진	법현: 인도 순례 후 『불국기』 저술
	당	• 현장: 인도 순례 후 『대당서역기』 저술, 다수의 불경 번역 • 감진: 일본에 계율 전파
한반도	고구려	• 혜자: 일본 쇼토쿠 태자의 스승이 됨 • 담징: 일본에 불교 교리, 미술 등 전파
	신라	• 원효: 불교 교리 집대성 → 당과 일본 불교에 영향 • 의상: 당에서 유학, 신라 화엄종 개창 • 혜초: 인도 순례 후 『왕오천축국전』 저술
일본	엔닌	당 유학 후 『입당구법순례행기』 저술
기타	강승회	중앙아시아 출신, 베트남에서 한문으로 불경 번역, 남중국에 불교 전래

감진은 견당사의 요청으로 여러 차례 배가 난파되는 어려움을 겪으면서도 일본으로 건너갔지. 그리고 도다이사에 계단원을 세워 수계하는 방식을 일본에 가르쳐 주었어.

혜초는 인도의 다섯 나라와 그 이웃 나라들을 순례하면서 경험한 것을 토대로 이들의 풍습과 불교에 대해 기록하였어.

엔닌은 신라의 장보고가 세운 적산법화원에 머물면서 여러 도움을 받았어. 『입당구법순례행기』에는 장보고의 활약상이 자세하게 기록되어 있어.

2. 불교문화의 발전 교과서 자료

인쇄술	『*무구정광대다라니경』(신라), 『백만탑다라니경』(일본), 송·요·금의 대장경, 『팔만대장경』(고려) 등 불경 제작 과정에서 목판 인쇄술 발전
예술	불상(석불, 청동불 등 제작)·불화(새로운 회화 기법 전파)·탑 등 제작, 사찰 건립 → 불교예술 발전
문자	불경 이해를 통해 한자와 한문에 대한 이해 심화, *이두(신라)·가나(일본) 제작

3. 문화 교류와 동아시아 문화권의 형성

(1) **당의 국제적 문화 교류**: 수도 장안에 동서 문화 집결(교류 증대) → 동아시아 각국이 당에 사절단 파견 → 당의 장안을 본떠 수도 건설, 당의 율령을 수용하여 체제 정비 → 동아시아 문화권 형성 자료 ④

꼭! 중국, 한반도, 일본 열도, 베트남 등은 한자를 매개로 하여 율령과 유교에 기초한 통치 체제, 불교 등을 공유하게 되었어.

(2) ***국제인의 출현**: 최치원, 장보고, 아베노 나카마로, 크엉꽁푸와 크엉꽁푹 형제 등이 활동

이것이 핵심!

유학 사상의 발전

송	주희가 성리학 집대성 → 사회 전반에 성리학 보급
명	성리학의 관학화, 왕수인이 양명학 확립

★ **훈고학**
유교 경전의 자구와 그 해석(주석)을 중심으로 하는 유학의 학풍

★ **거경궁리와 격물치지**
- 거경궁리: 잡념을 끊은 경건한 상태에서 마음에 본래 갖추어져 있는 '이'를 밝히는 것
- 격물치지: 사물의 의미를 끝까지 탐구하여 깨달음에 이르는 것

4 성리학의 성립과 발전

1. 성리학의 성립 배경

(1) **사대부의 등장**: 송 대 과거를 통해 지주들이 문인 관료로 정계 진출

백성의 생활 안정과 유교적 사회 질서를 유지하고자 하였어.

(2) **유학의 변화**: 한 대 관학으로 채택 → 남북조 시대부터 도교, 불교의 유행으로 유학 침체 → 당 대 『오경정의』 편찬으로 유학 부흥(*훈고학 집대성) → 송 대 유학에 불교와 도교의 형이상학적인 논리 체계 결합, 이론적인 탐구와 수양을 강조하는 성리학 성립

오경달이 『시경』, 『서경』, 『주역』, 『예기』, 『춘추』의 오경에 대한 훈고학적 해석을 집대성하여 간행한 책이야.

2. 성리학의 발전

(1) **기본 철학**: 만물이 이(理, 보편적이고 불변적 법칙)와 기(氣, 법칙에 의해 나타나는 가변적인 현상)로 이루어졌다고 파악하는 이기론에 기반

(2) **수양 방법**: *거경궁리와 격물치지를 통해 인간의 본성 회복 강조

(3) **명분론**: 군신 관계, 지주·전호 관계에서 차별 정당화 → 중화와 이민족을 구분하는 화이관 강화, 대의명분 강조

조선의 척화론과 북벌론, 일본의 존왕양이론 등에 영향을 주었어.

(4) **주희의 집대성**: 남송의 주희가 『사서집주』, 『소학』, 『주자가례』 등 저술 자료 ⑤

STEP 3 1등급 정복하기

1 (가), (나) 국가의 불교에 대한 설명으로 옳지 않은 것은?

> • (가) 의 이차돈이 참수형을 당할 때 "목에서는 몇 줄기 흰 피가 솟아나고 그 좌우로 꽃송이가 날렸다."라고 한다.
> • 6세기 (나) 에서는 불교를 둘러싼 대립이 발생하였다. 모노노베 씨는 토착 신이 분노할 것이라고 주장하였지만 소가 씨가 쇼토쿠 태자와 연합하여 모노노베 씨를 축출하고 불교를 받아들였다.

① (가) – 고구려로부터 불교가 전래되었다.
② (가) – 원효의 활약으로 아미타 신앙이 보급되었다.
③ (나) – 백제로부터 불교를 수용하였다.
④ (나) – 무로마치 막부 때 신란이 정토 사상을 체계화하였다.
⑤ (가), (나) – 수용 과정에서 토착 신앙을 가진 세력의 반발로 갈등을 겪었다.

> 불교의 전파와 수용

완자 사전

• 정토 사상
'나무아미타불'을 염불하면 구원을 받을 수 있다고 믿는 불교사상

2 다음 조칙이 발표된 시기 승려들의 활동에 대한 설명으로 옳은 것은?

> 덴표(天平) 15년 10월 15일을 맞아 불교를 융성하게 하고 중생을 구하고 싶은 염원을 담아 노사나불 금동상 1구를 만들어 바친다. 나라의 동을 모아 불상을 주조하고 큰 산을 깎아 불당을 세우고 불법(佛法)을 널리 펼쳐 짐(쇼무 천황)의 불법 수행 동지로 삼고 싶다. 이 일에 동참하고자 하는 자들이 마음속 깊이 정성을 다해 후원한다면 각자 커다란 복을 받을 것이다. 매일 노사나불을 삼배하고 신앙심을 갖고 노사나불을 만들도록 하라.

① 감진이 일본에 계율을 전파하고 불경을 전해 주었다.
② 의천이 천태종을 창시하여 선종을 포섭하고자 하였다.
③ 법현이 인도를 순례하고 돌아와『불국기』를 저술하였다.
④ 혜자가 쇼토쿠 태자의 스승으로서 정치 자문의 역할까지 하였다.
⑤ 중앙아시아 출신의 강승회가 베트남에서 불경을 한문으로 번역하였다.

> 불교를 통한 교류와 문화 발전

완자샘의 시험 꿀팁

동아시아 승려들의 활동 내용과 승려들이 활동한 시기를 묻는 문제는 출제 빈도가 높은 편이다. 승려들의 이름이 비슷하고 국적을 파악하기가 어려우므로, 꼼꼼하게 정리해야 한다.

완자 사전

• 불법(佛法)
'부처와 법', 또는 '부처의 가르침'을 의미함

평가원 응용

3 (가)~(다)에 대한 설명으로 옳은 것은?

(가) (나) (다)

① (가)는 세계에 현존하는 목탑 중 가장 오래되었다.
② (나)에는 중국의 승려가 인도에서 가져온 불경을 보관하였다.
③ (다)에서 『무구정광대다라니경』이 발견되었다
④ (가), (나)는 7세기에, (다)는 8세기에 제작되었다.
⑤ (가)의 양식은 중국, (나)의 양식은 한국, (다)의 양식은 일본에서 유행하였다.

> 불교문화의 발전

완자쌤의 시험 꿀팁

동아시아의 불교문화와 관련된 문제에 대비하기 위해서는 각국에서 나타난 불교문화의 특징, 차이점 등을 정리해야 한다. 각국을 대표하는 탑과 사찰도 알아두는 것이 좋다.

4 (가) 사상에 대한 설명으로 옳은 것을 〈보기〉에서 고른 것은?

이 력 서			
성명	○○		
자(字)	원회(元晦), 중회(仲晦)		
출생년도	1130년	출생지	푸젠성
주요 경력			
19세에 과거에 합격하여 진사가 됨			
백록동 서원을 재건한 후 강학을 실시함			
『사서집주』를 저술하고 여조겸과 함께 『근사록』을 편찬함			
『자치통감』의 축약과 재편집을 지휘하여 『자치통감강목』을 완성함			
이기론에 입각하여 새로운 학문적 경향을 (가) (으)로 집대성함			

보기
ㄱ. 명과 에도 막부가 관학으로 채택하였다.
ㄴ. 중화와 이민족을 구분하는 화이관을 강조하였다.
ㄷ. 명분론을 바탕으로 사회 질서를 확립하고자 하였다.
ㄹ. 형이상학적 학문 경향을 비판하면서 고증을 중시하였다.
ㅁ. 사물에 대한 이치 탐구보다 실천을 중시하는 지행합일을 내세웠다.

① ㄱ, ㄴ, ㄷ ② ㄱ, ㄷ, ㅁ ③ ㄴ, ㄷ, ㄹ
④ ㄴ, ㄹ, ㅁ ⑤ ㄷ, ㄹ, ㅁ

> 유학 사상의 발전

완자 사전

• **강학(講學)**
학문을 닦고 연구함

• **자치통감**
북송의 사마광이 저술한 편년체 역사서

5 (가), (나) 인물과 관련된 설명으로 옳은 것은?

> (가) '상하 정분(上下定分)의 이(理)'를 바탕으로 일본에서 사농공상(士農工商)이라는 신분 사회의 틀을 강화하는 데 이바지하였다. '상하 정분의 이'는 사람이 태어날 때부터 분수가 정해져 있다는 의미이다.
> (나) 유교의 의례를 비롯하여 성리학에 관심을 두다가 조선의 학자 강항과 교유하면서 성리학에 대한 이해의 깊이를 심화하였다. 쇼군 앞에서 유교에 대해 강론한 이후 일본 성리학의 원조로 불리게 되었다.

① (가)는 일본 최초의 사서오경 주석본을 간행하였다.
② (가)는 (나)의 제자로, 도쿠가와 이에야스에게 발탁되었다.
③ (나)는 치양지와 지행합일을 중시하는 유학을 연구하였다.
④ (나)는 일본의 성리학을 집대성하였다는 평가를 받고 있다.
⑤ (가), (나)는 학문적으로 신토와 유교의 결합을 추구하였다.

일본 성리학의 발전

완자샘의 시험 꿀팁

일본의 성리학 발전과 관련한 문제는 학자들을 중심으로 묻는 경우가 많다. 일본 성리학자들의 계보를 파악하고, 각 인물의 학문 연구 방향과 활동을 정리해야 한다.

완자 사전

• 강항
조선 중기의 문신으로, 임진왜란 때 의병장으로 활약하였다. 정유재란 때 일본에 포로로 끌려갔으며, 일본에 성리학을 전하였다.

평가원 응용

6 다음과 같은 유학 사상이 확산되면서 동아시아 각국에 나타난 사실로 옳은 것을 〈보기〉에서 고른 것은?

> 우주에는 오직 하나의 '이(理)'만이 존재할 뿐이다. 하늘이 그것을 얻어 하늘이 되고, 땅이 그것을 얻어 땅이 되며, 무릇 천지 사이에 있는 만물이 또한 각기 그것을 얻어 '성(性)'을 갖춘다. …… 이처럼 만물에는 '이'가 흐르고 있으며, '이'가 존재하지 않는 곳이 없다.

보기
ㄱ. 한국 – 『성리대전』이 편찬되어 보급되었다.
ㄴ. 한국 – 조선에서 동성불혼의 규제가 강화되었다.
ㄷ. 중국 – 명이 건국된 이후 관학으로 자리를 잡았다.
ㄹ. 일본 – 에도 시대에 문묘로 유시마 성당이 설립되었다.
ㅁ. 일본 – 『주자가례』에 따른 관혼상제 의례가 중시되었다.

① ㄱ, ㄴ, ㅁ　② ㄱ, ㄷ, ㄹ　③ ㄴ, ㄷ, ㄹ
④ ㄴ, ㄹ, ㅁ　⑤ ㄷ, ㄹ, ㅁ

유학 사상의 확산

완자샘의 시험 꿀팁

자료를 통해 동아시아에서 발전한 유학 사상을 찾고, 이 유학 사상의 발전 양상이나 사회에 미친 영향을 묻는 문제가 출제된다. 이 유학 사상이 한국과 일본, 베트남에서 어떻게 발전하였는지 국가별, 시기별로 나누어 정리할 필요가 있다.

- **317** • 동진 성립: 한족이 창장강 이남 지역에서 수립
- **439** • (❶)의 화북 통일: 효문제의 한화 정책 실시
- **527** • 신라의 불교 공인: 이차돈의 순교를 계기로 공인
- **645** • 일본, 다이카 개신 단행: 군주 중심의 중앙 집권화 도모
- **676** • 신라의 삼국 통일: 나·당 전쟁에서 승리하여 달성
- **701** • 일본, (❷) 반포: 당의 율령 체제 모방
- **916** • 거란(요) 건국: 야율아보기가 부족 통일 후 건국
- **1115** • 금 건국: 아구다가 여진 통합 후 건국
- **1177** • 주희, 『사서집주』 완성: 성리학 집대성
- **1206** • 몽골 통일: 테무친이 부족 통일 후 칭기즈 칸에 즉위
- **1336** • (❸) 성립: 아시카가 다카우지가 교토에서 막부 수립
- **1368** • 명 건국: 주원장이 난징에 도읍하여 건국

01 인구 이동과 정치·사회 변동

1. 동아시아의 인구 이동

중원 지역	5호가 화북 지역으로 이동 → 북조 형성, 한족이 창장강 이남으로 이동(동진 건국 → 남조 형성)
만주와 한반도	• 부여족의 이동: 주몽 집단이 압록강 중류의 졸본 지역으로 남하 → (❹) 건국 → (❹) 내부의 갈등으로 온조 집단이 한강 유역으로 남하(백제 건국) • 고조선 유민의 이동: 한반도 남부 지역으로 남하 → 경주의 토착 세력과 연합하여 신라 건국의 토대 마련 • 낙랑군 유민의 이동: 백제와 가야 연맹의 발전에 기여
일본 열도	중원 및 한반도에서 이주(도왜인) → 야요이 문화 발전, 야마토 정권의 성립과 발전에 기여

2. 지역 국가의 성장

중원 지역	북위	화북 지역 통일, 한화 정책 추진(→ 호한 융합)
	수	남북조 통일, 과거제 도입, 대운하 건설
	당	대제국 건설, 도호부 설치, 기미 정책 실시
만주와 한반도	삼국	상호 경쟁하며 발전 → 신라의 삼국 통일
	발해	(❺)이 고구려 유민, 말갈족을 통합하여 건국
일본 열도		야마토 정권(씨성 제도 실시, 다이카 개신 단행) → 나라 시대('일본' 국호 사용) → 헤이안 시대(국풍 문화 발전)

02 국제 관계의 다원화

1. 조공과 책봉의 외교 형식

(1) **조공과 책봉:** 한 대에 국제 관계로 제도화

(2) **다원화된 국제 외교**

고구려	남북조 모두와 조공·책봉 관계 형성
백제	주로 남조와 조공·책봉 관계 형성
신라	한강 유역 장악 후 남북조와 직접 교류
왜	5세기에 남조와 조공·책봉 관계 형성

2. 당 대의 동아시아 국제 관계

유목 민족	경제적 이익 여부에 따라 당과의 관계 유지 또는 파기, 당이 화친 정책의 하나로 황실 여성을 (❻)로 파견
기타	신라, 발해, 일본이 당에 사신 파견 → 선진 문물 수용

3. 북방 민족의 성장과 다원적인 국제 관계

구분		내용
북방 유목 민족	거란(요)	연운 16주 차지, 송과 전연의 맹약 체결, 이원적 통치 정책 실시(북면관제·남면관제), 거란 문자 사용
	서하	이원호가 건국, 동서 무역 주도, 서하 문자 사용
	여진(금)	아구다가 건국, 요와 북송 정복, 이원적 통치 정책 실시(주현제, 맹안·모극제), 여진 문자 사용
고려		서희의 외교 담판으로 거란에게서 (❼) 획득, 여진 정벌(→ 동북 9성 축조), 금의 사대 요구 수용
일본		10세기 이후 주변국과 국교 단절, 고려와 경제·문화 교류

4. 몽골의 성장과 동서 교역망의 발전

구분	내용
몽골 제국의 유라시아 통합	몽골 부족 통합 → 비단길과 초원길 장악 → 러시아 일대까지 장악, 고려 복속, 송 정복, 일본·대월 침공
동서 교역망의 발전	역참제 실시, 해상 무역 발달, 교초 발행 → 동서 교역망 형성, 동서 문화 교류 활성화

5. 명의 건국과 국제 질서의 일원화

구분	내용
명	주원장이 명 건국 → (❽) 때 정화의 항해 단행
조선	이성계가 건국 → 태종 때 명과 조공·책봉 관계 수립
일본	무로마치 막부 수립 → 남북조 통일 → 명과 조공·책봉 관계 수립

03 율령과 유교에 기초한 통치 체제

1. 율령과 유교

(1) **율령 정비**: 진 대 법치 시행 → 한 대 유교 이념을 율령에 적용 → 수·당 대 율령격식 체제 완성

(2) (❾   )의 시행

구분	내용
중국	수 대에 처음 시행 → 송 대 전시 도입, 3년 주기 확정 → 명 대에 학교 교육과 연계하여 강화
한국	고려 광종 때 도입 → 조선에서 관료 선발의 핵심 제도로 확립
베트남	부정기적으로 시행, 선발 인원 적음

2. 수·당의 통치 체제

구분	내용
율의 특징	형벌 정비(태형, 장형, 도형, 유형, 사형), 신분에 따라 차등 적용, 유교의 가족 윤리 반영
통치 제도	3성 6부제 정비, 과거제 시행, 균전제 실시(토지), 조용조 수취(조세), (❿) 실시(군사)

3. 동아시아 각국의 율령 수용

구분	내용
신라	독서삼품과 시행, 신라 촌락 문서 작성, 골품제적 고유성 유지
발해	3성 6부제 운영(명칭과 운영 방식이 독자적)
고려	2성 6부제 운영, 귀족 합의 기구 설치
일본	다이호 율령 반포, 2관 8성제 운영

04 불교의 전파와 성리학의 확산

1. 불교의 전파와 문화 교류

(1) 불교의 동아시아 전파

불교의 전파		불교의 토착화
• 중원: 후한 대 전래 → 남북조 시대에 확산 • 한반도: 삼국 시대에 전래 → 통일 신라 때 대중화 • 일본: 백제로부터 수용, 야마토 정권의 보호 아래 발전	➡	• 호국 불교: 군주권 강화, 사회 안정 등에 기여 • (⓫) 발달: 직관적 깨달음과 참선 중시 • 전통 사상과 결합: 유교, 토착 신앙 등과 결합

(2) 불교를 통한 교류와 문화 발전

구분	내용
승려들의 활동	• 신라: 의상(화엄종 개창), 원효(불교 대중화), (⓬)(인도 순례, 『왕오천축국전』 저술) 등이 활약 • 당: 현장(『대당서역기』 저술), 감진(일본에 계율 전파) 활동 • 일본: 엔닌(당 유학, 『입당구법순례행기』 저술)의 활약
불교문화의 발전	불경 연구를 통해 한자 이해 심화, 불교 건축이 예술 전반에 영향을 줌, 지역 고유의 탑 건립

⬇

동아시아 문화권 형성(한자, 불교, 유교, 율령 등 공유)

2. 성리학의 성립과 확산

(1) **성리학의 성립**: 남송 대 (⓭   )가 집대성(이기론, 거경궁리와 격물치지, 명분론 등 강조)

(2) 성리학의 확산과 사회 규범화

구분	전래와 확산	영향
고려	원 간섭기에 전래	사회 개혁의 사상적 토대가 됨
조선	국가·사회 의례의 논리로 자리 잡음, 서원·향약을 통해 확산	16세기 이후 성리학적 규범 확산 → 영향력 확대
일본	가마쿠라 막부 때 수용 → 에도 막부가 관학으로 채택	불교와 신토의 영향으로 사회적 파급력이 제한적

●정답● ① 북위 ② 다이호 율령 ③ 무로마치 막부 ④ 고구려 ⑤ 대조영 ⑥ 화번공주 ⑦ 강동 6주 ⑧ 영락제 ⑨ 과거제 ⑩ 부병제 ⑪ 선종 ⑫ 혜초 ⑬ 주희

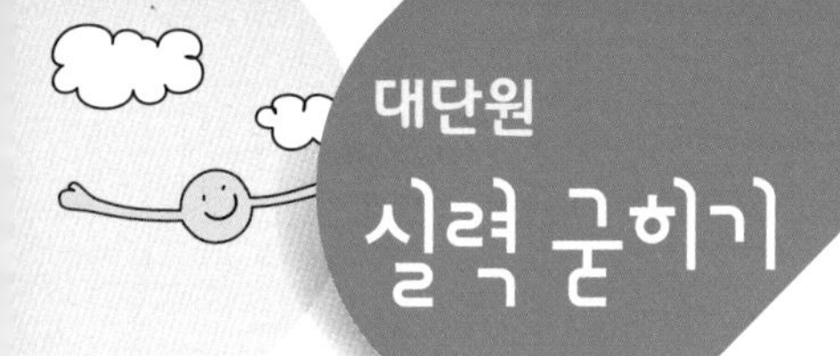

01 다음 상황이 나타나게 된 배경으로 옳은 것은?

> 진(晉) 영가 연간(307~313)에 세상이 어지러워져 기주, 서주 등 화북 일대의 유민들이 화이허강을 건너고, 창장강을 건너서 진릉군의 경계에 머무는 자들이 있었다. -「송서」

① 위만이 준왕을 몰아내고 왕이 되었다.
② 제자백가라 불리는 사상가들이 등장하였다.
③ 창장강 유역의 주민들이 일본 열도로 건너갔다.
④ 부여족의 일부 세력이 졸본 지역으로 이동하였다.
⑤ 선비족, 강족 등 북방 민족이 화북 지역으로 남하하였다.

02 자료를 활용한 탐구 활동의 주제로 적절한 것은?

> • 고구려인, 백제인, 신라인 등이 함께 건너왔다. …… 한인(韓人)을 거느리고 연못을 만들게 하였다.
> • 삼한(三韓)의 사람들에게 "귀화한 첫해에 함께 온 자손도 역의 부과를 면제한다."라고 하였다. …… 당인(唐人), 백제인, 고구려인 147인에게 작위를 주었다. -「일본서기」

① 북위의 통치 정책
② 거란의 이원적 지배 체제
③ 고구려, 백제 건국 과정의 공통점
④ 도왜인의 활동과 야마토 정권의 발전
⑤ 호한 융합에 따른 생활 문화의 변화상

03 다음 조칙을 반포한 국가에 대한 설명으로 옳은 것은?

> 여러 북방의 언어를 쓰지 못하게 하고 오로지 올바른 중원의 언어만 사용하도록 하려 한다. 올바른 언어에 익숙해지면 풍속이 새롭게 교화될 것이다. -「위서」

① 안남 도호부를 설치하였다.
② 돌궐의 공주를 황후로 맞이하였다.
③ 도왜인을 등용하여 체제를 정비하였다.
④ 고구려 침공의 실패가 원인이 되어 멸망하였다.
⑤ 균전제를 실시하여 농민에게 토지를 분배하였다.

04 (가) 시기에 동아시아 지역에서 볼 수 있었던 모습으로 적절한 것은?

① 전시를 주관하는 중국의 황제
② 헤이안쿄 건설에 참여한 일본의 기술자
③ 9서당에 편성되어 훈련을 받는 백제 유민
④ 살수에서 적군을 물리치는 고구려의 을지문덕
⑤ 백강 전투에서 왜의 수군에 맞서 싸우는 신라 병사

05 (가) 국가의 국제 관계에 대한 설명으로 옳은 것을 〈보기〉에서 고른 것은?

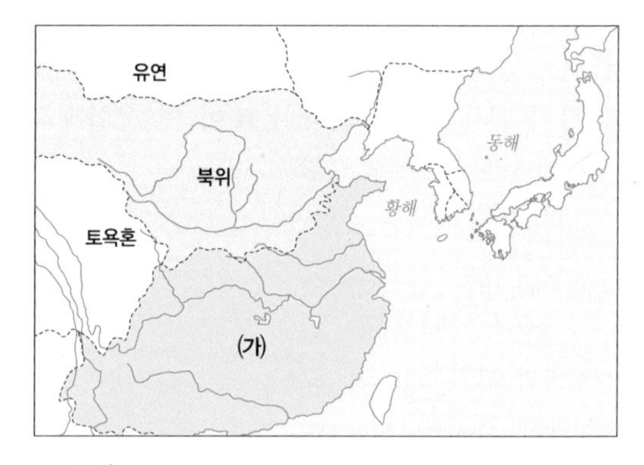

보기
ㄱ. 백제에게 선진 문물을 전해 주었다.
ㄴ. 4세기에 신라와 외교 관계를 수립하였다.
ㄷ. 북위의 사신을 조공 사신으로 간주하였다.
ㄹ. 왜에 '한위노국왕'이라고 쓰인 금인을 주었다.

① ㄱ, ㄴ ② ㄱ, ㄷ ③ ㄴ, ㄷ
④ ㄴ, ㄹ ⑤ ㄷ, ㄹ

06 밑줄 친 '이 국가'에 대한 설명으로 옳은 것은?

8세기 초 몽골 호쇼 차이담에 세워진 퀼 테긴 비에는 이 국가에 대한 경계심과 자주의식이 돌궐 문자로 표현되어 있다. 돌궐 문자는 동아시아의 유목 민족 사이에서 최초로 사용된 문자이다.

① 남북조의 분열을 통일하였다.
② 호족과 한족의 융합을 추진하였다.
③ 토번, 위구르에 화번공주를 파견하였다.
④ 전방후원분 모양의 거대한 고분을 축조하였다.
⑤ 대운하를 건설하여 강남과 화북 지역을 연결하였다.

07 두 자료를 포함한 보고서의 제목으로 가장 적절한 것은?

광개토 대왕이 영락태왕을 칭하였는데, 위엄과 무공이 세상에 떨쳤다. 백제와 신라는 예로부터 (고구려의) 속민이었기에 조공을 바쳤다.

왜의 국서에 "해 뜨는 곳의 천자가 해 지는 곳의 천자에게 글을 보낸다."라고 하니, 수 황제가 불쾌하게 여겨 오랑캐의 글을 올리지 말라고 하였다.

① 조공과 책봉 관계의 실상
② 다원적 국제 질서와 문물 교류
③ 고구려와 왜 사이의 교류와 문화 전파
④ 유목 민족의 성장과 국제 관계의 다원화
⑤ 동아시아 여러 나라의 자국 중심 천하관

08 다음 사건이 일어난 시기를 연표에서 고른 것은?

송이 화의 내용을 지키지 않자 금은 카이펑을 공격하여 황제를 포함한 3,000여 명을 포로로 잡아 갔다.

송 건국 ▲ (가) ▲ 금 건국 (나) ▲ 요 멸망 (다) ▲ 남송 건국 (라) ▲ 몽골 건국 (마) ▲ 서하 멸망

① (가) ② (나) ③ (다) ④ (라) ⑤ (마)

09 빈칸에 들어갈 내용으로 가장 적절한 것은?

송은 문치주의를 내세워 황제권의 강화에 힘썼다. 그 영향으로 군사력이 약해져 유목 민족에 군사적인 열세에 놓였고, 이들과 맹약을 맺어 물자를 제공하면서 국가 재정이 어려워졌다. 이에 송에서는 ________________

① 별무반을 편성하였다.
② 왕안석이 신법을 시행하였다.
③ 『성리대전』을 과거 시험의 교재로 삼았다.
④ 교초를 발행하여 국가의 재정을 확보하였다.
⑤ 전시 제도를 도입하여 유능한 인재를 선발하였다.

10 (가), (나) 국가에 대한 설명으로 옳은 것은?

(가) 은/는 대리국을 멸망시키고 남쪽으로 진출하여 탕롱을 수도로 하는 (나) 을/를 세 차례에 걸쳐 공격하였다. (나) 의 쩐흥다오 장군은 끝까지 저항하여 바익당강 주변에서 (가) 의 군대를 물리쳤다.

① (가) – 문치주의 정책을 도입하였다.
② (가) – 서하에 은과 비단을 제공하였다.
③ (나) – 쯔놈 문자를 사용하였다.
④ (나) – 역참과 시박사를 설치하였다.
⑤ (가), (나) – 신국 의식을 내세웠다.

11 다음을 제정한 중원 왕조에 대한 설명으로 옳은 것은?

- 이웃과 화목하라.
- 웃사람을 존경하라.
- 부모에게 효도하라.
- 자손을 잘 가르쳐라.
- 자신을 지키고 분수를 알라.
- 해서는 안 될 일을 하지 마라.

① 정복지에 다루가치를 파견하였다.
② 5대 10국 시기의 분열을 통일하였다.
③ 천호제를 토대로 정복 전쟁을 벌였다.
④ 정화를 각지에 파견하여 조공 국가를 늘렸다.
⑤ 색목인에게 재정과 행정 업무를 담당하게 하였다.

12 빈칸에 공통으로 들어갈 인물로 옳은 것은?

> 한 대의 학자 [ ]은/는 천자의 지위는 절대적이라고 하면서 군주와 관리의 자질로서 유교 덕목을 강조하였다. 한 무제는 이러한 [ ]의 사상이 황제 중심의 중앙 집권 체제를 뒷받침해 줄 수 있다고 여겨 유교를 진흥하였다.

① 상앙 ② 이사 ③ 주희
④ 동중서 ⑤ 왕안석

13 (가) 제도와 관련된 설명으로 옳지 않은 것은?

> 신은 일찍이 [(가)]에 뜻을 두었으나 논리 정연하게 글 쓰는 능력이 없고 문서를 다루는 데 익숙하지 못합니다. 음서를 통해 관료가 되었으나 유학으로 입신하지 못한다면 무슨 명목으로 벼슬살이를 하겠습니까. - 이규보

① 수 대에 시작된 후 주변으로 전파되었다.
② 일본에서는 신토와 융합하면서 발전하였다.
③ 베트남에서는 관료 선발에서 차지하는 비중이 낮았다.
④ 조선은 고려에 비해 (가)를 통한 관리 선발 비율이 높았다.
⑤ 동아시아 각국에서 문인 관료층이 형성되는 데 영향을 주었다.

14 다음 관제를 운영한 중원 왕조의 통치 제도에 대한 설명으로 옳은 것은?

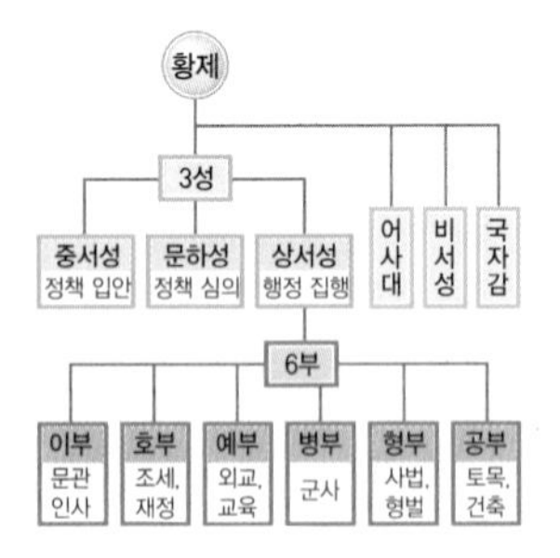

① 과거제에 전시를 도입하였다.
② 태학을 설치하고 오경박사를 두었다.
③ 골품에 따라 관직의 승진을 제한하였다.
④ 균전제를 기반으로 부병제를 실시하였다.
⑤ 문신을 새기는 신체형을 주로 집행하였다.

15 자료의 제도를 시행한 국가에 대한 설명으로 옳은 것은?

> 처음으로 독서삼품을 정하여 출사하게 하였다. 『춘추좌씨전』이나 혹은 『예기』와 『문선』을 읽고 그 뜻에 능통하며, 『논어』와 『효경』에 모두 밝은 자를 상품(上品)으로, 『곡례』와 『논어』, 『효경』을 읽은 자를 중품(中品)으로, 『곡례』와 『효경』을 읽은 자를 하품(下品)으로 삼았다. - 『삼국사기』

① 2관 8성제를 운영하였다.
② 지방에 군, 국, 리를 두었다.
③ 6부에 유교식 명칭을 반영하였다.
④ 정책을 심의하는 문하성을 설치하였다.
⑤ 집사부를 중심으로 행정 체계를 정비하였다.

16 다음 종교가 동아시아에 미친 영향으로 볼 수 없는 것은?

> • 출가 수행자가 아닌 일반 신도의 깨달음을 중시하였다.
> • 부처를 신격화하고, 부처의 자비로 대중이 구제받을 수 있다고 하였다.

① 조공과 책봉의 질서가 확립되었다.
② 왕즉불 사상으로 군주권이 강화되었다.
③ 불경이 제작되면서 인쇄술이 발달하였다.
④ 탑, 불상과 같은 조형 예술이 발전하였다.
⑤ 승려들의 활동으로 인적 교류가 활발해졌다.

17 밑줄 친 '이 종파'에 대한 설명으로 옳은 것을 〈보기〉에서 고른 것은?

> 남인도 출신의 달마가 창시한 이 종파는 직관적인 깨달음과 참선을 중시하였다. 이 종파가 발전한 중국에서는 승려의 노동을 정신 수양의 일부로 받아들여 장려하였다.

보기

ㄱ. 명 대 양명학이 성립하는 데 영향을 주었다.
ㄴ. 인도에는 없고 동아시아에만 있었던 종파이다.
ㄷ. 불교의 대중화에 기여한 원효가 대표적인 승려이다.
ㄹ. 가마쿠라 막부 때 무사들 사이에서 크게 유행하였다.

① ㄱ, ㄴ ② ㄱ, ㄷ ③ ㄴ, ㄷ
④ ㄴ, ㄹ ⑤ ㄷ, ㄹ

18 (가) 승려가 활동하던 시기의 불교에 대한 설명으로 옳은 것은?

> **동아시아 역사 사랑 게시판**
>
> [공지 사항] 동아시아의 승려들이 저술한 서적을 찾아 그 의의를 댓글로 남겨 주세요.
>
> ↳ 현장의 『대당서역기』: 인도 순례의 물꼬를 트다.
>
> ↳ 엔닌의 『입당구법순례행기』: 신라인 장보고의 활약상을 담아내다.
>
> ↳ (가) 의 『왕오천축국전』: 인도와 다섯 천축국의 풍습과 불교에 대해 쓴 역사적인 기록!

① 전진의 승려가 고구려에 불교를 전하였다.
② 감진이 일본으로 건너가 계율을 전수하였다.
③ 이차돈의 순교로 신라에서 불교가 공인되었다.
④ 쇼토쿠 태자를 중심으로 일본에서 불교가 발전하였다.
⑤ 인도에서 대승 불교가 성립하여 주변국에 확산되었다.

19 (가)~(마) 중 발표 내용으로 옳은 것을 모두 고른 것은?

> **제○회 동아시아사 연구회 시민 강좌**
>
> • 주제: 동아시아의 국제인
> 7~9세기 동아시아에서 국가를 초월하여 문화 전파와 상호 교류 확대에 기여한 인물들을 알아본다.
>
> • 일시: 20□□년 △월 △일 10 : 00~17 : 00
>
> • 장소: ▲▲ 대학교 세미나실
>
> • 발표 내용
> – 빈공과에 합격한 최치원 ······ (가)
> – 쩐 왕조의 영웅 쩐흥다오 ······ (나)
> – 해상 무역을 장악한 장보고 ······ (다)
> – 일본의 유학 발전에 기여한 강항 ······ (라)
> – 만권당에서 학문 연구에 힘쓴 이제현 ······ (마)

① (가), (나) ② (가), (다) ③ (나), (라)
④ (나), (마) ⑤ (다), (마)

20 다음 주장을 편 인물의 학문 경향으로 옳은 것은?

> 『대학』은 공자가 남긴 글로서, 학문하는 사람이 맨 처음에 배워야 할 덕행의 지름길이다. 곧 오늘날 사람이 옛사람들의 글을 배우는 첫 번째 순서가 『대학』이며, 『논어』와 『맹자』가 다음이다. – 『대학장구』

① 자비와 윤회 사상을 내세웠다.
② 신토와 유교의 결합을 추구하였다.
③ 심즉리와 지행합일을 통한 실천을 강조하였다.
④ 만물이 이(理)와 기(氣)에 의해 이루어진다고 보았다.
⑤ 형이상학적 학문 경향을 비판하고 실증을 중시하였다.

21 밑줄 친 '선생'에 대한 설명으로 옳은 것은?

> 우리나라 여러 명현의 문집 중에서 일본인이 높이고 숭상하는 것은 <u>선생</u>의 『퇴계집』만 한 것이 없다. ······ <u>선생</u> 생전의 기호도 묻는 등 그 말이 많아 다 기록하지 못한다.
> – 신유한, 『해유록』

① 백운동 서원을 건립하였다.
② 에도 막부의 제도와 의례를 정비하였다.
③ 성즉리설을 비판하며 양명학을 집대성하였다.
④ 수신과 도덕을 강조하고, 일본 성리학 발전에 기여하였다.
⑤ 후지와라 세이카가 『사서오경왜훈』을 간행하는 데 도움을 주었다.

22 다음 상황을 배경으로 나타난 유학 사상에 대한 탐구 활동으로 적절하지 <u>않은</u> 것은?

> • 유목 민족이 성장하여 송을 압박하자 한족의 민족의식이 높아졌다.
> • 송의 일부 사상가들은 불교와 도교의 형이상학적 측면에 자극받아 우주 원리와 세계의 본질 등을 탐구하였다.

① 『성리대전』의 주요 내용을 살펴본다.
② 한국에 남아 있는 서원들을 조사한다.
③ 주리·주기 논쟁에 참여한 인물을 찾아본다.
④ 유시마 성당의 설립 배경과 영향에 대해 알아본다.
⑤ 일본에 정착된 『주자가례』에 따른 풍속을 정리한다.

동아시아의 사회 변동과 문화 교류

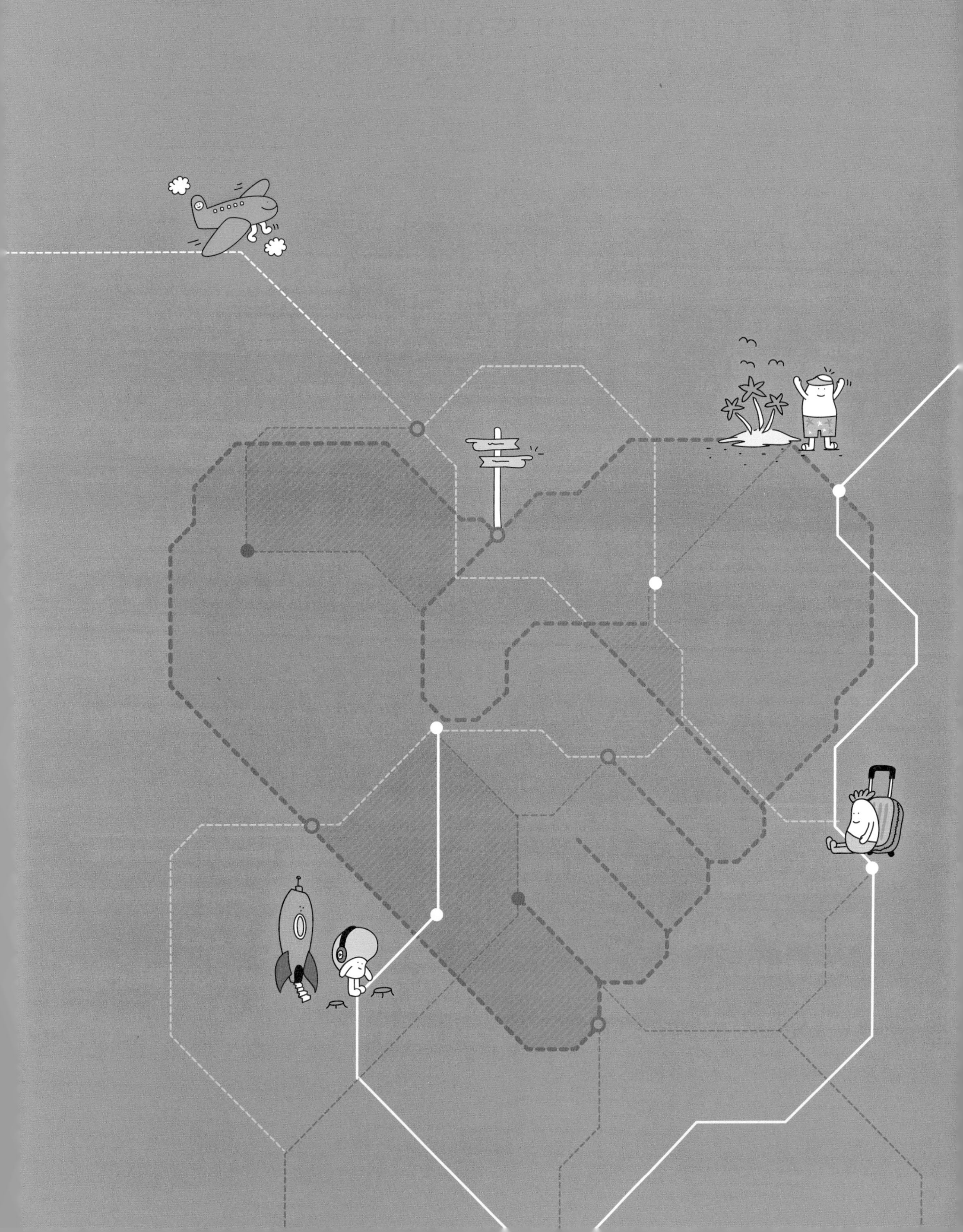

17세기 전후의 동아시아 전쟁

- 17세기 전후 동아시아에서 일어난 전쟁의 배경과 전개 과정을 말할 수 있다.
- 전쟁 이후 동아시아 질서의 변화와 문물 교류의 양상을 정리할 수 있다.

1 16세기 동아시아의 정세

이것이 핵심!

16세기 명, 조선, 일본의 상황

명	북로남왜의 침입, 장거정의 개혁 단행 → 국력 약화, 혼란 지속
조선	사림의 정치 주도, 국방력 약화, 주변 정세에 대한 대처 미흡
일본	도요토미 히데요시의 센고쿠 시대 통일

★ **일조편법**
여러 항목으로 나누어져 있던 세금을 토지세와 인두세로 단순화하여 은으로 징수한 제도

★ **삼포 왜란**
부산포, 염포(울산), 제포(진해)에 거주하던 일본인들이 일으킨 폭동

★ **오닌의 난(1467~1477)**
무로마치 막부 시기 쇼군의 후계자 문제를 둘러싸고 벌어진 내란으로, 무로마치 막부와 쇼군의 권위가 실추되고 독자적인 세력을 갖춘 전국의 다이묘들이 각축을 벌이는 계기가 되었다.

★ **조총**
16세기 포르투갈 상인을 통해 일본에 전해진 총이다. 기병 위주로 전개되던 일본의 전투 양상에 큰 변화를 가져왔다.

1. 명의 정세 자료①

(1) **몽골의 침략**: 오이라트부, 타타르부의 명 공격 → 명 황제 생포(토목보의 변, 1449), 한때 명 수도 포위

(2) **왜구의 침략**: 명이 일본과의 감합 무역 중단 → 명의 동남 해안에서 왜구의 약탈 심화

(3) **장거정의 개혁**

용어 북로남왜: 북방의 몽골과 남쪽의 왜구

현물로 징수하던 조세를 일률적으로 은으로 징수함으로써 관리의 부정을 방지하고 재정을 확보할 수 있었어.

배경	북로남왜의 정세, 환관 세력의 득세로 정치 부패 심화, 이갑제 중심의 향촌 질서 해체로 사회 동요
내용	엄격한 인사 고과 제도 시행, 토지 조사 실시, ★일조편법의 전국적 확대, 몽골과 강화(→ 군사비 절감), 만리장성 보수 및 방비, 왜구 단속 강화
결과	관료들의 기강 확립, 국가 재정 호전 → 장거정 사후 관료와 신사층이 불만 표출, 환관 세력의 권력 남용 → 정치적 혼란 가중, 국력 약화

2. 조선의 정세

왜? 농민이 부담하는 군포가 너무 많아져서 군역을 회피하는 경우가 크게 늘었기 때문이야.

(1) **사림의 성장**: 향촌을 기반으로 사림 성장, 훈구의 특권과 부패 비판 → 16세기 후반 중앙 정계 장악, 붕당 형성 → 붕당 간 대립 격화, 토지 겸병 심화로 백성의 불만 고조

(2) **국방력 약화**: 장기간의 평화, 군역 제도의 모순(→ 전쟁에 동원 가능한 병력 감소)

(3) **국제 관계의 변화**: 사대교린 정책 추진 → 명과 정기적으로 사신 왕래, 일본과 삼포의 왜관을 중심으로 교역 → ★삼포 왜란 발생(1510), 일본의 변화에 대한 조선 정부의 대처 미흡

3. 일본의 정세

나가시노 전투에서 조총 부대를 앞세워 반대 세력을 물리쳤어.

(1) **센고쿠 시대의 통일**: ★오닌의 난 이후 센고쿠 시대 전개 → 오다 노부나가가 ★조총을 활용하여 주도권 장악, 통일의 기초 마련 → 도요토미 히데요시의 센고쿠 시대 통일(1590)

(2) **도요토미 히데요시의 정책**: 전국의 토지 조사, 도량형 통일, 도검몰수령 시행(농민의 무기 몰수), 신분 간 이동 금지 → 하극상의 풍조 소멸, 병농 분리의 사회 질서 확립 자료②

2 16~17세기 동아시아 전쟁의 전개

이것이 핵심!

16~17세기 동아시아 정세 변화

임진왜란과 정유재란의 발발
↓
명 쇠퇴, 후금 건국, 에도 막부 수립
↓
정묘호란과 병자호란 발발

★ **임진왜란에 대한 3국의 호칭 차이**
- 한국: 임진왜란 – 일본의 침략 강조
- 중국: 항왜원조(抗倭援朝) – 일본에 맞서 조선을 도운 전쟁임을 나타냄
- 일본: 분로쿠의 역(분로쿠노에키) – 조선을 침략하였다는 의미 없음

1. ★임진왜란과 정유재란

도요토미 히데요시는 자신에게 반대하는 다이묘들의 군사력을 약화시키려는 목적으로 대외 진출을 꾀하였어.

(1) **배경**: 도요토미 히데요시가 영토 확장, 국내의 정치적 안정, 명과의 무역 확대를 위해 적극적인 대외 진출 도모

(2) **전개** 자료③

일본군은 센고쿠 시대 전투 과정에서 축적한 전투 경험과 조총의 위력을 앞세워 한성을 점령하였어.

① 일본의 조선 침략: 일본군 부대의 부산포 급습(임진왜란, 1592) → 한성 함락, 함경도로 진격 → 조선 수군과 의병 활약, 명의 참전(→ 동아시아 국제 전쟁으로 확대)

② 전세 역전과 강화 협상: 조·명 연합군의 평양 탈환 → 명의 벽제관 전투 패배, 한성 탈환 실패 → 명과 일본의 강화 협상 시작 → 일본의 무리한 요구로 협상 결렬

③ 일본의 조선 재침략: 일본군 재침입(정유재란, 1597) → 도요토미 히데요시 사망 후 일본군 철수(1598)

왜? 도요토미 히데요시는 강화 협상에서 자신의 요구 조건이 충족되지 못하자 다시 조선을 침략하였어.

완자 자료 탐구

내 옆의 선생님

자료 1 16세기 북로남왜와 명의 쇠퇴

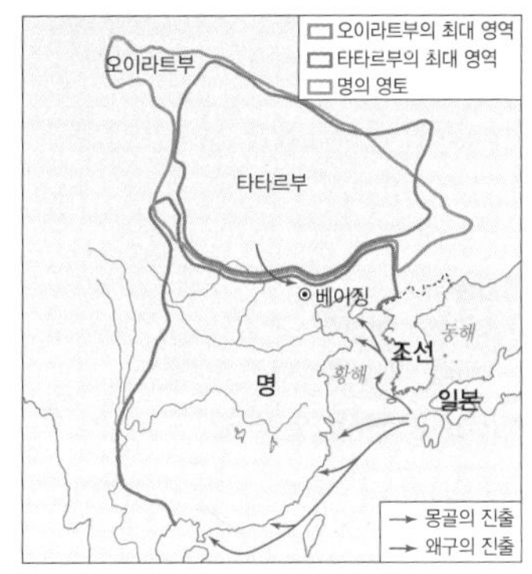

몽골의 재기와 왜구의 창궐

16세기 중반 이후 동아시아의 국제 질서는 크게 동요하였다. 명의 북쪽에서는 몽골의 일파인 타타르와 오이라트가 조공 무역의 확대를 요구하며 수시로 명을 침략하였고, 1550년에는 이들이 명의 수도 베이징을 포위하기도 하였다. 한편, 1523년 일본의 무역선이 닝보에서 반란을 일으키자 명은 감합 무역을 중단하였는데, 이에 불만을 가진 왜구가 밀무역과 약탈을 일삼아 큰 피해를 당하였다. 이러한 '북로남왜'의 침입으로 명의 국력은 크게 쇠퇴하였다.

정리 비법을 알려줄게!

16세기 후반 명의 대외 상황

북로	남왜
타타르, 오이라트의 국경 침범 → 토목보의 변 발생, 한때 베이징 포위	동남 해안을 중심으로 왜구 출몰 → 연안 지역과 내륙까지 약탈

↓

명의 재정 소모, 국력 쇠퇴, 사회 혼란

자료 2 도요토미 히데요시의 정책

농민의 무장을 해제시키고 무사와의 역할을 구분하려는 의도였어.

> 지방의 백성이 칼, 단도, 창, 조총, 기타 무기류를 소지하는 것을 금지한다. 불필요한 도구류를 쌓아 두고 봉기를 꾸미거나 영주의 가신에게 불법 행위를 하는 자들은 당연히 처벌해야 한다. …… 다이묘와 가신, 대관들은 무기류를 모두 모아서 바치도록 하라. - 「시마즈가 문서」 353호

도요토미 히데요시는 센고쿠 시대 통일 후 사회 안정을 위해 전국적인 토지 조사 사업을 벌여 세금 부과에 필요한 기준을 마련하고, 도량형을 통일하였다. 또한 농민의 무기 소유를 금지하여 농민이 무사 신분으로 상승하는 것을 막고 무사와 농민의 거주 지역을 구분함으로써 병농 분리의 사회 질서를 확립하였다.

문제로 확인할까?

도요토미 히데요시가 실시한 정책을 〈보기〉에서 고른 것은?

보기
ㄱ. 일조편법 시행
ㄴ. 농민의 무기 몰수
ㄷ. 몽골과의 강화 체결
ㄹ. 무사와 농민의 거주 지역 분리

① ㄱ, ㄴ ② ㄱ, ㄷ ③ ㄴ, ㄷ
④ ㄴ, ㄹ ⑤ ㄷ, ㄹ

④ 답

자료 3 임진왜란의 전개

> 조선은 동쪽 변방에 끼어 있어 우리(명)의 왼쪽 겨드랑이에 가깝습니다. 평양은 압록강과 인접하고, 진주는 등주와 내주를 맞대고 있습니다. 일본이 조선을 빼앗아 차지하고 랴오둥을 엿본다면 베이징이 위험해질 것입니다. 조선을 지켜야 랴오둥을 보호할 수 있습니다. - 왕재진, 「해방찬요」

일본이 중원으로 넘어오지 못하도록 하는 것이 명이 임진왜란에 참전한 실질적인 이유임을 알 수 있어.

임진왜란 초기 한성이 위협받자 선조는 의주로 피란하면서 명에 원군을 요청하였다. 명은 랴오둥을 방어하여 베이징을 지키려는 목적으로 참전하였다. 한편, 벽제관 전투 이후 전쟁이 교착 상태에 빠지자 명이 일본과 강화 협상을 시도하였으나 협상은 결렬되었다.

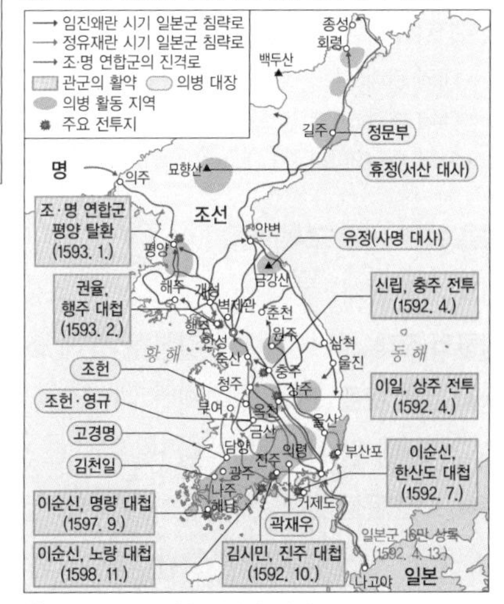

임진왜란과 정유재란의 전개

자료 하나 더 알고 가자!

일본이 임진왜란 중 내세운 강화 조건

> • 명 황제의 딸을 일본 천황과 결혼시킬 것
> • 조선의 남부 4도(경상, 전라, 충청, 경기)를 일본에 할양할 것
> • 일본과 명의 무역을 재개할 것
> • 조선의 왕자 한 명을 일본에 볼모로 보낼 것
> - 「선조실록」

명은 벽제관 전투에서 한성 탈환에 실패한 후 조선의 반대에도 불구하고 일본과 강화 협상을 시작하였어. 그러나 일본이 조선과 명의 입장에서 받아들이기 어려운 조건을 내세웠기 때문에 결국 협상은 이루어지지 않았지. 그 결과 일본군이 조선을 다시 침입하여 정유재란이 일어났어.

01 17세기 전후의 동아시아 전쟁

2. 왜란 이후 동아시아의 상황

조선	인구 감소, *국토 황폐화, 국가 재정 궁핍, 문화재 손실, 일본에 대한 적개심 고조, 지배층을 중심으로 명에 대한 숭상 강화('*재조지은' 의식 확산), 양반 사대부의 지배 체제 강화
일본	무사와 농민들의 반발(왜란 중 대규모 병사 징발과 과도한 세금 징수가 원인), 도쿠가와 이에야스의 에도 막부 수립(1603)
명	전국 각지에서 농민 반란 발생(왜란 중 조선에 지원군 파견 과정에서 과도한 군사비 지출, 무리한 광산 개발과 세금 징수가 원인)

Q&A? 외적의 침입을 계기로 사회의 여러 모순이 덮이고, 양반들이 전후 복구에 나섰기 때문이야.

3. 정묘호란과 병자호란

(1) 배경

① 여진의 세력 확대: 누르하치의 *팔기제 완성 → 후금 건국(1616) → 명과 충돌

만주에 대한 명의 지배력이 약해진 틈을 타 주변의 부족을 통합하였어.

② 조선의 대외 정책 변화: 광해군 시기 후금과 명 사이에서 중립 유지 → 인조반정(1623)으로 집권한 인조와 서인 세력이 친명배금 정책 표방(명 장수 모문룡 지원 등)

명에 파견된 강홍립은 후금과의 적극적인 전투를 피하였고, 사르후 전투에서 후금에 투항하였어. 이는 강성해진 후금을 자극하지 않으려는 광해군의 밀명에 따른 것이었지.

Q&A? 명으로부터 정권의 정통성을 인정받기 위해서였어.

평안도의 가도에 군사 기지를 세우고 후금을 자극하였어.

(2) 전개

정묘호란(1627)	후금의 조선 침략 → 조선과 후금이 형제의 맹약 체결
병자호란(1636)	후금의 홍타이지가 국호를 '청'으로 바꾸고 황제라 칭함(1636), 조선에 군신 관계 요구 → 조선에서 척화론 우세, 청의 군신 관계 요구 거부 → 홍타이지가 대규모 병력을 이끌고 조선 침략 → 인조가 남한산성으로 이동하여 항전 → 삼전도에서 항복, 청과 군신 관계 체결 자료④

VS 청의 요구를 외교적으로 해결하자는 주화론과 대립하였어.

이후 왕자와 신하 등 많은 조선 사람들이 청에 포로로 끌려갔어.

★ 임진왜란 전후 조선의 경지 면적

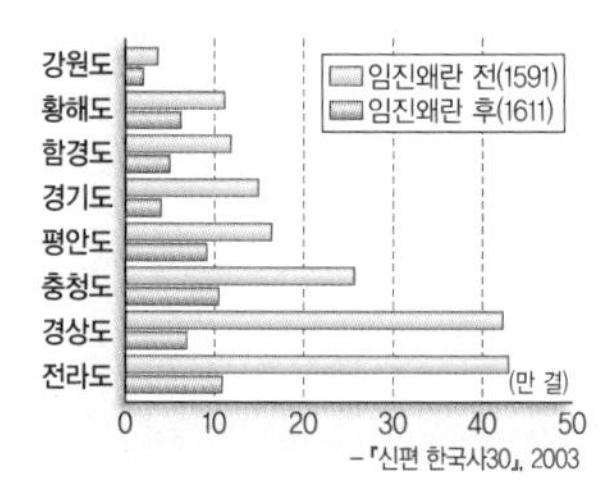

-「신편 한국사30」, 2003

왜란을 거치면서 조선에서는 전국적으로 농경지의 면적이 크게 줄었다.

★ **재조지은**
'망해 가던 나라를 다시 세워 준 은혜'라는 뜻이다. 조선의 지배층은 명이 임진왜란에 참전한 것을 '재조지은'으로 받아들여 명에 대한 의리를 강조하였다.

★ **팔기제(八旗制)**
누르하치가 여러 부족을 통일하는 과정에서 조직한 제도이다. 군사, 행정, 과세의 기준으로 활용되었다.

3 국제 질서의 재편과 문물 교류

1. 동아시아 질서의 재편 교과서 자료

중국	• 명 멸망과 청의 번성: 이자성 주도의 농민 반란으로 명 멸망(1644) → 명 장수 오삼계가 청에 항복, 청이 베이징 점령 후 새로운 수도로 선포 → *삼번의 난·타이완의 정성공 세력 진압, 티베트·신장·몽골까지 포함하는 영토 확보 → 청 중심의 동아시아 국제 질서 확립 • 청 대 화이관의 변화: 청이 명을 계승한 새로운 중화임을 강조 → 만주족의 중원 지배 합리화
조선	• 대외 관계: 청과 군신 관계 체결(명과의 외교 관계 단절, 청에 세폐 지불), 청의 명 공격을 지원, 일본과 국교 재개 후 기유약조 체결 • 대외 인식 변화: *북벌론 대두, 명 멸망 이후 *조선 중화주의 등장 → 18세기 북학 운동 전개 • 정치와 사회 변화: 붕당 간 대립 심화, 수취 제도 개편(영정법·대동법·균역법 시행), 신분제 동요 등
일본	• 대외 관계: 에도 막부가 조선에 통신사 파견 요청, 청과 조공·책봉 관계를 맺지 않음 • 대내 변화: 막부의 쇼군이 중앙 집권 강화(천황과 귀족의 정치 개입 금지) • 자국 중심의 화이관 대두: 만세일계의 천황이 다스리는 일본의 우월함 강조

홍타이지가 여진족에서 만주족으로 개칭하였어.

잠깐! 청과의 경제적 교류는 지속하였음을 기억해 두자.

청, 조선과 달리 문화적 요소가 아닌 혈통과 종족을 중시하였어.

2. 전쟁을 통한 문물 교류 자료⑤

(1) **무기와 기술 전래**: 항왜를 통해 조선이 조총과 사격 기술 연마

용어 임진왜란 중 조선에 투항한 일본인

(2) **신작물의 전래**: 17세기 무렵 일본을 통해 조선에 담배, 고추 등 신작물 유입

(3) **중국을 통한 문물 전래**: 정유재란 때 조선에 관우 숭배 사상 전파, 청에 끌려갔던 소현 세자가 귀국할 때 천주교 서적을 가져옴

관우를 전쟁의 신으로 모시는 중국인들의 신앙이 조선에 전해졌어.

(4) **일본에 조선 문물 전래**: 일본군이 임진왜란 중 조선에서 문화재 약탈, 기술자와 학자를 포로로 잡아감 → 에도 시대 학문과 기술 발전에 영향

예 성리학, 도자기 기술 등

(5) **사절단 파견**: 조선이 통신사(일본), 연행사(청) 파견 → 일본, 청과 각각 학술 및 문물 교류

이것이 핵심!

동아시아의 질서 재편과 각국의 변화

명 멸망, 청의 세력 확대

↓

조선	북벌론 대두, 조선 중화주의 등장, 통신사·연행사 파견
일본	조선과 국교 재개, 일본 중심의 화이관 대두, 도자기 기술 발전

★ **삼번의 난(1673~1681)**
강희제가 윈난(오삼계), 광둥(상가희), 푸젠(경계무)의 삼번을 폐지하려고 하자 오삼계, 상지신(상가희 아들), 경정충(경계무 아들)이 일으킨 반란

★ **북벌론**
병자호란 때 청에게 당한 치욕을 씻고 명에 대한 의리를 지키기 위해 청을 정벌하자는 주장이다. 효종 때 대두하였으나 실행되지 못하였다.

★ **조선 중화주의**
조선이 중화 문명의 정통 계승자이며 유일한 후계자라는 인식

내 옆의 선생님

자료 4 주화론과 척화론의 대립

정묘호란 때 조선은 후금과 강화하고 형제 관계를 맺었어.

(가) 아무리 생각해 보아도 국력은 고갈되었고 오랑캐는 병력이 강성합니다. 정묘년 때의 맹약을 지켜서 몇 년이라도 화를 늦춰야 합니다. 그 사이 어진 정치를 베풀어 민심을 수습하고 성을 쌓고 군량을 저축해야 합니다. – 최명길, 『지천집』

(나) 명은 우리나라에 부모의 나라이고 청은 우리나라에 부모의 원수입니다. 신하된 자로서 부모의 원수와 형제의 의를 맺고 부모의 은혜를 저버릴 수 있겠습니까? …… 정벌에 나가지 못하였지만, 차마 이런 시기에 어찌 다시 화의를 제창할 수 있겠습니까? – 『인조실록』

임진왜란 이후 확산된 '재조지은' 의식이 반영되어 있음을 알 수 있어.

청은 명 공략에 앞서 조선을 굴복시켜 배후를 안정시키고자 조선에 군신 관계를 요구하였다. 그러자 조선에서는 청의 요구를 외교적으로 해결하자는 (가) 주화론과 이 주장에 반대하는 (나) 척화론이 대립하였다. 조선에서 척화론이 우세해지자 청이 조선을 침략하였다.

정리 비법을 알려줄게!

조선과 후금(청)의 관계 변화

인조반정 이후	서인 세력 집권 → 조선의 친명 배금 정책 실시 → 후금 자극
정묘호란	후금의 조선 침략 → 형제 관계 체결
청 건국 이후	청이 조선에 군신 관계 요구 → 조선에서 주화론과 척화론 대립 → 척화론 우세, 청의 요구 거절
병자호란	청의 조선 침략 → 군신 관계 체결

수능이 보이는 교과서 자료 전쟁 이후 동아시아 각국의 화이사상

(가) 인(仁)한가, 포악한가가 화이(華夷)를 구분하는 기준이지 태어난 땅은 화이를 구분하는 기준이 될 수 없다. 순임금은 동이 사람이고 문왕은 서융 사람이지만, 그것이 성스러운 덕에 무슨 손상을 입혔는가? – 『대의각미록』

인과 예를 알면 중화와 이민족 누구라도 중원을 지배할 수 있다는 점을 강조하고 있어.

(나) 명이 갑신년(1644) 3월에 멸망을 맞이한 것은 무엇 때문인가? …… 공자, 주자가 가르침을 전하던 지역이 모두 옛날과 달라져 …… 오직 우리나라만이 한쪽 구석에 치우쳐 있어서 홀로 예를 간직한 나라가 되었으니, 주의 예법이 노나라에 있다고 할 만 하다. 공자께서 다시 태어나면 반드시 뗏목을 타고 동쪽 우리나라로 올 것이다. – 『송자대전』

명이 멸망하여 한족이 세운 왕조가 없어지고 만주족이 중원을 점령한 상황을 말해.

명이 멸망한 후 청의 지배자들은 (가)와 같이 전통적인 중화와 이적의 구분이 의미가 없다는 논리를 내세워 자신들의 지배를 합리화하였다. 조선의 지식인들은 (나)와 같이 조선이 중화의 정통 계승자라고 주장하며 조선의 정체성을 재확립하고자 하였다.

완자샘의 탐구 강의

• (가), (나)에 드러난 화이사상의 공통점을 써 보자.

청과 조선은 모두 자신이 속한 집단이 중화라는 인식을 가지고 있었다.

• 조선의 중화 의식이 (나)와 같이 변하게 된 이유를 서술해 보자.

명이 멸망하여 한족 왕조가 사라진 상황에서 조선에서는 지배층을 중심으로 조선이 중화 문명을 계승하였다는 인식이 확산되었다.

함께 보기 109쪽, 1등급 정복하기 4

자료 5 전쟁을 통한 인적·물적 교류

조선의 문화가 일본보다 발달하였고, 학문과 도덕을 숭상하는 군자의 나라를 짓밟을 수는 없으므로 (나는 조선에) 귀순하고 싶다.

– 사야가(김충선)가 밝힌 귀순 이유

조선인 도공 이삼평은 '일본 도자기의 시조'로 불리고 있어.

이삼평 기념비

통신사는 1607년부터 1812년까지 총 12회 파견되었어.

에도에 입성하는 통신사 일행

전쟁 중에는 군인이나 포로의 강제 이주를 통해 문물 교류가 이루어졌다. 김충선을 비롯한 항왜를 통해 조선에 새로운 화약 제조 기술과 사격 기술이 전해졌고, 포로로 끌려간 조선인 도공들을 통해 일본에 조선의 도자기 기술이 유입되었다. 조선이 일본에 파견한 외교 사절단인 통신사는 조선과 일본의 문화 교류에 이바지하였다.

자료 하나 더 알고 가자!

연행사

베이징에 도착한 연행사 일행

연행사는 조선이 청에 파견한 사절단으로, 청 문물을 들여와 조선에서 북학 운동이 일어나는 데 영향을 주었어.

STEP 1 핵심 개념 확인하기

정답친해 28쪽

1 다음에서 설명하는 인물은?

> 북로남왜의 침입으로 명 사회가 불안해지고 정치 부패가 심해지자 몽골과의 강화, 엄격한 인사 제도 시행 등 개혁을 추진하여 군사비를 절감하고 관료들의 기강을 바로잡았다.

2 17세기 전후의 동아시아 전쟁과 그 영향을 옳게 연결하시오.

(1) 병자호란 •   • ㉠ 조선에 '재조지은' 의식 확산

(2) 임진왜란 •   • ㉡ 청이 조선과 군신 관계 체결

(3) 정묘호란 •   • ㉢ 조선이 후금과 형제 관계 체결

3 1603년 도쿠가와 이에야스는 도요토미 히데요시의 추종 세력을 물리치고 (　　　　)를 세웠다.

4 (　　　　)는 누르하치가 여진의 여러 부족을 통일하는 과정에서 만든 제도로, 청의 군사·행정·과세의 기준으로 활용되었다.

5 농민 반란을 주도하여 1644년 베이징을 함락하고 명을 멸망시킨 인물은?

6 ㉠, ㉡에 들어갈 내용을 각각 쓰시오.

> 병자호란 이후 조선에서는 청에 굴복한 수치심을 씻기 위해 청을 정벌하자는 (㉠　　　　)이 제기되었으나 실행되지 못하였다. 명 멸망 이후에는 조선의 지배층 사이에서 조선이 중화 문명의 유일한 후계자라는 (㉡　　　　)가 확산되었다.

7 다음에서 설명하는 조선의 사절단을 쓰시오.

(1) 청에 파견한 조공 사절단으로 조선에 청과 서양의 문물을 전하였다. (　　　　)

(2) 에도 막부의 요청에 따라 파견한 외교 사절단으로 조선과 일본의 문물 교류에 기여하였다. (　　　　)

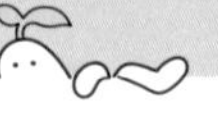

STEP 2 내신 만점 공략하기

01 중요 다음 수업에서 학생들이 수행할 활동으로 적절하지 않은 것은?

> 동아시아의 개혁가, ○○○
>
> 주요 업적
> - 만리장성 보수
> - 무능한 관료 축출
> - 일조편법을 전국적으로 시행

① 연운 16주의 위치를 찾아본다.
② 토목보의 변이 일어난 과정을 분석한다.
③ 16세기 무렵 왜구가 약탈한 지역을 살펴본다.
④ 한때 명의 수도가 몽골 세력에게 포위된 이유를 조사한다.
⑤ 명에서 환관 세력이 득세한 후 나타난 정치 문란 사례를 정리한다.

02 (가)에 들어갈 주제로 적절한 것을 <보기>에서 고른 것은?

> [동아시아사 학술 보고회]
>
> ○○세기 동아시아의 상황
> - 주제1: 명의 이갑제 붕괴와 향촌 질서의 해체
> - 주제2: (가)

보기

ㄱ. 붕당의 형성과 조선의 정치 변동
ㄴ. 조총의 전래와 일본 사회의 변화
ㄷ. 정화의 항해와 명 중심의 조공 질서 확대
ㄹ. 명·청 교체에 따른 동아시아 국제 질서의 변화

① ㄱ, ㄴ　② ㄱ, ㄷ　③ ㄴ, ㄷ　④ ㄴ, ㄹ　⑤ ㄷ, ㄹ

03 일본에서 다음 조치가 취해진 시기를 연표에서 고른 것은?

지방의 백성이 칼, 단도, 창, 조총, 기타 무기류를 소지하는 것을 금지한다. …… 다이묘와 가신, 대관들은 무기류를 모두 모아서 바치도록 하라.

	(가)		(나)		(다)		(라)		(마)	
가마쿠라 막부 수립		남북조 통일		오닌의 난 발생		센고쿠 시대 통일		정유재란 발발		에도 막부 수립

① (가)　② (나)　③ (다)　④ (라)　⑤ (마)

04 (가) 전쟁이 발발하게 된 배경으로 옳은 것은?

(가) 에서 조총으로 무장한 일본군에 밀리던 조선은 명과 연합하여 평양을 탈환하고 전세를 역전하였다.

① 여진족이 성장하여 후금을 건국하였다.
② 에도 막부가 조선에 통신사 파견을 요청하였다.
③ 명이 랴오둥을 보호하고자 조선에 병력을 보냈다.
④ 도요토미 히데요시가 명과의 무역을 확대하고자 하였다.
⑤ 후금이 가도에 주둔 중인 모문룡에 대해 반감을 가졌다.

05 다음은 동아시아에서 일어난 전쟁의 전개 과정이다. (가), (나) 사이 시기에 있었던 일을 〈보기〉에서 고른 것은?

(가) 벽제관에서 명군과 일본군 사이에 격전이 벌어졌다. 일본군은 명군을 포위하고 조총으로 집중 사격하여 승리하였다.
(나) 도요토미 히데요시의 죽음 이후 퇴각 명령을 받은 일본군이 본국으로 철수하면서 전쟁은 끝이 났다.

보기
ㄱ. 정유재란이 발발하였다.
ㄴ. 선조가 의주로 피란하였다.
ㄷ. 명과 일본이 강화 협상을 벌였다.
ㄹ. 일본군 부대가 함경도로 진격하였다.

① ㄱ, ㄴ　② ㄱ, ㄷ　③ ㄴ, ㄷ
④ ㄴ, ㄹ　⑤ ㄷ, ㄹ

06 중요 다음 인물과 관련된 전쟁이 동아시아 각국에 미친 영향으로 적절한 것을 〈보기〉에서 고른 것은?

나는 일본 가까이에 있고 중국에 근접해 있는 조선을 무력으로 정복할 것이다. 그리고 중국으로 가는 데 필요한 무기와 식량을 조선에서 얻을 것이다.

보기
ㄱ. 명의 국가 재정이 궁핍해졌다.
ㄴ. 일본이 명과 감합 무역을 시작하였다.
ㄷ. 조선에서 명을 숭앙하는 분위기가 고조되었다.
ㄹ. 금이 송을 멸망시키고 화북 지역을 차지하였다.

① ㄱ, ㄴ　② ㄱ, ㄷ　③ ㄴ, ㄷ
④ ㄴ, ㄹ　⑤ ㄷ, ㄹ

07 빈칸에 들어갈 내용으로 적절한 것은?

누르하치는 주변 부족을 공격하면서 세력을 키워 나갔고, 팔기제를 완성하였다. 이후 ____________

① 조선과 군신 관계를 체결하였다.
② 조총을 앞세워 조선을 침략하였다.
③ 왕위에 올라 국호를 청으로 바꾸었다.
④ 병농 분리의 사회 질서를 만들어 나갔다.
⑤ 랴오둥 지역으로 진출하여 명을 공격하였다.

08 다음 상황이 전개된 직후 동아시아 각국에서 있었던 일로 옳은 것은?

후금은 조선의 황해도까지 침입하였으나 후방에 있는 명이 위협할 것을 염려하였다. 이에 조선과 맹약을 체결하고 2개월 만에 철수하였다.

① 명 – 조선에 후금 공격을 위한 병력을 요구하였다.
② 일본 – 센고쿠 시대의 혼란이 수습되었다.
③ 조선 – 인조반정으로 광해군이 폐위되었다.
④ 후금 – 홍타이지가 스스로 황제라 칭하였다.
⑤ 후금 – 사르후 전투에서 조·명 연합군을 물리쳤다.

중요
09 밑줄 친 '이 전쟁'과 관련된 설명으로 옳은 것을 〈보기〉에서 고른 것은?

- 명칭: 서울 삼전도비
- 소재: 서울특별시 송파구
- 설명: 이 전쟁에서 승리한 홍타이지가 자신의 공덕을 알리기 위해 조선에 세우도록 한 비석이다. 비문에는 청의 출병 이유와 조선의 항복 사실 등이 한자, 몽골 문자, 만주 문자로 기록되어 있다.

보기

ㄱ. 명과 조선의 국교 단절을 가져왔다.
ㄴ. 조선의 국왕이 삼전도에서 청에 항복하였다.
ㄷ. 명의 참전으로 국제전의 양상으로 전개되었다.
ㄹ. 조선이 친명배금의 외교 정책을 표방하는 계기가 되었다.

① ㄱ, ㄴ ② ㄱ, ㄷ ③ ㄴ, ㄷ
④ ㄴ, ㄹ ⑤ ㄷ, ㄹ

중요
10 (가) 시기에 있었던 일이 아닌 것은?

인조는 청의 침략을 피해 남한산성으로 옮겨 항전하였다. 그러나 강화도가 함락되고 다른 지역에서 조선군이 잇달아 패배하자 결국 항복하였다.

(가)

↓

청은 팔기병을 앞세워 중원을 장악하였고, 건륭제 때 이르러 티베트·신장·몽골 지역을 포함하는 거대한 영토를 확보하였다.

① 삼번의 난이 일어났다.
② 청이 베이징을 수도로 선포하였다.
③ 강희제가 타이완의 정성공 세력을 진압하였다.
④ 누르하치가 여진족을 통합한 후 후금을 세웠다.
⑤ 이자성이 이끈 농민 반란으로 명이 멸망하였다.

11 조선에서 다음과 같은 주장이 등장하게 된 배경으로 가장 적절한 것은?

오랑캐는 반드시 망할 날이 있다. …… 저들에 틈이 있기를 기다려 불시에 중국으로 쳐들어가면 중원의 의사와 호걸이 어찌 호응하지 않을 수 있겠는가? – 송시열, 『송서습유』

① 에도 막부가 수립되었다.
② 명 장수 오삼계가 청에 항복하였다.
③ 조선이 청과 군신 관계를 체결하였다.
④ 후금에서 인조반정에 대한 부정적 인식이 형성되었다.
⑤ 임진왜란 중 일본에 대한 조선인의 적개심이 높아졌다.

12 대화의 마지막에 이어질 내용으로 적절한 것은?

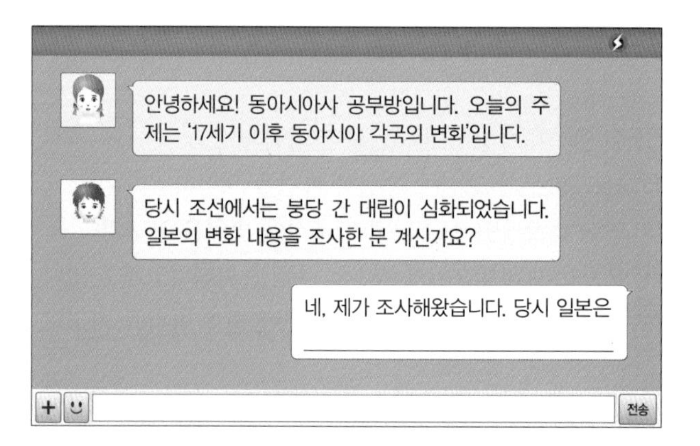

① 청과 조공·책봉 관계를 맺었습니다.
② 매년 청에 많은 양의 세폐를 지불하였습니다.
③ 오다 노부나가가 세력을 크게 확대하였습니다.
④ 쇼군이 천황과 귀족의 정치 개입을 막았습니다.
⑤ 조선에 지원군을 파견하여 군사력이 약해졌습니다.

13 자료를 활용한 보고서의 제목으로 가장 적절한 것은?

천하가 모두 오랑캐를 따르지만, 우리나라만은 명의 제도를 고치지 않으니 그들도 …… 예의에 벗어난 것을 강요하지 못한다. …… 우리만이 동주(東周)를 위하고 있다.

① 양명학의 등장 ② 일본의 성리학 수용
③ 조선 중화주의의 대두 ④ 『사서오경왜훈』의 간행
⑤ 명 대 성리학 질서의 확산

14 다음 카드에 적힌 일을 일어난 순서대로 배열하였을 때 얻을 수 있는 숫자로 옳은 것은?

1 명 멸망	2 후금 건국	3 병자호란 발발
4 임진왜란 발발	5 센고쿠 시대 통일	

① 13542　② 24315　③ 31425
④ 52413　⑤ 54231

15 (가) 사절단에 대한 설명으로 옳은 것은?

그림으로 보는 (가) 의 활동

에도에 입성한 사절단의 행렬과 이를 보기 위해 많은 일본 사람들이 거리에 나와 있는 모습이 인상적입니다.

① 조선에 천주교를 확산시켰다.
② 병자호란 이후 파견이 중지되었다.
③ 조선에서 조공을 바치기 위해 파견하였다.
④ 일본과 조선의 학술 및 문화 교류를 촉진하였다.
⑤ 조선에서 북학 운동이 일어나는 데 영향을 주었다.

16 다음을 뒷받침하는 사례로 적절하지 않은 것은?

> 17세기 동아시아 전쟁 과정에서 군인의 이동이나 포로의 강제 이주 등을 통해 문물 교류가 이루어지기도 하였다. 이는 각국의 기술과 문화 발전에 상호 영향을 주었다.

① 조선에 담배를 비롯한 신작물이 전해졌다.
② 항왜의 영향으로 조선의 사격 기술이 발전하였다.
③ 관우를 숭배하는 중국의 신앙이 조선에 전파되었다.
④ 일본에 조총이 전해져 전투 양상에 변화가 나타났다.
⑤ 포로로 끌려간 조선 도공들의 영향으로 일본에서 도자기 기술이 발전하였다.

서술형 문제

● 정답친해 30쪽

01 다음을 읽고 물음에 답하시오.

> 조선은 동쪽 변방에 끼어 있어 우리(명)의 왼쪽 겨드랑이에 가깝습니다. …… 일본이 조선을 빼앗아 자지하고 랴오둥을 엿본다면 베이징이 위험해질 것입니다. 조선을 지켜야 랴오둥을 보호할 수 있습니다. – 왕재진, 『해방찬요』

(1) 자료와 관련된 동아시아 전쟁을 쓰시오.

(2) 자료를 토대로 명이 (1) 전쟁에 참전한 실질적인 이유를 서술하시오.

길잡이 일본이 (1) 전쟁을 일으킨 목적을 생각해 본다.

02 조선에서 등장한 다음 주장이 동아시아의 정세에 미친 영향을 서술하시오.

> 명은 우리나라에 부모의 나라이고 청은 우리나라에 부모의 원수입니다. 신하된 자로서 부모의 원수와 형제의 의를 맺고 부모의 은혜를 저버릴 수 있겠습니까? …… 어찌 다시 화의를 제창할 수 있겠습니까? – 『인조실록』

길잡이 조선이 청에 대해 취한 행동과 이에 대한 청의 대응을 서술한다.

03 다음을 읽고 물음에 답하시오.

> 17세기 중원에서는 명이 멸망하고 청이 주도권을 확보하였다. 동아시아의 지식인들은 이를 오랑캐인 청이 중화인 명을 대체한 것으로 생각하였다. 이러한 인식은 동아시아 각국의 전통적인 화이관에 변화를 가져왔다.

(1) 밑줄 친 부분에 해당하는 내용을 서술하시오.

길잡이 청, 조선, 일본의 화이관을 각각 서술한다.

(2) (1)에서 알 수 있는 화이관의 공통점을 서술하시오.

길잡이 중화와 이적에 대한 입장에 주목하여 공통점을 찾아본다.

STEP 3 1등급 정복하기

1 동아시아의 정세가 지도와 같았던 시기 각국의 상황으로 적절하지 않은 것은?

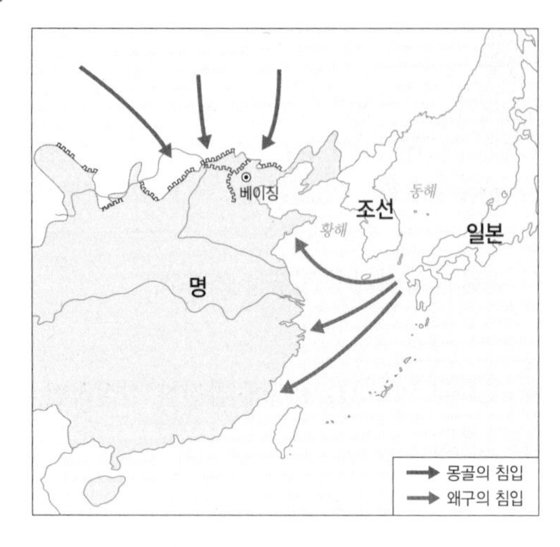

① 명 – 장거정이 개혁을 단행하여 부패한 관리를 축출하였다.
② 명 – 황제가 이갑제를 실시하여 향촌 질서를 바로잡고자 하였다.
③ 일본 – 오닌의 난 이후 각지의 다이묘 세력이 각축을 벌였다.
④ 조선 – 군역 제도의 문란에 따라 국방력이 크게 약해졌다.
⑤ 조선 – 서원과 향약을 기반으로 성장한 사림이 정치를 주도하였다.

> 명, 조선, 일본의 상황

완자 사전

• 이갑제
일정한 호구 수를 기준으로 이장호와 갑수호를 정해 교대로 조세 징수, 치안 유지 등을 담당하게 한 제도

2 다음은 동아시아 전쟁을 겪은 어느 인물이 남긴 글이다. 밑줄 친 '전쟁'과 관련된 설명으로 옳은 것을 〈보기〉에서 고른 것은?

아아! 전쟁의 재앙은 참혹하였다. 열흘 사이에 삼도가 방어선을 잃고 팔방으로 와해되었으며, 임금의 수레는 이리저리 떠돌아다녔다. 그런데도 지금이 있을 수 있는 것은 하늘의 뜻이다. 선대 임금들의 인자하고 두터운 은택이 백성 사이에 굳게 맺혀 있어 나라 생각하는 마음이 아직 끝나지 않았던 것이다. 그리고 우리 임금께서 큰 나라를 섬기신 정성이 천자를 감동시켜 우리나라를 지키려고 명의 군대를 자주 출동시켰기 때문이다.

보기

ㄱ. 인조가 남한산성으로 이동하여 항전하였다.
ㄴ. 조선에서 북학론이 대두하는 데 영향을 주었다.
ㄷ. 전쟁 초기 일본군이 한성과 함경도까지 진격하였다.
ㄹ. 전쟁 이후 일본에서 도쿠가와 이에야스가 새로운 막부를 세웠다.

① ㄱ, ㄴ ② ㄱ, ㄷ ③ ㄴ, ㄷ
④ ㄴ, ㄹ ⑤ ㄷ, ㄹ

> 동아시아 전쟁의 전개와 영향

완자샘의 시험 꿀팁

명 대 일어난 동아시아 전쟁의 전개 과정과 각국에 미친 영향을 파악하는 문제가 자주 출제된다. 이 전쟁 이후 중국, 조선, 일본에서 나타난 정세 변화를 비교할 수 있어야 한다.

평가원 응용

3 (가), (나) 시기에 일어난 사건에 대한 설명으로 옳은 것은?

기미년에 그대 나라가 명과 협력해서 군사를 일으켜 우리를 해쳤으나, 그래도 짐은 이웃 나라와 지내는 도리를 생각하여 경솔하게 전쟁을 일으키지 않았다. 하지만 우리가 요동을 얻고 난 뒤 그대 나라가 다시 명을 도와 우리를 노엽게 하였으니 (가) 10년 전에 군사를 일으킨 것은 바로 이 때문이다. 그런데 맹약을 맺어 강화를 한 후에도 그대 나라의 군신들이 여전히 우리를 배반하였으니 (나) 이번에 군사를 동원하게 된 단서가 또한 그대 나라에 있는 것이다.

보기
ㄱ. (가) – 조선이 후금과 강화하고 형제 관계를 맺었다.
ㄴ. (가) – 강홍립이 사르후 전투에서 후금에 투항하였다.
ㄷ. (나) – 조선이 청의 군신 관계 요구를 거부하여 일어났다.
ㄹ. (나) – 선조가 의주로 피란하면서 명에 지원군을 요청하였다.

① ㄱ, ㄴ ② ㄱ, ㄷ ③ ㄴ, ㄷ
④ ㄴ, ㄹ ⑤ ㄷ, ㄹ

> 명 대 이후 중원의 세력 변화

완자샘의 시험 꿀팁
명 대 이후 중원의 세력 변화, 중원 국가와 주변 국가들의 관계는 빈번하게 출제되는 주제이다. 중원을 차지한 국가를 중심으로 각국의 상황을 정리하는 것이 도움이 된다.

4 (가), (나)를 읽고 학생들이 나눈 대화 내용으로 적절하지 않은 것은?

(가) 오랑캐라고 부르는 것은 대개 변방에 거처하며 중원과 말이 통하지 않기 때문이다. 중원에 태어났다고 하여 중화가 되는 것이 아니며, 변방에 태어났다고 하여 중화가 될 수 없는 것도 아니다. …… 중화인은 인의를 아는 것이고, 오랑캐는 윤리를 모르는 것이다. 그러하니 어찌 태어난 곳이 중원이냐 아니냐를 가지고 중화인과 오랑캐를 구별할 수 있겠는가? – 『대의각미록』

(나) 시간이 흘러 지금에 이르러서는 순임금과 우임금이 돌아보던 땅과 공자, 주자가 가르침을 전하던 지역이 모두 옛날과 달라져 오랑캐의 비린내만 가득해졌으니 …… 오직 우리나라만이 한쪽 구석에 치우쳐 있어서 홀로 예를 간직한 나라가 되었으니, 주의 예법이 노나라에 있다고 할 만하다. 공자께서 다시 태어나면 반드시 뗏목을 타고 동쪽 우리나라로 올 것이다. – 『송자대전』

① 갑: 만주족은 (가)를 자신들의 중원 지배를 합리화하는 데 활용하였을 거야.
② 을: (가)에서는 인과 예를 받들면 누구나 중화가 될 수 있음을 강조하고 있어.
③ 병: (가)를 통해 청은 중화와 이적을 혈통을 기준으로 구분하였음을 알 수 있어.
④ 정: (나)에는 조선이 중화 문명을 정통으로 계승하였다는 인식이 드러나 있어.
⑤ 무: (가), (나)는 명이 멸망하고 청이 중원의 지배권을 확립한 상황에서 확산되었을 거야.

> 동아시아 국가들의 화이관 변화

완자 사전
• 순임금
한족의 건국 신화에 등장하는 다섯 임금에 속하는 인물
• 우임금
문헌상 중국 최초의 국가인 하의 시조로 여겨지는 인물

02 교역망의 발달과 은 유통

- 동아시아 각국 간 교역 관계의 변화를 정리할 수 있다.
- 교역망의 확대 배경과 동아시아 은 유통의 양상을 설명할 수 있다.

이것이 핵심!

동아시아 각국의 교역

중국	명 대 해금 실시 → 밀무역 성행 → 해금 완화 → 청 대 천계령 반포·해제 → 청 상인의 일본 진출 활발
조선	명과 청에 사절단 파견(조공 무역), 일본과 왜관을 통해 교역, 명·청과 일본의 무역 중계
일본	명에 조공 실시(→ 중단), 교역 통제(주인장, 신패 발급)
류큐	동아시아 중계 무역의 거점 역할 → 명의 해금 완화 이후 쇠퇴

＊ 정화의 항해
정화는 명의 함대를 이끌고 인도, 동남아시아, 아프리카 일부 지역까지 진출하였다. 이를 계기로 명은 동남아시아와 인도양 연안의 여러 나라로부터 조공을 받게 되었다.

＊ 천계령
청 정부가 반청 해상 세력과 연해의 주민들이 연합하는 것을 막기 위해 연해에 거주하던 주민들을 내지로 이주시킨 정책

＊ 왜관
일본인이 조선에 와서 통상을 하거나 거주하던 지역이다. 조선과 일본의 국교가 회복된 이후에는 양국의 외교와 무역의 거점 역할을 하였다.

＊ 슈인장
에도 막부가 발행한 무역 허가증으로, 이를 발급받은 특정 상인만이 배를 타고 해외로 나가 무역을 할 수 있었다.

1 동아시아 각국의 교역 관계

1. 명·청의 무역 정책과 교역

명	• 해금 정책: 건국 초 해금 실시 → 밀무역 성행, 왜구 출몰 → 16세기 후반 해금 완화(민간 무역 허용) • 조공 무역: 영락제 시기 ＊정화의 항해를 통해 조공국 확대, 조선·류큐·대월·일본(무역 허가증인 감합 발급) 등과 조공 사절단을 통해 교역(→ 조공 국가들 사이에 직간접적 교역망 형성) 자료①
청	• 해금 정책: 건국 초 반청 세력을 막기 위해 ＊천계령 반포 → 17세기 후반 타이완의 정성공 세력 진압 후 해제 → 청 상인의 나가사키 진출 활발 자료② • 공행 무역: 18세기 중반 대외 무역항을 광저우로 제한, 공행을 통한 무역만 허용

- 왜구 출몰: 해금 정책으로 생계를 위협받던 명 상인, 명의 물품을 구하지 못하게 된 일본 상인들이 왜구로 가장하였어.
- 용어 공행: 청 정부로부터 유럽 상인들과의 교역을 허가받은 상인
- 왜? 천계령 반포: 유럽 상인들과 한인들이 결탁하여 반청 운동을 일으키지 못하도록 하기 위해서였어.

2. 조선의 교역

(1) 명·청과의 무역 자료①

① 주요 교역 품목: 종이·붓·화문석·인삼 등 수출, 비단·약재·서적 등 수입

② 무역 형태

- 사절단을 수행한 역관들의 사행 무역은 합법적인 무역의 형태로 보호받았어.

조공 무역	사절단으로 조천사(명), 연행사(청) 파견 → 특산물 조공, 명·청은 답례 형식으로 회사품 지급
중계 무역	역관, 상인 등이 은을 매개로 중국산 생사와 비단 등을 거래하여 이익 확보
개시·후시 무역	청과의 접경 지역에서 개시(공무역)와 후시(사무역)를 통해 교역

- 일본에서 중국산 생사와 비단의 수요가 많았기 때문에 조선 상인들은 이를 중계하여 큰 이익을 얻을 수 있었어.

(2) 일본과의 무역

① 주요 교역 품목: 쌀·서적·목면 등 수출, 구리·유황·후추 등 수입

② 무역의 변화 자료②

15~16세기	세종 때 왜구의 소굴인 쓰시마섬 토벌 → 부산포·제포(내이포)·염포 개방, ＊왜관 설치(제한된 범위 내에서의 무역 허용) → 삼포 왜란 발발(1510) → 일본과의 교역 축소
17세기 이후	임진왜란 후 국교 단절, 에도 막부 수립 후 교역 재개·왜관 복구 → 쓰시마번과 왜관을 통해 교역

(3) 기타: 여진(무역소 설치, 사절단 왕래), 류큐(조선의 불경과 유교 경전 등 전래), 시암(타이), 자와 등과 교역

- 무역소 설치: 여진과의 접경 지역인 경원과 경성에 무역소를 두고 제한적으로 교역하였어.

3. 일본의 교역

(1) 15~16세기의 교역: 무로마치 막부가 명과 감합 무역 실시 → 16세기 중반 이후 무역 중단, 밀무역 성행 자료①

(2) 17세기 이후의 교역 자료②

① 교역의 변화: 일본 상인의 해외 진출 활발, 동남아시아에 무역 거점 마련 → 에도 막부가 ＊슈인장 발급, 교역 통제 → 해금 실시(서양인의 왕래 제한), 네덜란드 상인에게 나가사키 개방

- 왜? 해금 실시: 슈인장 무역을 통해 일부 다이묘 세력이 성장하고 크리스트교가 확산되었기 때문이야.

② 청과의 교역: 청의 천계령 해제 → 청 상선의 나가사키 입항 급증, 청과의 무역량 증가로 은 유출 심화 → 에도 막부가 무역량 규제(신패 발급), 은 대신 구리나 해산물로 결제

4. 류큐의 중계 무역 자료③

양상	명의 해금 정책 실시 → 조공을 통해 명에서 들여온 도자기·생사 등을 일본과 동남아시아 등지에 판매, 류큐·일본·동남아시아의 특산물을 명과 조선에 판매 → 류큐가 동아시아 중계 무역의 거점으로 성장
쇠퇴	16세기 후반 명의 해금 완화, 포르투갈 상인의 진출로 사무역 발달 → 중계 무역 쇠퇴

완자 자료 탐구

내 옆의 선생님

자료 ① 14세기 후반 이후 동아시아 교역망의 형성

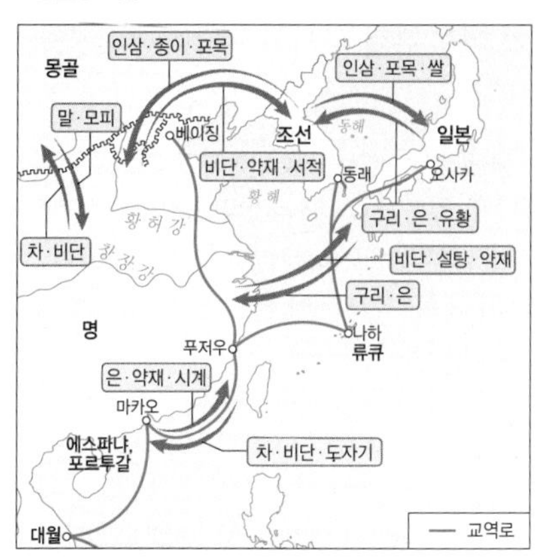

14세기 후반~16세기 전반의 동아시아 교역망

명 건국 이후 동아시아의 무역은 명과 주변국의 조공 무역을 중심으로 이루어졌다. 명은 민간인의 무역을 금지하고, 정규 조공 사절단에게만 무역을 허가하였다. 사절단을 통한 무역이 이루어지면서 조선은 명으로부터 생사와 비단, 약재, 서적 등을 수입하였으며, 종이와 붓, 인삼 등을 수출하였다. 일본의 무로마치 막부는 15세기 초 명과 감합 무역을 시작하였다. 그러나 16세기 중반 이후 일본과 명의 조공 무역은 중단되었고, 양국의 물품은 중계 무역이나 밀무역을 통해 거래되었다.

자료 하나 더 알고 가자!

명의 해금 정책과 왜구의 출몰

> 해금이 엄격해지면 식량을 구할 길이 없어서 해안을 약탈할 수밖에 없습니다. 연해민들은 가만히 앉은 채 속수무책으로 모든 재산을 빼앗깁니다.
>
> – 푸젠 상인의 탄원서

명이 해금 정책을 실시한 후 동아시아에 왜구가 자주 출몰하여 약탈을 일삼았어. 왜구 중에는 해금 정책으로 교역이 자유롭지 못하자 왜구로 가장한 명과 일본의 상인들도 있었지. 이들은 주로 명과 일본 사이에서 밀무역을 하였어.

자료 ② 17세기 이후 동아시아의 교역 양상

나가사키항에 들어오는 외국 선박의 입항 예정 연도와 무역 허용량 등을 기재하였어.

나가사키항과 데지마의 모습

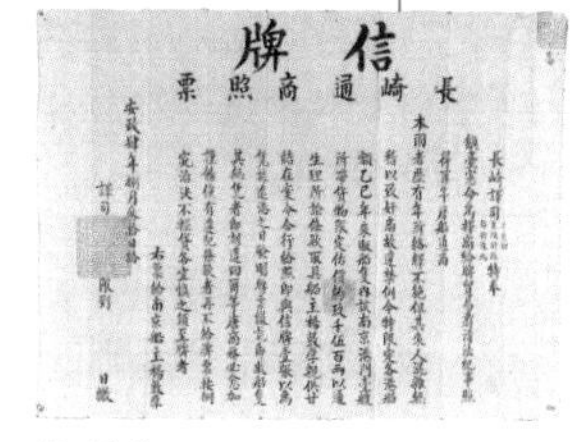

신패

왜관의 모습

에도 막부는 나가사키항에 네덜란드인들의 왕래를 허용하였다. 17세기 중반에는 나가사키를 통한 청과의 교역량이 증가하여 일본에서 많은 양의 은이 유출되었다. 이에 막부는 신패를 발급하여 내항하는 청 상인들의 무역량을 통제하였다. 한편, 조선은 왜관을 통해 일본과 교역하였고 에도 막부와 청의 무역을 중계하기도 하였다.

문제로 확인할까?

17세기 이후 동아시아 각국의 교역에 대한 설명으로 옳지 않은 것은?

① 청 상인들이 나가사키에서 일본 상인들과 교역하였다.
② 청이 천계령을 해제하자 일본과 청의 민간 교역이 크게 증가하였다.
③ 조선은 임진왜란 이후 왜관을 복구하고 일본과 무역을 재개하였다.
④ 일본과 청 상인들은 은을 매개로 중국산 생사와 비단을 거래하였다.
⑤ 조선은 신패를 발급하여 내항하는 청 상인들의 무역량을 제한하였다.

⑤ 답

자료 ③ 류큐의 번영과 쇠퇴

류큐는 지리적으로 동아시아와 동남아시아 각국과의 중계 무역에 유리한 위치에 있었어.

> 나라는 남해(동중국해) 가운데 있는데, 남북으로는 길고 동서로는 짧다. …… 그 땅에 유황이 산출되는데, …… 해마다 중국에 사신을 보내고 유황 6만 근과 말 40필을 바친다. …… 해상 무역을 업으로 삼는다. 서쪽으로 남만과 중국에 교통하고, 동쪽으로 일본과 우리나라에 교통한다. 일본과 남만의 상선이 국도와 해변 포구에 모이므로, 백성이 포구에 술집을 설치하여 서로 교역한다.
>
> –『해동제국기』 유구국기

명이 해금 정책을 실시하면서 명 상인들은 해외로 나갈 수 없었다. 류큐는 이러한 상황을 이용하여 14세기 후반부터 명과의 조공 무역을 중심으로 조선, 일본, 동남아시아 국가들 사이에서 중계 무역을 통해 번영하였다. 그러나 16세기 후반 명의 해금 정책이 완화되어 사무역이 발달하자 류큐의 중계 무역은 점차 쇠퇴하였다.

정리 비법을 알려줄게!

동아시아 교역의 변화와 류큐

14세기 후반~16세기 초반
명의 해금 정책 실시 → 명 상인들의 해외 진출 불가 → 류큐의 중계 무역 발달

↓

류큐가 동아시아 무역 거점으로 번영

↓

16세기 중반 이후
명의 해금 완화 → 명 상인들의 해외 진출 가능, 포르투갈 상인 등장 → 사무역 발달 → 류큐의 중계 무역 쇠퇴

02 교역망의 발달과 은 유통

이것이 핵심!

동아시아 교역망의 확대와 문물 교류

유럽의 동아시아 진출
포르투갈, 에스파냐, 네덜란드 등 → 동아시아의 물품 거래, 동아시아에 아메리카 은 유입
↓
동아시아 교역망 확대, 동서 문물 교류

★ **갈레온 무역**
에스파냐 상인들이 무장을 갖춘 선박을 이용하여 실시한 무역 형태이다. 주로 아메리카의 은과 필리핀에 집결된 중국 상품을 교환하였다.

★ **마테오 리치**
명에서 활동한 이탈리아 출신 예수회 선교사이다. 서양의 수학 이론서를 번역한 『기하원본』, 크리스트교 교리서인 『천주실의』를 펴냈다.

★ **전례 문제**
로마 가톨릭 교회 내에서 공자나 조상에 대한 제사 등 중국의 전례를 인정할 것인지를 놓고 벌어진 논쟁

2 유럽인의 동아시아 진출과 교역망의 확대

1. 유럽 상인의 동아시아 진출 자료④

(1) **배경**: 유럽, 서아시아에서 향신료 수요 증가 → 16세기 이후 유럽 상인의 동남아시아 진출

(2) **유럽 각국의 동아시아 진출**

포르투갈	믈라카 점령, 마카오와 나가사키로 진출, 조총과 명의 물품(생사, 비단 등)을 일본에 판매하여 은 확보, 일본 은으로 구입한 명의 비단·도자기 등을 유럽에 수출, 일본 은과 아메리카의 은을 중국에 판매
에스파냐	필리핀에 마닐라 건설, *갈레온 무역을 통해 아메리카 은과 명의 비단·도자기·면직물 등 교환
네덜란드	말루쿠 제도 점령, 타이완에 식민지 건설, 바타비아를 거점으로 나가사키에 진출, 중국산 생사를 일본에 판매하여 은과 구리 획득 → 17세기 중반 동남아시아 대부분의 섬 장악
영국	18세기부터 청과 교역(차 수입, 은 수출 → 무역 적자 발생 → 삼각 무역 실시 → 청의 은 유출)

└ 청에 매카트니 사절단을 보내 자유 무역을 위한 교섭을 시도하였어.
└ 영국은 청에서 차를 수입하면서 은 대신 인도산 아편을 몰래 판매하였어.

2. 교역망의 확대와 동서 문물 교류 자료④

(1) **교역망의 확대**: 유럽 상인들의 진출, 아메리카 은 유입 → 동아시아 교역망이 세계로 확대

(2) **동서 문물 교류** 자료⑤

① 동아시아의 서양 문물 수용: 크리스트교 전래, 아메리카의 감자·고구마·담배 등 유입

└ 명과 청의 지식인들이 서양의 문화를 높게 평가하지 않았기 때문에 중국의 자연 과학은 크게 발전하기 어려웠어.

명·청	선교사들이 서양 무기 제조 기술·천문학 소개, *마테오 리치가 「곤여만국전도」 제작, 아담 샬이 시헌력 제작 → 중화사상의 한계, *전례 문제 악화로 서양 과학 기술의 수용 축소
조선	표류한 서양인들의 영향, 베이징을 왕래한 사절단을 통해 서양 문물 유입 → 자명종·천리경·「곤여만국전도」·『기하원본』 등 유입, 시헌력 시행, 홍대용(『의산문답』 저술)·소현 세자(아담 샬과 교류) 등 활동
일본	네덜란드인들을 통해 서양 문물 수용 → 난학 발전(의학·천문학 등 발달, 『해체신서』 발간)

└ 태음력에 태양력의 원리를 적용하였어.

② 동아시아 문물의 유럽 전래: 중국과 일본 도자기 유입으로 도자기 복제 기술 발달, 유럽인들 사이에서 유학에 대한 관심 증가, 중국산 차와 차 마시는 문화 유행

└ 『논어』와 같은 중국의 고전이 유럽의 계몽사상가들에게 영향을 주었어.

이것이 핵심!

동아시아 각국의 은 유통 확대 배경

중국	조세의 은납화(일조편법, 지정은제)에 따른 은 수요 증가
조선	임진왜란 이후 은 사용 증가
일본	은 생산 증가 → 화폐로 은 사용

★ **중국의 마제은**

마제은은 실질 가치를 가진 금속 화폐로서 명·청 대에 주로 유통되었다.

★ **연은 분리법**
금, 은, 납이 섞인 광물을 녹여 납을 분리하고 금과 은을 추출하는 제련법

3 동아시아 각국의 은 유통

1. 중국의 은 유통 교과서 자료

(1) *은 유통의 증가: 보초(지폐)의 가치 하락, 상공업 발달 → 민간 거래에서 은 사용 확대

(2) **은 본위 경제 체제 확립**: 일조편법(명)과 지정은제(청) 실시(조세의 은납화) → 은 수요 증가, 외국 은에 대한 의존도 심화

└ 용어 인두세인 정세를 토지세에 포함시켜 은으로 징수한 제도
└ 농민들이 은을 마련하기 위해 상품 작물을 재배하면서 상공업 발달이 촉진되었어.
└ 명의 경제는 은 유입량의 변화에 따라 영향을 받았어.

2. 조선의 은 유통 교과서 자료

임진왜란 이전	은 유통 부진 → 16세기 중국과의 교역에 은 사용 → 단천 은광 개발, 은 유통 활성화
임진왜란 이후	명에서 대량의 은 유입 → 민간에서 은을 이용한 거래 확산, 정부의 은 수요 증가 → 17세기 이후 상인들이 인삼, 중국의 비단과 생사 거래에 은 이용 → 은광 개발 활발, 잠채 성행

└ 왜? 임진왜란 중 파견된 명군의 봉급과 군수 물자 구매 비용을 은으로 충당하였기 때문이야.
└ 용어 정부의 허가를 받지 않고 몰래 광물을 채굴하는 행위

3. 일본의 은 유통

(1) **은 생산 증가**: 16세기 초 조선에서 *연은 분리법(회취법) 도입, 이와미 은광 개발, 다이묘들의 은광 개발 참여 → 16세기 말 전 세계 은 생산량의 3분의 1차지

└ 16세기 중반 이후 일본에서 가장 많은 은이 산출되었어.

(2) **은 유통의 확대**: 국내 화폐와 무역의 결제 대금으로 은 사용, 조선을 거쳐 중국으로 유입 → 은 유출 심화 → 에도 막부가 은 유출 억제 정책 실시

└ 예 교역량 통제, 조선 인삼의 국산화, 은 함량을 낮춘 은화 제조 등

완자 자료 탐구

내 옆의 선생님

자료 4 동아시아 교역망의 확대

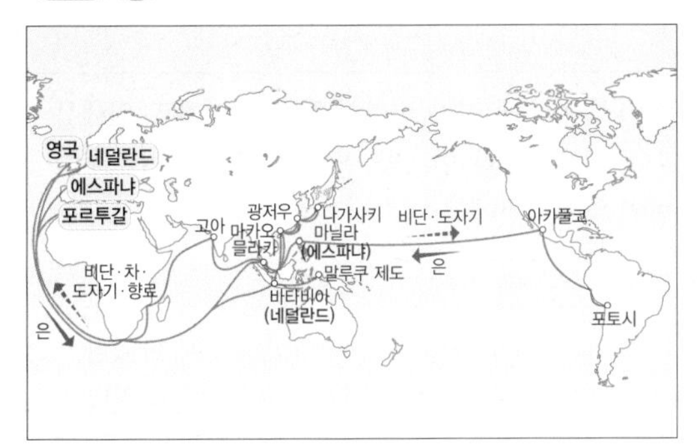

16~17세기 세계 교역망과 은의 흐름

신항로 개척 이후 유럽 상인들이 아시아와 유럽을 연결하며 중국의 비단·차, 일본의 도자기·은, 동남아시아의 향신료, 아메리카의 은 등을 거래하면서 동아시아의 교역망이 세계로 확대되었다. 이에 따라 유럽 상인들이 거점으로 삼고 있던 믈라카, 광저우, 나가사키 등은 은 유통의 중심지로 성장하였다.

자료 5 동아시아의 서양 문물 수용

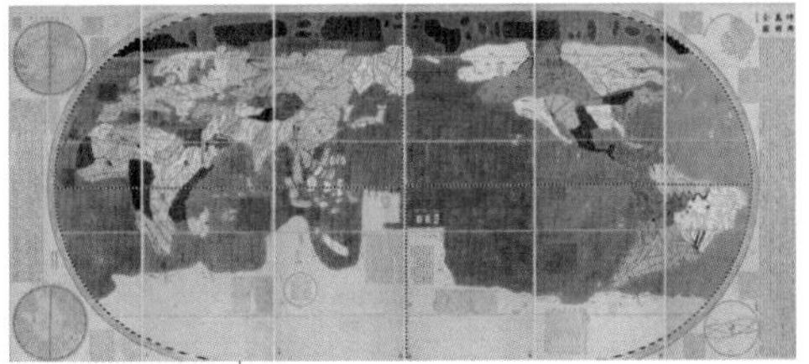

곤여만국전도 └ 동아시아인들은 세계 지도를 보며 중국이 더 이상 세계의 중심이 아님을 알게 되었어.

┌ 지구가 둥글다는 서양 과학의 연구 성과를 받아들였음을 알 수 있어.

> 달이 해를 가릴 때 월식이 되는데 가려진 모양이 또한 둥근 것은 땅의 모양이 둥글기 때문이다. 월식을 보고도 땅이 둥근 줄 모른다면 거울로 자기 얼굴을 비추면서 그 얼굴을 분별하지 못하는 것과 같으니 ……. – 「의산문답」

1602년 선교사 마테오 리치가 제작한 「곤여만국전도」는 동아시아 여러 나라로 전해졌고, 중국 중심의 세계관을 가지고 있던 당시 동아시아 지식인들에게 큰 충격을 주었다. 이 시기 동아시아에는 서양의 천문 지식도 유입되었다. 청과 조선에서는 서양 역법인 시헌력이 시행되었고, 홍대용은 지구 구형설을 담은 『의산문답』을 저술하였다.

정리 비법을 알려줄게!

16~17세기 은의 유통 구조

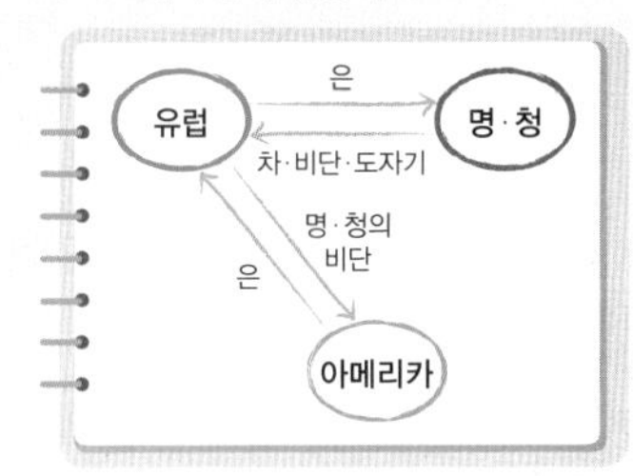

유럽 상인의 활동으로 동아시아와 아메리카 사이에도 간접적인 교역이 이루어졌어. 이 과정에서 은이 세 지역을 연결하였지.

자료 하나 더 알고 가자!

일본의 난학 발달

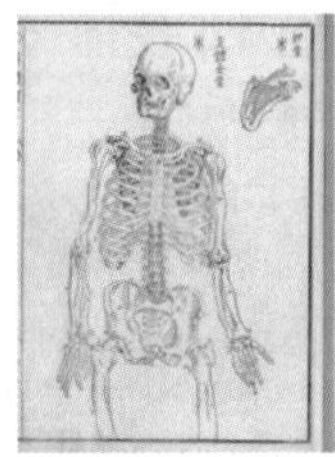

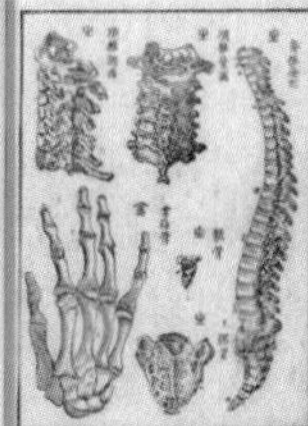

해체신서

『해체신서』는 서양의 해부학 서적을 한문 번역을 거치지 않고 곧바로 일본어로 번역한 의학서야. 이 책의 간행 이후 일본에서 난학이 본격적으로 발달하였어.

수능이 보이는 교과서 자료 중국과 조선의 은 유통

┌ 명 정부가 보초를 남발하면서 화폐 가치가 하락하여 보초에 대한 불신이 커졌기 때문이야.

(가) 오늘날 지폐는 통용되지 않고, 동전만이 겨우 작은 교역에만 사용될 뿐 모든 조세 업무를 은 하나로만 하니 은이 부족하게 되었다. …… 은이 부족해지는데도 부세는 옛날 그대로이고 교역도 변함이 없다. 허둥지둥 은을 구하고자 해도 어디에서 구할 수가 있겠는가? – 황종희, 『명이대방록』

└ 명 대 일조편법이 전국적으로 시행되면서 은 수요가 크게 증가하였지.

(나) 호조가 아뢰기를, "근래에 와서 술과 고기, 소금, 간장 등의 소소한 값들은 모두 은을 사용하고 있는데, 나라의 백성이 오히려 그 덕으로 생계를 꾸려 간다고 합니다. 명군을 상대로 장사할 때 처음 시도하였는데, …… 물건을 살 사람을 만나면 반드시 먼저 은이 있는지 물어본다고 합니다." – 『선조실록』

└ 조선의 상인들은 임진왜란 때 명군과 접촉하면서 은을 이용한 거래에 익숙해졌어.

명 대 은 수요 증가로 (가)와 같이 중국에서 은이 대량으로 유통되면서 은 부족 현상이 나타났다. 조선에서는 은 유통이 활발하지 않다가 임진왜란 이후 많은 양의 은이 유입되면서 (나)와 같이 민간 거래에 널리 사용되었다.

완자샘의 탐구 강의

- **중국에 은이 대량으로 유입된 배경을 써 보자.**

조세 은납화로 은 수요가 증가하였고, 유럽에 비해 비싼 은값 때문에 외국의 은이 유입되었다.

- **조선에 은이 유입되는 계기가 된 사건을 쓰고, 이후 나타난 경제적 변화를 서술해 보자.**

임진왜란. 민간 거래에 은이 화폐로 사용되면서 은 유통이 확대되었다.

함께 보기 119쪽, 1등급 정복하기 4

STEP 1 핵심 개념 확인하기

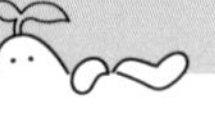

정답친해 31쪽

1 명은 15세기 초 무로마치 막부에 (　　　　)을 발급하고, 이를 가지고 있는 사절단에게만 무역을 허가하였다.

2 조선의 교역과 관련된 다음 설명이 맞으면 ○표, 틀리면 ×표를 하시오.

(1) 명에 연행사를 파견하여 특산물을 조공하고 회사품을 받았다. (　　)

(2) 임진왜란 이후 에도 막부와 국교를 재개하고 왜관을 통해 교역하였다. (　　)

3 ㉠, ㉡에 들어갈 문서의 명칭을 각각 쓰시오.

> 17세기 초 에도 막부는 (㉠　　　　)을 발급받은 특정 상인만 해외에서 무역을 할 수 있도록 하였다. 한편, 청이 반청 세력을 진압하고 천계령을 해제하자 나가사키에 들어오는 청 상선이 많아졌고, 막부는 (㉡　　　　)를 발급하여 이를 통제하고자 하였다.

4 다음 빈칸에 들어갈 내용을 쓰시오.

(1) 에도 시대 일본에서는 네덜란드와의 교류를 통해 유입된 서양 학문을 연구하면서 (　　　　)이 발전하였다.

(2) 동아시아에 진출한 에스파냐 상인들은 무장한 범선을 앞세운 무역 방식인 (　　　　)을 통해 아메리카의 은과 명의 비단, 도자기 등을 교환하였다.

5 청 대 인두세인 정세를 토지세에 포함시켜 은으로 징수한 조세 제도는?

6 일본의 은 생산량은 조선에서 개발된 은 정련법인 (　　　　) 이 도입되고, 이와미 은광이 개발되면서 크게 증가하였다.

STEP 2 내신 만점 공략하기

01 중요 다음 국가가 시행한 무역 정책으로 옳은 것을 〈보기〉에서 고른 것은?

> 15세기경 일곱 차례에 걸친 정화의 항해를 계기로 위세를 과시하고 동남아시아와 인도양 연안의 여러 나라로부터 조공을 받기 시작하였다.

보기
ㄱ. 유럽 상인들에게 공행을 통한 무역만을 허락하였다.
ㄴ. 무로마치 막부에 무역 허가증인 감합을 발급하였다.
ㄷ. 천계령을 반포하여 중앙에 반대하는 해상 세력의 접근을 막았다.
ㄹ. 16세기 초반에는 민간인이 국외로 나가 무역하는 것을 금지하였다.

① ㄱ, ㄴ　② ㄱ, ㄷ　③ ㄴ, ㄷ　④ ㄴ, ㄹ　⑤ ㄷ, ㄹ

02 지도와 같이 동아시아 교역망이 형성된 시기 동아시아의 상황으로 적절하지 않은 것은?

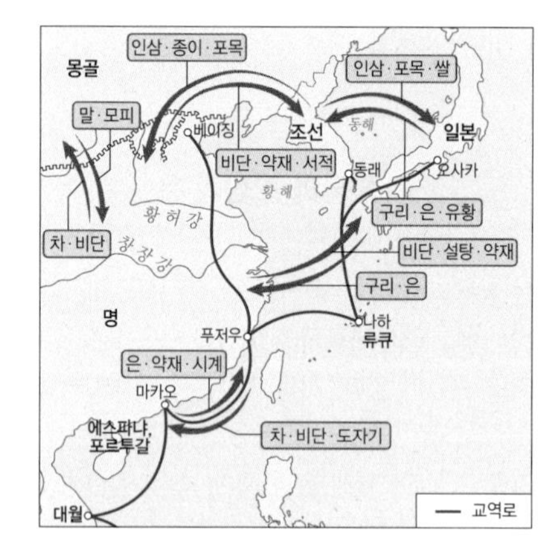

① 왜구가 출몰하고 밀무역이 성행하였다.
② 일본이 명과 조공 무역을 통해 직접 교역하였다.
③ 류큐가 동아시아 중계 무역의 거점 역할을 하였다.
④ 조선은 삼포에 왜관을 설치하여 일본과 교역하였다.
⑤ 일본은 은 유출을 막기 위해 신패를 발급하여 무역량을 규제하였다.

03 (가) 문서에 대한 설명으로 옳은 것은?

> (가) 은/는 에도 막부가 발행한 문서로, 붉은 도장이 찍혀 있어 이름 붙여졌다. (가) 을/를 활용한 무역은 일부 다이묘 세력의 성장과 크리스트교 확산에 기여하였다.

① 왜관에서 무역을 하는 상인들이 소지하였다.
② 중국 상선이 나가사키에 입항할 때 필요하였다.
③ 청 정부가 천계령을 해제한 것을 계기로 발행되었다.
④ 해외로 도항하는 일본 선박은 의무적으로 소지하였다.
⑤ 조공 무역을 위해 중국에 가는 일본 상인에게 발급되었다.

04 (가)에 들어갈 내용으로 적절한 것은?

강희제가 천계령을 반포하였다. → (가) → 에도 막부가 신패를 발행하였다.

① 삼포 왜란이 발생하였다.
② 조선과 일본이 국교를 재개하였다.
③ 중국에서 지폐인 보초가 유통되었다.
④ 포르투갈 상인이 마카오로 진출하였다.
⑤ 나가사키로 입항하는 청 상선이 급증하였다.

05 (가), (나)에서 이루어진 무역에 대한 설명으로 옳은 것을 〈보기〉에서 고른 것은?

> (가) 조선이 일본과 외교 관계를 회복하면서 다시 설치하였으며, 조선과 일본의 교류 창구 역할을 하였다.
> (나) 에도 막부가 나가사키에 조성한 부채 모양의 인공 섬이다. 17, 18세기에 막부가 대외 무역을 제한하는 정책을 펼치면서 일본과 서양의 유일한 교역 통로가 되었다.

보기

ㄱ. (가) – 특허 상인인 공행이 무역을 독점하였다.
ㄴ. (가) – 주로 조선의 인삼과 일본의 은이 교환되었다.
ㄷ. (나) – 갈레온 무역의 중심지였다.
ㄹ. (나) – 네덜란드인들이 통상을 허락받아 교역하였다.

① ㄱ, ㄴ ② ㄱ, ㄷ ③ ㄴ, ㄷ
④ ㄴ, ㄹ ⑤ ㄷ, ㄹ

06 (중요) 밑줄 친 '이 나라'에 대한 설명으로 옳지 않은 것은?

> 동생에게
> 집을 떠나 나하에 와서 지낸 지도 꽤 오래되었구나. 내가 머물고 있는 포구는 여러 나라의 상인들로 북적거리고 있어. 이 나라가 중국, 일본, 조선, 대월과 가까워 해상 무역을 하는 상인들이 모여들고 있기 때문이야. 얼마 전에는 이 나라에서 중국으로 보냈던 사신들이 돌아오면서 도자기와 생사를 가져왔는데, 이곳의 상인들이 그 물품들을 일본 상인들에게 팔아 큰 돈을 벌었지. 여기에서 지내면서 견문이 넓어진 것 같아. 다음에 또 편지할게.

① 명과 조공 무역을 하였다.
② 조선에서 불경, 유교 경전 등을 수입하였다.
③ 정성공 세력이 반청 운동의 근거지로 삼았다.
④ 명이 해금 정책을 실시하면서 동아시아 중계 무역의 거점으로 성장하였다.
⑤ 16세기 후반 명 상인들과 포르투갈 상인들의 활동으로 무역이 쇠퇴하였다.

07 다음 상황이 동아시아에 미친 영향으로 옳은 것을 〈보기〉에서 고른 것은?

> • 포르투갈 상인들은 은으로 마카오에서 중국의 비단과 도자기 등을 구입한 후 유럽에 팔았다.
> • 에스파냐 상인들은 마닐라를 거점으로 삼아 무역을 하였다. 이들은 멕시코의 아카풀코에서 가져온 은으로 중국의 비단과 도자기 등을 사서 유럽에 수출하였다.

보기

ㄱ. 삼각 무역으로 무역 형태가 변하였다.
ㄴ. 류큐가 동아시아의 무역을 주도하였다.
ㄷ. 아메리카 대륙에서 생산된 은이 중국으로 유입되었다.
ㄹ. 중국과 일본에서 은이 무역의 결제 수단으로 이용되었다.

① ㄱ, ㄴ ② ㄱ, ㄷ ③ ㄴ, ㄷ
④ ㄴ, ㄹ ⑤ ㄷ, ㄹ

08 빈칸에 들어갈 내용으로 적절하지 않은 것은?

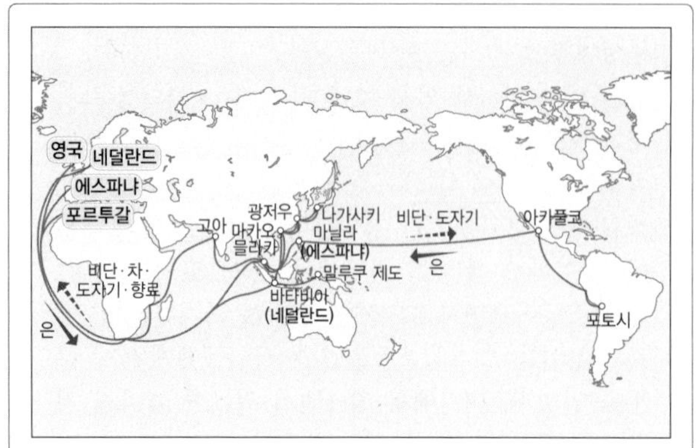

지도는 유럽 상인들의 동아시아 진출 이후 형성된 교역망을 나타낸 것이다. 이렇듯 동아시아의 교역망이 세계로 확대되는 과정에서 ________

① 중국에서 외국 은에 대한 의존도가 높아졌다.
② 중국과 일본의 도자기가 유럽에 소개되었다.
③ 은이 동서 교역의 결제 수단으로 자리 잡았다.
④ 이슬람교와 마니교가 육로와 해로로 중국에 전해졌다.
⑤ 아메리카의 감자, 옥수수 등이 동아시아에 확산되었다.

09 (가) 인물에 대한 설명으로 옳은 것은?

동아시아에서 활동한 서양인들

- 이름: (가)
- 출신: 이탈리아 예수회 선교사
- 분야별 활동 내용
  - 수학: 서광계와 함께 『기하학원론』을 번역하여 『기하원본』 출간
  - 종교: 크리스트교 교리서인 『천주실의』 저술

① 일본에 조총을 전하였다.
② 시헌력 제작에 참여하였다.
③ 『동방견문록』을 저술하였다.
④ 세계 지도인 「곤여만국전도」를 제작하였다.
⑤ 청에 볼모로 끌려갔던 조선의 소현 세자와 교류하였다.

10 일본에서 다음 서적이 편찬될 수 있었던 배경으로 가장 적절한 것은?

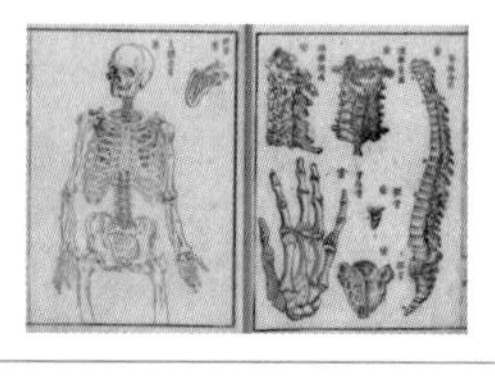

의사 출신 학자들이 서양의 해부학 서적을 한문 번역을 거치지 않고 일본어로 직접 번역하여 출간하였다.

① 명과 조공 무역을 실시하였다.
② 일본 고유의 문자가 만들어졌다.
③ 민중 사이에 신국 사상이 확산되었다.
④ 나가사키를 통해 네덜란드와 교류하였다.
⑤ 임진왜란 중 조선인 학자들이 포로로 끌려왔다.

중요

11 밑줄 친 부분과 같은 상황이 나타난 원인으로 옳은 것을 〈보기〉에서 고른 것은?

동아시아 교역이 활성화됨에 따라 은이 국제 통화로서 활발하게 유통되었다. 일본과 아메리카에서 생산된 은은 대부분 중국으로 집결하였다.

보기
ㄱ. 중국에서 은의 가치가 유럽보다 높았다.
ㄴ. 영국 상인들이 중국에 아편을 밀수출하였다.
ㄷ. 일조편법의 실시로 은 수요가 크게 늘어났다.
ㄹ. 일본에서 신패를 발급하여 무역을 제한하였다.

① ㄱ, ㄴ ② ㄱ, ㄷ ③ ㄴ, ㄷ
④ ㄴ, ㄹ ⑤ ㄷ, ㄹ

12 (가)~(마) 중 옳지 않은 것은?

- 학습 목표: 명 대 은 유통 양상에 대해 말할 수 있다.
- 학습 내용
  (가) 지정은제가 실시되어 은이 부족해졌다.
  (나) 조세의 은납화가 은 유통을 촉진하였다.
  (다) 민간 거래에 지폐보다 은이 널리 사용되었다.
  (라) 은을 중심으로 하는 경제 체제가 확립되었다.
  (마) 외국 은의 유입량이 경제에 큰 영향을 미쳤다.

① (가) ② (나) ③ (다) ④ (라) ⑤ (마)

13 밑줄 친 현상의 원인으로 가장 적절한 것은?

> 조선 초에 요구하여 명으로 보내는 공물(은자)을 면제받았으나 그것을 화폐로 쓸 수도 없으므로 왕께서 은 채굴을 금지하는 법령을 제정하셨다. …… 그 후 2백 년이 지나 <u>은화가 유행하였다</u>.
> – 신흠, 「상촌고」

① 연은 분리법이 개발되었다.
② 명의 해금 정책이 완화되었다.
③ 삼포가 개방되어 일본 상인이 왕래하였다.
④ 연행사를 따라간 조선 상인들이 중국 물품을 거래하였다.
⑤ 임진왜란 중 파병된 명의 군사들이 조선의 물품을 구매하였다.

14 다음 상황이 동아시아에 미친 영향으로 가장 적절한 것은?

중요

> 일본의 한 상인은 조선의 기술자를 초빙하여 조선에서 개발된 제련술을 도입하였다. 이 기술은 금, 은, 납이 섞여 있는 광물에서 납을 제거하고 은을 추출하는 방법이었다.

① 조선이 쓰시마섬을 토벌하였다.
② 조선과 일본이 국교를 단절하였다.
③ 일본의 은 생산량이 크게 증가하였다.
④ 명이 조선에 은을 공물로 요구하기 시작하였다.
⑤ 조선에서 은을 이용한 민간 거래가 활발해졌다.

15 일본에서 다음 정책들을 실시한 시기 동아시아의 경제 상황으로 옳은 것은?

> • 은 함량을 낮춘 은화 제조
> • 외국 상인에게 무역 허가증 발급

보기

ㄱ. 조선 – 조천사를 통해 명의 물품이 유입되었다.
ㄴ. 조선 – 청과의 개시·후시 무역이 활발하였다.
ㄷ. 중국 – 일조편법이 전국적으로 시행되기 시작하였다.
ㄹ. 중국 – 유럽 상인과의 무역항을 광저우로 한정하였다.

① ㄱ, ㄴ　② ㄱ, ㄷ　③ ㄴ, ㄷ
④ ㄴ, ㄹ　⑤ ㄷ, ㄹ

서술형 문제

● 정답친해 33쪽

01 다음은 동아시아 국가들이 발행한 문서에 대해 정리한 것이다. 이를 읽고 물음에 답하시오.

문서 명칭	발행처	사용 방법
(가)	명	일련번호가 붙은 이 문서의 반쪽을 명이 상대국에 보내면 상대국은 지정된 항구에 들어와 이를 맞춰 공식 사절단임을 확인받았다.
(나)	에도 막부	나가사키항에 들어오려는 외국 선박들은 입항 연도와 무역 허용량 등이 기재된 이 문서를 제시하여 허가받은 선박임을 증명하였다.

(1) (가), (나) 문서의 명칭을 각각 쓰시오.

(2) (가), (나) 문서의 공통점을 <u>두 가지</u> 서술하시오.

길잡이 문서의 발행 목적과 용도 등에서 공통점을 찾아본다.

02 조선 후기 지식인들의 세계 인식이 다음과 같이 변화한 배경을 서술하시오.

> 조선 후기의 지식인들은 더 이상 중국이 세계의 중심이 아님을 인식하였다. 또 하늘은 둥글고 땅은 네모진 것이 아니며, 지구는 둥글다고 생각하게 되었다.

길잡이 조선 후기에는 청과의 문물 교류가 활발하였던 것에 주목한다.

03 (가) 국가로의 은 유입 양상이 지도와 같이 나타난 이유를 <u>두 가지</u> 서술하시오.

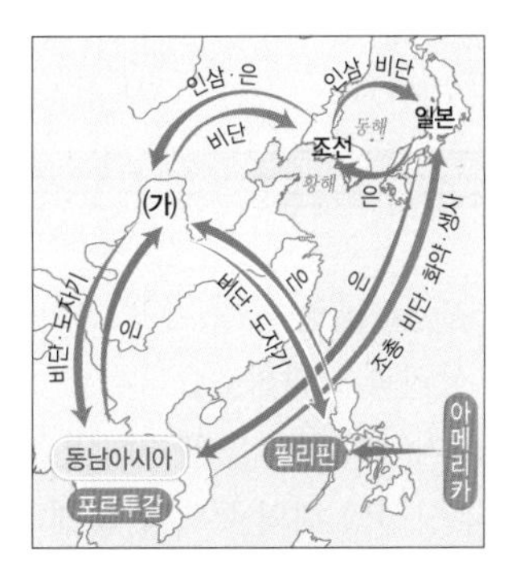

길잡이 (가) 국가의 조세 제도, 당시 은의 국가별 가치 차이 등과 관련하여 이유를 생각해 본다.

STEP 3

1등급 정복하기

1 밑줄 친 '이들'이 활동한 시기 동아시아의 무역 상황으로 적절한 것을 〈보기〉에서 고른 것은?

> 이들은 정부의 허가를 받아 수출입 물품의 무역을 독점하였다. 또한 관세를 징수하여 정부에 납부하고, 외국 상인의 행동을 감독하는 역할을 하였다. 정부가 광저우로 대외 무역항을 제한하였기 때문에 외국 상인들은 광저우에서 이들을 통해서만 거래할 수 있었다. 이러한 상황에 불만을 가진 영국은 사절단을 보내 자유 무역을 관철시키고자 하였으나 황제는 이를 받아들이지 않고 기존의 무역 체제를 고수하였다.

보기

ㄱ. 송이 일본에 자기, 서적, 동전 등을 수출하였다.
ㄴ. 원이 일본, 대월과 해로 및 육로를 통해 교역하였다.
ㄷ. 일본이 나가사키의 데지마를 거점으로 네덜란드 상인과 거래하였다.
ㄹ. 조선과 일본 상인들이 부산에 설치된 왜관을 통해 물품을 거래하였다.
ㅁ. 류큐, 일본 등 명에 조공하는 국가들 사이에 직간접적인 교역이 이루어졌다.

① ㄱ, ㄴ ② ㄱ, ㄷ ③ ㄷ, ㄹ
④ ㄱ, ㄴ, ㄷ ⑤ ㄴ, ㄹ, ㅁ

> 동아시아의 각국의 무역

완자샘의 시험 꿀팁

시기별 동아시아의 무역 상황을 묻는 문제는 빈번하게 출제된다. 동아시아 각 지역에서 전개된 교역 양상을 지도와 함께 익히고, 시기별로 구분하여 파악할 수 있어야 한다.

2 선생님의 질문에 대한 답변으로 적절한 것은?

> (가) 은/는 남해(동중국해) 가운데 있는데, 남북으로는 길고 동서로는 짧다. …… 그 땅에 유황이 산출되는데, …… 해마다 중국에 사신을 보내고 유황 6만 근과 말 40필을 바친다. …… 해상 무역을 업으로 삼는다. 서쪽으로 남만과 중국에 교통하고, 동쪽으로 일본과 우리나라에 교통한다. 일본과 남만의 상선이 국도와 해변 포구에 모이므로, 백성이 포구에 술집을 설치하여 교역한다. - 『해동제국기』

① 공행 무역을 통해 유럽 상인과 교역하였습니다.
② 주요 항구에 시박사를 설치하여 무역을 관리하였습니다.
③ 슈인장을 발급하여 자국 상선의 해외 무역을 통제하였습니다.
④ 해금 정책을 실시하여 민간인의 해외 도항을 금지하였습니다.
⑤ 명과 일본, 동남아시아를 잇는 중계 무역으로 번성하였습니다.

> 동아시아 지역 내 교역

완자 사전

• 남만
일본에서 포르투갈을 이르는 말

3 다음은 수행 평가 보고서의 개요이다. (가)에 들어갈 자료로 가장 적절한 것은?

- 탐구 주제: 16세기 이후 동서 문물 교류
- 수집 자료
  1. 소현 세자와 홍대용이 청에서 활동한 기록
  2. 유럽에서 사용된 중국과 일본의 도자기
  3. [(가)]
- 각 자료에 대한 분석 결과
  1. 조선은 중국에서 활동한 인물들을 통해 서양의 문물을 받아들였다.
  2. 동아시아 교역망이 세계로 확대되면서 동아시아의 문물이 유럽에 전해졌다.
  3. 서양 선교사들의 활동으로 서양의 천문학, 지리학 등이 동아시아에 소개되었다.

① 「수시력」을 제작한 인물에 대한 기록
② 시헌력의 내용과 「곤여만국전도」 사진
③ 마르코 폴로가 방문한 지역을 나타낸 지도
④ 『해체신서』의 발간에 참여한 사람들의 명단
⑤ 만권당에서 학자들이 교류하였던 모습을 재현한 영상

> 동아시아 교역망의 확대와 서양 문물의 유입

완자 사전

• 소현 세자
인조의 아들로, 병자호란 이후 청에 인질로 끌려갔다. 조선으로 돌아올 때 아담 샬에게 받은 지구의, 천주상 등을 가져왔다.

수능 응용

4 밑줄 친 '이것'에 대한 설명으로 옳은 것을 〈보기〉에서 고른 것은?

- 양인 김감불과 장례원 노비 김검동이 단천에서 산출된 연철(鉛鐵)로 이것을 제련하여 바치며 아뢰기를, "무쇠 화로나 작은 솥 안에 재를 둘러놓고 연철을 조각내어 그 안에 채운 후 깨진 질그릇으로 사방을 덮고 숯을 위아래로 피워 녹이면 됩니다."라고 하였다. – 「연산군일기」
- 왜인이 옛날에는 이것을 제련하는 법을 몰랐는데, 한 상인이 조선인 기술자를 데리고 가서 그 방법을 가르쳐 주었다. 이로부터 왜인이 우리나라에 올 때 많이 가지고 왔으며, 배에 싣고 명에 가서 교역의 수단으로 사용하기도 하였다. – 「대동야승」

보기

ㄱ. 조선에서 임진왜란 이전부터 민간 거래에 주로 사용되었다.
ㄴ. 명이 일조편법을 시행하면서 세금을 납부하는 데 이용되었다.
ㄷ. 영국이 18세기말부터 무역 적자를 만회하기 위해 중국에 밀수출하였다.
ㄹ. 일본 상인이 포르투갈 상인으로부터 중국산 물품을 구입하는 데 사용되었다.

① ㄱ, ㄴ ② ㄱ, ㄷ ③ ㄴ, ㄷ
④ ㄴ, ㄹ ⑤ ㄷ, ㄹ

> 동아시아 교역에 사용된 물품

완자샘의 시험 꿀팁

동아시아 교역에서 주요 결제 수단으로 사용되었던 물품을 자료를 통해 찾고, 각국에서 유통되던 양상을 파악하는 형태로 출제된다. 동아시아에서 이 물품이 유통되던 양상을 각국의 교역 상황과 연결하여 정리할 필요가 있다.

완자 사전

• 연철
납과 철이 섞여 있는 형태의 광석

03 사회 변동과 서민 문화의 발달

학습목표
- 17세기 이후 동아시아의 인구 증가 배경과 상공업·도시 발달의 양상을 설명할 수 있다.
- 동아시아 각국에서 서민 문화가 등장한 배경과 사례를 제시할 수 있다.

1 동아시아의 인구 변화

이것이 핵심!

동아시아의 인구 증가

농업과 의학 기술의 발달
개간, 집약적 농업·모내기법 확산, 신작물 재배, 의학 서적 보급 등
↓
농업 생산력 증대, 사망자 수 감소
↓
동아시아 각국의 인구 증가

★ **모내기법**
벼를 모판에서 길러 논에 옮겨 심는 농법으로, 조선 후기에 확산되어 노동력 절감과 쌀 생산량 증대에 기여하였다.

★ **계투**
중국에서 마을이나 종족 간에 무기를 가지고 벌이던 싸움이다. 주로 현지인과 이주민 간의 갈등이 원인이었다.

1. 인구 증가의 배경

(1) 농업 생산력의 증대

① 경지 면적의 증가: 산간 지역과 저습지 개간, 제방과 수리 시설 개선 → 농경지 확대
- 중국과 일본에서는 노동력이 일정한 경지에 집중되면서 단위 면적당 생산량이 늘어났어.
- 조선에서는 전세 경감, 개간, 양전 사업을 통해 경지 면적이 전쟁 전 상태로 회복되었어.

② 농업 기술의 발달: 집약적 농업 발달, 개량 품종의 확산, 농기구 개선, 농서 보급, 시비법 발달, *모내기법의 전국적 확산, 상품 작물 재배 등
- 예 인삼, 담배, 면화, 채소 등

③ 신작물의 보급: 아메리카 대륙에서 감자, 고구마, 옥수수 등 유입 → 식량 증산에 기여

(2) 의학 기술의 발달: 의학 서적 보급, 천연두 치료법 개발 등 → 질병에 따른 사망자 감소
- 명과 조선에서 각각 『본초강목』, 『동의보감』이 편찬되었어.

2. 각국의 인구 변화 자료①

명·청	• 인구 변화: 17세기 초반 약 1억 5천만 명 → 18세기 후반 3억 명 돌파 → 19세기 중반 약 4억 3천만 명 • 인구 증가의 부작용: 식량과 경지 부족, 물가 상승, 환경 파괴, 생활 수준 하락, 실업자와 유민 발생 등 → 비밀 결사와 농민 반란 증가, 산간이나 변경 지대로 인구 이동, *계투 만연, 국외 이주자 증가
조선	16세기 중반 1,000만 명 돌파 → 동아시아 전쟁과 경신대기근 등으로 17세기 전후 인구 감소 → 17세기 후반부터 꾸준히 인구 증가 → 18세기경 1,800만 명 돌파
일본	17세기 초 약 1,500만 명 → 18세기에 3,000만 명으로 증가 → 다이묘의 수탈, 자연재해에 따른 대기근 등으로 18세기 후반 인구 정체

- 인구가 늘자 많은 사람들이 북부 지방으로 이주하여 이 지역의 개발이 촉진되었어.
- 1780년대 아사마 화산 폭발의 영향으로 발생한 덴메이 대기근이 대표적이야.

2 상공업의 발달과 도시의 성장

이것이 핵심!

도시 성장의 배경과 영향

민영 수공업 발달, 대상인의 활약 등

↓

명·청	베이징, 강남의 시진 발달
조선	한양이 상업 중심지로 성장
일본	조카마치를 중심으로 도시 발달(에도, 오사카, 교토 등)

↓

빈부 격차, 신분 질서 동요, 도시로의 인구 집중 현상 등 발생

★ **산시 상인과 휘저우 상인**
산시 상인은 화북 지역에서 소금 판매로 부를 쌓았고, 휘저우 상인은 강남에서 창장강 유통로를 장악하고 소금과 쌀 등을 판매하여 이익을 얻었다.

★ **시진**
업종별로 전문화된 중소 상공업 도시로, 대규모 상공업 도시에 수공업 원료를 제공하였다.

1. 동아시아 각국의 상공업과 도시 발달

(1) 명·청 대 자료②

① 상공업의 발달: 민영 수공업 발달, 은의 대량 유입·대운하와 도로망 발달에 힘입어 상업 번성 → 상품의 전국적 유통, 차와 도자기 수출 활발

② 대상인의 등장: *산시 상인·휘저우 상인 등이 전국을 무대로 활약, 각지에 회관(동향 조직)과 공소(동업 조합)를 설치하여 이익 도모

③ 도시의 성장
- 강남에서 대운하를 통해 운송된 400만 석 이상의 쌀이 모두 소비되었을 정도로 거대한 도시였어.

베이징	명·청 대의 수도, 행정·정치·군사 중심지, 18세기경 인구 100만 명에 이르는 소비 도시로 발전
강남 지역	• 도시 발달: 쑤저우, 항저우, 양저우 등이 대규모 상공업 도시로 성장 자료③ • *시진의 발달: 중소 상공업 도시로 성장, 수로를 통해 유통망 형성 → 강남 전체의 도시화 촉진

(2) 조선 후기 자료②

① 상공업의 발달: 수공업 발달, 대동법 실시, 포구와 도시에 시장 형성, 장시 발달(18세기 이후 전국 1,000여 곳으로 증가), 화폐의 사용과 유통 확대
- 용어 공물을 토산물 대신 쌀, 옷감, 동전으로 징수한 제도
- 상품 거래와 정보 교환이 이루어졌어.

② 대상인의 등장: 공인, 경강상인(쌀과 소금의 유통 장악), 송상·만상·내상(대외 무역에 종사) 등이 활동

③ 도시의 성장: 수도 한양(한성)이 인구 약 30만 명의 상업 중심지로 성장, 지방에서 행정·무역 중심지와 포구 등이 도시로 성장(한양 이외의 도시화 경향 미약) 자료③
- 왜? 최대 소비층인 양반이 대부분 농촌에 거주하였고, 자급자족 체제가 오랫동안 유지되었기 때문이야.

완자 자료 탐구

내 옆의 선생님

자료 1 동아시아의 인구 변동

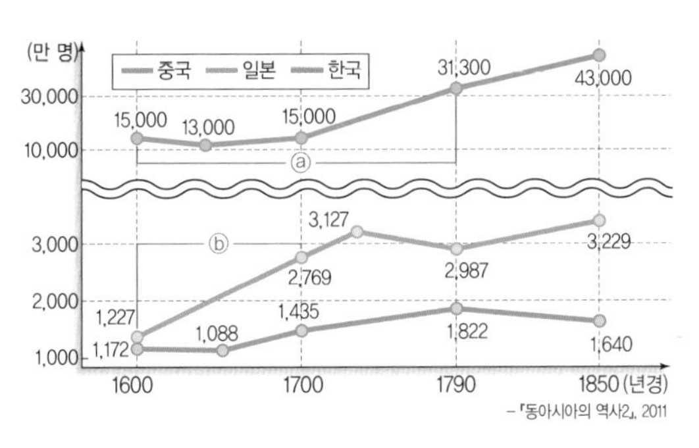

ⓐ: 명·청 교체기 정복 전쟁으로 인구가 줄었다가 강희제, 옹정제, 건륭제 시기의 정치적 안정을 바탕으로 18세기부터 인구가 다시 늘어났어.

ⓑ: 결혼율과 출생률 증가, 생활 수준 향상으로 인구가 1세기 만에 2.5배 정도 증가하였어.

17~19세기 중국, 일본, 한국의 인구 변동

17세기를 전후하여 동아시아 각국에서는 농업 기술의 발달에 따른 식량 생산 증가, 의학 기술의 발달로 사람들의 평균 수명이 늘어나 인구가 증가하였다. 중국의 인구는 19세기 무렵 4억 명을 돌파하였고, 조선의 인구는 왜란과 호란 이후 꾸준히 증가하였다. 일본에서는 17세기에 인구가 폭발적으로 증가하였으나 18세기에 일시적인 정체 현상이 나타났다.

자료 하나 더 알고 가자!

신작물의 유입과 영향

> 고구마는 조금 심어도 수확이 많고, 농사에 지장을 주지 않으며, 가뭄이나 황충에도 재해를 입지 않고, …… 지금까지 30년이나 되는 동안 연해 지역의 백성은 서로 전하여 심은 자가 매우 많았습니다. –『정조실록』

16세기 이후 동아시아에 유입된 신작물은 척박한 토양에서도 잘 자라 각국에서 구황 작물의 역할을 하였어. 신작물의 재배는 동아시아인들의 사망률을 낮춰 인구 증가에 크게 기여하였지.

자료 2 상공업의 발달과 대상인의 활동

17세기 이후 동아시아 각국에서는 상품 생산이 늘어나면서 전국을 무대로 활동하는 대상인이 등장하였다. 조선에서는 대동법의 실시 이후 왕실과 관청에 물품을 공급한 공인, 한강을 무대로 활동한 경강 상인, 전국에 지점을 설치하고 청과 일본을 상대로 무역을 한 송상 등이 대상인으로 성장하였다. 명·청 대에는 산시 상인과 휘저우 상인이 전국적인 유통망을 갖추고 여러 지역에 상품을 판매하여 부를 축적하였다.

조선 후기의 상업과 무역 활동

정리 비법을 알려줄게!

대상인의 등장과 활동

구분	내용
등장 배경	17세기 전후 인구 증가 → 상품 수요 증가, 상품 화폐 경제 발달
활동	각국에서 유통로 장악, 전국을 무대로 활동
주요 상인	산시 상인, 휘저우 상인, 공인, 경강 상인, 송상 등

문제로 확인할까?

조선 후기에 대동법 실시를 계기로 등장하여 전국을 무대로 활동한 상인은?

답 공인

자료 3 상업 도시의 발달

많은 수의 배와 사람들이 밀집해 있어. 그림 전체에는 400여 척의 배와 만 명 이상의 사람들이 묘사되어 있다고 해.

고소번화도의 일부

상점들이 들어서 번화가를 이루었어.

「고소번화도」는 명·청 대 상공업 중심지로 발전한 강남의 쑤저우를 묘사한 그림이다. 명·청 대에는 강남 지역의 시진이 중소 상공업 도시로 발달하였다. 한편, 조선에서는 17세기 초 상품 유통이 활발해지면서 한양과 지방의 주요 포구들이 상공업 중심지로 성장하였다.

자료 하나 더 알고 가자!

한양 인구 구성의 다양화

> 한양 주민 중에서 …… 농사도 짓지 않고, …… 먹고사는 무리가 수십만이나 된다. 공인, 시전 상인은 …… 가장 생활이 안정된 자들이다. –『비변사등록』

조선의 수도 한양은 조선 각지의 물자가 모이는 곳으로, 다양한 직업을 가진 인구가 유입되면서 대도시로 성장하였어.

03 사회 변동과 서민 문화의 발달

★ **조카마치**
영주의 성을 중심으로 무사, 상공업자 등이 거주한 마을이다. 에도 시대에 각 번의 중심 도시로 성장하였다.

★ **오사카 상인과 오미 상인**
- 오사카 상인: 일본의 쌀 시장 장악, 금융업에 종사
- 오미 상인: 전국에 지점 설치, 모기장과 삼베 판매

★ **산킨코타이 제도**
에도 막부가 다이묘들을 통제하기 위해 지방의 다이묘들을 격년으로 에도에 거주하게 한 제도

(3) 에도 시대의 일본

① 상공업의 발달: 광업과 수공업 발달, 교통망 정비로 전국 단위의 시장 형성, *조카마치가 상공업과 무역의 중심지로 성장
└ 에도를 기점으로 한 5개의 주요 도로(5가도)와 해로가 갖추어졌어.

② 조닌(상공업자)의 등장: 조카마치에 거주하며 영주와 무사에게 물품 공급

③ 상인들의 활동: 다양한 상공업자 계층 형성, 에도 상인·*오사카 상인·오미 상인 등이 대상인으로 성장 → 다이묘와 무사를 상대로 대부업 종사, 동업 조합(나카마) 결성
└ 대상인부터 직인, 도제, 자영업자와 고용인 등이 속하였어.

④ 도시의 성장 자료④

에도	쇼군 거주, *산킨코타이 제도 시행으로 다이묘들의 왕래 증가 → 에도와 각지를 잇는 도로망 정비, 여관업과 상업 발달 → 인구 100만 명이 넘는 대도시로 성장
오사카	육운과 수운을 통해 쌀을 비롯한 전국의 물자 집결 → 유통의 중심지로 성장
교토	직물, 염색, 공예 등 전통적인 산업 발달

2. 상공업과 도시 발달의 영향: 빈부 격차 발생, 경제력을 갖춘 일부 계층의 지위 상승으로 신분 질서 동요, 도시와 농촌 간 경제적 격차 심화(→ 도시로의 인구 이동 증가, 도시 빈민 형성)

3 서민 문화의 발달

이것이 핵심!

동아시아의 서민 문화

발달 배경	서민의 경제력 향상, 지식 보급 → 서민 의식 성장
내용	• 명·청: 대중 소설, 경극, 연화 등 유행 • 조선: 한글 소설, 판소리, 풍속화, 민화 발달 • 일본: 가부키, 우키요에 성행

1. 서민 문화의 발달 배경 자료⑤

└ 도시의 유흥과 오락을 즐기는 통속적인 도시 사람들의 취향이 반영되었어.

명·청	• 상공업 발달과 도시 성장: 소비문화 발전, 부유한 상인층이 문화의 주류로 등장 • 인쇄술과 출판업의 발달: 소설, 희곡, 실용서 등 다양한 서적 보급 → 서민의 지식 교육 확대
조선	조선 후기 서당을 통한 교육 확산, 사회적·경제적 변화, 신분 구조의 변동 → 서민 의식 성장, 서민층의 문화 향유 욕구 증대 꼭! 서민층이 자신들의 처지와 사회에 대해 자각하였어.
일본	• 조닌층의 성장: 에도 시대 장기간의 정치적 안정, 상공업의 발달 → 조닌의 사회적·경제적 지위 향상 → 조닌 문화 발달 → 점차 다른 계층으로 확산 └ 경제적으로 여유로웠던 조닌들이 도시의 중산층으로 등장하면서 문학, 예술 등에서 특유의 문화가 발달하였어. • 교육과 출판업의 발달: 교육 기관인 데라코야 설립, 19세기 책 대여점 증가 등 → 조닌을 비롯한 서민층에 지식 보급

잠깐! 글을 읽고 쓸 줄 아는 서민들이 늘어나면서 서민 의식이 성장하였어. 이는 일본, 조선, 중국에서 공통적으로 나타난 현상임을 알아 두자.

2. 동아시아 각국의 서민 문화 자료⑥

구분	명·청	조선	일본
문학	지식인의 민간 문학 참여, 대중 소설이 서민들 사이에서 유행(명 대 4대 기서인 『수호전』·『서유기』·『금병매』·『삼국지연의』, 청 대 사회상을 반영한 『*홍루몽』·『유림외사』 등) └ 등장인물인 관우는 충의의 상징으로 큰 사랑을 받았어.	한글 소설 유행(『홍길동전』·『춘향전』 등, 신분 차별과 양반 중심의 질서 비판), 사설시조(서민의 감정을 자유로운 형식으로 표현) 등장, 중인들을 중심으로 문학인 모임인 시사 조직	통속 소설 유행(『일본영대장』과 같이 주로 조닌이 주인공으로 등장, 당시 풍속과 남녀의 애정을 주요 소재로 이용), 일부 조닌과 농민들 사이에 하이쿠(정형시) 확산
공연 문화	명 대부터 연극 유행 → 청 대부터 베이징의 경극과 각지의 특색을 반영한 지방 연극 발달, 대중 극장 성행, 극단 결성과 활동 활발	*판소리(「춘향가」·「심청가」 등, 서민의 감정을 솔직하게 표현), 탈춤(양반의 위선 풍자, 사회의 문제점 비판) 유행	가부키(노래·춤·연기를 결합한 대중 연극, 전용 극장에서 공연, 지방으로 확산), 분라쿠(전통 인형극) 등이 민간에서 유행
그림	서민 화가들이 다양한 소재(생활 모습, 동물, 풍경 등)의 민화, 풍속화, 연화(서민들의 소망을 상징적으로 표현) 등 제작	풍속화(서민의 일상생활을 생동감 있게 묘사), 민화(다양한 소재로 서민의 기원 표현, 서민의 생활 공간 장식) 등 제작	다양하고 화려한 색감의 *우키요에(다양한 인물, 경치, 일상생활 등을 그린 채색 목판화)가 서민들 사이에 유행

용어 연화: 정월에 민가에서 문이나 실내에 장식으로 붙이는 그림

★ **홍루몽**
남녀의 사랑 이야기를 다룬 조설근의 소설로, 청 대의 사회상을 생동감 있게 묘사하였다.

★ **판소리**
한 명의 소리꾼이 고수의 북 장단에 맞춰 창, 아니리, 몸짓으로 이야기를 풀어내는 조선의 공연 예술

★ **우키요에**

가나가와의 큰 파도
우키요에의 화려한 색감은 유럽의 인상파 화가들에게 영향을 주었다.

완자 자료 탐구

내 옆의 선생님

자료 4 조카마치의 형성과 일본의 도시 발달

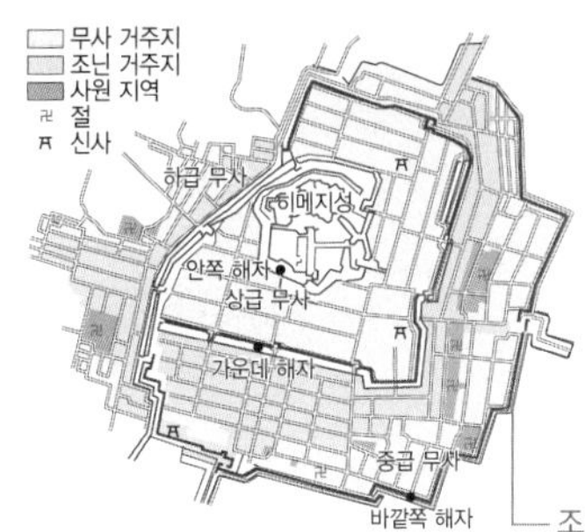

히메지 조카마치의 구조

에도 막부는 무사들을 다이묘가 거주하는 성의 아랫마을인 조카마치에 거주하도록 하였다. 농민들은 조카마치에 살 수 없었고, 다이묘와 무사들에게 물품을 공급하는 조닌들이 거주하였다. 조닌들의 물품 생산과 공급에 힘입어 조카마치는 상공업 중심지로 성장하였다. 여러 조카마치 중 에도, 오사카, 교토는 수십만 명 이상이 거주하는 대도시로 발전하였다.

조카마치가 발전하면서 18세기에는 일본 전체 인구의 10%가 도시에 거주하였어. 이는 같은 시기 청, 조선보다 높은 비율이었지.

자료 하나 더 알고 가자!

유통 중심지로 성장한 오사카

> 긴 다리 일곱 개를 지나서 비로소 오사카에 당도하니, 곧 모든 배가 정박하는 곳이었다. …… (길 양쪽의 건물들은) 온갖 물건을 파는 점포였다.
>
> – 신유한, 『해유록』

오사카는 육로와 수로를 통해 일본 각지의 물품이 집결하여 '천하의 부엌'이라고 불렸어. 이곳에서 쌀을 비롯한 막대한 물자들이 전국으로 운송되었어.

자료 5 서민 의식의 성장

서민 아이들이 서당에서 교육을 받는 모습을 그린 김홍도의 풍속화야.

조선의 서당

일본의 데라코야

그림에는 조닌의 자제들이 모여 읽기, 쓰기, 셈법 등을 배우는 당시의 풍속이 반영되어 있어.

서민들의 경제력과 사회적 지위가 향상되면서 이들의 교육열이 높아졌고, 동아시아 각국에 교육 기관이 늘어났다. 조선에서는 서민의 자제들이 서당과 같은 교육 기관에서 글을 배웠고, 일본에서는 주로 조닌의 자제들이 데라코야에 모여 실생활에 필요한 교육을 받았다. 이러한 교육의 확대로 지식이 보급됨에 따라 서민 의식이 성장하였다.

정리 비법을 알려줄게!

사회 변동과 서민 의식의 성장

상공업의 발달, 도시의 성장
↓
경제력을 갖춘 서민 등장, 교육 확대
↓
서민 의식 성장
↓
서민들이 주도하는 문화 발달

문제로 확인할까?

에도 시대에는 주로 조닌의 자제들이 교육 기관인 (　　　)에 모여 글을 배웠다.

답 데라코야

자료 6 동아시아 각국의 서민 문화

소설 홍루몽의 장면(청)

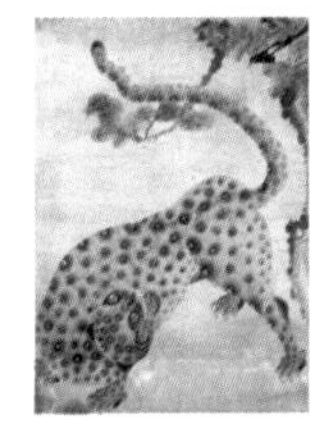

민화(조선)

가부키 공연 모습(일본)

동아시아 각국에서는 문학, 그림, 공연 예술 등에서 서민들의 취향이 반영된 문화가 발달하였다. 중국에서는 대중 소설이 명 대에 이어 청 대에도 유행하여 『홍루몽』과 같은 소설이 널리 읽혔다. 조선에서는 서민들의 의식이 반영된 민화가 많이 그려졌고, 일본에서는 음악·무용·연기가 결합된 가부키가 조닌층을 중심으로 유행하였다.

문제로 확인할까?

1. 동아시아 각국의 서민 문화에 대한 설명으로 옳지 않은 것은?
① 청 – 대중 소설이 유행하였다.
② 일본 – 가부키가 인기를 끌었다.
③ 일본 – 『유림외사』가 저술되었다.
④ 조선 – 민화가 많이 제작되었다.
⑤ 조선 – 한글 소설이 인기를 얻었다.

답 ③

2. 조설근의 작품으로, 청 대 사회상을 생동감 있게 묘사하여 인기를 끈 소설은?

답 홍루몽

03 사회 변동과 서민 문화의 발달

이것이 **핵심!**

17세기 이후 새로운 학문의 발전

새로운 학풍의 등장	
성리학의 교조화, 서양 학문의 유입, 상공업의 발달 → 경세치용, 실사구시에 입각한 학문 발달	
명·청	고증학 발달 → 공양학 등장
조선	양명학, 실학(토지 제도 개혁, 상공업 진흥 주장), 국학 발달
일본	고학·국학 출현(실증적인 방법으로 고전 연구), 난학 발달

★ **과학과 농학의 발전**
실용적인 학문에 대한 관심은 조선과 에도 막부에서도 일어났다. 조선에서는 모내기법을 정리한 『농가집성』, 일본에서는 『농업전서』가 편찬되었다. 또한 천문학, 역법 등 과학 기술이 발달하였다.

★ **경세치용과 실사구시**
- 경세치용(經世致用): 학문은 세상을 다스리는 데 이익이 되어야 함
- 실사구시(實事求是): 사실을 토대로 진리를 탐구함

★ **사고전서**

청 건륭제 때 1만여 종의 책들을 경전, 역사, 철학, 문학으로 분류하여 정리한 총서

★ **공양학**
유교 경전인 『춘추』의 여러 해설서 중 「공양전」이 정통이라고 인식하는 학문

4 새로운 학문의 발전

1. 명·청 대의 학문

(용어) 특정한 사상을 무조건적인 진리라고 여겨 이에 대한 비판을 거부하는 경향

(1) **실용적 학문의 발달**: 명 말기 관학인 성리학(주자학)의 교조화, 서양 학문의 유입, 상공업 발달 → *과학과 농학 등에 대한 관심 증가, 경세치용 추구 → 서광계의 『농정전서』(농학), 송응성의 『천공개물』(산업 기술), 이시진의 『본초강목』(약학) 등 편찬

(2) **고증학과 공양학의 발달**

① 고증학의 발달 교과서 자료

역사적인 실증을 통해 사회 문제에 대한 해결책을 찾고자 하였어.

한인 학자들의 반청 사상을 통제하기 위한 것이었어.

배경	고염무, 황종희 등을 중심으로 *경세치용과 실사구시에 바탕을 둔 학문 경향 계승
특징	유교 경전과 금석문 등을 엄격한 증거를 바탕으로 실증적으로 연구, 청 정부의 대규모 편찬 사업(『고금도서집성』, 『*사고전서』 등)에 힘입어 발전
영향	객관적으로 학문을 연구하는 기풍 형성, 경학·사학·금석학 등의 발달에 기여, 현실 문제에 대한 학자들의 관심 약화 (왜?) 고증학은 경전 자체의 내용 분석을 중시하는 학문이었기 때문이야.

② *공양학의 발달: 19세기 청이 서양 세력의 침입, 농민 봉기 등으로 대내외적 위기 직면 → 현실 문제 해결을 중시하는 공양학 등장, 정치 개혁 추구의 사상적 근거로 활용

└ 청·일 전쟁 이후에 전개된 변법자강 운동에 영향을 주기도 하였어.

2. 조선 후기의 학문

(1) **양명학의 발달**: 17세기에 정제두를 비롯한 소론 학자들이 본격적으로 연구, 실천 강조·성리학의 교조화 비판, 실학자들과 교류 → 널리 확산되지 못함

(왜?) 집권층으로부터 이단으로 여겨졌기 때문이야.

(2) **실학의 발달** 자료 7

유교적 질서를 회복하려는 움직임이 나타난 가운데 전례를 둘러싼 논쟁이 일어났어.

배경	예송 논쟁 과정에서 성리학의 교조화·형식화 고착 → 고증학의 영향을 받은 지식인들이 성리학 비판, 사회적·경제적 변동에 따른 사회 모순의 해결책 모색
내용	• 농업 중심 개혁론: 토지 제도의 개혁, 자영농 육성을 통한 농촌 사회의 안정 강조(유형원, 정약용 등) • 상공업 중심 개혁론: 청의 선진 문물 수용과 상공업의 진흥 강조(홍대용, 박지원, 박제가 등)

(3) **국학의 발달**: 실학 발달, 민족의 전통에 대한 관심 증가 → 역사, 지리, 국어 분야 연구

(4) **서학의 유입과 확산**: 연행사를 통해 유입, 천문학·역법 등에 영향 → 양반과 중인층 중 천주교 신자 증가(평등사상과 제사 거부로 탄압받음)

└ 예 유득공의 『발해고』(역사), 이중환의 『택리지』(지리), 김정호의 「대동여지도」(지도) 등

3. 에도 시대의 학문

(1) **성리학과 양명학의 발달**

① 성리학: 막부가 관학으로 채택

VS 중국이나 조선에서와 달리 사회를 지배하는 윤리로 자리 잡지 못하였어.

② 양명학: 실천적 성격의 학문으로 발달(사회와 제도 개혁 주장), 나카에 도주가 평등 강조 → 막부 타도를 주장하는 무사들에게 영향을 줌

(2) **고학과 국학의 발달** 자료 8

국학은 천황을 높이는 존왕 운동과 결부되었어.

고학	17세기 후반 성리학에 대한 비판 제기 → 공자·맹자 시대 유학으로의 복귀 주장, 실증론적 방법으로 고전 연구, 현실 정치와 사회 문제에 관심을 가짐(이토 진사이, 오규 소라이 등)
국학	18세기 후반 고학 발달의 영향으로 등장 → 모토오리 노리나가의 『고사기전』 저술, 일본의 역사·신화·문학을 실증적으로 연구, 천황에 대한 충성심 강조(→ 에도 시대 말기 막부 타도 운동에 영향을 줌)

(3) **난학의 발달**: 나가사키의 네덜란드인들을 통해 서양의 학문 수용 → 언어와 의학 중심으로 발달, 막부가 난학 교습소와 난학 담당 부서 설치 → 서양에 대한 일본인들의 이해 심화, 성리학적 세계관 탈피에 영향을 줌

(왜?) 난학자들이 대부분 네덜란드어 통역사나 의사였기 때문이야.

└ 막부 말기에는 지방의 번들도 서양 군사 기술의 우수성을 깨닫고 이를 적극적으로 받아들이려고 하였어.

완자 자료 탐구

내 옆의 선생님

수능이 보이는 교과서 자료 청 대 고증학의 발달

역사적 사건과 흔적들은 칭송할 것도 담고 있고 비난할 것도 담고 있다. 역사를 읽는 사람들도 억지로 문법을 세우거나 멋대로 더하거나 덜어서 찬양하거나 비난해서는 안 된다. 다만, 그 사건과 흔적의 여부를 상고함에 있어서 …… 기록의 같고 다름 및 보고 들은 것의 어긋남과 합치됨을 하나하나 조목별로 분석하여 의심을 없게 한다. – 왕명성, 『십칠사상각』

(성리학자들의 주관적인 학문 해석을 비판하였어.)

(엄격한 증거에 따른 실증적인 학문 연구를 강조하였어.)

명 말기 성리학은 교조화되는 경향을 보이며 변화하는 사회를 이끌어 갈 지도 사상으로서의 기능을 하지 못하였다. 이에 대한 반발로 경세치용과 실사구시에 바탕을 둔 학문 연구 경향이 나타났고, 이러한 학문 연구 경향은 청 대 유교 경전과 역사서 등을 실증적으로 연구하는 고증학의 발달로 이어졌다.

완자샘의 탐구강의

• 청 대 고증학이 발달하게 된 배경과 특징을 정리해 보자.

구분	내용
배경	명 말기 성리학에 대한 반발로 경세치용, 실사구시에 바탕을 둔 학문 경향이 등장하였다.
특징	경전, 역사서 등을 실증적으로 연구하였다.

함께 보기 132쪽, 1등급 정복하기 4

자료 7 조선 후기 사회 개혁론의 등장

• 토지 경영이 바로잡히면 모든 일이 제대로 될 것이다. 백성은 일정한 직업을 갖게 되고, 군사 행정에는 도피자를 찾는 폐단이 없어지며, 민심이 안정되고 풍속이 도타워질 것이다. …… 농부 한 사람이 토지 1경을 받아 법에 따라 조세를 낸다. – 유형원, 『반계수록』

• 재물은 우물과도 같아 퍼서 쓸수록 가득 채워지는 것이고, 버려두면 말라 버린다. 비단을 입지 않아서 나라 안에 비단을 짜는 사람이 없어지면 길쌈질이 쇠퇴하고, 그릇이 비뚤어지든 어떻든 개의치 않으면 나라에 공장과 도야가 없어지고, 기예도 없어지는 것이다. – 박제가, 『북학의』

(질그릇 굽는 곳과 대장간)

(청 문물의 수용을 주장하여 박지원, 홍대용 등과 북학파로 불렸어.)

17~18세기 고증학의 영향을 받은 조선의 일부 학자들은 사회적·경제적 변화에 따른 조선 사회의 문제점을 해결하기 위한 개혁안을 제시하였다. 이들은 유형원과 같이 토지 제도의 개혁을 통한 농촌 사회 안정을 강조하거나 박제가와 같이 상공업의 진흥을 주장하였다.

정리 비법을 알려줄게!

조선 후기 실학의 발달

구분	내용
배경	고증학의 유입, 성리학의 교조화에 대한 비판 대두
특징	경세치용, 실사구시에 바탕을 둠 → 사회 개혁 방안 제시
내용	• 농촌 안정 중시: 토지 제도 개혁, 자영농 육성 제시 • 북학파 형성: 청 문물 수용과 상공업 진흥 강조
영향	국학 발달에 영향을 줌

자료 8 에도 시대 고학과 국학의 발달

• '이(理)라는 근원적인 실재가 있고 난 뒤에 기(氣)가 있다. 천지가 존재하기 전에 이(理)가 있었다.' 등의 학설은 모두 억측이다. 이는 뱀에 다리를 그려 넣거나 머리 위에 이중의 머리를 이게 하는 것으로, 실제로 보고 얻은 사실이 아니다. – 이토 진사이, 『어맹자의』

• 아마테라스 오미카미(일본의 태양신)는 우주 사이에서 견줄 바 없는 존재로서, …… 유교의 천명(天命)도 이에 미치지 못한다. 아마테라스가 태어난 일본은 만국의 중심이 되는 나라이고, 그 후손인 천황의 대군주로서의 지위는 불변하다. – 모토오리 노리나가, 『고사기전』

(이기론과 같은 형이상학적 관념론을 비판하였어.)

(일본이 절대적으로 우월하며 천황은 신성한 존재임을 강조하고 있어.)

일본에서는 17세기 후반 이토 진사이를 비롯한 학자들이 실증론적 방법으로 유교 경전을 연구하는 과정에서 고학이 발달하였다. 18세기 후반에는 유교, 불교 등 외래 사상에서 탈피해야 한다고 주장하며 고대 일본 문화의 우수성을 강조하는 국학이 나타났다.

문제로 확인할까?

1. 빈칸에 들어갈 학문은?

17세기 후반 일본에서는 유교 경전을 연구하여 고대 성인의 가르침으로 돌아가자는 (　　　)이 발달하였다.

답 고학

2. 『고사기전』을 저술하였고, 천황의 신성함을 강조한 일본의 학자는?

답 모토오리 노리나가

STEP 1 핵심 개념 확인하기

정답친해 35쪽

1 다음 설명이 맞으면 ○표, 틀리면 ×표를 하시오.

(1) 명·청 대에는 옥수수, 감자, 고구마 등이 구황 작물의 역할을 하였다. ( )

(2) 조선에서는 인구의 증가에 따른 인구 이동으로 현지인과 이주민 사이에 계투가 자주 일어났다. ( )

2 다음에서 설명하는 용어를 쓰시오.

(1) 중국 강남 지역에서 업종별 전문성을 갖춘 상공업 도시로 발달하였다. ( )

(2) 영주의 성을 중심으로 무사와 조닌이 거주하였고, 각 번의 상공업 중심지로 성장하였다. ( )

3 조선 후기에는 중인들이 문학인 모임인 ( )를 조직하여 문예 활동을 하였다.

4 에도 시대에 조닌과 서민층 사이에서 유행하였으며, 춤·노래·연기가 결합된 공연 예술은?

5 다음에서 설명하는 학문을 〈보기〉에서 고르시오.

보기
ㄱ. 국학 ㄴ. 실학 ㄷ. 고증학 ㄹ. 공양학

(1) 청 대 유교 경전과 금석문 등을 엄격한 증거를 바탕으로 실증적으로 연구하였다. ( )

(2) 조선 후기 사회 모순을 개혁하기 위한 방안을 제시하였다. 정약용, 박지원 등이 대표적인 학자이다. ( )

(3) 에도 시대에 일본의 고전 연구를 통해 고대 일본 문화의 우수성과 천황에 대한 충성을 강조하였다. ( )

6 빈칸에 들어갈 서적을 쓰시오.

청 건륭제는 1만여 종의 책들을 경전, 역사, 철학, 문학으로 분류하게 하고, 고대부터 당시까지의 모든 서적을 망라하였다는 의미에서 ( )라고 이름을 붙였다.

STEP 2 내신 만점 공략하기

[01~02] 다음을 읽고 물음에 답하시오.

중국의 인구는 17세기 초반에 1억 5천만 명에 이르렀고, 18세기 후반 3억 명을 넘어섰으며 <u>꾸준히 증가하여 19세기 중반에는 4억 명을 돌파하였다</u>.

01 (중요) 위와 같은 변화가 나타난 배경을 〈보기〉에서 고른 것은?

보기
ㄱ. 균전제가 실시되었다.
ㄴ. 의학 기술이 발달하였다.
ㄷ. 집약적 농업이 확산되었다.
ㄹ. 강남 지역에 한족의 관개 기술이 전파되었다.

① ㄱ, ㄴ ② ㄱ, ㄷ ③ ㄴ, ㄷ
④ ㄴ, ㄹ ⑤ ㄷ, ㄹ

02 밑줄 친 상황이 중국에 미친 영향으로 보기 <u>어려운</u> 것은?

① 식량과 농경지가 크게 부족해졌다.
② 북로남왜의 침입이 빈번하게 일어났다.
③ 현지인과 이주민 사이에 계투가 만연하였다.
④ 생활이 어려워진 농민들이 비밀 결사에 가담하였다.
⑤ 산간이나 변경 지역으로 이동하는 사람들이 늘어났다.

03 다음 발표에 포함될 내용으로 적절한 것을 〈보기〉에서 고른 것은?

16세기 이후 아메리카 대륙이 원산지인 감자, 고구마, 옥수수 등이 동아시아로 유입되었습니다.

보기
ㄱ. 동아시아 각국에서 구황 작물로 활용되었습니다.
ㄴ. 이 작물들은 동아시아의 인구 증가에 기여하였습니다.
ㄷ. 조선에서는 이 작물들이 널리 재배되지 못하였습니다.
ㄹ. 중국에서는 이 작물들의 판매권을 독점한 산시 상인을 통해 유통되었습니다.

① ㄱ, ㄴ ② ㄱ, ㄷ ③ ㄴ, ㄷ
④ ㄴ, ㄹ ⑤ ㄷ, ㄹ

04 빈칸에 들어갈 내용으로 적절한 것을 〈보기〉에서 고른 것은?

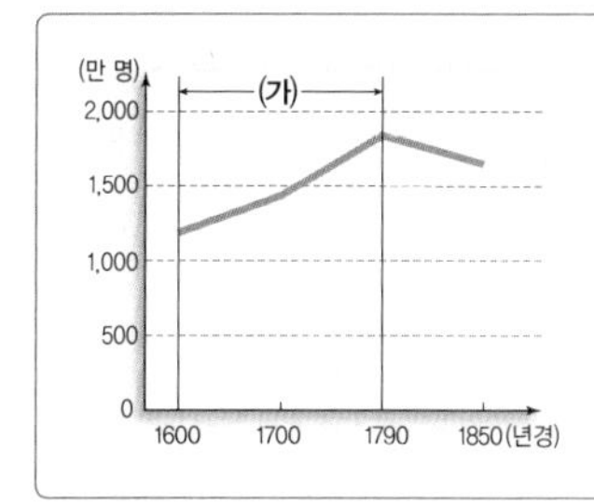

그래프는 조선의 인구 변화를 나타낸 것이다. (가) 시기 조선의 인구는 농경지 확대와 ________에 따른 농업 생산량 증가에 힘입어 크게 늘어났다.

보기

ㄱ. 면화의 전래　　ㄴ. 이갑제의 실시
ㄷ. 상품 작물의 재배　　ㄹ. 모내기법의 전국 확산

① ㄱ, ㄴ　② ㄱ, ㄷ　③ ㄴ, ㄷ
④ ㄴ, ㄹ　⑤ ㄷ, ㄹ

05 선생님의 질문에 대한 학생의 답변으로 적절한 것은?

선생님: 18세기 후반 일본의 인구 증가는 뚜렷하게 정체되었어요. 그 이유를 말해 볼까요?

① 전국이 분열하여 혼란하였기 때문입니다.
② 다이묘의 수탈, 기근이 계속되었기 때문입니다.
③ 외적의 침략으로 전쟁이 발발하였기 때문입니다.
④ 도왜인과 토착민 사이에 갈등이 발생하였기 때문입니다.
⑤ 조총이 전투에 사용되기 시작하면서 이로 인한 사망사가 늘어났기 때문입니다.

06 밑줄 친 '이 시기' 중국의 경제 상황으로 옳은 것은?

<u>이 시기</u> 수도 베이징은 인구가 100만 명에 이르렀고, 강남에서 대운하를 통해 운송된 400만 석 이상의 쌀이 모두 소비될 정도의 대도시로 성장하였다.

① 철제 농기구가 보급되기 시작하였다.
② 시박사가 처음 설치되어 대외 무역을 관리하였다.
③ 도시와 농촌을 중심으로 민영 수공업이 발달하였다.
④ 감합 무역을 통해 유입된 일본의 물품이 유통되었다.
⑤ 유럽 상인들 중 네덜란드 상인들만이 지정된 항구에서 상업 활동을 하였다.

07 밑줄 친 현상이 나타난 원인을 알아보기 위한 탐구 활동으로 적절한 것은?

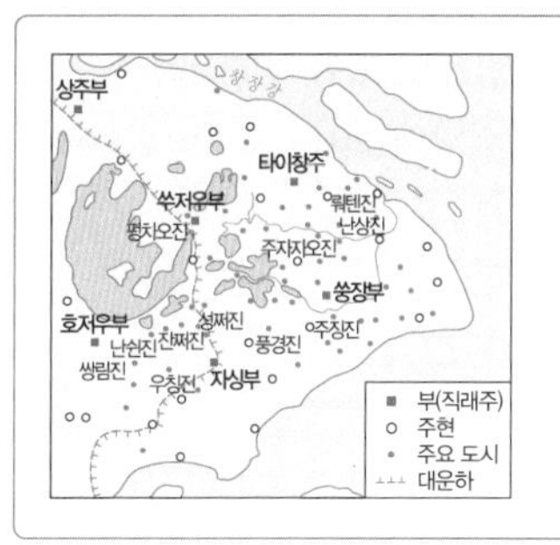

지도는 중국 강남 지역에서 성장한 중소 상공업 도시들의 분포를 나타낸 것이다. 업종별로 전문성을 갖춘 이 도시들은 17세기 무렵 <u>그 수가 크게 증가</u>하였다.

① 휘저우 상인들의 활동 내용을 찾아본다.
② 일본과 중국 사이의 감합 무역 품목을 조사한다.
③ 대동법의 실시 과정과 공인의 역할을 살펴본다.
④ 일본이 중국 상선에 신패를 발급한 배경을 알아본다.
⑤ 병농 분리 정책이 시행된 이후 나타난 사회 변화를 분석한다.

중요

08 전시 해설사가 소개하고 있는 그림이 완성된 시기 동아시아에서 볼 수 있었던 모습으로 적절하지 <u>않은</u> 것은?

① 고구마를 재배하는 중국의 농민
② 상인에게 교초의 사용을 당부하는 관리
③ 새로 설치한 지점을 둘러보는 오미 상인
④ 청 상인과의 거래를 위해 인삼을 살펴보는 송상
⑤ 자신이 거주하는 조카마치에서 물품을 만드는 조닌

09 (가), (나) 도시에 대한 설명으로 옳은 것은?

(가) 조선의 수도로, 18세기 무렵 인구가 30만 명 정도였고 다양한 직업을 가진 사람들이 모여 살았다.
(나) 에도 시대에 각 지방에서 중앙에 보내는 쌀이 집결하던 곳으로, '천하의 부엌'이라 불리기도 하였다.

① (가) – 왜관이 설치되어 있었다.
② (가) – 경강상인의 활동 거점이었다.
③ (가) – 대운하를 통해 강남의 물자들이 운송되었다.
④ (나) – 개시 무역과 후시 무역이 이루어졌다.
⑤ (나) – 쇼군이 거주하는 가장 큰 조카마치로 성장하였다.

중요
10 (가) 제도가 일본에 미친 영향으로 적절한 것은?

(가) 의 규정에 따른 에도 거주와 왕래에 들어가는 비용이 너무 부담스럽습니다. 그리고 에도에 거주하는 동안 제가 가진 영지를 제대로 통치하지 못해 부채가 쌓여 가고 있습니다. 부디 쇼군께서는 저희가 에도에 거주하는 기간을 줄여 주시기 바랍니다.

① 각지에 장원이 형성되었다.
② 무사와 농민들의 거주 지역이 구분되었다.
③ 조선 침략 전쟁에 다이묘들이 참전하였다.
④ 오닌의 난이 일어나 다이묘들이 대립하였다.
⑤ 도로망이 정비되어 여관업과 상업이 발달하였다.

11 다음 공연 예술이 유행하던 시기 동아시아 국가들의 공통적인 상황으로 적절한 것은?

① 불교 수용
② 고유 문자 제작
③ 최초로 과거제 실시
④ 중원 왕조에 견당사 파견
⑤ 서민이 주도하는 문화 발달

12 ㉠~㉤에 대한 설명으로 옳지 않은 것은?

동아시아 각국에서는 ㉠ 서민들의 경제력과 사회적 지위가 향상되면서 교육열이 높아져 ㉡ 교육 기관이 증가하였다. 글을 읽고 쓸 줄 아는 서민이 늘어나고 ㉢ 서적의 보급이 확산되면서 ㉣ 서민들의 취향이 반영된 문학 작품이 등장하였고, ㉤ 문학을 즐기는 계층의 범위가 확대되었다.

① ㉠ – 상공업의 발달과 도시 성장이 배경이었다.
② ㉡ – 조선에서 서당, 일본에서 데라코야 등이 세워졌다.
③ ㉢ – 서민들이 지식을 넓히는 데 기여하였다.
④ ㉣ – 『왕오천축국전』, 『불국기』 등이 대표적이다.
⑤ ㉤ – 조선에서는 중인들이 시사를 조직하여 활동하였다.

13 밑줄 친 내용의 사례로 적절한 것을 〈보기〉에서 고른 것은?

안녕하세요! 저는 가부키 배우입니다. 가부키는 음악·무용·연기가 결합된 종합 예술로, 이 시대의 문화를 잘 보여 주는 공연 중 하나입니다. 오늘날까지 일본을 대표하는 고전 연극으로 사랑받고 있지요.

보기
ㄱ. 교토에 도다이사가 건립되었다.
ㄴ. 엔닌이 『입당구법순례행기』를 저술하였다.
ㄷ. 『일본영대장』을 비롯한 소설이 널리 읽혔다.
ㄹ. 막부가 난학을 담당하는 전문 부서를 설치하였다.

① ㄱ, ㄴ
② ㄱ, ㄷ
③ ㄴ, ㄷ
④ ㄴ, ㄹ
⑤ ㄷ, ㄹ

14 다음 과제를 잘못 수행한 학생은?

17세기 이후 동아시아에서 발달한 서민 문화를 보여 주는 사례를 정리하여 제출하시오.

① 갑: 다양한 민화 작품들을 찾아보았어.
② 을: 『홍루몽』과 『춘향전』의 내용을 조사하였어.
③ 병: 김홍도가 풍속화로 그린 소재를 살펴보았어.
④ 정: 강희안의 「고사관수도」에 담긴 의미를 분석하였어.
⑤ 무: 경극, 탈춤, 분라쿠의 공통점을 찾아 정리하였어.

15 중요 다음과 같은 작품들이 유행하던 시기 동아시아 각국의 문화에 대한 설명으로 옳은 것을 〈보기〉에서 고른 것은?

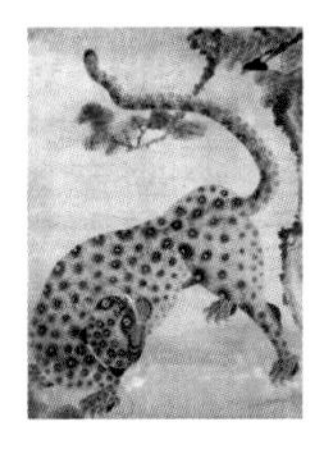

보기
ㄱ. 일본 – 선종이 도입되었다.
ㄴ. 중국 – 경극이 인기를 끌었다.
ㄷ. 조선 – 한글 소설이 널리 읽혔다.
ㄹ. 베트남 – 『대월사기』가 편찬되었다.

① ㄱ, ㄴ ② ㄱ, ㄷ ③ ㄴ, ㄷ
④ ㄴ, ㄹ ⑤ ㄷ, ㄹ

16 다음 내용을 포괄하는 주제로 가장 적절한 것은?

송응성이 산업 기술을 정리하여 『천공개물』을 저술하였고, 신속이 농업 관련 지식을 모아 『농가집성』을 간행하였다. 일본에서는 자연 과학 분야가 발전하였다.

① 원 대 동아시아 지역 내 학문 교류
② 서민 의식의 성장에 따라 나타난 변화
③ 크리스트교가 동아시아에 유입된 배경
④ 경세치용에 바탕을 둔 실용적 학문의 발달
⑤ 동아시아 각국의 율령 수용과 체제 정비 과정

17 동아시아에서 자료와 같은 학문 연구가 이루어진 배경으로 가장 적절한 것은?

나는 이미 육경과 공자·맹자의 말을 깊이 읽고 이것들을 사서의 주석에 있는 말과 비교해, 주석이 …… 공자·맹자의 말과는 다르다는 것을 발견하였다. – 『경운루집』

① 몽골의 언어와 풍속이 각국에 유입되어 유행하였다.
② 네덜란드를 통해 서양의 의학과 천문학이 전해졌다.
③ 사회 혼란을 극복하기 위해 엄격한 형벌이 강조되었다.
④ 각국이 서양 열강의 침략으로 대외적 위기에 직면하였다.
⑤ 성리학이 사회 지도 사상으로서의 역할을 하지 못하였다.

18 중요 밑줄 친 '이 학문'에 대한 설명으로 옳은 것을 〈보기〉에서 고른 것은?

제시된 서적은 청 조정에서 1만여 종의 책들을 모아 경전, 역사, 철학, 문학으로 분류한 총서이다. 문헌을 재검토하는 방식으로 진행된 편찬 사업은 청 대 이 학문의 발달에 기여하였다.

보기
ㄱ. 「공양전」을 정통으로 인식하였다.
ㄴ. 중화와 이민족을 구분하는 화이론으로 발전하였다.
ㄷ. 조선에서 성리학에 대한 비판이 일어나는 데 영향을 주었다.
ㄹ. 엄격한 증거를 토대로 한 실증적인 학문 연구를 중시하였다.

① ㄱ, ㄴ ② ㄱ, ㄷ ③ ㄴ, ㄷ
④ ㄴ, ㄹ ⑤ ㄷ, ㄹ

19 (가) 학문의 특징으로 옳은 것은?

동아시아의 다양한 학문 발달

- (가)
  - 등장 시기: 청 대
  - 등장 배경: 영국을 비롯한 서양 열강의 통상 압박 심화, 농민 봉기로 사회 혼란 발생
  - 영향: 캉유웨이를 비롯한 학자들이 변법자강 운동의 사상적 근거로 활용

① 심즉리, 지행합일을 강조하였다.
② 현실 비판과 정치 개혁의 사상적 근거가 되었다.
③ 수양의 방법으로 거경궁리와 격물치지를 내세웠다.
④ 정부의 사상 탄압을 피하려는 현실 도피적 경향을 보였다.
⑤ 우주의 보편적인 법칙을 이로, 가변적인 현상을 기로 설명하였다.

20 '을'이 본 다큐멘터리의 제목으로 가장 적절한 것은?

> • 갑: 주말에 방영한 다큐멘터리를 보았니?
> • 을: 응, 조선과 일본으로 전해진 양명학의 발달 내용을 다루었더라고. 어떤 내용인지 말해 줄게.

① 『해체신서』, 그 편찬 과정은?
② 조선인 강항, 후지와라 세이카와 교유하다.
③ 조선과 일본에서 실천을 중시하는 학문이 발전하다.
④ 에도 막부, ○○○을 관학으로 삼아 체제를 정비하다.
⑤ 조선의 학자들은 왜 평등을 강조하고 제사를 거부하였나?

21 ㉠, ㉡에 대한 설명으로 옳지 않은 것은?

> 조선 후기에는 지식인들이 ㉠ 사회적·경제적 모순을 해결하기 위한 방안을 모색하였다. 또한 민족의 전통에 대한 관심이 증가하여 ㉡ 다양한 연구가 이루어졌다.

① ㉠ – 북학파 학자들은 청 문물의 수용을 내세웠다.
② ㉠ – 유형원은 토지 제도를 개혁해야 한다고 주장하였다.
③ ㉠ – 엄격한 위계질서를 바탕으로 도덕 윤리를 확립할 것을 강조하였다.
④ ㉡ – 김정호가 「대동여지도」를 만들었다.
⑤ ㉡ – 『발해고』, 『동사강목』 등의 역사서가 편찬되었다.

중요
22 다음 서적에 반영된 학문 경향에 대한 설명으로 옳은 것을 〈보기〉에서 고른 것은?

> • 모토오리 노리나가가 저술하였다.
> • 일본의 신화 속에 등장하는 아마테라스 오미카미의 절대성과 일본의 우월함을 강조하였다.

보기
ㄱ. 에도 막부가 의례 정비에 활용하였다.
ㄴ. 역사, 신화, 문학을 실증적으로 연구하였다.
ㄷ. 공자, 맹자 시대 유학으로의 복귀를 주장하였다.
ㄹ. 에도 시대 말기 막부 타도 운동에 영향을 주었다.

① ㄱ, ㄴ ② ㄱ, ㄷ ③ ㄴ, ㄷ
④ ㄴ, ㄹ ⑤ ㄷ, ㄹ

서술형 문제

● 정답친해 38쪽

01 다음을 읽고 물음에 답하시오.

> 에도 막부는 다이묘들을 통제하기 위해 각지의 다이묘들이 주기적으로 에도에 머무르게 하는 제도를 실시하였다. 이때 에도로 이동하는 데 필요한 교통비와 거주에 들어가는 생활비는 모두 다이묘들이 부담해야 하였다.

(1) 밑줄 친 '제도'의 명칭을 쓰시오.

(2) (1) 제도의 시행이 일본의 도시 발달에 미친 영향을 서술하시오.

길잡이 다이묘들이 에도에 왕래하는 과정에서 어떠한 변화가 나타났을지를 추론해 본다.

02 다음을 읽고 물음에 답하시오.

> • (가) 은/는 청 대 발달한 고전학의 한 갈래로, 한~당 시기에 발달한 훈고학을 계승하였다.
> • 17세기 후반 일본에서는 공자와 맹자 시대의 유학으로 복귀할 것을 주장하는 (나) 이/가 등장하였다.

(1) (가), (나)에 들어갈 학문을 각각 쓰시오.

(2) (가), (나) 학문의 공통점을 서술하시오.

길잡이 두 학문의 등장 배경과 연구 방법을 중심으로 서술한다.

03 동아시아에서 다음과 같은 문화 경향이 나타나게 된 배경을 서술하시오.

> • 청 대에는 베이징을 중심으로 노래, 춤, 무술, 곡예의 예술적 기교를 갖춘 전통극이 유행하였다.
> • 조선 후기에는 소리꾼이 고수의 북 장단에 맞춰 노래와 몸짓으로 이야기를 풀어내는 공연이 인기를 얻었다.
> • 에도 시대에는 사람이 검은 천을 덮어 쓰고 인형을 움직이면서 이야기를 전개하는 전통 공연이 인기를 끌었다.

길잡이 17세기 이후 동아시아에 나타난 경제적·사회적 변화를 생각해 본다.

STEP 3 1등급 정복하기

정답친해 38쪽

수능 응용

1 다음 동아시아사 논술 평가 문제에 맞는 논술 내용을 〈보기〉에서 고른 것은?

> 중국과 일본의 인구 변화

• 18세기 중국과 일본의 인구 변화가 그래프와 같이 나타난 이유를 각각 서술하시오.

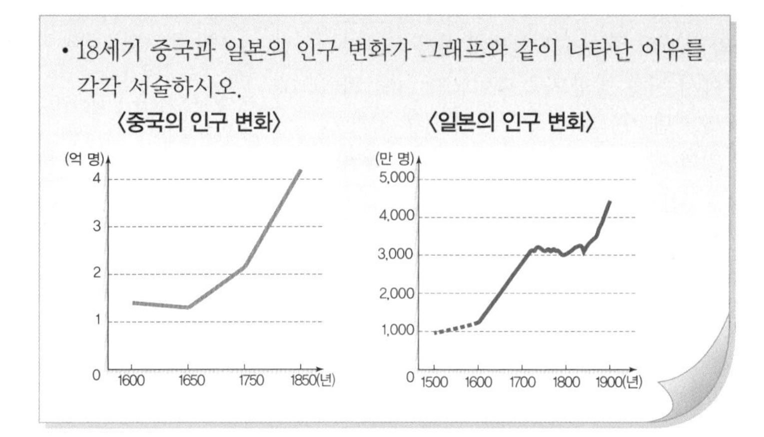

보기

ㄱ. 중국에서는 창장강 유역으로 한족이 이주하기 시작하였다.
ㄴ. 중국에서는 감자와 고구마 등이 구황 작물로 널리 재배되었다.
ㄷ. 일본에서는 남조와 북조가 서로 대립하면서 내란이 계속되었다.
ㄹ. 일본에서는 자연재해에 따른 기근이 지속되고 전염병이 확산되었다.

① ㄱ, ㄴ ② ㄱ, ㄷ ③ ㄴ, ㄷ
④ ㄴ, ㄹ ⑤ ㄷ, ㄹ

완자샘의 시험 꿀팁

동아시아 인구 변동의 배경은 빈번하게 출제되는 주제이다. 각국의 인구 변동 추이를 그래프와 함께 정리하여 시기별로 비교할 수 있어야 한다.

완자 사전

• **구황 작물**
흉년으로 기근이 심할 때 주로 먹는 식물 대신 먹을 수 있는 농작물

2 다음 인터뷰에서 (가), (나) 상인이 추가로 말한 내용으로 옳은 것은?

> 대상인의 활동

① (가): 전국 각지에 회관과 공소를 만들었지요.
② (가): 시진이 상공업 중심지로 성장하는 데 도움을 주었습니다.
③ (나): 대동법의 시행을 계기로 관허 상인이 되었습니다.
④ (나): 다이묘와 무사에게 필요한 물품을 공급하고 있습니다.
⑤ (가), (나): 물류 이동이 유리한 지역을 근거지로 삼아 성장하였습니다.

완자 사전

• **관허 상인**
정부로부터 특정한 일을 할 수 있도록 허락받은 상인

3 밑줄 친 '이곳'이 번성하던 시기 동아시아의 경제 상황으로 옳지 않은 것은?

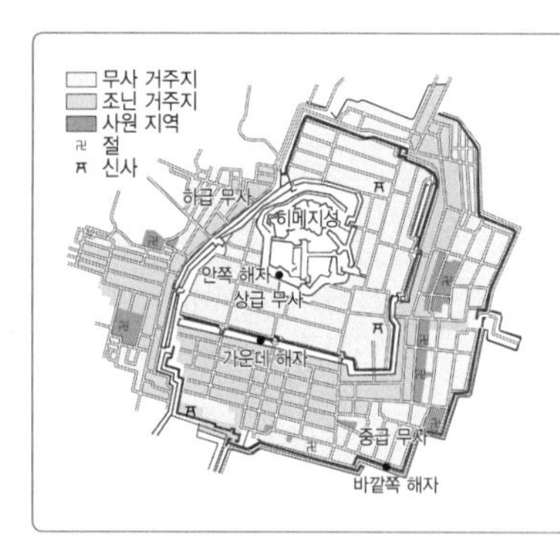

제시된 그림은 일본에서 각 번의 정치, 경제, 문화 중심지 역할을 한 이곳의 구조를 나타낸 것이다. 이곳에서는 무사와 조닌의 주거지가 신분에 따라 구분되었다. 중심부에서 바깥 방향으로 다이묘가 살던 저택, 다이묘를 모시던 가신과 상급 무사의 거주 지역, 조닌의 주거 지역, 중급 무사가 사는 구역으로 나뉘어 있음을 알 수 있다.

① 한국 – 대동법의 실시로 상업이 발달하였다.
② 한국 – 벽란도가 국제 무역항으로 성장하였다.
③ 중국 – 산시 상인과 휘저우 상인이 활약하였다.
④ 중국 – 강남 지역에 시진의 수가 크게 늘어났다.
⑤ 일본 – 에도를 중심으로 도로망이 정비되고 상업이 발달하였다.

> 동아시아의 경제 상황

완자샘의 시험 꿀팁

자료를 통해 해당 시기를 추론하고 그 시기 동아시아 각국의 경제 상황을 묻는 경우가 많다. 각국의 경제 발달 양상을 비교하여 파악할 수 있어야 한다.

완자 사전

• **벽란도**
황해도의 예성강 하류에 있었던 국제 무역항

4 자료를 통해 알 수 있는 학문 경향에 대한 설명으로 옳은 것을 〈보기〉에서 고른 것은?

역사적 사건과 흔적들은 칭송할 것도 담고 있고 비난할 것도 담고 있다. 역사를 읽는 사람들도 억지로 문법을 세우거나 멋대로 더하거나 덜어서 찬양하거나 비난해서는 안 된다. …… 기록의 같고 다름 및 보고 들은 것의 어긋남과 합치됨을 하나하나 조목별로 분석하여 의심을 없게 한다. …… 일반적으로 학문의 길은 공허한 사변에서 구하는 것이 사실에서 추구하는 것만 못하니, 찬양과 비난을 논의하는 것은 모두 공허한 말일 뿐이다.

– 왕명성, 『십칠사상각』

보기

ㄱ. 명, 조선, 에도 막부가 제도 정비에 활용하였다.
ㄴ. 학자들의 관심을 현실 문제에서 멀어지게 하였다.
ㄷ. 경학, 역사학, 금석학이 발달하는 데 영향을 주었다.
ㄹ. 청 정부의 대규모 편찬 사업을 계기로 더욱 발달하였다.
ㅁ. 거경궁리와 격물치지를 통해 본성을 회복할 것을 주장하였다.

① ㄱ, ㄴ, ㄷ ② ㄱ, ㄷ, ㅁ ③ ㄴ, ㄷ, ㄹ
④ ㄴ, ㄹ, ㅁ ⑤ ㄷ, ㄹ, ㅁ

> 동아시아의 학문 발달

완자샘의 시험 꿀팁

동아시아에서 등장한 학문 경향을 자료를 읽고 파악하는 문제가 출제된다. 동아시아 각국에서 새로운 학문 경향이 등장하게 된 배경과 학문별 특징을 정리해 두어야 한다.

완자 사전

• **사변**
경험하지 않고 순수한 논리적 사고만으로 현실을 인식하려는 행위

• **거경궁리**
몸과 마음을 바르게 한 상태에서 사물의 이치를 탐구함

5 (가), (나)를 분석한 내용으로 적절하지 않은 것은?

(가) 저들이 변발을 하고 옷깃을 외로 여미는 오랑캐라고 하자. …… 법이 훌륭하고 제도가 좋다고 할 것 같으면 오랑캐라도 찾아가 스승으로 섬기며 배워야 하거늘, 더구나 저들은 규모가 광대하고 사고가 정미하여 제작이 굉장하고 문장이 빼어나서, 하·상·주 삼대 이래의 한·당·송·명의 고유한 문화를 간직하고 있지 않은가? －「북학의」

(나) 아마테라스 오미카미(일본의 태양신)는 우주 사이에서 견줄 바 없는 존재로서, 크리스트교의 하나님이나 유교의 천명(天命)도 이에 미치지 못한다. 아마테라스가 태어난 일본은 만국의 중심이 되는 나라이고, 그 후손인 천황의 대군주로서의 지위는 불변하며 …… 천황이 선하든 악하든 옆에서 살피고 판단할 수는 없다. －「고사기전」

① (가)는 북벌론을 계승하였음을 알 수 있다.
② (가)는 청 문물을 배우고 수용해야 한다는 주장이다.
③ (나)는 일본 고유의 신화와 문화가 우수함을 강조하고 있다.
④ (나)는 천황의 권위를 높이는 존왕 운동에 영향을 주었을 것이다.
⑤ (가), (나)는 한족이 중화이고 주변 민족은 오랑캐라는 인식에서 벗어난 주장이다.

> 조선과 일본의 학문 발달

완자 사전

• 변발
머리 앞부분의 머리카락을 깎고 뒷부분의 머리카락을 땋아 길게 늘어뜨리는 만주족 남성의 전통 풍습

평가원 응용

6 다음 연극 대본의 배경이 된 시기 동아시아 문화에 대한 옳은 설명을 〈보기〉에서 고른 것은?

[장면1] 상점가에서 두 인물의 대화
• 학자: 거리가 시끌벅적 하군요. 무슨 일이 있습니까?
• 가게 주인: 서양 상인들이 막부의 명령에 따라 나가사키로 모두 이주해야 한다고 하네요. 그래서 다들 짐을 옮기고 있는 중이랍니다.

[장면2] 나가사키의 어느 건물에서 통역사와 학자의 대화
• 통역사: 반갑습니다. (학자에게 책을 건네며) 말씀드린 책들입니다.
• 학자: 고맙습니다. 서양의 천문학, 의술, 지리학까지 종류가 다양하군요. 데지마까지 오기를 잘했어요. 저는 친구와 함께 인체 해부에 관한 책을 읽고 번역하기로 하였지요. 책이 완성되면 보여 드리겠습니다.

보기
ㄱ. 일본에서 아스카 문화가 발달하였다.
ㄴ. 중국에서 주희가 『사서집주』를 저술하였다.
ㄷ. 조선에서 판소리와 사설시조가 인기를 끌었다.
ㄹ. 일본인들이 화려한 채색 목판화인 우키요에를 제작하였다.

① ㄱ, ㄴ　② ㄱ, ㄷ　③ ㄴ, ㄷ
④ ㄴ, ㄹ　⑤ ㄷ, ㄹ

> 동아시아 문화의 새 경향

완자샘의 시험 꿀팁
17세기 이후 동아시아 각국에서 공통적으로 나타난 문화의 경향을 묻는 문제는 자주 출제되는 편이다. 각국의 문화 발달 내용을 시각 자료와 대표 작품들을 중심으로 정리하면 도움이 된다.

1590	• 일본의 센고쿠 시대 통일: (❶)가 통일 달성
1592	• 임진왜란 발발: 일본군의 조선 침략, 명 참전
1603	• 에도 막부 수립: 도쿠가와 이에야스가 반대 세력과의 전투에서 승리한 후 수립
1616	• 후금 건국: (❷)가 팔기제를 바탕으로 여진족을 통합한 후 건국
1627	• 정묘호란 발발: 조선의 친명배금 정책에 반발한 후금이 조선 침략
1636	• 병자호란 발발: 청의 홍타이지가 군대를 이끌고 조선 침략
1644	• 명 멸망: 이자성이 이끈 농민 반란으로 멸망
1684	• 청의 (❸) 해제: 청이 타이완의 정성공 세력 진압 후 해제
1757	• 청의 대외 교역항 제한: 청 정부가 외국 상인과의 무역항을 (❹)로 한정, 공행 설치
1774	• 『해체신서』 간행: 일본에서 서양의 해부학 서적 번역
1781	• 『사고전서』 완성: 청 건륭제 시기 경전, 역사, 철학, 문학으로 구성된 총서 완성

01 17세기 전후의 동아시아 전쟁

1. 16세기 동아시아 정세

명	북로남왜의 침입, 정치 부패 심화, 이갑제 해체로 사회 동요 → 장거정의 개혁 실시 → 환관 세력의 권력 남용 → 정치적 혼란 가중, 국력 쇠퇴
조선	사림의 정계 장악, 군역 제도의 모순으로 국방력 약화, 일본의 변화에 대한 조선 정부의 대처 미흡
일본	포르투갈에서 유입된 신무기인 (❺) 확산, 센고쿠 시대 통일 후 도검몰수령 시행, 신분 간 이동 금지(→ 병농 분리의 사회 질서 확립)

2. 16~17세기 동아시아 전쟁

(1) 임진왜란과 정유재란

배경	도요토미 히데요시가 영토 확장, 일본 내 정치적 안정, 명과의 무역 확대 등을 위해 대외 진출 도모
전개	일본군의 조선 침략(1592) → 명 참전 → 명과 일본의 강화 협상 결렬 → (❻) 발발(1597, 일본의 조선 재침입) → 도요토미 히데요시 사망 후 일본군 철수(1598)
영향	• 조선: 국가 재정 궁핍, '재조지은' 의식 확산 • 일본: 도쿠가와 이에야스가 에도 막부 수립 • 명: 국력 쇠퇴(임진왜란 참전에 많은 비용 소모)

(2) 정묘호란과 병자호란

배경	• 여진의 세력 확대: 명과 충돌 • 조선의 대외 정책 변화: 광해군 시기 명과 후금 사이에서 중립 유지 → 인조반정 이후 친명배금 정책 표방
전개	• 정묘호란(1627): 후금의 조선 침략 → 조선과 후금이 형제의 맹약 체결 • 병자호란(1636): 조선이 청의 군신 관계 요구 거절 → 청의 조선 침략 → 조선과 청이 군신 관계 체결

3. 국제 질서의 재편과 문물 교류

국제 질서 재편	• 중국: 명 멸망, 청의 베이징 점령 → 반청 세력 진압 → 청이 중원의 지배권 확립, 새로운 중화임을 강조 • 조선: 청과 조공·책봉 관계 체결, 일본과 국교 회복, 북벌론 대두, 명 멸망 후 조선 중화주의 등장 • 일본: 조선과 교류 지속, 청과는 조공·책봉 관계를 맺지 않음, 일본 중심의 화이사상 대두
문물 교류	조선에서 끌려간 기술자와 학자들이 일본의 문화 발전에 기여, 일본을 통해 조선에 신작물 전래, 통신사와 연행사의 활동으로 조선이 일본·청과 학술 및 문물 교류

02 교역망의 발달과 은 유통

1. 동아시아 각국의 교역 관계

중국	명 대 해금 정책 실시, 조공 허용(감합 발급) → 밀무역 성행, 왜구 출몰 → 해금 정책 완화 → 청 대 천계령 반포·해제 → 청 상인의 일본 진출 활발, 공행 무역 실시
조선	명과 청에 사절단 파견(조공 무역), 일본에 삼포 개방 후 주로 (❼)(일본인 거주 지역)을 통해 교역
일본	명과 감합 무역 실시(→ 중단), 에도 막부의 교역 통제(슈인장 발급, 청의 천계령 해제 이후 신패 발행)
류큐	동아시아 중계 무역의 거점으로 번성 → 명의 해금 정책 완화 이후 무역 쇠퇴

2. 동아시아 교역망의 확대와 문물 교류

동아시아 교역망의 확대

유럽과 서아시아에서 향신료 수요 증가 → 16세기 이후 포르투갈·에스파냐·네덜란드·영국 상인들이 동아시아로 진출, 아메리카 은이 동아시아에 유입 → 동아시아 교역망이 세계로 확대

⬇

동서 문물 교류

- 동아시아: 크리스트교와 신작물 전래, 서양의 학문과 과학 기술 유입
- 유럽: 중국과 일본의 도자기 유행, 중국의 학문과 문화에 대한 유럽인들의 관심 증가

3. 동아시아 각국의 은 유통

중국	명 대부터 은 사용 확대, (❽)(명)·지정은제(청) 실시로 은 수요 증가 → 외국 은에 대한 의존도 심화
조선	임진왜란 이후 민간 거래에서 은 사용 확대
일본	조선의 연은 분리법 도입, 이와미 은광 개발 → 은 생산량 증가, 국내 화폐와 무역 대금으로 은 사용

03 사회 변동과 서민 문화의 발달

1. 동아시아의 인구 변화

(1) 인구 증가의 배경

농업 생산력 증대	농경지 확대, 농업 기술의 발달, 신작물 보급 등 → 식량 증산
의학 기술의 발달	의학 서적 보급 → 질병에 따른 사망자 수 감소

(2) 각국의 인구 변화

명·청	17세기 후반부터 인구 증가 → 식량과 경지 부족 → 인구 이동, 계투 만연
조선	왜란과 호란의 영향으로 인구 감소 → 17세기 후반부터 인구 증가
일본	17~18세기 인구 증가 → 18세기 후반 다이묘의 수탈, 자연재해, 대기근의 영향으로 인구 성장 정체

2. 상공업의 발달과 도시의 성장

명·청	민영 수공업 발달, 은 유입, 대운하와 도로망 발달 → 상품의 전국적 유통, 수도 베이징이 거대 소비 도시로 성장, 강남의 시진 발달(→ 강남 전체의 도시화 촉진)
조선	대동법 실시, 장시 발달, 화폐의 사용과 유통 활성화 → 수도 한양이 상업 중심지로 성장
일본	전국 단위의 시장 형성, 조카마치가 상공업 중심지로 성장, (❾)(다이묘들이 번갈아 에도에 거주) 실시로 에도 번성, 오사카와 교토 등이 대도시로 성장

3. 서민 문화의 발달

(1) **배경:** 상공업 발달과 도시 성장, 서민 교육의 확대 → 서민 의식의 성장, 서민층의 문화 향유 욕구 증대

(2) 동아시아 각국의 서민 문화

명·청	대중 소설(『홍루몽』, 『유림외사』 등), 경극, 풍속화, 민화 등 확산
조선	(❿)(『홍길동전』, 『춘향전』 등), 판소리, 탈춤, 풍속화, 민화 유행
일본	조닌층 사이에서 통속 소설 인기, 가부키와 분라쿠 유행, 우키요에 제작

4. 17세기 이후 동아시아의 학문 발달

새로운 학문 연구 경향의 등장

(⓫)의 교조화, 절대화에 대한 반발 → 경세치용, 실사구시에 바탕을 둔 학문 발전

⬇

중국	청 대 고증학 발달(엄격한 증거를 바탕으로 학문 연구) → 공양학 발달(정치 개혁의 사상적 근거로 활용)
조선	양명학 연구, 실학(토지 제도 개혁, 상공업의 진흥 등 강조)·국학 발달(역사, 지리, 국어 분야 연구), 서학 유입
일본	양명학 연구, (⓬) 출현(고대 유학으로의 복귀 주장), 국학 발달(고대 일본 문화의 우수성과 천황에 대한 충성 강조), 난학 연구 심화

●정답● ① 도요토미 히데요시 ② 누르하치 ③ 천계령 ④ 광저우 ⑤ 조총 ⑥ 정유재란 ⑦ 왜관 ⑧ 일조편법 ⑨ 산킨코타이 제도 ⑩ 한글 소설 ⑪ 성리학 ⑫ 고학

01 일본의 정세가 다음과 같았던 시기 명과 조선의 상황으로 옳은 것을 〈보기〉에서 고른 것은?

> 쇼군의 후계자 문제를 둘러싸고 전국의 다이묘들이 내전을 벌인 이후 일본에서는 혼란이 지속되었다. 이러한 가운데 오다 노부나가는 조총을 사용한 전술을 활용하여 통일의 주도권을 장악하였다.

보기

ㄱ. 명 – 몽골과 왜구의 침략에 시달렸다.
ㄴ. 명 – 강남 지역에 새로운 정권을 세웠다.
ㄷ. 조선 – 군역 제도의 모순으로 국방력이 약화되었다.
ㄹ. 조선 – 반정이 일어나 광해군이 왕위에서 밀려났다.

① ㄱ, ㄴ ② ㄱ, ㄷ ③ ㄴ, ㄷ
④ ㄴ, ㄹ ⑤ ㄷ, ㄹ

02 '병'이 작성한 수행 평가 보고서에 포함될 내용으로 적절한 것은?

> • 갑: 얘들아, 이번 학기 동아시아사 수행 평가 보고서 주제가 무엇이지?
> • 을: '16~17세기에 활동한 동아시아의 주요 인물'이야. 어떤 인물을 조사할지 생각했어?
> • 병: 나는 일본의 센고쿠 시대를 평정하고 통일을 이룬 인물에 대해 조사하려고 해.

① 팔기제를 완성하였다.
② 향촌에 이갑제를 실시하였다.
③ 일조편법을 전국으로 확대 적용하였다.
④ 도검몰수령을 내려 농민의 무장을 해제하였다.
⑤ 조공국을 확대하기 위해 여러 지역에 한대를 파견하였다.

03 지도에 나타난 전쟁에 대한 설명으로 옳지 않은 것은?

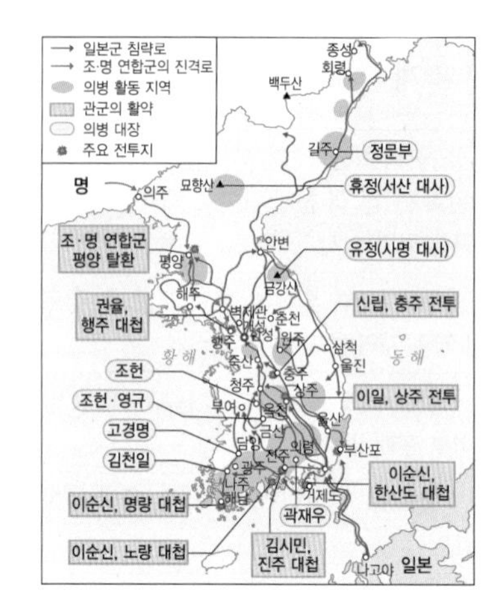

① 대외 진출을 꾀한 일본의 조선 침략으로 일어났다.
② 명이 참전하면서 동아시아 국제 전쟁으로 확대되었다.
③ 조선에서 '재조지은' 의식이 확산되는 데 영향을 주었다.
④ 명의 재정이 악화되고 국방력이 쇠퇴하는 원인이 되었다.
⑤ 일본이 중원 왕조와 감합 무역을 시작하는 계기가 되었다.

04 (가) 시기에 동아시아에서 있었던 사건으로 옳은 것은?

정유재란 발발 → (가) → 정묘호란 종결

① 명 멸망 ② 인조반정 ③ 삼번의 난
④ 삼포 왜란 ⑤ 토목보의 변

05 (가)에 들어갈 내용으로 옳은 것을 〈보기〉에서 고른 것은?

> **17세기 전후의 동아시아 전쟁 – ○○○○**
> • 전개: 홍타이지가 군대를 이끌고 조선 침략 → 인조가 남한산성에서 외적에 맞서 항전 → 삼전도에서 항복
> • 결과와 영향: (가)

보기

ㄱ. 청이 천계령을 선포함
ㄴ. 조선에서 북벌론이 대두함
ㄷ. 누르하치가 여진족을 통합함
ㄹ. 청과 조선이 군신 관계를 체결함

① ㄱ, ㄴ ② ㄱ, ㄷ ③ ㄴ, ㄷ
④ ㄴ, ㄹ ⑤ ㄷ, ㄹ

06 밑줄 친 내용을 탐구하기 위한 활동으로 적절한 것은?

송시열은 '해동(조선) 하늘과 땅은 주(周)를 높이 받드는 것이 대의이다.'라는 글을 남겼다. 이 글은 조선에서 나타난 화이관의 변화를 잘 보여 준다. <u>화이관의 변화는 같은 시기 중국과 일본에서도 나타났다</u>.

① 『사서오경왜훈』의 간행 과정을 살펴본다.
② 신불습합을 보여 주는 사례들을 찾아본다.
③ 『대의각미록』의 주요 내용과 편찬 의도를 조사한다.
④ 북학 운동을 주도하였던 학자들이 내세운 주장을 정리한다.
⑤ 일본이 중국 왕조와 조공·책봉 관계를 맺게 된 배경을 알아본다.

07 (가)에 들어갈 질문으로 가장 적절한 것은?

① 17세기 전후 동아시아 전쟁을 통한 문물 교류 사례를 말해 볼까요?
② 중원 왕조의 율령을 주변국들이 수용한 양상에 대해 이야기해 볼까요?
③ 조선의 왜관을 통해 이루어진 동아시아 각국의 교류 사례를 제시해 볼까요?
④ 유럽 상인들의 동아시아 진출에 영향을 받아 각국에 나타난 변화를 설명해 볼까요?
⑤ 조선과 일본이 각각 중원 왕조에 파견한 조공 사절단의 활동 내용을 열거해 볼까요?

08 다음 사실이 동아시아 교역에 미친 영향으로 적절한 것은?

명은 건국 초부터 민간인의 무역을 금지하고, 정규 조공 사절단에게만 감합을 발급하여 무역을 허가하였다.

① 역참을 통한 교역이 활성화되었다.
② 류큐를 거점으로 한 중계 무역이 발달하였다.
③ 청해진이 동아시아 해상 무역의 중심지가 되었다.
④ 명의 물품을 구하려는 상인들의 밀무역이 줄어들었다.
⑤ 일본이 견당사를 통해 중원 왕조와 문물을 교류하였다.

09 다음 안내문과 관련된 정책이 시행된 배경으로 가장 적절한 것은?

○월 ○일부터 외국 상선의 나가사키 입항을 제한합니다. 입항을 원하는 선단은 무역 허용량을 기재한 신패를 발급받아 소지하여야 합니다. 신패가 없는 선단은 앞으로 나가사키에서 무역을 하지 못하게 되니 꼭 발급받으시길 바랍니다.

① 일본에서 크리스트교가 확산되었다.
② 일본과 명의 조공 무역이 중단되었다.
③ 조선과 일본이 기유약조를 체결하였다.
④ 쓰시마섬을 중심으로 왜구가 출몰하였다.
⑤ 천계령 해제 이후 일본의 은 유출이 증가하였다.

10 자료와 같은 모습이 나타난 시기 동아시아의 대외 교역에 대한 설명으로 옳지 <u>않은</u> 것은?

긴 다리 일곱 개를 지나서 비로소 오사카에 당도하니, 곧 모든 배가 정박하는 곳이었다. …… (길 양쪽의 건물은) 온갖 물건을 파는 점포였다. – 신유한, 『해유록』

① 일본과 중국 사이에 사무역이 발달하였다.
② 중국의 광저우에서 공행 무역이 이루어졌다.
③ 영국과의 삼각 무역으로 중국의 은이 유출되었다.
④ 일본의 무로마치 막부가 중국과 감합 무역을 시작하였다.
⑤ 조선의 국경 지역에서 개시와 후시 무역이 활발하였다.

11 (가), (나) 국가에 대한 설명으로 옳은 것은?

(가) 갈레온 무역을 통해 아메리카 대륙에서 생산된 멕시코의 은과 중국 상품을 교환하였다.
(나) 말루쿠 제도를 점령하고, 바타비아를 거점으로 17세기 중반 동남아시아 대부분의 섬을 장악하였다.

① (가) – 중국에 아편을 밀수출하였다.
② (가) – 중국에 매카트니 사절단을 보냈다.
③ (나) – 일본에 조총을 처음 전하였다.
④ (나) – 일본에 연은 분리법을 전수해 주었다.
⑤ (나) – 일본에서 난학이 발달하는 데 기여하였다.

12 다음 지도에 대한 추가 설명으로 적절한 것을 〈보기〉에서 고른 것은?

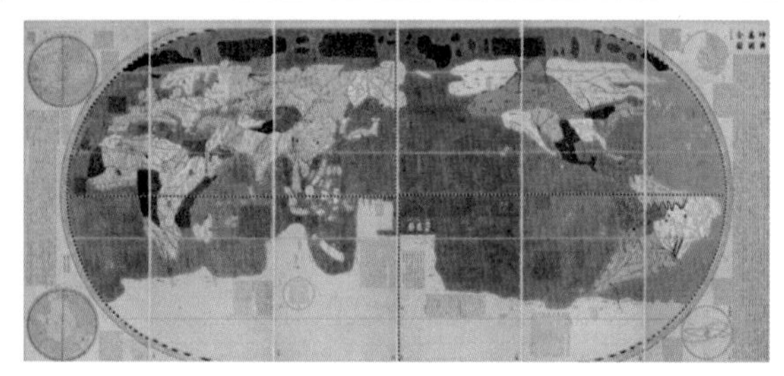

서양의 지리학 지식을 반영하였고, 세계를 5개 대륙으로 구분하여 표현하였다.

보기
ㄱ. 중국에서 전례 문제가 해소된 이후 보급되었다.
ㄴ. 예수회 선교사 마테오 리치가 제작에 참여하였다.
ㄷ. 조선에서 「혼일강리역대국도지도」를 만드는 데 영향을 주었다.
ㄹ. 중국을 세계의 중심으로 인식하던 동아시아인들의 세계관에 변화를 가져왔다.

① ㄱ, ㄴ　② ㄱ, ㄷ　③ ㄴ, ㄷ
④ ㄴ, ㄹ　⑤ ㄷ, ㄹ

13 (가)에 대한 학생들의 대화 내용으로 적절하지 않은 것은?

(가) 은/는 동아시아에서 국제 화폐로 통용되었다. 동아시아의 교역망이 세계로 확대되면서 아메리카에서 들어온 (가) 은/는 대부분 중국으로 집결되었다.

① 갑: 유럽보다 중국에서 비싸게 거래되었어.
② 을: 명 대에는 가치가 하락하여 수요가 줄어들었어.
③ 병: 청 대에는 지정은제 시행 이후 수요가 증가하였어.
④ 정: 조선에서는 임진왜란 이후 본격적으로 유통되었어.
⑤ 무: 일본에서는 연은 분리법 도입 이후 생산량이 크게 늘었어.

14 다음 인구 변화의 공통적인 원인으로 적절한 것을 〈보기〉에서 고른 것은?

동아시아 각국의 인구 변화

중국	17세기 초반 약 1억 5천만 명 → 19세기 초반 약 4억 3천만 명
한국	16세기 중반 약 1,000만 명 → 18세기 후반 약 1,800만 명

보기
ㄱ. 철제 농기구 보급　ㄴ. 신작물 재배 확산
ㄷ. 몽골 제국의 영역 확대　ㄹ. 새로운 의학 서적 보급

① ㄱ, ㄴ　② ㄱ, ㄷ　③ ㄴ, ㄷ
④ ㄴ, ㄹ　⑤ ㄷ, ㄹ

15 다음 제도가 실시된 시기 동아시아의 경제 상황으로 적절하지 않은 것은?

다이묘들이 주기적으로 자신의 영지와 에도에 교대로 거주하도록 한 제도이다. 쇼군이 지방의 다이묘들을 통제할 목적으로 실시하였다.

① 중국에서 시진의 수가 크게 증가하였다.
② 조선에서 모내기법이 전국으로 확산되었다.
③ 산시 상인, 오사카 상인, 송상 등이 활약하였다.
④ 일본에서 조카마치가 상공업 중심지로 변모하였다.
⑤ 중국에서 교초가 발행되어 단일 화폐로서 사용되었다.

16 밑줄 친 '이 도시'에 대한 설명으로 옳은 것은?

경극은 중국 각지에서 발달한 연극들이 이 도시에서 상연된 것에서 유래하였다. 화려한 의상과 무예가 돋보이는 경극은 수도인 이 도시를 중심으로 널리 유행하였다.

경극 서유기의 손오공

① 당 대에 시장인 서시가 있었다.
② 무역을 관리하는 시박사가 설치되었다.
③ 대상인으로 성장한 경강상인의 근거지였다.
④ 강남에서 생산된 물자가 대운하를 통해 집결하였다.
⑤ '천하의 부엌'이라 불리며 쌀 유통의 중심지로 성장하였다.

17 다음 특별전에서 볼 수 있는 전시물이 아닌 것은?

○○ 박물관 공식 블로그

저희 박물관에서는 이번 달부터 '17~19세기 동아시아에 나타난 새로운 문화'를 주제로 학술 행사를 개최합니다. 여러분의 많은 참여 부탁드립니다.

프로그램 소개

1. 강연: 17~19세기 동아시아 각국의 변화
   - 1부 – 상품 화폐 경제의 발달 양상은?
   - 2부 – 서당, 데라코야에서 교육받은 주요 계층은?
2. 전시: 변화의 시대, 새로운 문화의 발달

① 우키요에 작품
② 『홍루몽』과 『유림외사』
③ 호류사 5층 목탑의 사진
④ 판소리 「춘향가」의 공연 영상
⑤ 가부키 공연에 사용된 소품들

18 마인드맵의 (가)에 들어갈 내용으로 옳은 것은?

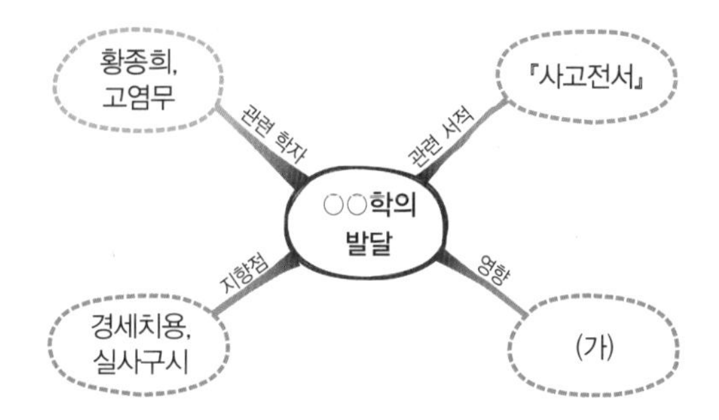

① 성리학의 관학화를 촉진하였다.
② 조선의 실학 발달을 자극하였다.
③ 양명학이 출현하는 데 영향을 주었다.
④ 19세기 정치 개혁 운동의 사상적 근거가 되었다.
⑤ 막부 타도를 주장하는 무사들 사이에 확산되었다.

19 (가), (나) 학문 기풍에 대한 설명으로 옳은 것은?

(가) 조선 후기 사회를 안정시키기 위한 토지 개혁 방안, 상공업 진흥 방안 등을 제시하였다.
(나) 고전에 깃든 일본의 정신으로 돌아갈 것을 주장하면서 천황에 대한 충성심을 강조하였다.

① (가) – 서원을 통해 확산되었다.
② (가) – 치양지, 지행합일을 내세웠다.
③ (나) – 이기론을 토대로 발달하였다.
④ (나) – 나카에 도주가 평등을 강조하였다.
⑤ (가), (나) – 실증적인 학문 연구를 중시하였다.

20 다음 질문에 대한 답변으로 가장 적절한 것은?

에도 막부는 유럽 국가 중 네덜란드에게만 교역을 허용하였다. 이러한 정책이 일본에 미친 영향은 무엇일까?

① 『농정전서』, 『천공개물』이 편찬되었다.
② 현실 개혁을 강조한 공양학이 등장하였다.
③ 언어와 의학을 중심으로 난학이 발달하였다.
④ 인간의 본성이 곧 우주의 이치라는 주장이 대두되었다.
⑤ 고대 유학으로 돌아가자고 주장하는 학자들이 나타났다.

동아시아의 근대화 운동과 반제국주의 민족 운동

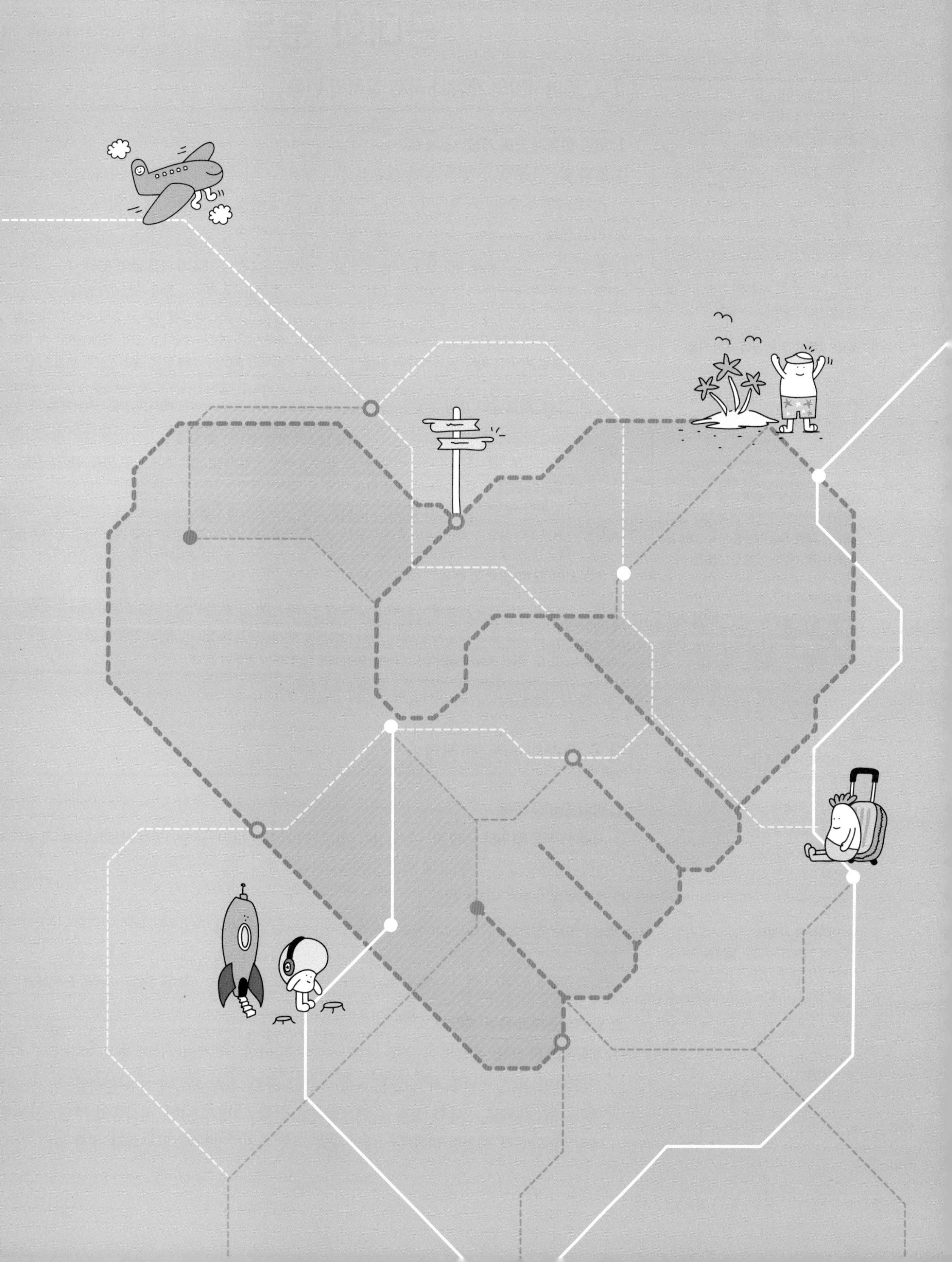

01 새로운 국제 질서와 근대화 운동

학습목표
- 동아시아 각국의 개항과 근대화 운동의 과정을 파악할 수 있다.
- 동아시아 각국의 근대화 과정에서 전개된 국민 국가 수립 노력을 이해할 수 있다.

1 동아시아의 개항과 국제 질서의 변동

1. 아편 전쟁과 청의 개항 교과서 자료

(1) **청과 영국의 무역**: 공행을 통한 제한적 무역 허용 → 영국의 대청 무역 적자 심화 → 영국이 청에 아편 밀수출 → 청에서 사회 문제 발생, *은 유출로 인한 청의 재정 악화

└ 아편 중독자가 급증하였어.

(2) **아편 전쟁**

└ 영국은 애로호 사건을 빌미로 침략하였어.

구분	제1차 아편 전쟁(1840)	제2차 아편 전쟁(1856)
배경	청 정부의 아편 몰수 및 아편 단속 강화	영국의 대청 무역 상황이 개선되지 않음
전개	영국의 청 침략 → 청의 패배	영국이 프랑스와 연합하여 청 침략 → 베이징 점령
결과	난징 조약 체결(1842) → 상하이 등 5개 항구 개항, 홍콩 할양, 공행 폐지, 관세 자주권 상실	톈진 조약(1858), 베이징 조약 체결(1860) → 외국 영사의 베이징 주재 허용, 크리스트교 포교 인정

꼭! 동아시아에서 최초로 체결된 근대적 조약이지만 청에게 불리한 불평등 조약이야. 이 조약은 동아시아에서 체결된 불평등 조약의 원형이 되었어.

2. 일본, 조선, 베트남의 개항 교과서 자료

일본	에도 막부의 쇄국 정책 완화 → 미국 페리 함대의 무력시위 → 미·일 화친 조약 체결(1854, 항구 개항, 영사 주재 허용, 최혜국 대우 인정) → 미·일 수호 통상 조약 체결(1858, 추가 개항, 영사 재판권 인정)
조선	고종의 친정 후 통상 개화에 대한 관심 증가 → 일본이 운요호 사건(1875)을 빌미로 개항 요구 → 강화도 조약 체결(1876, 부산을 포함한 3개 항구 개항, 영사 재판권 인정)
베트남	프랑스의 침략 → 제1차 사이공 조약 체결(1862, *코친차이나 동부 3성 할양, 항구 개항, 선교의 자유 등)

└ 에도 막부는 네덜란드·청 상인에게만 통상을 허용하다가 청이 아편 전쟁에서 패하자 서양과의 무력 충돌을 피하기 위해 쇄국 정책을 완화하였어.

3. 동아시아 국제 질서의 변동

일본	청·일 수호 조규 체결(1871, 양국이 상대국에 영사관 설치 및 외교관 파견, 양국의 영사 재판권 인정)
조선	조·러 수호 통상 조약 체결(1884, 청의 간섭에서 벗어나 독자적으로 러시아와 조약 체결)
베트남	청·프 전쟁(1884~1885)에서 패배한 청이 베트남에 대한 종주권 포기

└ 이 조약이 체결되면서 일본은 중국 중심의 전통적인 동아시아 국제 질서에서 벗어나 청과 대등한 지위를 갖게 되었어.

이것이 핵심!

동아시아 각국의 개항

구분	상대국	조약 명칭
청	영국	난징 조약(1842)
일본	미국	미·일 화친 조약(1854)
조선	일본	강화도 조약(1876)
베트남	프랑스	제1차 사이공 조약(1862)

★ 은 유출로 인한 청의 재정 악화

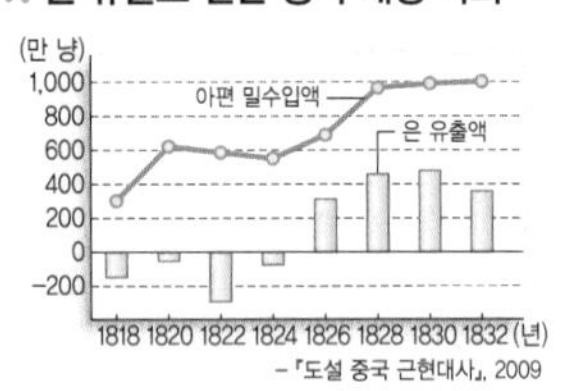

-『도설 중국 근현대사』, 2009

⊙ 청의 아편 밀수입액과 은 유출액

청에서는 아편 구매량이 늘어나 은이 해외로 대량 유출되어 조세 수입이 감소하는 등 재정난이 발생하였다.

★ 코친차이나

유럽인들이 베트남 남부 지방을 이르던 말이다. 베트남 북부 지방은 통킹이라 불렀다.

2 근대화 운동의 전개

1. 청의 근대화 운동

(1) **태평천국 운동(1851~1864)**: 홍수전이 청 왕조 타도, 토지 균분, 평등 사회 건설 주장 → 한인 의용군과 서구 열강에 의해 10여 년 만에 진압

└ 민중의 호응을 얻었어.

(2) **양무운동(1861~1894)** 자료①

배경	아편 전쟁에서의 패배, 태평천국 운동 이후 서양 무기의 우수성 인식
전개	증국번·이홍장 등 한인 관료가 주도, 중체서용의 원칙에 따라 서양의 군사력과 과학 기술 수용
결과	정부의 체계적 지원 부족, 중체서용의 한계(의식과 제도 개혁 없음) → 청·일 전쟁의 패배로 한계 노출

└ 서양식 해군 창설, 군수·방직 공장 설립 등을 추진하였어.

2. 일본의 근대화 운동 자료②

용어 천황을 받들고 서양 세력을 물리치자는 외세 배격 사상

(1) **개항 이후의 정세**: 존왕양이 운동 전개 → 막부의 탄압, 서구 열강과의 충돌 과정에서 군사력의 차이 실감 → 막부 타도 운동 전개 → 막부 붕괴, 천황 중심의 신정부 수립

(2) **메이지 유신(1868)**: 근대화 정책 추진(폐번치현 단행, 징병제 시행, 식산흥업 추진, 신분제 폐지, *이와쿠라 사절단 파견 등), 대외 침략 정책 추진(*정한론 대두, 류큐 병합 등)

이것이 핵심!

동아시아 각국의 근대화 운동

청	태평천국 운동, 양무운동
일본	메이지 유신
조선	갑신정변, 갑오·을미개혁

★ 이와쿠라 사절단

일본이 서양과 체결한 불평등 조약을 개정하기 위해 서양 각국으로 파견한 사절단이다. 이들은 조약 개정에는 실패하였으나 메이지 정부의 근대화 정책 설정에 큰 영향을 끼쳤다.

★ 정한론

조선을 정벌하자는 주장으로, 메이지 정부 초기에 대두되었다.

완자 자료 탐구

수능이 보이는 교과서 자료 동아시아의 개항과 불평등 조약의 체결

(가) 난징 조약(1842)

제2조 영국인이 광저우, 샤먼, 푸저우, 닝보, 상하이에서 …… 상업에 종사할 수 있도록 한다. (5개 항구 개항)
제3조 청은 홍콩을 영국에 할양하고, 영국이 법을 만들어 다스릴 수 있도록 허용한다.
제5조 영국 상인이 특허를 얻은 행상하고만 거래하던 관행을 없애고 어떤 상인과도 자유롭게 교역할 수 있도록 허용한다. ─ 공행 폐지를 명시한 조항이야. ─ 『중외구약장회편』

(나) 미·일 수호 통상 조약(1858) ─ 일본의 추가 개항과 미국의 영사 재판권(치외 법권)을 인정한 조약이야.

제3조 시모다, 하코다테 외에 다음 장소를 개항한다. 가나가와, 나가사키, 니가타, 효고 등
제4조 모든 일본의 수출입품은 별도의 규정과 같이 일본의 관청에 관세를 납부한다.
제6조 일본인에 대해 범죄를 저지른 미국인은 …… 미국의 법으로 처벌한다. ─ 『일본사 사료집』

(다) 강화도 조약(조·일 수호 조규, 1876) ─ 일본은 이 조항에서 조선을 자주국으로 인정하여 조선과 청의 조공 관계를 부정하고자 하였어.

제1관 조선국은 자주국이며 일본국과 평등한 권리를 갖는다.
제4관 조선국은 부산 이외에 두 곳의 항구를 개항하고 일본인이 왕래 통상함을 허가한다.
제10관 일본국 인민이 조선국 항구에서 죄를 범한 것이 조선국 인민에 관계되는 사건일 때에는 모두 일본국 관원이 심판한다. ─ 일본의 영사 재판권(치외 법권) 인정 ─ 『고종실록』

청, 일본, 조선은 외세의 강요에 굴복하여 불평등 조약을 체결하고 문호를 개방하였다. 이로써 각국은 서양 세력이 주도하는 국제 질서에 급속히 편입되어 갔다.

완자샘의 탐구 강의

• (가)~(다) 조약 중 동아시아에서 체결된 불평등 조약의 원형이 된 조약은?
(가)

• (가)~(다) 조약에 포함된 내용을 정리해 보자.

항구 개항	(가), (나), (다)
영토 할양	(가)
치외 법권	(나), (다)

• (가)~(다) 조약의 공통점을 서술해 보자.
청, 일본, 조선은 각각 (가), (나), (다) 조약을 체결하고 문호를 개방하였다. 이 조약은 모두 외세의 강요로 체결되었으며, 세 국가에 불리한 내용을 담은 불평등 조약이었다.

함께 보기 150쪽, 1등급 정복하기 1

자료 1 양무운동의 추진 방향

> 기계 제조라는 일은 오늘날 외국의 도전을 막아 내기 위한 바탕이 되며, 자강의 근본입니다. …… 서양식 기계가 농경이나 직포, 인쇄 등의 용구를 제조할 수 있고, 백성의 생계와 일상용품에 도움이 되며, 오로지 군사상의 무기만을 위해서 만들어진 것은 아니라는 점입니다. ─ 『이홍장 전집』

서양 무기의 우수성을 인식한 이홍장은 양무운동을 추진하여 서양의 군사력과 기술을 도입하였다. 양무운동은 중국의 전통을 근본으로 삼고 서양의 기술을 수용한 자강 운동이었다.

자료 하나 더 알고 가자!

난징의 금릉 기기국

양무운동 추진 과정에서 설립된 군수 공장으로, 총포와 화약 등을 생산하였어.

자료 2 일본의 메이지 유신

(후쿠자와 유키치는 서양은 문명, 아시아는 반문명이라고 평가하며 서양을 본보기로 삼아 문명화를 이루어야 한다고 주장하였어.)

> • 우리는 이웃 나라(청, 조선)의 개화를 기다려 아시아를 번영시킬 여유가 없습니다. 서양의 근대 문명을 받아들여 일본의 낡은 틀과 아시아에서 벗어나야 합니다. ─ 후쿠자와 유키치, 「탈아론」
> • 국가와 인민에게 책임 있는 자는 깊게 성찰하고 생각을 다하여, 공업 제품의 이익부터 수륙 교통의 편리함에 이르기까지 인민 행복에 중요한 것을 …… 강구하여 …… 이미 개발된 것은 유지하고, 아직 시작하지 않은 것은 장려해야 한다. ─ 오쿠보 도시미치의 식산흥업에 관한 건의, 1874

메이지 정부는 기존 아시아 국가의 체제를 거부하고 서양 근대 국가를 본보기로 삼아 부국강병을 이루고자 하였다. 이에 따라 메이지 천황을 중심으로 중앙 집권을 강화하고 식산흥업 정책을 추진하여 군수·방직 공장을 육성하는 등 근대화 정책을 추진하였다.

문제로 확인할까?

일본의 메이지 유신과 관련된 설명으로 옳지 않은 것은?
① 중체서용을 표방하였다.
② 서양 근대 국가를 본보기로 삼았다.
③ 기존 아시아 국가 체제를 거부하였다.
④ 서양식 공장을 세우며 산업 육성 정책을 추진하였다.
⑤ 메이지 천황을 중심으로 중앙 집권 체제를 확립하였다.

① 답

★ **수신사**
강화도 조약 체결 이후 조선이 일본에 보낸 사절단

★ **위정척사 운동**
조선의 성리학적 전통 질서를 지키고 성리학 이외의 모든 종교와 사상, 서양 세력을 배척하는 운동

★ **온건 개화파와 급진 개화파**

온건 개화파	급진 개화파
양무운동을 본받아 서양의 과학 기술을 수용하자고 주장	메이지 유신을 본받아 제도와 사상까지 개혁하자고 주장

3. 조선의 근대화 운동

(1) 개화 정책의 추진과 반발

① 개화 정책의 추진: 통리기무아문 설치, 별기군 창설, *수신사와 조사 시찰단(일본)·영선사(청) 등 파견
└ 조선 정부의 개혁을 총괄한 근대적 행정 기구야. 외교, 군사, 산업, 병기 제조 등을 담당하는 12사를 두었어.

② 개화 정책에 대한 반발: 유생들이 *위정척사 운동 전개, 임오군란(1882) 발생
└ 구식 군인들이 신식 군인인 별기군과의 차별에 항의하여 일으켰어.

(2) 개화파의 분열: 임오군란 이후 *온건 개화파와 급진 개화파로 분열
└ 왜? 개화의 방향, 속도 등을 둘러싸고 개화파 사이에서 갈등이 나타났기 때문이야.

(3) 근대화 운동의 전개

갑신정변 (1884)	김옥균, 박영효 등 급진 개화파가 주도 → 개혁 정강 14개조 발표 → 보수 세력의 반발과 청의 개입으로 3일 만에 실패 → 청의 내정 간섭 심화, 근대화 운동의 흐름 위축 자료③
갑오개혁·을미개혁 (1894~1895)	일본이 군사력을 동원하여 조선의 내정에 간섭, 개혁 추진(왕실과 정부의 분리, 근대적 내각제 수립, 조세 제도 합리화, 신분제 해체와 노비제 폐지, 태양력과 단발령 시행 등) → 을미사변(1895)을 계기로 의병 봉기 → 아관 파천(1896)으로 개혁 중단

이것이 핵심!

근대 국가 건설을 위한 노력

일본	자유 민권 운동 전개, 대일본 제국 헌법 제정
대한 제국	근대적 개혁 추진, 대한국 국제 반포
청	• 입헌 군주제 수립 노력: 변법자강 운동, 신정 추진, 흠정헌법 대강 발표 • 공화국 수립: 신해혁명

3 국민 국가 수립을 위한 노력

1. 일본의 자유 민권 운동과 입헌 체제 수립

(1) 자유 민권 운동(1870년대): 서양식 입헌 제도 도입 요구 → 메이지 정부의 탄압 자료④

(2) 입헌 체제 수립
└ 왜? 메이지 정부는 자유 민권 운동을 탄압하면서도 한편으로 서구식 선진 제도의 필요성을 인정하여 입헌제를 채택하였어.

① 대일본 제국 헌법 제정(메이지 헌법, 1889) 자료⑤

의의	입헌 군주제에 바탕을 둔 근대 국가의 제도적 토대 마련
한계	천황을 신성 불가침한 존재로 규정, 천황에게 막강한 권한 부여, 국민의 기본권 제한

② *제국 의회 설립(1890): 중의원 선거를 실시하여 설립

★ **제국 의회**

동아시아에서 최초로 설립된 의회로, 대일본 제국 헌법에 따라 설립되었다.

2. 독립 협회의 활동과 대한 제국의 수립

(1) 독립 협회의 활동: 서재필을 비롯한 일부 지식인들이 「독립신문」 발간, 독립 협회 창립(1896) → 만민 공동회 개최, 이권 수호 운동·의회 설립 운동 전개 → 보수 세력의 반발로 강제 해산

(2) 대한 제국의 수립: 고종이 러시아 공사관에서 환궁 → 대한 제국 수립, 고종의 황제 즉위(1897) → *구본신참에 입각한 개혁 추진, 대한국 국제 반포(1899) 자료⑤
└ 상공업 진흥, 근대적 시설 마련, 인재 양성(근대 학교 수립, 유학생 파견) 등을 추진하였어.

★ **구본신참**
옛 제도를 근본으로 하고 새로운 제도를 참고한다는 의미

3. 청의 입헌 군주제 수립 노력과 신해혁명

(1) 변법자강 운동과 신정
└ 용어 법이나 제도를 고쳐 스스로 강하게 한다는 의미

① 변법자강 운동(1898)
└ 과거제 폐지, 근대 학교 설립, 상공업 진흥, 입헌 군주제 도입 등을 추진하였어.

배경	청·일 전쟁의 패배로 양무운동의 한계 인식
전개	캉유웨이, 량치차오 등이 메이지 유신을 본떠 여러 분야에서 개혁 추진
결과	서태후를 비롯한 보수 세력의 반발에 부딪혀 100여 일 만에 실패

② 신정 추진과 입헌 노력
└ 이에 따라 신식 군대 편성, 상공업 육성 등의 개혁을 시행하였어.

신정 추진	의화단 운동 이후 청 정부가 개혁의 필요성 절감, 민중의 개혁 요구 수용
입헌 노력	량치차오, 캉유웨이 등이 입헌 운동 전개 → 청 정부의 *흠정헌법 대강 발표(1908) 자료⑤

★ **흠정헌법 대강**
'흠정헌법'은 황제가 직접 제정한 헌법을 의미한다. 청은 헌법을 제정하여 입헌 군주제를 확립하고자 하였으나, 청의 멸망으로 헌법 제정으로 이어지지 못하였다.

(2) 신해혁명(1911): 우창에서 신군을 중심으로 봉기 → 쑨원의 임시 대총통 취임, 중화민국 수립(1912) → 청 황제 퇴위, 쑨원이 공화제 시행 조건으로 위안스카이에게 임시 대총통 위임
└ 꼭! 아시아 최초의 공화국이야.

내 옆의 선생님

자료 3 갑신정변

급진 개화파가 발표한 개혁 정강 14개조의 일부 조항이야.

청에 대한 사대 관계 폐지

1. 대원군을 가까운 시일 내에 돌아오게 하고 청에 조공하는 허례를 폐지할 것
2. 문벌을 폐지하여 인민 평등의 권리를 제정하고 능력에 따라 관리를 등용할 것
12. 재정은 모두 호조에서 관할하게 하고 그 밖의 재무 관청은 폐지할 것 – 김옥균, 『갑신일록』

임오군란 이후 청의 내정 간섭, 조선 정부의 더딘 개혁에 불만을 가졌던 김옥균, 박영효 등 급진 개화파는 일본의 메이지 유신을 본보기로 삼아 갑신정변을 일으켰다. 이들은 입헌 군주제 도입, 신분 제도와 문벌 폐지, 조세 제도의 개혁 등을 추진하였다.

문제로 확인할까?

갑신정변에 대한 설명으로 옳은 것은?

① 폐번치현을 단행하였다.
② 이홍장, 증국번이 주도하였다.
③ 메이지 유신을 본보기로 삼았다.
④ 토지 균등 분배와 남녀평등을 약속하였다.
⑤ 보수 세력의 반발로 100여 일 만에 실패하였다.

③ 답

자료 4 일본의 의회 설립 요구

자유 민권 운동가들은 일부 실권자가 권력을 독점하는 것이 모든 문제의 근원이므로 이를 방지하기 위해 의회를 설립해야 한다고 주장하였어.

신들이 엎드려 현재 정권이 누구에게 있는가 살펴보니, …… 오로지 일부 실권자들에게 있습니다. …… 천하의 공의(公議)를 떨친다는 것은 백성이 뽑은 의원(議院)을 설립하는 길밖에는 없습니다. 무릇 정부에 대해 조세를 낼 의무가 있는 인민은 그 정부의 일에 간여하여 찬반을 논할 권리가 있습니다. …… 지금 민선 의원을 설립한다면 정부와 인민 사이에 소통이 되고 서로 일체가 되어 국가와 정부가 비로소 강하게 될 것입니다. –「민선 의원 설립 건백서」, 1874

이 청원서가 신문에 보도되면서 일본에서 자유 민권 운동이 시작되었다. 자유 민권 운동가들은 의회 설립과 헌법 제정을 요구하며 서양식 입헌 제도의 도입을 주장하였다.

자료 하나 더 알고 가자!

독립 협회의 의회 설립 운동

외국과의 이권에 관한 계약과 조약은 해당 부처의 대신과 중추원 의장이 함께 날인하여 시행할 것 – 헌의 6조

조선에서도 의회 설립 요구가 있었어. 독립 협회는 관민 공동회에서 헌의 6조를 결의하고 입헌제 도입을 위한 의회 설립 운동을 전개하였어.

자료 5 동아시아 각국의 입헌 노력

[대일본 제국 헌법(메이지 헌법, 1889)] – 일본은 이 헌법에 따라 천황에게 막강한 권한을 부여하고 내각도 천황이 구성하게 하였어.

제1조 대일본 제국은 만세일계의 천황이 통치한다.
제4조 천황은 국가의 원수로서 통치권을 총괄하며, 헌법의 조항에 따라 이행한다.
제7조 천황은 제국 의회를 소집하며 그 개최와 폐회, 정회 및 중의원의 해산을 명한다.

[대한국 국제(1899)] – 황제의 무한한 권력을 명시하고 황제에게 육해군 통수권과 입법권·행정권·외교권을 부여하였어.

제2조 대한 제국의 정치는 만세불변할 전제 정치이다.
제3조 대한국 대황제는 무한한 주권을 가진다.
제6조 대한국 대황제는 법률을 제정하여 그 반포와 집행을 명한다.

[흠정헌법 대강(1908)] – 대일본 제국 헌법을 본보기로 삼아 황제에게 법률의 공포, 의회의 소집과 해산, 군의 통수권 등 각종 권한을 부여하였어.

제1조 대청 황제는 대청 제국을 통치하며 만세일계로 영원히 군림한다.
제3조 황제는 법률을 반포하고 방안을 결의하는 권한을 갖는다. 의회에서 의결하였어도 황제의 명령으로 비준하고 반포된 것이 아니면 실행할 수 없다.
제6조 황제는 육해군을 통솔하고 군제를 감독할 권리를 가지며 의회는 이에 간섭할 수 없다.

일본은 대일본 제국 헌법을 제정하여 동아시아 최초의 입헌 군주국을 수립하였다. 고종은 대한국 국제를 발표하여 대한 제국의 정치 체제가 전제 군주정임을 밝혔으며, 청은 흠정헌법 대강을 발표하여 입헌 군주제를 확립하고자 하였다.

정리 비법을 알려줄게!

동아시아 각국의 입헌 체제 수립 노력

대일본 제국 헌법(1889)	입헌 군주제 규정, 천황에게 막강한 권한 부여, 국민의 기본권 제한
대한국 국제(1899)	전제 군주정 표방, 황제의 무한한 권력 명시
흠정헌법 대강(1908)	군주의 권리 명문화

문제로 확인할까?

대일본 제국 헌법에 대한 설명으로 옳은 것을 〈보기〉에서 모두 고르시오.

보기
ㄱ. 의회 제도를 도입하였다.
ㄴ. 전제 군주정을 표방하였다.
ㄷ. 국민의 기본권을 제한하였다.
ㄹ. 천황에게 많은 권한을 부여하였다.

ㄱ, ㄷ, ㄹ 답

STEP 1 핵심 개념 확인하기

정답친해 43쪽

1 밑줄 친 '전쟁'의 명칭을 쓰시오.

영국이 인도산 아편을 청에 밀수출하자 청에서는 여러 사회 문제가 발생하였다. 이에 청 정부가 아편을 몰수하고 단속을 강화하자, 영국은 이를 구실 삼아 전쟁을 일으켰다.

2 다음 설명이 맞으면 ○표, 틀리면 ×표를 하시오.

(1) 청은 난징 조약을 체결하여 공행을 폐지하였다. ( )

(2) 일본은 청·일 수호 조규를 통해 청과 대등한 지위를 갖게 되었다. ( )

(3) 일본은 미·일 수호 통상 조약을 통해 미국에 최혜국 대우를 인정하였다. ( )

3 다음에서 설명하는 근대화 운동을 〈보기〉에서 고르시오.

보기
ㄱ. 갑신정변 ㄴ. 양무운동
ㄷ. 메이지 유신 ㄹ. 태평천국 운동

(1) 폐번치현을 단행하고 징병제를 실시하였다. ( )

(2) 증국번, 이홍장 등 한인 관료가 중체서용을 표방한 개혁을 추진하였다. ( )

(3) 조선의 급진 개화파가 주도하여 입헌 군주제와 문벌 폐지 등을 추진하였다. ( )

4 ㉠, ㉡에 들어갈 내용을 각각 쓰시오.

1870년대 일본에서는 서양식 의회 설치와 헌법 제정을 요구하는 (㉠)이 전개되었다. 메이지 정부는 이를 탄압하면서도 한편으로 서구식 선진 제도의 필요성을 인정하여 1889년에 (㉡)을 제정하였다.

5 대한 제국이 1899년에 반포한 ( )는 황제의 무한한 권력을 명시하였다.

STEP 2 내신 만점 공략하기

01 그래프는 청의 무역 상황을 나타낸 것이다. 이러한 무역이 끼친 영향으로 옳은 것을 〈보기〉에서 고른 것은?

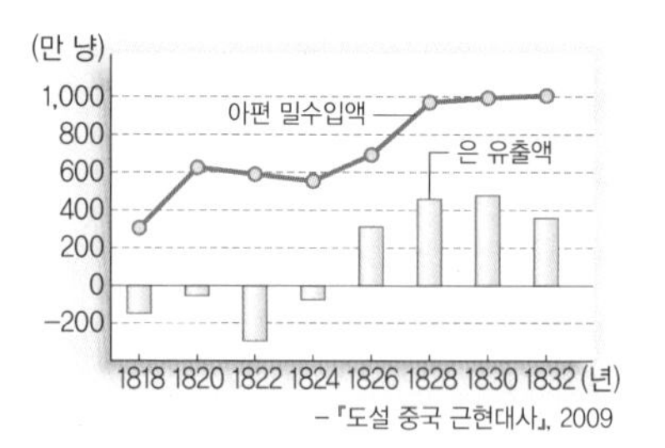

-「도설 중국 근현대사」, 2009

보기
ㄱ. 청의 국가 재정이 악화되었다.
ㄴ. 청에서 아편 중독자가 늘어났다.
ㄷ. 영국이 제2차 아편 전쟁을 일으켰다.
ㄹ. 영국과 청의 무역 방식이 편무역으로 바뀌었다.

① ㄱ, ㄴ ② ㄱ, ㄷ ③ ㄴ, ㄷ
④ ㄴ, ㄹ ⑤ ㄷ, ㄹ

중요

02 다음 조약의 체결 결과로 옳지 않은 것은?

제2조 영국 인민이 가족과 하인을 데리고 광저우, 샤먼, 푸저우, 닝보, 상하이 등 다섯 항구에 기거하면서 아무런 방해 없이 무역 통상에 나설 수 있도록 허용한다.
제5조 영국 상인이 …… 어떤 상인과도 자유롭게 교역할 수 있도록 허용한다.

① 공행이 폐지되었다.
② 청이 관세 자주권을 상실하였다.
③ 영국의 대청 무역 적자가 해소되었다.
④ 에도 막부가 쇄국 정책을 완화하였다.
⑤ 영국이 청으로부터 홍콩을 할양받았다.

03 밑줄 친 '근대적 조약'과 관련된 설명으로 옳은 것은?

> **역사 다큐멘터리 기획서**
>
> 1. 주제: 조선, 문호를 개방하다
> 2. 기획 의도: 조선이 외국과 최초로 <u>근대적 조약</u>을 체결한 과정과 그로 인한 영향을 살펴본다.
> 3. 사전 조사 자료
>
> 
> ⊙ 조약 체결 모습
>
> ⊙ 조약 원문

① 조선의 영토 할양을 명시하였다.
② 동아시아에서 최초로 체결된 근대적 조약이다.
③ 페리 함대의 무력시위에 굴복하여 체결하였다.
④ 일본이 운요호 사건을 빌미로 체결을 강요하였다.
⑤ 조선이 청의 간섭에서 벗어나 독자적으로 체결한 조약이다.

중요

04 (가), (나) 조약에 대한 학생들의 대화 내용으로 옳은 것은?

> • 미국이 청과의 무역에서 일본을 중간 거점으로 삼기 위해 무력으로 일본에 개항을 요구하였다. 이후 미국이 통상의 자유화를 요구하자 일본은 (가) 을/를 체결하여 가나가와를 비롯한 항구를 추가로 개항하였다.
> • 프랑스는 베트남을 거점으로 삼아 선교와 식민 활동을 확대하기 위해 베트남에 군대를 파견하여 전쟁을 일으켰다. 전쟁에서 패한 베트남은 프랑스와 (나) 을/를 체결하여 개항하였다.

① 갑: 메이지 정부는 (가) 조약 체결을 추진하였어.
② 을: (가)는 일본이 서양과 체결한 최초의 근대적 조약이야.
③ 병: 베트남은 (나)를 체결하고 공행을 폐지하였어.
④ 정: (나)는 청이 베트남에 대한 종주권을 포기하는 계기가 되었어.
⑤ 무: (가)와 (나)는 각각 일본과 베트남에 불리한 내용을 담은 불평등 조약이야.

05 (가) 근대화 운동에 대한 설명으로 옳은 것은?

> 홍수전은 청 왕조 타도와 평등 사회 건설 등을 주장하며 (가) 을/를 일으켰다. 홍수전의 세력은 한때 난징을 점령하고 강남 일대를 장악하여 청 정부를 위협하였다.

① 개혁 정강 14개조를 발표하였다.
② 아시아 최초의 공화국을 수립하였다.
③ 청·일 전쟁에서 패하며 그 한계를 드러냈다.
④ 강희제의 삼번 폐지 시도를 계기로 일어났다.
⑤ 토지 균등 분배를 주장하여 민중의 호응을 얻었다.

06 빈칸에 들어갈 내용으로 적절한 것은?

> **동아시아사 인물 카드**
>
> 
>
> 청의 지방 한인 관료이다. 두 번의 아편 전쟁과 태평천국 운동을 겪으면서 서양 무기의 우수성을 인식하였다. 그 결과 청의 위기를 극복하기 위해 근대화 운동을 추진하였다. 이에 따라 ______________

① 「독립신문」을 발간하였다.
② 흠정헌법 대강을 발표하였다.
③ 일본에 조사 시찰단을 파견하였다.
④ 양무운동을 주도하여 기선 회사를 설립하였다.
⑤ 만민 공동회를 개최하여 이권 수호 운동을 전개하였다.

07 (가)에 들어갈 검색어로 옳은 것은?

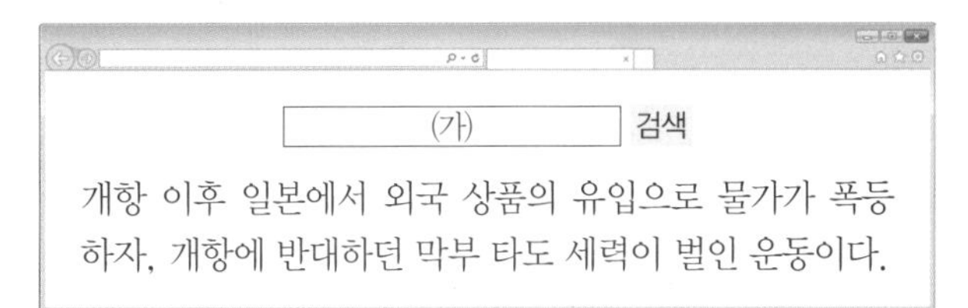

① 동유 운동　② 변법자강 운동
③ 존왕양이 운동　④ 동학 농민 운동
⑤ 자유 민권 운동

08 밑줄 친 '새로운 정부'가 실시한 정책으로 옳은 것은?

이와쿠라 사절단

이와쿠라 사절단은 일본이 서양과 체결한 불평등 조약을 개정하기 위해 서양으로 파견되었다. 이들은 조약 개정에 큰 성과를 거두지는 못하였으나, 일본의 새로운 정부가 근대화 정책 방향을 설정하는 데 큰 영향을 끼쳤다.

① 사민평등의 원칙 아래 신분제를 폐지하였다.
② 중체서용을 바탕으로 군수 공장을 설립하였다.
③ 청에 영선사를 파견하여 근대 시설을 시찰하였다.
④ 갑오개혁을 추진하여 근대적 내각제를 수립하였다.
⑤ 군제를 개편하고 신식 군대인 별기군을 창설하였다.

09 다음 개혁안을 발표한 조선의 근대화 운동에 대한 설명으로 옳지 않은 것은?

- 청에 조공하는 허례를 폐지할 것
- 문벌을 폐지하여 인민 평등의 권리를 제정하고, 능력에 따라 관리를 등용할 것

① 청의 개입으로 3일 만에 실패하였다.
② 급진 개화파가 일본의 지원을 받아 일으켰다.
③ 통리기무아문을 설치하여 개혁을 추진하였다.
④ 입헌 군주제를 지향하고 문벌을 폐지하고자 하였다.
⑤ 인민 평등권의 확보, 조세 제도 개혁 등을 주장하였다.

10 조선에서 다음 개혁이 전개된 시기를 연표에서 고른 것은?

배경	일본의 내정 간섭, 개혁 강요
전개	신분제 폐지, 단발령 시행 등
결과	의병 봉기, 아관 파천으로 중단

	(가)		(나)		(다)		(라)		(마)	
신미양요		운요호 사건		임오군란		갑신정변		대한 제국 수립		대한국 국제 선포

① (가) ② (나) ③ (다) ④ (라) ⑤ (마)

11 다음 주장에 따라 일어난 운동에 대한 설명으로 옳은 것은?

천하의 공의(公議)를 떨친다는 것은 백성이 뽑은 의원(議院)을 설립하는 길밖에는 없습니다. …… 민선 의원을 설립한다면 국가와 정부가 비로소 강해질 것입니다.

① 공화정 수립을 목표로 하였다.
② 메이지 정부의 적극적인 지지를 받았다.
③ 대일본 제국 헌법 제정에 영향을 주었다.
④ 존왕양이를 내세워 막부 타도를 주장하였다.
⑤ 한인 의용군과 서구 열강의 개입으로 진압되었다.

중요

12 다음 헌법에 대한 설명으로 옳은 것은?

제1조 대일본 제국은 만세일계의 천황이 통치한다.
제4조 천황은 국가의 원수이며 통치권을 장악하고 이 법률의 조규에 의하여 이를 거행한다.

① 제국 의회에서 제정하였다.
② 전제 군주정을 표방하였다.
③ 흠정헌법 대강의 영향을 받았다.
④ 천황에게 막강한 권한을 부여하였다.
⑤ 존왕양이 운동이 전개되는 계기가 되었다.

13 (가)에 들어갈 내용으로 가장 적절한 것은?

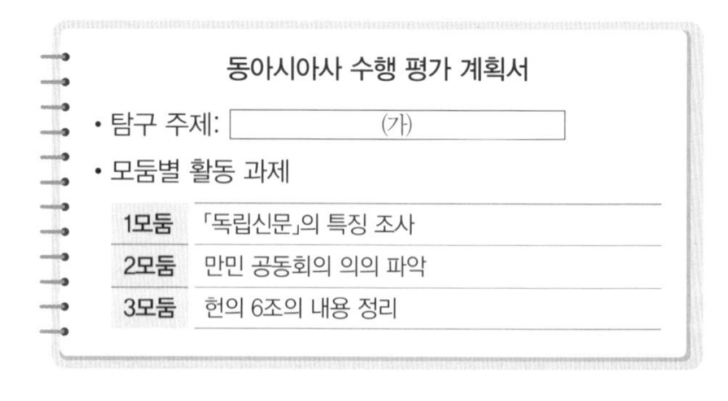

동아시아사 수행 평가 계획서

- 탐구 주제: (가)
- 모둠별 활동 과제

1모둠	「독립신문」의 특징 조사
2모둠	만민 공동회의 의의 파악
3모둠	헌의 6조의 내용 정리

① 신정의 실시
② 대한 제국의 수립
③ 독립 협회의 활동
④ 메이지 유신의 전개
⑤ 위정척사 운동의 전개

14 (가) 시기에 있었던 사실로 옳은 것은?

> 고종은 1897년 러시아 공사관에서 경운궁으로 환궁한 이후 국가의 위상을 높이기 위해 황제 즉위식을 올렸다. 그리고 조선의 국호를 [(가)](으)로 변경하였다.

① 청에 영선사를 파견하였다.
② 신분제를 폐지하고 태양력을 시행하였다.
③ 구본신참에 입각하여 상공업을 진흥하였다.
④ 서재필을 비롯한 지식인들이 독립 협회를 창립하였다.
⑤ 구식 군인들이 별기군과의 차별에 항의하여 봉기를 일으켰다.

중요
15 다음과 같은 방향에서 추진된 중국의 근대 개혁 운동에 대한 설명으로 옳지 않은 것은?

> 일본의 유신에서 귀감을 찾아야만 합니다. …… 유신의 초기에 바꿔야 할 것은 아주 많았지만, 그 핵심은 세 가지였습니다. 첫째는 군신과 더불어 서약함으로써 국시(國是)를 정한 것이고, 둘째는 현명한 인재를 모집한 것이며, 셋째는 지도국을 열고 헌법을 정한 것이었습니다.

① 입헌 군주제의 도입을 목표로 하였다.
② 양무운동의 한계를 극복하고자 하였다.
③ 서태후를 비롯한 보수 세력의 반발로 실패하였다.
④ 폐번치현을 실시하여 중앙 집권 체제를 확립하였다.
⑤ 메이지 유신을 본떠 여러 분야에서 개혁을 추진하였다.

16 청에서 다음 상황이 전개된 이후의 사실로 옳은 것은?

> 우창에서 신식 군대를 중심으로 봉기가 일어나자, 각 지방에서 청 정부에 독립을 선언하였다.

① 중화민국이 수립되었다.
② 의화단 운동이 전개되었다.
③ 태평천국 운동이 일어났다.
④ 청·일 전쟁에서 청이 패배하였다.
⑤ 청이 서구 열강과 톈진 조약을 맺었다.

서술형 문제

● 정답친해 45쪽

01 다음을 읽고 물음에 답하시오.

> (가) • 영국 인민이 광저우, 샤먼, 푸저우, 닝보, 상하이 등 다섯 항구에 기거하면서 무역 통상에 나설 수 있도록 허용한다.
> • 청은 홍콩을 영국에 할양하고, 영국이 법을 만들어 다스릴 수 있도록 허용한다.
>
> (나) • 조선국 연해를 일본국의 항해자가 자유롭게 측량하도록 허가한다.
> • 일본국 인민이 …… 죄를 범한 것이 조선국 인민에 관계되는 사건일 때에는 모두 일본국 관원이 심판한다.

(1) (가), (나) 조약 체결의 계기가 된 사건을 각각 쓰시오.

(2) (가), (나) 조약의 공통점을 두 가지 서술하시오.

길잡이 두 조약의 내용과 체결 결과 등에서 공통점을 찾아본다.

02 다음을 읽고 물음에 답하시오.

> 기계 제조라는 일은 오늘날 외국의 도전을 막아 내기 위한 바탕이 되며, 자강의 근본입니다. …… 신이 밝히고자 하는 것은 서양식 기계가 농경이나 직포·인쇄·도자기 제조 등의 용구를 모두 제조할 수 있고, 백성의 생계와 일상용품에 도움이 되며, 원래부터 오로지 군사상의 무기만을 위해서 만들어진 것은 아니라는 점입니다.

(1) 중국에서 위 주장을 바탕으로 전개된 근대화 운동의 명칭을 쓰시오.

(2) (1) 근대화 운동의 의의와 한계를 각각 서술하시오.

길잡이 위 주장에서 '기계 제조가 자강의 근본'이라고 한 것에 주목한다.

STEP 3 1등급 정복하기

수능 응용

1 (가)~(다) 조약과 관련된 설명으로 옳지 않은 것은?

> (가) 제2조 영국인이 광저우, 샤먼, 푸저우, 닝보, 상하이에서 …… 아무런 방해를 받지 않고 무역 통상에 나설 수 있도록 허용한다.
> 제3조 청은 홍콩을 영국에 할양하고, 영국이 법을 만들어 다스릴 수 있도록 허용한다.
> 제5조 영국 상인이 특허를 얻은 행상하고만 거래하던 관행을 없애고 어떤 상인과도 자유롭게 교역할 수 있어야 한다.
> (나) 제3조 시모다, 하코다테 외에 다음 장소를 개항한다. 가나가와, 나가사키, 니가타, 효고(고베) 등
> 제6조 일본인에 대해 범죄를 저지른 미국인은 …… 미국의 법으로 처벌한다.
> (다) 제4관 조선국은 부산 외에 두 곳의 항구를 개항하고 일본인의 왕래 통상을 허가한다.
> 제10관 일본국 인민이 조선국 항구에서 죄를 범한 것이 조선국 인민에 관계되는 사건일 때에는 모두 일본국 관원이 심판한다.

① (가)는 청의 공행 폐지와 홍콩 할양을 명시하였다.
② 일본은 (나)에서 미국의 영사 재판권을 인정하였다.
③ 일본은 미국과의 전쟁에서 패배한 이후 (나)를 체결하였다.
④ 조선은 운요호 사건을 빌미로 한 일본의 강요로 (다)를 체결하였다.
⑤ 일본은 (다)에서 조선을 자주국으로 인정하여 청과 조선의 조공 관계를 부정하였다.

> 동아시아의 개항

완자샘의 시험 꿀팁
동아시아 각국이 개항 과정에서 체결한 근대적 조약의 내용, 영향 등을 묻는 문제가 자주 출제된다. 동아시아 각국이 조약을 체결하게 된 배경과 조약의 내용, 영향 등을 파악하는 것이 중요하다.

2 밑줄 친 '근대화 운동'에 대한 탐구 활동으로 적절한 것은?

① 광무개혁 때 추진된 정책을 찾아본다.
② 아시아 최초의 공화국이 수립된 과정을 정리한다.
③ 청의 광서제가 변법론자들의 주장을 받아들이게 된 이유를 알아본다.
④ 양무파 관료들이 군사력의 강화를 목표로 설립한 근대 시설을 조사한다.
⑤ 천황 중심의 중앙 집권 체제를 수립하고 근대화 정책을 실시한 목적을 탐구한다.

> 근대화 운동의 전개

완자 사전
• **광서제**
청의 제11대 황제로, 개혁파를 등용하여 개혁을 추진하였으나, 서태후의 탄압으로 실패하였다.

3 (가), (나) 근대화 운동과 관련된 설명으로 옳은 것은?

ㅇㅇ 고등학교 역사 탐구반 블로그

안녕하세요, 학우 여러분!

역사 탐구반에서 동아시아 각국의 근대화 운동에 대해 정리해 보았습니다. 학우 여러분들의 학습에 많은 도움이 되었으면 좋겠습니다.

동아시아 각국의 근대화 운동

(가)	서양의 근대 국가를 본보기로 삼아 근대화 정책 추진(징병제 시행, 사민평등의 원칙 아래 신분제 폐지, 폐번치현 단행, 근대적 토지세 제도 도입 등)
(나)	김옥균, 박영효 등의 급진 개화파가 개혁 정강 14개조를 발표하며 개혁 추진(청에 대한 사대 관계 폐지, 입헌 군주제 지향, 조세 제도 개혁 등)

① (가) – 보수 세력의 반발과 청군의 개입으로 3일 만에 실패하였다.
② (가) – 중체서용의 원칙에 따라 서양의 군사력과 과학 기술을 수용하였다.
③ (나) – 관민 공동회에서 헌의 6조를 결의하였다.
④ (나) – 문벌 폐지와 능력에 따른 인재 등용 방안을 모색하였다.
⑤ (가), (나) – 열강과 체결한 불평등 조약을 개정하기 위해 사절단을 파견하였다.

> 동아시아 각국의 근대화 운동

완자 사전

• **사민평등(四民平等)**
모든 백성이 평등하게 자유와 권리를 가지는 일

4 (가)~(다) 헌법에 대한 학생들의 대화 내용으로 옳지 않은 것은?

(가) 제1조 대일본 제국은 만세일계의 천황이 통치한다.
제4조 천황은 국가의 원수로서 통치권을 총괄하며, 헌법의 조항에 따라 이행한다.
제7조 천황은 제국 의회를 소집하며 그 개최와 폐회, 정회 및 중의원 해산을 명한다.
(나) 제2조 대한 제국의 정치는 만세불변할 전제 정치이다.
제3조 대한국 대황제는 무한한 주권을 가진다.
제6조 대한국 대황제는 법률을 제정하여 그 반포와 집행을 명한다.
(다) 제1조 대청 황제는 대청 제국을 통치하며 만세일계로 영원히 군림한다.
제3조 황제는 법률을 반포하고 방안을 결의하는 권한을 갖는다. 의회에서 의결하였어도 황제의 명령으로 비준하고 반포된 것이 아니면 실행할 수 없다.

① 갑: (가)는 자유 민권 운동의 영향으로 제정되었어.
② 을: (나)는 (가), (다)에서 영향을 받은 내용을 포함하였어.
③ 병: 대한 제국은 (나)를 반포하여 전제 군주정을 표방하였어.
④ 정: 청은 (다)를 제정하여 입헌 군주제를 확립하고자 하였어.
⑤ 무: (가)~(다)는 모두 황제(천황)에게 막강한 권한을 부여하였어.

> 국민 국가 수립을 위한 노력

완자샘의 시험 꿀팁

동아시아 각국이 국민 국가를 수립하려는 과정에서 제정한 헌법의 제정 과정, 내용을 파악해야 한다. 또 각 헌법을 비교하여 공통점과 차이점을 정리해 두는 것도 좋다.

완자 사전

• **만세불변(萬世不變)**
영원히 변하지 아니함

02 제국주의 침략과 민족 운동

- 청·일 전쟁 이후 변화된 동아시아의 국제 질서를 파악할 수 있다.
- 제1차 세계 대전 이후 동아시아 각국에서 전개된 민족 운동의 양상을 설명할 수 있다.

이것이 핵심!

일본의 제국주의적 침략

청·일 전쟁
동학 농민 운동 전개 → 청·일 양국의 파병 → 일본의 청 공격 → 평양 전투, 황해 해전에서 일본 승리 → 시모노세키 조약 체결
↓
러·일 전쟁
일본의 선제공격 → 봉천 전투, 동해 해전 등에서 일본 승리 → 포츠머스 조약 체결
↓
일본의 한국 병합
을사조약 강제 체결 → 고종 강제 퇴위 → 대한 제국 강제 병합

★ 전주 화약 체결
동학 농민군은 청·일 양군의 철수와 폐정 개혁을 조건으로 조선 정부와 전주 화약을 맺고 전주성에서 물러났다.

★ 서구 열강과 일본의 이권 침탈
청은 일본에 막대한 배상금을 지급하기 위해 서구 열강으로부터 차관을 들여왔다. 이 과정에서 청은 서구 열강에게 각종 이권을 내주게 되어 경제적으로도 열강에 예속되었다.

★ 고종의 헤이그 특사 파견
고종은 일본의 침략상을 폭로하여 국제 사회의 지원을 받고자 헤이그에서 열린 제2회 만국 평화 회의에 이상설, 이준, 이위종을 특사로 파견하였다. 그러나 이들은 일본의 방해로 성과를 거두지 못하였으며, 일본은 외교권이 없는 상태에서 특사를 보낸 이유 등을 문제 삼아 고종을 강제 퇴위시켰다.

1 제국주의 침략과 동아시아 국제 질서의 재편

1. 동학 농민 운동

(1) **19세기 후반 동아시아의 정세**: 갑신정변 이후 조선을 둘러싼 청과 일본의 대립 심화

(2) **동학 농민 운동**: 동학 농민군이 정치와 사회 개혁을 요구하며 봉기(1894) → 조선 정부가 청에 원군 요청 → 청과 일본의 파병 → *전주 화약 체결 → 일본이 내정 개혁을 명분으로 경복궁 점령 → 동학 농민군의 재봉기 → 일본군과 조선 정부군의 진압

2. 청·일 전쟁과 동아시아 국제 질서의 재편

(1) **청·일 전쟁(1894~1895)** 자료 ①

전개	일본이 조선의 철군 요구를 거부하고 경복궁 점령 → 일본군이 풍도 앞바다에서 청 군함 공격(1894) → 일본군이 평양 전투와 황해 해전에서 청에 승리, 랴오둥반도·산둥반도 일부 점령
결과	시모노세키 조약 체결(1895, 청이 조선을 독립국으로 인정, 랴오둥반도·타이완 할양, 배상금 지급 등)

(2) **동아시아 국제 질서의 재편**: 일본이 동아시아의 강국으로 부상(타이완 식민지화, 청으로부터 받은 배상금으로 군비 확장과 산업 발전 추진 → 본격적인 제국주의 팽창 정책 추진)

3. 열강의 중국 침략과 의화단 운동

(1) **열강의 중국 침략**: 서구 열강이 경쟁적으로 청의 이권 차지 → 청의 위기의식 고조
└ 이에 따라 각지에서 반외세·반제국주의 운동이 전개되었어.

(2) **의화단 운동(1899~1901)**

배경	*서구 열강과 일본의 이권 침탈로 인한 위기의식 고조, 크리스트교에 대한 반감 확산
전개	부청멸양을 내세우며 교회, 학교, 철도, 외국 공사관 등 공격 → 베이징과 톈진 지역까지 세력 확장
결과	8개국 연합군의 진압 → 신축 조약 체결(1901, 청이 배상금 지급, 외국 군대의 베이징 주둔 허용 등)

└ '청 왕조를 도와 서양 세력을 몰아내자'라는 의미야.
└ 청 정부는 의화단 운동을 이용하여 서구 열강에 대항하고자 하였어.

4. 러·일 전쟁과 일본의 한국 병합

(1) **삼국 간섭(1895)**: 러시아가 주도하여 일본이 청에 랴오둥반도를 반환하도록 압력 행사 → 일본이 청에 랴오둥반도 반환 → 만주와 한반도를 둘러싼 러·일의 대립 본격화
└ 러시아는 프랑스, 독일과 함께 일본에 압력을 행사하였어.

(2) **러·일 전쟁(1904~1905)** 자료 ②

배경	동아시아에서 러시아의 영향력 강화(만주 철도 부설권 획득, 뤼순과 다롄 조차, 조선에 친러 정권 수립 지원, 의화단 운동을 계기로 만주에 군대 주둔) → 일본이 제1차 영·일 동맹을 체결하여 러시아 견제 → 만주와 한반도를 둘러싼 러·일의 대립 심화
전개	일본이 인천과 뤼순에서 러시아 군함 선제공격(1904) → 일본이 대한 제국에 한·일 의정서 체결 강요(1904), 독도 무단 점령 → 봉천 전투·동해 해전 등에서 일본 승리
결과	미국의 중재로 포츠머스 조약 체결(1905, 일본이 뤼순·다롄의 조차권과 남만주 철도 경영권 획득, 북위 50도 이남의 사할린섬 차지) → 일본이 한반도와 만주 지배를 위한 기반 마련

└ 일본이 대한 제국에서 임의로 군용지를 사용하기 위해 체결을 강요하였어.

(3) **일본의 한국 병합과 한국의 저항** 자료 ③

① 일본의 한국 침략: 제1차 한·일 협약(1904, 일본이 재정·외교 고문을 파견하여 대한 제국의 내정 간섭 본격화) → 을사조약 강제 체결(1905, 대한 제국의 외교권 박탈)

을사조약은 일본에 의해 강제로 체결되었기 때문에 억지로 맺은 조약이라는 의미에서 '을사늑약'이라고 부르기도 해.

② 한국의 저항: 애국 계몽 운동(근대 지식인 중심, 실력 양성 강조)과 의병 운동(양반 유생, 농민 중심) 전개, 고종이 *헤이그 만국 평화 회의에 특사 파견(1907)

③ 일본의 한국 병합: 고종 강제 퇴위 → 군대 해산 → 대한 제국의 국권 강탈(1910)

완자 자료 탐구

내 옆의 선생님

자료 1 청·일 전쟁과 시모노세키 조약의 체결

청·일 전쟁의 전개

> 제1조 청은 조선이 자주 독립국임을 확인한다.
> 제2조 청은 아래에 기록한 지역의 관리 권한 및 해당 지방에 있는 성루, 무기 공장과 모든 공공 기물을 영원히 일본에 할양한다.
> 1. 봉천성 남부의 땅(랴오둥반도)
> 2. 타이완 전체와 그에 딸린 여러 섬
>
> 제4조 청은 배상금으로 은 2억 냥을 일본에 지급할 것을 약속한다.
> – 『중외구약장회편』

(이후 대한 제국과 청은 대등한 입장에서 한·청 수호 통상 조약(1899)을 체결하고 새로운 관계를 맺었어.)

(일본의 4년치 재정보다 많은 금액이었어.)

일본은 평양 전투와 황해 해전에서 청을 격파하고 청·일 전쟁에서 승리하였다. 그 결과 시모노세키 조약(1895)을 통해 타이완과 랴오둥반도를 할양받았다. 청·일 전쟁을 계기로 일본이 동아시아의 강국으로 부상하며 중국 중심의 전통적인 국제 질서가 해체되었다.

정리 비법을 알려줄게!

청·일 전쟁과 국제 정세의 변화

청·일 전쟁
동학 농민 운동을 계기로 청군과 일본군의 충돌 → 일본이 평양 전투·황해 해전에서 승리
↓
시모노세키 조약 체결
청이 조선에 대한 권리 포기, 청이 일본에 타이완·랴오둥반도 할양, 청이 일본에 배상금 지급
↓
삼국 간섭
러시아가 주도하여 일본에 랴오둥반도 반환 요구 → 일본이 랴오둥반도 반환 → 만주와 한반도를 둘러싼 러·일의 대립 본격화

자료 2 러·일 전쟁의 결과

> [포츠머스 조약(1905. 9.)]
> 제2조 러시아 제국 정부는 …… 일본 제국 정부가 한국에서 필요하다고 인정하는 지도 보호 및 감리의 조처를 취하는 데 이를 저지하거나 간섭하지 않을 것을 약정한다.
> 제5조 러시아 제국 정부는 청국 정부 승낙하에 뤼순, 다롄 및 그 부근의 …… 모든 권리 특권을 일본 제국 정부에 이전한다.
> – 『구한말 조약 휘찬』
>
> [만주선후조약(1905. 12.)] – 포츠머스 조약의 후속 조약이야.
> 제1조 청국 정부는 러시아 정부가 포츠머스 조약에 의거해 일본국에 행한 일체의 양도를 승낙한다.
> 제3조 일본국 정부는 청과 러시아 양국 간에 체결되었던 조차지 및 철도 부설에 관해 원 조약에 비추어 노력하고 준행해야 함을 승낙한다.
> – 일본 국립 공문서관

러·일 전쟁에서 승리한 일본은 포츠머스 조약을 통해 뤼순·다롄의 조차권 등을 획득하였다. 한편 청은 만주선후조약을 통해 일본이 러시아로부터 양도받은 영토와 각종 권리를 승인하였다. 일본은 이를 통해 한반도와 만주 지배를 위한 기반을 마련하였다.

자료 하나 더 알고 가자!

러·일 전쟁을 풍자한 그림

이 그림에서 거인은 러시아, 작은 사람은 일본을 상징하고 서양 열강은 이들의 대결을 지켜보고 있어. 당시 많은 사람들은 러·일 전쟁에서 러시아가 이길 것이라고 생각하였지만, 이러한 예상과 다르게 일본이 승리하였어. 이후 일본은 만주와 한반도에서의 영향력을 강화하였어.

자료 3 을사조약

> 제2조 한국 정부는 지금부터 일본국 정부의 중개를 거치지 않고서는 국제적 성질을 가진 어떤 조약이나 약속을 맺지 않을 것을 서로 약속한다.
> 제3조 …… 그 대표자로 하여금 한국 황제 폐하 밑에 1명의 통감을 두되, 통감은 오로지 외교에 관한 사항을 관리한다.
> – 『고종실록』

일본은 을사조약을 강제로 체결하여 대한 제국의 외교권을 박탈하고 대한 제국을 보호국으로 삼았다. 또 통감부를 설치하여 통감에게 대한 제국의 외교 업무를 담당하도록 하였다.

문제로 확인할까?

을사조약에 대한 설명으로 옳은 것을 <보기>에서 모두 고르시오.

보기
ㄱ. 일본인 고문이 파견되었다.
ㄴ. 일본이 체결을 강요하였다.
ㄷ. 러·일 전쟁 중에 체결되었다.
ㄹ. 대한 제국의 외교권을 박탈하였다.

답 ㄱ, ㄹ

02 제국주의 침략과 민족 운동

이것이 

국제 질서와 동아시아의 민족 운동

제1차 세계 대전
일본 참전 후 중국에 '21개조 요구' 제출
↓
파리 강화 회의와 워싱턴 체제
• 파리 강화 회의: 윌슨의 민족 자결주의 제창, 베르사유 조약 체결 • 워싱턴 체제: 아시아·태평양 지역의 새로운 국제 질서 성립
↓
한국과 중국의 민족 운동
• 한국: 3·1 운동 전개, 대한민국 임시 정부 수립 • 중국: 5·4 운동 전개, 제1차 국·공 합작 성립

2 제1차 세계 대전의 발발과 민족 운동의 전개

1. 제1차 세계 대전과 동아시아

(1) **일본의 제1차 세계 대전 참전**: 영·일 동맹을 구실로 참전 → 독일이 차지하고 있던 산둥반도 점령, 남태평양의 여러 섬 획득, 시베리아에 출병하여 반혁명 세력 지원

> 왜? 1917년에 일어난 러시아의 사회주의 혁명이 확대될 것을 두려워하였기 때문이야.

(2) **일본의 세력 확장 시도**: 중국에 '21개조 요구' 제출(1915, 중국에 대한 내정 간섭과 이권 침탈 목적) → 베이징 정부의 일부 수용 → 중국에서 반일 운동을 전개하며 강력 반발 자료 ④

(3) **파리 강화 회의(1919~1920)**: 제1차 세계 대전의 전후 처리 논의 → 중국이 회의에 대표단 파견('21개조 요구'의 철폐, 산둥반도의 권익 반환 주장) → 베르사유 조약 체결(중국의 주권 인정, 산둥반도에 대한 일본의 이권 인정)

(4) **워싱턴 회의(1921~1922)**

목적	동아시아에 대한 열강의 이해관계 조정, 중국 문제 재논의, 해군 군비 축소
결과	*각국의 해군 군비 제한, 영·일 동맹 폐기, 일본이 산둥반도의 이권을 중국에 반환, 중국의 주권과 독립·영토 보전을 약속하였으나 일부 요구 미수용 → 동아시아에서 열강 간의 세력 균형 이룩(워싱턴 체제)

> 아시아·태평양 지역에서 새로운 국제 질서가 성립하였어.
> 관세 자주권 회복, 치외 법권 철폐, 조차지 반환 등

★ 각국의 해군 군비 제한

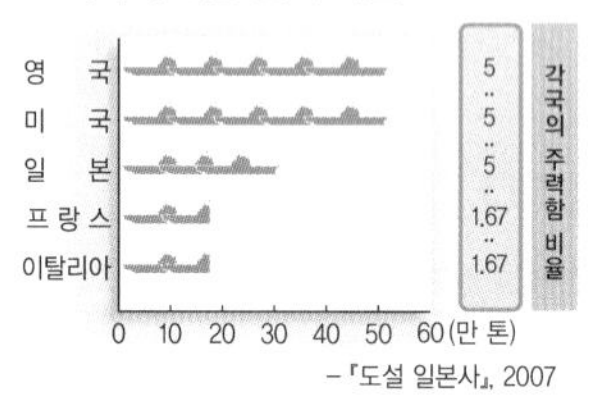

– 『도설 일본사』, 2007

워싱턴 회의 당시 주력함 비율
워싱턴 회의에서 미국, 영국, 일본의 주력함 비율을 5 : 5 : 3으로 정하여 일본은 해군력 증강에 제한을 받았다.

2. 한국의 3·1 운동과 중국의 5·4 운동 교과서 자료

> 용어 강력한 군사력을 바탕으로 일부 지방에서 실질적인 권력을 행사한 군인 세력

구분	3·1 운동(1919)	5·4 운동(1919)
배경	일본의 무단 통치에 대한 반발, 파리 강화 회의에서 채택한 *민족 자결주의의 영향, 도쿄에서 한국 유학생들이 「2·8 독립 선언」 발표	*신문화 운동의 확산, 파리 강화 회의에서 중국의 요구 미수용(→ 반일 감정 고조), 한국에서 3·1 운동 전개
전개	종교계 인사와 학생들이 독립 선언서 발표(1919. 3. 1.) → 대중적 비폭력 시위 전개 → 전국, 해외로 확산 → 일본의 무력 진압	베이징 대학생의 반군벌·반일 시위(산둥반도의 이권 반환과 '21개조 요구'의 철회 촉구) → 상인과 노동자 등이 가담하면서 전국으로 확산
결과	대한민국 임시 정부 수립과 국내외 독립운동에 영향을 줌, 일본이 이른바 문화 통치 실시	베이징 정부가 베르사유 조약의 조인 거부, 중국 국민당과 공산당 창당에 기여

> 민족 분열을 목적으로 하였어.

3. 중국의 통일 정부 수립 자료 ⑤

> 왜? 레닌이 각국의 식민지 해방 운동을 지원하겠다고 하였기 때문이야. 중국 국민당은 중국의 통일과 독립을 돕겠다는 소련의 제안을 받아들였어.

(1) **제1차 국·공 합작과 북벌**: 중국 국민당이 소련의 지원을 받으며 중국 공산당과 연합(1924, 제1차 국·공 합작) → *5·30 사건(1925) → 장제스가 북벌 전개(1926) → 국민당과 공산당의 갈등 발생 → 장제스의 공산당 세력 탄압 → 난징에 국민 정부 수립(1927), 제1차 국·공 합작 붕괴 → 북벌 재개 → 베이징 점령, 북벌 완성(1928)

(2) **중국 공산당의 저항**: 국민당의 탄압 → 홍군 조직 → 대장정 감행(1934)

> 중국 공산당은 약 2년여에 걸친 대장정 끝에 산시성 옌안에 근거지를 마련하였어.

4. 대한민국 임시 정부의 수립과 민족 운동의 발전

(1) **대한민국 임시 정부의 수립**

수립	외교 활동이 유리한 상하이에서 수립(1919)
활동	민주 공화제 채택, 비밀 행정 조직망 조직(연통제, 교통국), 「독립신문」 발간(국내외에 독립운동 소식 전달), 파리 강화 회의에 독립 청원서 제출, 미국에 구미 위원부 설치(독립을 위한 외교 활동 전개) 등

(2) **민족 운동의 발전**

> 일제 고위 관리를 처단하거나 관공서를 폭파하는 활동을 하였어.

국외	독립군이 봉오동 전투와 청산리 전투에서 승리(1920), 의열단의 의열 활동 전개
국내	3·1 운동 이후 사회주의 사상 확산, 민족 운동 세력 분화 → 민족주의 세력과 사회주의 세력의 갈등 → 민족 유일당 운동 전개(제1차 국·공 합작의 영향, 민족 운동의 분열 극복 목적) → 신간회 결성(1927)

> 주로 항일 무장 투쟁이 전개되었어.

★ 민족 자결주의
각 민족은 자신의 운명을 스스로 결정할 권리가 있다는 주장

★ 신문화 운동
천두슈를 비롯한 지식인들이 유교 전통을 타파하고 서양의 민주주의와 과학을 수용하여 중국 사회의 근대화를 꾀한 운동

★ 5·30 사건
영국 경찰이 상하이에서 일어난 중국인 노동자 시위를 진압하는 과정에서 희생자가 발생한 사건이다. 이 사건을 계기로 중국에서는 반제국주의 운동이 확산되었고, 외세와 결탁한 군벌에 대한 반감이 커졌다.

내 옆의 선생님

자료 4 일본의 '21개조 요구'

독일이 차지하고 있던 이권을 일본이 계승하였어.

- 중국 정부는 앞으로 일본국 정부가 독일 정부와 협정을 체결함으로써 독일이 산둥성에 관하여 누려 온 모든 권리와 이익을 양도 등의 처분을 하는 것에 대해 모두 승인한다.
- 남만주·내몽골에서의 일본의 우월권을 인정하고 뤼순, 다롄의 조차 및 남만주, 안봉 철도의 기한을 모두 99년으로 연장한다.

– 『중·일 '이십일조' 교섭 사료 전편』

일본이 1915년 '21개조 요구'를 베이징 정부에 제출하여 중국에 대한 내정 간섭과 이권 침탈을 시도하려고 하자, 중국인들은 이에 강력하게 반발하였다.

문제로 확인할까?

'21개조 요구'와 관련된 설명으로 옳지 않은 것은?

① 워싱턴 회의의 결과 철회되었다.
② 일본이 러·일 전쟁 중에 제출하였다.
③ 중국인의 거센 반발을 불러일으켰다.
④ 일본이 중국에 대한 내정 간섭과 이권 확보를 시도한 것이다.
⑤ 산둥반도, 남만주 등지에서 일본의 특수 권익을 인정한다는 내용이다.

② 답

수능이 보이는 교과서 자료 한국의 3·1 운동과 중국의 5·4 운동

학생들의 투쟁 의지는 불타고 있었다. …… 거리마다 만세 함성이 물 끓듯 컸는지라. 일본 경찰은 말을 타고 3척가량이나 되는 철망치를 휘두르며, …… 우리 동포를 사상케 하였고, 거리와 마을마다 변장한 왜경이 가해를 하니 사상자가 부지기수라. – 유병민, 「내 삼일운동의 기록」

파리 강화 회의가 열렸을 때 우리가 희망한 것은 세계에 정의·인도·공리가 있다는 것이었습니다. 칭다오를 돌려주고 중국과 일본 사이의 밀약, 군사 협정, 기타 불평등 조약까지 취소하는 것이 바로 공리이고 정의입니다. …… 산둥이 망하면 중국도 망합니다. – 「베이징 학생계 선언」, 1919. 5. 4.

한국의 3·1 운동은 민족 자결주의의 영향을 받아 일어났으며, 국내외에서 독립운동이 더욱 활발하게 전개되는 계기가 되었다. 3·1 운동의 영향을 받아 일어난 5·4 운동은 학생과 민중이 참여하여 반제국주의와 반봉건주의를 동시에 내세운 사건이었다.

완자샘의 탐구 강의

- 3·1 운동과 5·4 운동이 각각 한국과 중국의 민족 운동에 미친 영향을 정리해 보자.

3·1 운동	대한민국 임시 정부 수립, 국내외의 다양한 독립운동 등에 영향을 주었다.
5·4 운동	중국 국민당·공산당의 창당, 제1차 국·공 합작 성립에 영향을 주었다.

함께 보기 159쪽, 1등급 정복하기 2

자료 5 제1차 국·공 합작과 북벌의 전개

국민 혁명의 임무는 제국주의 열강과 군벌 세력을 축출시키는 것인데, …… 그러므로 국민 혁명의 임무를 실현하기 위해서는 민족의 힘을 한 당에 모으지 않으면 안 된다. 즉 제국주의와 군벌로부터의 이중고에서 벗어나기 위해서는 전 국민, 즉 전 민족의 힘을 국민운동에 쏟아 부어야만 가능할 것이다. …… 그러므로 우리는 국민 혁명 운동을 이끌어 나가는 데 있어 국민 혁명의 세력이 나뉘어 분열되어서는 안 된다. – 「베이징 대표 리다자오 의견서」, 1924

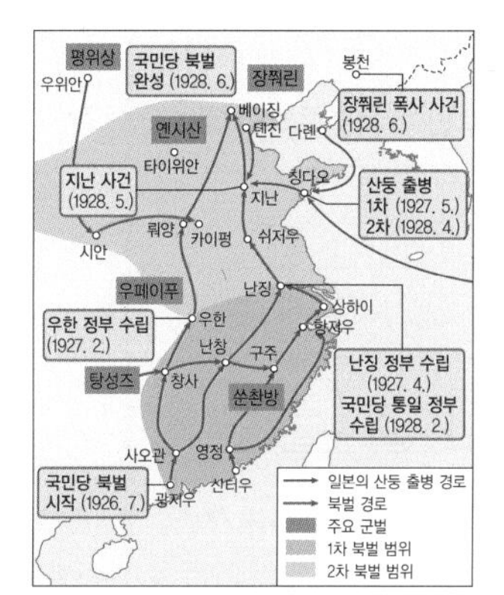

북벌의 전개

중국 국민당은 소련의 지원을 받아 공산당과 연합을 이루고(제1차 국·공 합작), 광저우에서 북벌을 시작하여 북상하였다. 그러나 국민당과 공산당의 갈등으로 제1차 국·공 합작은 붕괴되었고, 장제스가 북벌을 재개하여 베이징을 점령하고 중국을 통일하였다.

자료 하나 더 알고 가자!

한국의 민족 유일당 운동

민족주의적 세력에 대하여는 …… 그것이 타락하는 형태로 출현되지 않는 것에 한해 적극적으로 제휴하여 …… 종래의 소극적인 태도를 버리고 분연히 싸워야 할 것이다. – 「정우회 선언」, 1926

중국에서 제1차 국·공 합작이 이루어지자, 한국의 민족주의 세력과 사회주의 세력은 민족 운동의 분열을 없애고 민족 운동의 힘을 합치려는 목적으로 민족 유일당 운동을 전개하였어. 또 사회주의 세력 중 일부는 「정우회 선언」을 발표하여 민족주의 세력과의 제휴를 주장하였고, 그 결과 신간회가 결성되었어.

STEP 1 핵심 개념 확인하기

정답친해 46쪽

1 다음 설명이 맞으면 ○표, 틀리면 ×표를 하시오.

(1) 갑신정변 이후 조선을 둘러싼 청과 일본의 대립이 심화되었다. (　　)

(2) 일본은 청·일 전쟁에서 승리하며 동아시아의 강국으로 부상하였다. (　　)

2 다음에서 설명하는 조약을 쓰시오.

> • 청·일 전쟁의 결과 1895년에 체결되었다.
> • 청이 일본에 막대한 배상금을 지급할 것을 명시하였다.

3 청에서 서구 열강과 일본의 이권 침탈에 반발하며 일어난 (　　　　)은 외국 공사관, 교회, 학교 등을 공격하면서 전개되었다.

4 일본이 강제로 체결하였으며, 대한 제국의 외교권을 박탈하고 대한 제국을 보호국으로 삼은 조약은?

5 일본의 무단 통치에 고통받던 한국인들은 민족 자결주의의 영향을 받아 1919년 (　　　　)을 벌였다.

6 워싱턴 회의의 결과로 옳은 것을 〈보기〉에서 모두 고르시오.

> **보기**
> ㄱ. 영·일 동맹 폐기
> ㄴ. 각국의 해군 군비 제한
> ㄷ. 중국의 관세 자주권 회복
> ㄹ. 산둥반도에 대한 일본의 이권 인정

STEP 2 내신 만점 공략하기

01 밑줄 친 '봉기'와 관련된 설명으로 옳은 것을 〈보기〉에서 고른 것은?

> 1894년 조선에서 정치와 사회 개혁을 주장하는 봉기가 일어났다. 조선 정부가 봉기를 진압하기 위해 청에 파병을 요청하자, 청은 조선에 군대를 보냈다. 청군이 출병하자 일본도 조선에 대규모 병력을 파견하였다.

> **보기**
> ㄱ. 봉기의 결과 전주 화약이 체결되었다.
> ㄴ. 남녀평등을 주장하며 태평천국을 세웠다.
> ㄷ. 청과 일본이 조선에서 충돌하는 계기가 되었다.
> ㄹ. 「신청년」을 발행하며 과학과 민주주의를 내세웠다.

① ㄱ, ㄴ　② ㄱ, ㄷ　③ ㄴ, ㄷ
④ ㄴ, ㄹ　⑤ ㄷ, ㄹ

중요
02 (가), (나)에 대한 학생들의 대화 내용으로 옳은 것은?

> 1894년 일본이 청의 군함을 공격하면서 [(가)]이/가 발발하였다. 일본군은 평양 전투와 황해 해전에서 승리하고 랴오둥반도와 산둥반도의 일부를 점령하였다. 이후 일본은 청과 [(나)]을/를 체결하여 청으로부터 막대한 배상금을 지급받았고, 동아시아 국제 질서의 주도권을 장악하였다.

① 갑: (가)는 청의 아편 몰수와 단속을 계기로 일어난 전쟁이야.
② 을: 일본은 (가)를 일으킨 뒤 중국에 '21개조 요구'를 제출하였어.
③ 병: (가)의 전후 처리를 논의하기 위해 파리 강화 회의가 개최되었어.
④ 정: (나) 조약에서는 청의 타이완 할양을 규정하였어.
⑤ 무: 중국에서는 (나)의 내용에 반대하여 5·4 운동이 일어났어.

03 ㉠~㉤ 중 옳지 않은 것은?

> 의화단 운동은 열강이 경쟁적으로 청의 이권을 침탈하는 가운데, ㉠ 청에서 크리스트교에 대한 반감이 확산되면서 일어났다. 의화단은 ㉡ 부청멸양을 내세우며 베이징과 톈진 지역까지 세력을 확장하였다. ㉢ 청 정부는 의화단을 이용하여 서구 열강에 대항하고자 하였다. 그러나 열강은 연합군을 조직하여 의화단 진압에 나섰고, ㉣ 의화단은 8개국 연합국에 의해 진압되었다. 이후 ㉤ 청은 서구 열강과 베이징 조약을 체결하여 외국 영사의 베이징 주재를 허용하였다.

① ㉠ ② ㉡ ③ ㉢ ④ ㉣ ⑤ ㉤

중요

04 (가)에 들어갈 내용으로 옳지 않은 것은?

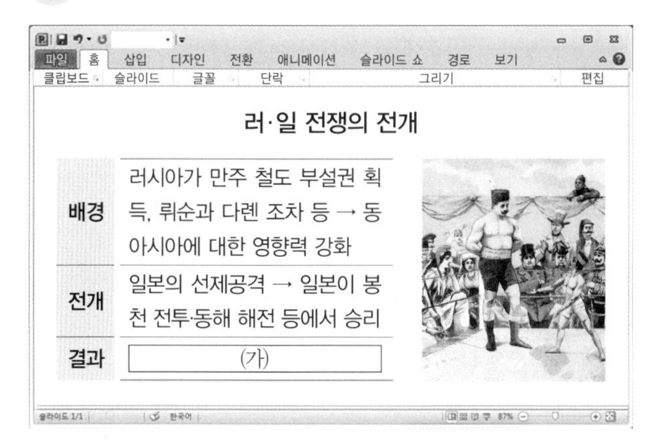

러·일 전쟁의 전개

배경	러시아가 만주 철도 부설권 획득, 뤼순과 다롄 조차 등 → 동아시아에 대한 영향력 강화
전개	일본의 선제공격 → 일본이 봉천 전투·동해 해전 등에서 승리
결과	(가)

① 일본이 북위 50도 이남 사할린섬 획득
② 러시아가 일본에 뤼순·다롄 조차권 양도
③ 일본이 대한 제국에 한·일 의정서 체결 강요
④ 청이 만주선후조약을 통해 일본의 권리 획득 인정
⑤ 미국의 중재로 러시아와 일본이 포츠머스 조약 체결

05 다음 요구에 대한 설명으로 옳은 것은?

> • 남만주·내몽골에서의 일본의 우월권을 인정한다.
> • 중국 정부는 독일이 산둥성에 관하여 누려 온 모든 권리와 이익을 일본에 양도하는 것을 승인한다.

① 중국인들의 지지를 받았다.
② 제2차 세계 대전 중에 제시되었다.
③ 일본이 중국에 내정 간섭을 시도한 것이다.
④ 동아시아 각국의 민족 운동에 영향을 주었다.
⑤ 중국에서 제1차 국·공 합작이 성립되는 배경이 되었다.

06 (가) 회의와 관련된 설명으로 옳은 것은?

> (가) 은/는 동아시아에 대한 열강의 이해관계를 조정하기 위해 열렸다. 그 결과 각국의 해군 군비가 제한되어 일본은 해군력 증강에 제한을 받았다.

① 회의의 결과 베르사유 조약이 체결되었다.
② 중국이 관세 자주권 회복 요구를 관철하였다.
③ 미국의 윌슨 대통령이 민족 자결주의를 제창하였다.
④ 아시아·태평양 지역에서 새로운 국제 질서가 성립되는 계기가 되었다.
⑤ 일본은 회의의 결정에 따라 독일이 차지하고 있던 산둥 반도의 이권을 계승하였다.

07 두 자료를 활용한 보고서 주제로 적절한 것은?

종로에서 만세를 외치는 사람들

> 거리마다 만세 함성이 물 끓듯 컸는지라. …… 일본 경찰은 철망치를 휘두르며 우리 동포를 사상케하였고 …….

① 3·1 운동의 전개 ② 5·4 운동의 영향
③ 자유 민권 운동의 배경 ④ 제1차 국·공 합작의 성립
⑤ 민족 유일당 운동의 결과

08 다음 주장에 대한 설명으로 옳은 것은?

> 조선에서는 "독립이 아니면 차라리 죽음을 달라."라고 외쳤습니다. …… 국민 대회를 열고 …… 뜻을 굽히지 않겠다고 전국에 전보로 알리는 것이 오늘의 급무입니다.

① 워싱턴 체제의 형성에 반발하였다.
② 신간회가 결성되는 계기가 되었다.
③ 중국의 제2차 국·공 합작 형성에 영향을 주었다.
④ 일본이 제시한 '21개조 요구'의 철회를 촉구하였다.
⑤ 중국이 일본의 간섭으로부터 벗어나는 결과를 가져왔다.

중요 09 다음 의견서가 발표된 이후 중국의 상황으로 옳은 것은?

> 국민 혁명의 임무를 실현하기 위해서는 민족의 힘을 한 당에 모으지 않으면 안 된다. 즉 제국주의와 군벌로부터 벗어나기 위해서는 전 국민, 즉 전 민족의 힘을 국민운동에 쏟아 부어야만 가능할 것이다. －「베이징 대표 리다자오 의견서」

① 중화민국이 수립되었다.
② 국민당과 공산당이 북벌을 시작하였다.
③ 천두슈, 후스 등이 신문화 운동을 전개하였다.
④ 베이징 대학생을 중심으로 5·4 운동이 전개되었다.
⑤ 이홍장을 비롯한 한인 관료가 양무운동을 추진하였다.

10 다음 선언이 발표된 시기를 연표에서 고른 것은?

> 우리는 승리로의 구체적 전진을 향해 현실적으로 가능한 모든 조건을 충분히 이용하지 않으면 아니 된다. 따라서 민족주의적 세력에 대하여는 …… 적극적으로 제휴하여 …… 종래의 소극적 태도를 버리고 분연히 싸워야 할 것이다.

1876		1884		1894		1905		1919		1931
	(가)		(나)		(다)		(라)		(마)	
강화도 조약 체결		갑신정변		동학 농민 운동		을사조약 체결		3·1 운동		한인 애국단 조직

① (가)　② (나)　③ (다)　④ (라)　⑤ (마)

서술형 문제

● 정답친해 48쪽

01 다음 지도를 보고 물음에 답하시오.

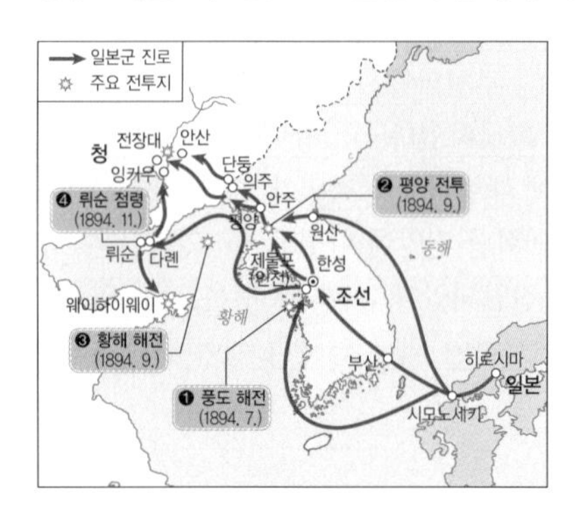

(1) 위 지도와 관련된 전쟁을 쓰시오.

(2) (1) 전쟁이 일본에 미친 영향을 서술하시오.

길잡이 이 전쟁의 결과 체결된 조약의 내용에 주목한다.

02 다음 조약이 체결된 이후 대한 제국에서 일어난 저항 운동을 세 가지 서술하시오.

> 제2조 한국 정부는 지금부터 일본국 정부의 중개를 거치지 않고서는 국제적 성질을 가진 어떤 조약이나 약속을 맺지 않을 것을 서로 약속한다.
> 제3조 한국 황제 폐하 밑에 1명의 통감을 두되, 통감은 오로지 외교에 관한 사항을 관리한다.

길잡이 조약의 내용 중 '통감은 오로지 외교에 관한 사항을 관리한다.'라는 부분에 주목하여 서술한다.

03 다음 방향에서 전개된 민족 운동의 의의를 세 가지 서술하시오.

> 오늘날 우리 조선 독립은 조선 사람으로 하여금 정당한 삶의 번영을 이루게 하는 동시에, 일본으로 하여금 그릇된 길에서 벗어나 동양을 지지하는 자의 무거운 책임을 다하게 하는 것이며, 또 동양의 평화로서 중요한 일부로 삼는 세계 평화와 인류 행복에 필요한 단계가 되는 것이다.

길잡이 국내외의 민족 운동에 미친 영향을 중심으로 서술한다.

정답친해 48쪽

STEP 3 1등급 정복하기

1 (가), (나) 조약에 대한 설명으로 옳지 않은 것은?

> (가) 제1조 청국은 조선국이 자주 독립국임을 확인한다.
> 제2조 청국은 랴오둥반도와 타이완 및 그에 딸린 여러 섬의 관리 권한 및 해당 지방에 있는 성루, 무기 공장과 모든 공공 기물을 영원히 일본에 할양한다.
> 제4조 청국은 배상금으로 은 2억 냥을 일본국에 지급할 것을 약속한다.
> (나) 제2조 러시아 제국 정부는 일본 제국이 한국에서 정치상·군사상 및 경제상의 탁월한 이익을 갖는다는 것을 인정한다.
> 제5조 러시아 제국 정부는 청국 정부 승낙하에 뤼순, 다롄 및 그 부근의 …… 모든 권리 특권을 일본 제국 정부에 이전한다.

① (가) – 청·일 전쟁의 결과 체결되었다.
② (가) – 중국에서 양무운동이 전개되는 배경이 되었다.
③ (나) – 미국의 중재로 일본의 러시아가 체결한 포츠머스 조약이다.
④ (나) – 일본이 러시아로부터 남만주 철도 경영권을 획득하고 뤼순·다롄을 넘겨받았다.
⑤ (가), (나) – 일본이 동아시아에서의 영향력을 확장하는 계기가 되었다.

동아시아 국제 질서의 재편

완자샘의 시험 꿀팁
19세기 후반 이후 동아시아의 국제 질서의 재편에 영향을 준 전쟁의 배경과 과정, 결과를 알고 있어야 하고, 전쟁 이후 체결된 조약의 내용을 파악할 수 있어야 한다.

평가원 응용

2 다음 신문 기사에서 다룬 민족 운동에 대한 설명으로 옳은 것을 〈보기〉에서 고른 것은?

동아시아사 신문

베이징 대학생들이 대규모 시위를 벌이다

톈안먼 앞에서 시위를 벌이는 베이징 대학생들

천두슈를 비롯한 지식인들이 「신청년」을 발간하며 중국 사회의 변화를 주장하고 있는 가운데, 베이징 대학생들이 파리 강화 회의의 결정에 반대하며 대규모의 시위를 벌이고 있다. 이들은 "파리 강화 회의가 열렸을 때 우리가 희망한 것은 세계에 공리와 정의가 있다는 것이었다. 칭다오를 돌려주고 중국과 일본 사이의 밀약, 군사 협정, 기타 불평등 조약까지 취소하는 것이 바로 공리이고 정의이다."라고 하면서 시위를 지속하고 있다.

보기
ㄱ. 일본이 군대와 헌병 경찰을 동원하여 무력으로 진압하였다.
ㄴ. 아시아 최초의 공화국인 중화민국이 수립되는 계기가 되었다.
ㄷ. 일본의 '21개조 요구' 철회와 산둥반도의 이권 반환을 주장하였다.
ㄹ. 베이징 정부가 파리 강화 회의의 결정을 거부하는 데 영향을 주었다.

① ㄱ, ㄴ ② ㄱ, ㄷ ③ ㄴ, ㄷ
④ ㄴ, ㄹ ⑤ ㄷ, ㄹ

민족 운동의 전개

완자샘의 시험 꿀팁
중국에서 전개된 민족 운동을 묻는 문제가 자주 출제된다. 중국에서 전개된 민족 운동의 과정을 정리하여 다른 나라의 민족 운동과 혼동하지 않도록 주의해야 한다.

완자 사전
- **공리**
  일반 사람과 사회에서 두루 통하는 진리나 도리
- **밀약**
  남몰래 약속함, 또는 그렇게 한 약속

03 침략 전쟁의 확대와 국제 연대

- 일본이 일으킨 침략 전쟁의 양상과 이로 인한 동아시아인들의 피해를 파악할 수 있다.
- 일본의 침략 전쟁에 맞선 동아시아인들의 국제 연대를 설명할 수 있다.

1 일본의 침략 전쟁 확대

이것이 핵심!

일본의 침략 전쟁

만주 사변 → 중·일 전쟁 → 태평양 전쟁

1. 만주 사변과 중·일 전쟁

(1) 만주 사변(1931)

구분	내용
배경	대공황으로 인한 경제 불황, 만주 거주 한인들의 항일 운동 확대 → 군부의 위기감 고조 → 일본 우익과 군부 세력이 대륙 침략으로 위기를 극복하자고 주장하며 권력 장악
경과	일본 관동군이 만주 침략(1931, 만주 사변), *푸이를 앞세워 만주국 수립(1932) → *국제 연맹의 일본군 철수 요구 → 일본의 국제 연맹 탈퇴, 군비 확장을 통한 대외 강경책 추진

이로 인해 워싱턴 체제가 와해되었고, 일본에서는 군국주의가 확산되었어.

(2) 중·일 전쟁(1937) 자료 ①

구분	내용
발단	루거우차오에서 중국군과 일본군의 충돌(1937, *루거우차오 사건) → 일본의 중국 본토 침략
경과	일본군이 상하이, 난징 등 중국의 주요 도시 점령 → 제2차 국·공 합작 성립, 국민당 정부가 수도를 충칭으로 옮기며 항전, 공산당은 농촌 지역에서 항전 → 영국과 미국의 중국 지원 → 전쟁의 장기화

왜? 일본의 침략 전쟁을 저지하고자 하였기 때문이야.

2. 태평양 전쟁

(1) 제2차 세계 대전의 발발과 일본의 침략 전쟁 확대

① 제2차 세계 대전의 발발(1939): 독일의 폴란드 침공을 계기로 발발

② 일본의 침략 전쟁 확대: 일본이 중국에 대한 연합군의 지원 차단, 동남아시아로 전선 확대, 독일·이탈리아와 3국 동맹을 맺어 추축국 형성 → 일본의 베트남 침공

왜? 중·일 전쟁에 필요한 물자를 확보하고 군사 기지를 건설하기 위해 침공하였어.

(2) 태평양 전쟁(1941~1945) 자료 ②

구분	내용
배경	미국과 영국이 일본에 경제 봉쇄 조치 실시(석유, 철강 자원 등 일본에 수출 금지) 및 중국의 항일전 지원
경과	일본이 하와이 진주만의 미국 태평양 함대 기습 공격(1941) → 일본이 동남아시아·남태평양 일대 점령 → 미국이 미드웨이 해전에서 승리하며 전세 역전 → 미국이 일본 본토에 원자 폭탄 투하, 소련의 참전 → 일본의 무조건 항복(1945. 8. 15.)

일본은 '대동아 공영권'을 내세우고 홍콩, 싱가포르, 인도네시아 등 동남아시아의 대부분 지역을 점령하며 전세를 유리하게 이끌었어.

★ 푸이
청의 마지막 황제(선통제)이다. 청이 멸망한 이후 퇴위하였다가 만주국의 황제가 되었다.

★ 국제 연맹의 일본군 철수 요구
일본이 만주국을 수립하자 중국은 일본을 국제 연맹에 제소하였다. 이에 국제 연맹이 만주에 리튼 조사단을 파견하여 일본의 만주 침략을 조사하게 하였고, 리튼 조사단의 보고서를 토대로 일본군의 철수를 요구하였다.

★ 루거우차오 사건
루거우차오에서 훈련하던 일본군을 향해 총성이 울린 사건이다. 발포의 주체가 불분명하였으나, 일본은 이 사건을 구실로 중·일 전쟁을 일으켰다.

2 침략 전쟁으로 인한 피해와 고통

이것이 핵심!

일본의 침략 전쟁에 따른 피해

국가	피해
한국	간도 참변으로 인한 피해
중국	난징 대학살, 삼광 작전으로 인한 피해
일본	조세 부담 증가, 오키나와 주민의 피해, 미국의 원자 폭탄 투하로 인한 피해

1. 총동원 체제의 성립

(1) 국가 총동원법 제정(1938): 인적·물적 자원을 효율적으로 동원하기 위해 제정

(2) 인적·물적 자원의 수탈

일본은 여자 정신 근로령을 제정하여 여성 인력을 착취하였어.

구분	내용
인적 수탈	강제 징용(많은 사람을 탄광, 군수 공장, 공사 현장 등에 동원), 강제 징병(많은 남성을 전쟁터로 동원), 여성 인력 착취(여성을 군수 공장 노동자로 동원, 일본군 '위안부' 징집)
물적 수탈	공출제(식량, 금속 등), 생활필수품의 배급제 시행 → 식민지 주민에 대한 수탈 강화

(3) 황국 신민화 정책 추진: 황국 신민 서사 암송, 신사 참배 등 강요

2. 동아시아인의 피해와 고통 자료 ③

국가	내용
한국	일본이 간도 참변을 일으켜 민간인 학살(1920) — 만주 지역 한인들의 독립운동을 무력화시키려는 목적이었어.
중국	일본이 수십만 명의 중국인 학살(난징 대학살), 중국 각지에서 *삼광 작전 실시
일본	미군의 폭격으로 인한 피해(도시 파괴, 민간인 희생), 일본의 전쟁 확대로 국민의 조세 부담 증가, 화폐 발행 증가로 인플레이션 발생, 오키나와 지구전 때 주민 희생

일본군이 지구전을 펼치는 과정에서 주민의 4분의 1이 목숨을 잃었어.

★ 삼광(三光) 작전
가는 곳마다 모두 죽이고, 모두 불태우고 전부 약탈한다는 뜻으로 중·일 전쟁 당시 일본군의 행동 지침이었다.

완자 자료 탐구

내 옆의 선생님

자료 1 제2차 국·공 합작의 성립

> 1. 쑨원 선생의 삼민주의를 중국 금일의 필수로 삼으며, 본당은 그 철저한 실현을 위해 분투한다.
> 2. 국민당 정권을 무너뜨리기 위한 모든 폭동 정책과 공산화 운동을 취소한다.
> 3. 현재의 소비에트 정부를 취소하고, 민권 정치를 실행하여 전국 정권의 통일을 꾀한다.
> 4. 홍군(공산당 군대)의 명칭 및 번호를 취소하고 국민 혁명군으로 개편하여 …… 항일 전선의 직책을 떠맡는다.
>
> – 「중국 공산당의 국·공 합작 공포를 위한 선언」, 1937

일본이 루거우차오 사건을 구실 삼아 중·일 전쟁을 일으키자, 중국 국민당과 공산당은 내전을 중단하고 제2차 국·공 합작을 결성하여 항일 투쟁을 전개하였다.

문제 로 확인할까?

제2차 국·공 합작과 관련된 설명으로 옳은 것을 〈보기〉에서 모두 고르시오.

보기
- ㄱ. 북벌을 전개하였다.
- ㄴ. 중·일 전쟁이 발발하면서 성립되었다.
- ㄷ. 중국 국민당과 공산당이 항일을 위해 연대하였다.
- ㄹ. 미국 정략 정보처(OSS)와 국내 진공 작전을 계획하였다.

답 ㄴ, ㄷ

자료 2 태평양 전쟁의 전개

> 미국과 영국은 자국의 번영을 위해 타 민족을 억압하고 …… 대동아를 예속화하고 안정을 해치려고 하였다. 이것이 대동아 전쟁의 원인이다. 대동아 각국은 서로 제휴하여 대동아 전쟁을 완수하고 대동아를 미국과 영국의 속박으로부터 해방시켜 공존공영, 자주독립, 인종적 차별이 없는 공영권을 건설함으로써 세계 평화의 확립에 이바지하고자 한다.
>
> – 「대동아 공영 선언」, 1943

일본은 불리해진 전황을 타개하기 위해 1943년 11월 대동아 회의를 개최하고 이 선언을 발표하였어.

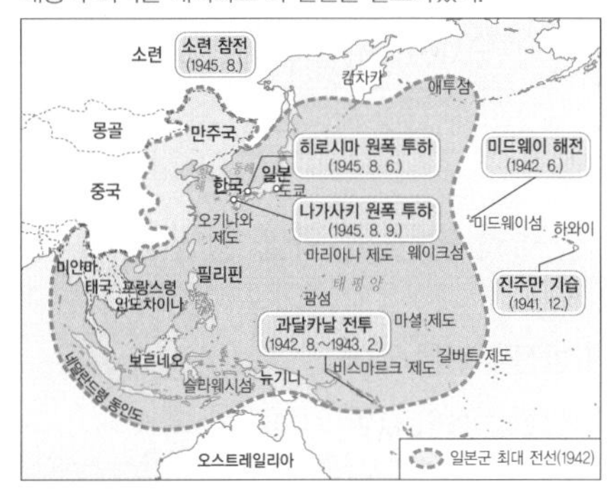

태평양 전쟁의 전개

태평양 전쟁을 일으킨 일본은 아시아를 서구 열강으로부터 해방한다는 명분을 내세웠다. 그러나 전쟁을 일으킨 실제 목적은 영토 확대, 물자와 노동력 조달 등이었다. 일본은 '대동아 공영권'을 앞세워 전세를 유리하게 이끌었으나, 미드웨이 해전에서 패배하며 전쟁의 주도권을 잃은 이후 미국의 원자 폭탄 투하와 소련의 참전으로 무조건 항복하였다.

정리 비법을 알려줄게!

태평양 전쟁의 전개 과정

발단
일본이 하와이 진주만의 미국 함대 공격

↓

전쟁 초기
일본이 동남아시아, 남태평양 일대 점령

↓

전세 역전
미드웨이 해전에서 미군 승리 → 연합군의 전쟁 주도권 장악

↓

종결
미국이 일본 본토에 원자 폭탄 투하, 소련 참전 → 일본의 무조건 항복

자료 3 침략 전쟁에 따른 민중의 피해와 고통

> • 하루 작업량을 채우지 못하면 10시간도 넘게 일을 하였습니다. 옷을 주지 않아 입던 옷을 기워서 입었습니다. …… 쓰레기장에서 먹을 것만 눈에 띄면 다 주워 먹었습니다. 제일 참지 못한 것이 배고픔이었기 때문입니다. – 일본 오노우라 탄광에서 근무한 박노식의 사례
>
> • 열일곱이 되던 해(1940)에 일본인 업자의 "일본 공장에 넣어 준다."라는 말에 속아 타이완으로 끌려갔습니다. …… 거기서는 '후지코'라고 불렸으며, …… 병에 걸려 수술을 받았습니다. 또 '위안소' 주인과 관리인에게 구타당한 것이 원인이 되어 귀도 멀었습니다. – 박두리 할머니의 사례

일본은 침략 전쟁을 확대하면서 자국과 식민지 국가에서 인적 자원을 수탈하였다. 그 결과 동아시아 각국의 민중은 큰 피해와 고통을 당하였다. 첫 번째 자료에는 한국인 노동자가 강제 징용으로 탄광에 끌려가 중노동에 시달렸던 모습, 두 번째 자료에는 한국인 여성이 일본군 '위안부'로 강제 징집되었던 모습이 나타나 있다.

자료 하나 더 알고 가자!

공출제의 실시

일본이 강제로 공출한 금속류

일본은 국가 총동원법을 제정한 이후 공출 제도를 시행하여 식민지 국가에 대한 물자 수탈을 강화하였어. 무기를 만들 수 있는 금속 제품이라면 놋그릇, 농기구, 불상까지 가리지 않고 공출하였어.

03 침략 전쟁의 확대와 국제 연대

이것이 핵심!

한·중 연대를 통한 무장 투쟁

만주 사변 이후	조선 혁명군, 한국 독립군 등이 중국군과 연합하여 항일전 전개
중·일 전쟁 이후	조선 의용대, 한국 광복군 등이 국제 연대 활동 전개

★ **한인 애국단**
김구가 일제의 요인을 제거하는 의열 투쟁을 통해 임시 정부에 활기를 불어넣고자 1931년 상하이에서 조직한 단체

★ **한·중 민족 항일 대동맹**
대한민국 임시 정부의 인사와 중국 국민당의 인사들을 중심으로 결성되어 한·중 연합의 항일 투쟁을 전개하였다.

3 항일을 위한 한·중 연대

1. 만주 사변과 항일 연대 형성

(1) 만주 지역 자료 4

└ 한국과 중국은 만주 사변 이후 한국의 독립과 중국의 항일을 위해 일본을 공동의 적으로 규정하고 연합을 이루었어.

조선 혁명군	양세봉의 지휘 아래 중국 의용군과 연합 → 영릉가·흥경성 전투에서 일본군에 승리
한국 독립군	지청천의 지휘 아래 중국 호로군과 연합 → 쌍성보 전투에서 일본군에 승리
동북 항일 연군	한국과 중국의 사회주의 세력이 연합하여 항일 유격 투쟁 전개

(2) **중국 관내:** ★한인 애국단의 의거를 계기로 중국 국민당 정부가 대한민국 임시 정부 지원 → ★한·중 민족 항일 대동맹 결성(1932)

└ 왜? 중국 국민당 정부는 한국의 독립운동이 중국의 주권 수호와 직결된다고 보았어.

2. 중·일 전쟁의 발발과 국제 연대 교과서 자료

└ 일본군에 대한 정보 수집, 포로 심문 등의 활동을 하였어.

조선 의용대	김원봉이 중국 국민당 정부의 지원으로 조직, 중국군과 함께 항일전 전개 → 일부는 화북 지역에서 조선 의용군 조직(→ 중국 공산당의 팔로군과 항일전 전개), 일부는 한국 광복군에 합류
한국 광복군	대한민국 임시 정부가 중국 국민당 정부의 지원으로 창설, 조선 의용대 일부 흡수, 태평양 전쟁 발발 후 일본·독일에 선전 포고, 연합군의 일원으로 참전(인도·미얀마 전선에서 영국군과 연합 작전 전개, 미국의 지원을 받아 미국 전략 정보처(OSS)와 국내 진공 작전 추진)

이것이 핵심!

동아시아의 평화를 위한 국제 연대

아주 화친회	민족 해방, 반제국주의를 목표로 한 동아시아 최초의 국제 연대 조직
일본 반제 동맹	일본 제국주의 타도 목표, 한국인·일본인의 공동 투쟁 강조
일본 병사 반전 동맹	일본 제국주의의 실상 폭로, 일본군에 투항 호소
동방 무정부주의자 연맹	동아시아 무정부주의자들의 국제 연대 추구
항일 구국 연맹	민족의 자주성·개인의 자유를 확보한 이상적 사회 건설 추구

★ **무정부주의(아나키즘)**
개인을 지배하는 국가 권력 및 모든 사회적 권력을 부정하고 절대적 자유가 행하여지는 사회를 실현하려는 사상이다. 동아시아에서는 사회 문제 해결을 위한 대안으로 수용되었다.

4 반제와 반전, 평화를 향한 국제 연대

1. 반제·반전을 위한 연대

(1) 반제·반전 사상의 형성

└ 삼국 간섭(1895) 이후 일본에서는 '백인인 러시아의 침략을 막아 내고 동아시아의 평화를 지키기 위해 황인종이 단결해야 한다.'라는 논리가 등장하였어.

고토쿠 슈스이	러·일 전쟁 무렵 군국주의를 비판하며 전쟁에 반대
우치무라 간조	전쟁 폐지를 주장하며 자국(일본)의 제국주의 팽창 정책 비판
안중근	『동양 평화론』 저술 → 일본이 내세운 동양 평화론의 허구성 비판, 일본의 한국 침략 포기와 동아시아의 상호 협력 주장(→ 제국주의 침략에 반대)

(2) 국제 연대의 형성

아주 화친회	도쿄에서 결성(1907), 민족 해방과 반제국주의를 목표로 한 동아시아 최초의 국제 연대 조직, 아시아 각 민족의 독립을 위한 상호 원조와 협력 표방
일본 반제 동맹	일제 타도를 목표로 결성(1929), 한국인과 일본인의 공동 투쟁 강조, 「반제신문」 발간

└ 한국어판이 발간되자 재일 한국인의 가입이 증가하였어.

2. 반전 연대 활동 자료 5

(1) **중국에서의 반전 활동:** 일본 병사 반전 동맹 조직(무선 방송을 통해 일본군에 투항 호소)

(2) **일본인들의 반전 활동:** 한국인 독립운동가 변호(후세 다쓰지), 전쟁에 반대(사이토 다카오), 일본의 침략에 반대하는 대일 방송 진행(하세가와 데루) 등

3. ★무정부주의자들의 반제·반전 운동

(1) **동방 무정부주의자 연맹:** 동아시아의 무정부주의자들이 결성(1927), 동아시아 무정부주의자들의 단결을 통한 국제 연대 강화에 주력

└ 한국, 중국, 일본, 베트남 등지의 무정부주의자들이 참여하였어.

(2) **항일 구국 연맹:** 민족의 자주성과 개인의 자유를 확보하는 이상적인 사회 건설 추구

(3) **신채호:** 동양 평화를 위한 한국의 독립 주장

(4) **바진:** 동아시아의 민중과 지식인의 연대 강조, 일본 제국주의에 맞서 싸우자고 주장

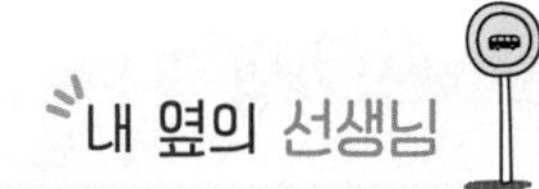

자료 4 항일 연대의 형성

> [한국 독립군과 중국 항일군의 합의 사항(1931)]
> - 한·중 양군은 어떤 열악한 환경을 막론하고 장기 항전을 맹세한다.
> - 중동선 철로를 경계로 하여 서부 전선은 중국군이 맡고, 동부 전선은 한국군이 담당한다.
>
> [조선 혁명군과 중국 의용군의 합의(1932)]
> 중국과 한국 양국 국민은 한마음 한뜻으로 일제에 대항하여 싸우고, 인력과 물자는 서로 나누어 쓰며, 합작의 원칙하에 국적에 관계없이 그 능력에 따라 항일 공작을 나누어 맡는다.

1920년대부터 만주 지역에서 항일전을 전개하고 있던 한국의 무장 세력은 만주 사변 이후 중국군과 항일을 위한 연대를 형성하였다. 특히 한국 독립군과 조선 혁명군은 각각 중국 호로군, 중국 의용군과 연합하여 일본군에 승리하는 성과를 거두었다.

정리 비법을 알려줄게!

만주 지역에서의 한·중 연대

조선 혁명군	중국 의용군과 연합 → 영릉가·흥경성 전투에서 일본군에 승리
한국 독립군	중국 호로군과 연합 → 쌍성보 전투에서 일본군에 승리
동북 항일 연군	만주 지역의 한·중 사회주의 세력이 연합하여 항일전 수행

문제로 확인할까?

만주 지역에서 중국 의용군과 연합하여 항일전을 수행한 독립군 부대는?

답 조선 혁명군

수능이 보이는 교과서 자료 중·일 전쟁의 발발과 한·중 연대

> - 중국에 있는 우리 혁명 동지들이 직접적으로 항일 전쟁에 참가하며, 또한 항전 과정 중에 조선 독립을 쟁취하기 위하여 …… 공동의 원수 일본 제국주의자들이 포악한 수단으로 조선 혁명을 저지하여 중·한 양 민족의 연합 전선을 방해하고 있다. …… 조선 민족과 동방 약소민족은 응당 중국을 도와 항전할 것이다. -「조선 의용대 성립 선언문」, 1938
> - 한국 광복군은 중화민국 국민과 합작하여 우리 두 나라의 독립을 회복하고자 공동의 적인 일본 제국주의자들을 타도하기 위하여 연합군의 일원으로 항전을 계속한다. …… 우리는 한·중 연합 전선에서 우리 스스로의 계속 부단한 투쟁을 감행하여 극동 및 아시아 인민 중에서 자유·평등을 쟁취할 것을 약속하는 바이다. -「한국 광복군 선언문」, 1940

중·일 전쟁이 발발한 이후의 한·중 연대는 주로 중국 국민당 정부의 지원을 통해 이루어졌다. 조선 의용대는 중국과 연계하여 후방 작전을 전개하였으며, 한국 광복군은 중국 국민당 정부의 지원을 받아 연합군의 일원으로 태평양 전쟁에 참여하였다.

완자샘의 탐구 강의

- 조선 의용대와 한국 광복군의 활동을 정리해 보자.

조선 의용대	중국군과 항일전을 전개하였고, 일부는 한국 광복군에 합류하고, 일부는 화북 지역에서 조선 의용군을 조직하였다.
한국 광복군	조선 의용대를 일부 흡수하였으며, 연합군의 일원으로 태평양 전쟁에 참전하였다.

함께 보기 167쪽, 1등급 정복하기 2

자료 5 반전 활동의 전개

> - 어떤 시기에든 전시에 당하는 국민의 희생은 결코 공평하지 않다. 전쟁터에서 생명을 바치고, …… 고난을 견디는 군대가 있다. 또 전시 경제의 파도를 타고 산업이 발전하며, 인플레이션의 영향으로 폭리를 취하는 자가 있다. 이런 불공평한 사실을 앞에 두고, 국민을 향해 정신 운동을 하고, 인내를 하라는 등 추궁하는 것이 정부의 능사는 아니다. - 사이토 다카오의 반전 연설
> - 중·일 양국 인민을 비롯해 조선, 타이완, 남양 제도의 인민은 모두 일본 군부에 의해 억압받는 희생자이다. 우리는 …… 일본 군부에 반대하는 투쟁을 행하고, 동양 평화를 위해 싸운다. -「재화 일본인 반전 동맹 화베이(화북) 연합회 요강」

일본 중의원(국회)의 의원이었던 사이토 다카오는 의회에서 반전 연설을 하였어.

일본군 병사 반전 동맹은 일본 제국주의의 실상을 폭로하며 반전 활동을 전개하였어.

일본의 침략 전쟁이 동아시아 전역으로 확대되어 감에 따라 동아시아인들과 자국의 침략 전쟁에 반대하는 일본인들은 반전 활동을 전개하였다.

자료 하나 더 알고 가자!

한국 독립운동가를 변호한 후세 다쓰지

> 한국과 일본의 병합은 …… 제국주의의 침략이었다. …… 조선 민중의 착취와 압박이 눈에 띄는 것은 병합이 참혹한 잔학상을 폭로하고 있기 때문이다. …… 나는 이러한 의미에서 조선 민중의 해방 운동에 노력을 바칠 필요가 있다고 믿는다. -「무산 계급이 바라본 조선 해방 문제」

후세 다쓰지는 의열단원 김지섭을 비롯한 한국인 독립운동가의 변호를 맡으며 한국의 독립운동을 지원하였어.

STEP 1 핵심 개념 확인하기

정답친해 49쪽

1 일본은 1931년 (　　　　)을 일으켜 만주 일대를 점령하고 이듬해 만주국을 수립하였다.

2 다음 설명이 맞으면 ○표, 틀리면 ×표를 하시오.

(1) 일본은 루거우차오 사건을 구실로 중국 본토를 침략하며 중·일 전쟁을 일으켰다. (　　)

(2) 태평양 전쟁은 일본이 하와이 진주만의 태평양 함대를 기습 공격하면서 발발하였다. (　　)

(3) 중·일 전쟁이 발발하자 국민당 정부는 제1차 국·공 합작을 통해 항일 투쟁을 전개하였다. (　　)

3 일본이 침략 전쟁에 필요한 인력과 물자를 동원하기 위해 1938년에 제정한 법은?

4 다음에서 설명하는 독립군 부대를 〈보기〉에서 고르시오.

보기

ㄱ. 조선 의용대　　ㄴ. 조선 혁명군
ㄷ. 한국 광복군　　ㄹ. 동북 항일 연군

(1) 김원봉이 조직하였으며, 중국군을 도와 후방 작전을 전개하였다. (　　)

(2) 양세봉의 지휘 아래 중국 의용군과 연합하여 일본군에 승리를 거두었다. (　　)

(3) 대한민국 임시 정부가 창설하였으며, 연합군의 일원으로 태평양 전쟁에 참전하였다. (　　)

5 『동양 평화론』을 저술하여 일본이 내세운 동양 평화론의 허구성을 비판하고 동아시아의 상호 협력을 주장한 인물은?

6 1907년 결성된 (　　　　)는 반제국주의를 목표로 한 동아시아 최초의 국제 연대 조직이다.

STEP 2 내신 만점 공략하기

01 밑줄 친 사건에 대한 탐구 활동으로 적절한 것은?

> 1929년 미국에서 발생한 대공황으로 인해 경제 불황이 나타나자, 일본 우익과 군부 세력은 대륙 침략을 통해 경제 위기를 극복하자고 주장하였다. 이에 따라 <u>일본은 1931년 만주를 침략하였다</u>.

① 청·일 전쟁의 전개 과정을 정리한다.
② 일본에서 정한론이 대두된 배경을 조사한다.
③ 국제 연맹이 리튼 조사단을 파견한 이유를 찾아본다.
④ 일본이 중국에 제출한 '21개조 요구'의 내용을 확인한다.
⑤ 중국 국민당과 공산당이 제1차 국·공 합작을 이룬 목적을 알아본다.

중요

02 (가) 사건의 영향으로 옳은 것은?

> **동아시아 역사의 현장에 방문하다**
> • 답사 일시: 201○년 ○월 ○일
> • 답사 장소: 중국 베이징
> • 살펴본 유적: 루거우차오
> • 답사 소감: 마르코 폴로가 이 다리를 세계에서 가장 아름다운 다리라고 표현한 이유를 생각해 보았고, 일본이 1937년 중국으로부터 사격을 받았다고 주장하며 이 다리를 점령한 (가) 을/를 떠올려 보았다.

① 5·4 운동이 전개되었다.
② 중·일 전쟁이 발발하였다.
③ 중국에서 만주국이 수립되었다.
④ 김원봉이 조선 의용대를 창설하였다.
⑤ 청이 타이완과 랴오둥반도를 일본에 할양하였다.

03 지도와 관련된 전쟁에 대한 학생들의 대화 내용으로 옳지 않은 것은?

① 갑: 제2차 세계 대전 중에 일어났어.
② 을: 한국 광복군이 연합군의 일원으로 참전하였어.
③ 병: 중국의 제2차 국·공 합작 성립에 영향을 주었어.
④ 정: 일본이 하와이 진주만을 기습 공격하며 일으켰어.
⑤ 무: 미드웨이 해전을 기점으로 전쟁의 주도권이 연합군에게 넘어갔어.

04 다음 법령이 발표된 시기를 연표에서 고른 것은?

> 정부는 전시에 국가 총동원상 필요할 때는 …… 제국 신민을 징용하여 총동원 업무에 종사하게 할 수 있다.

	(가)		(나)		(다)		(라)		(마)	
청·일 전쟁 발발		3·1 운동		워싱턴 회의 개최		만주 사변		중·일 전쟁 발발		태평양 전쟁 발발

① (가)　② (나)　③ (다)　④ (라)　⑤ (마)

05 두 자료를 활용한 발표 주제로 가장 적절한 것은?

일본이 강제로 공출한 금속류

> 하루 작업량을 채우지 못하면 10시간도 넘게 일을 하였고, 쓰레기장에서 먹을 것을 주워 먹었습니다.
> – 징용된 노동자의 증언

① 무단 통치의 실시　② 일본의 한국 병합
③ 러·일 전쟁의 전개　④ 총동원 체제의 성립
⑤ 황국 신민화 정책의 추진

06 다음 합의가 이루어진 배경으로 가장 적절한 것은?

> • 한·중 양군은 어떤 열악한 환경을 막론하고 장기 항전을 맹세한다.
> • 중동선 철로를 경계로 하여 서부 전선은 중국군이 맡고, 동부 전선은 한국군이 담당한다.
> • 한·중 양군의 전시 후방 교련은 한국군의 장교가 부담하고, 한국 독립군의 군수 물자는 중국군이 공급한다.
> – 한국 독립군과 중국 항일군의 합의 사항

① 일본이 만주 사변을 일으켰다.
② 민족 유일당 운동이 전개되었다.
③ 대한민국 임시 정부가 수립되었다.
④ 일본이 중국에 '21개조 요구'를 제출하였다.
⑤ 한국 유학생들이 도쿄에서 「2·8 독립 선언」을 발표하였다.

중요
07 (가) 단체에 대한 설명으로 옳은 것을 <보기>에서 고른 것은?

> **독립운동가 김원봉 사이버 기념관**
> 홈 〉 둘러보기 〉 **연보**
> 1898년 출생
> 1919년 만주에서 의열단을 조직하여 일제 고위 관리 처단 및 식민 통치 기관에 대한 파괴, 폭파 등의 의열 투쟁 전개
> 1938년 중국 관내에서 (가) 창설

보기
ㄱ. 쌍성보 전투에서 일본군에 승리를 거두었다.
ㄴ. 중국 화북 지역에서 조선 의용군을 조직하였다.
ㄷ. 중국군과 연계하여 포로 심문을 비롯한 후방 작전을 벌였다.
ㄹ. 태평양 전쟁이 발발한 이후 일본과 독일에 선전 포고하였다.

① ㄱ, ㄴ　② ㄱ, ㄷ　③ ㄴ, ㄷ
④ ㄴ, ㄹ　⑤ ㄷ, ㄹ

08 다음 주장을 편 인물에 대한 설명으로 옳은 것은?

> 일본이 불법으로 점령하고 있는 뤼순을 평화의 거점으로 삼고, 이곳을 한국, 중국, 일본이 공동으로 관리해야 한다.

① 양무운동을 추진하였다.
② 한인 애국단을 조직하였다.
③ 개혁 정강 14개조를 발표하였다.
④ 동아시아의 상호 협력을 주장하였다.
⑤ 상하이 훙커우 공원에서 의거를 일으켰다.

09 밑줄 친 부분에 해당하는 사례로 옳은 것은?

> 아나키즘이라고도 하는 이 사상은 모든 정치 조직, 권력 등에 저항하며 자유롭고 평등한 세상을 지향하였다. <u>이 사상은 동아시아의 반제·반전 운동에 큰 영향을 미쳤다</u>.

① 아주 화친회가 결성되었다.
② 한·중 민족 항일 대동맹이 조직되었다.
③ 동방 무정부주의자 연맹이 결성되었다.
④ 한인 애국단원 윤봉길이 상하이에서 의거를 일으켰다.
⑤ 일본 반제 동맹이 「반제신문」의 한국어판을 발간하였다.

10 (가)에 들어갈 내용으로 적절하지 <u>않은</u> 것은?

> • 갑: 일본의 제국주의 침략 전쟁에 반대하여 동아시아인들이 전개한 반전 활동을 알려 줄 수 있니?
> • 을: [(가)]

① 후세 다쓰지는 한국의 독립운동가를 변호하였어.
② 한인 애국단원 이봉창은 도쿄에서 의거를 일으켰어.
③ 사이토 다카오는 일본 의회에서 반전 연설을 하였어.
④ 일본 병사 반제 동맹은 일본군에 투항을 호소하였어.
⑤ 의화단은 부청멸양을 내걸고 반외세 운동을 벌였어.

서술형 문제

● 정답친해 50쪽

01 일본이 다음 선언문을 발표한 표면적인 목적과 실질적인 목적을 각각 서술하시오.

> 미국과 영국은 자국의 번영을 위해 …… 대동아를 예속화하고 안정을 해치려고 하였다. 이것이 대동아 전쟁의 원인이다. 대동아 각국은 서로 제휴하여 대동아 전쟁을 완수하고 대동아를 미국과 영국의 속박으로부터 해방시켜 …… 세계 평화의 확립에 이바지하고자 한다.

길잡이 일본이 위 선언문을 발표할 당시 전개한 전쟁과 동아시아에 준 피해를 생각해 본다.

02 다음을 읽고 물음에 답하시오.

> 일본은 1930년대 이후 침략 전쟁을 확대하는 과정에서 전쟁에 필요한 인력과 물자를 보충하기 위해 [(가)]을/를 제정하여 자국과 식민지에 적용하였다.

(1) (가) 법률의 명칭을 쓰시오.

(2) (1) 법률의 제정이 동아시아에 미친 영향을 서술하시오.

길잡이 (가) 법률의 제정 목적과 내용을 분석하여 제정 영향을 찾는다.

03 다음을 읽고 물음에 답하시오.

> (가) 김원봉이 1938년 창설하였으며, 일본군에 대한 정보 수집과 포로 심문 등 후방 작전을 전개하며 중국군과 항일전을 수행하였다.
> (나) 대한민국 임시 정부가 1940년 창설하였으며, 태평양 전쟁이 발발한 이후 연합군의 일원으로 참전하였다.

(1) (가), (나) 독립군 부대의 명칭을 각각 쓰시오.

(2) (가), (나) 독립군 부대의 창설 배경을 서술하시오.

길잡이 (가), (나) 독립군 부대의 창설 시기에 주목한다

STEP 3 1등급 정복하기

정답친해 50쪽

1 다음 선언에 대한 설명으로 옳은 것을 〈보기〉에서 고른 것은?

- 쑨원 선생의 삼민주의를 중국 금일의 필수로 삼으며, 본당은 그 철저한 실현을 위해 분투한다.
- 국민당 정권을 무너뜨리기 위한 모든 폭동 정책과 공산화 운동을 취소하고, 폭력으로 지주의 토지를 몰수하는 정책을 취소한다.
- 현재의 소비에트 정부를 취소하고, 민권 정치를 실행하여 전국 정권의 통일을 꾀한다.
- 홍군의 명칭 및 번호를 취소하고 국민 혁명군으로 개편하여 국민 정부의 지시를 받고, 아울러 지시를 기다려 출동하여 항일 전선의 직책을 떠맡는다.

보기

ㄱ. 장제스가 북벌을 단행하면서 발표하였다.
ㄴ. 일본이 중국 본토를 침략한 직후 발표되었다.
ㄷ. 중국 국민당과 공산당이 항일을 위한 연대를 이루는 토대가 되었다.
ㄹ. 대동아 각국이 서로 제휴하여 대동아 전쟁을 완수해야 한다는 주장을 담고 있다.

① ㄱ, ㄴ　② ㄱ, ㄷ　③ ㄴ, ㄷ
④ ㄴ, ㄹ　⑤ ㄷ, ㄹ

> 항일을 위한 연대

완자 사전
- **삼민주의**
신해혁명의 기본 사상인 민족주의, 민권주의, 민생주의

교육청 응용

2 다음 선언문을 발표한 단체에 대한 설명으로 옳지 <u>않은</u> 것은?

우리는 중화민국 국민과 합작하여 우리 두 나라의 독립을 회복하고자 공동의 적인 일본 제국주의자들을 타도하기 위하여 연합군의 일원으로 항전을 계속한다. …… 우리는 한·중 연합 전선에서 우리 스스로의 계속 부단한 투쟁을 감행하여 극동 및 아시아 인민 중에서 자유·평등을 쟁취할 것을 약속하는 바이다.

창설 기념사진

① 조선 의용대의 일부를 흡수하였다.
② 일부가 중국의 화북 지역으로 이동하여 조선 의용군을 조직하였다.
③ 대한민국 임시 정부가 중국 국민당 정부의 지원을 받아 창설하였다.
④ 미국의 지원을 받아 미국 전략 정보처(OSS)와 국내 진공 작전을 추진하였다.
⑤ 태평양 전쟁이 발발하자 독일과 일본에 선전 포고를 하였고, 연합군의 일원으로 참전하였다.

> 일본의 제국주의 침략에 맞선 항일 연대

완자쌤의 시험 꿀팁
중·일 전쟁이 발발한 이후 전개된 항일 연대를 묻는 문제가 출제된다. 일본의 침략 전쟁 확대에 따라 중국과 한국의 민족 운동 세력이 전개한 항일 연대의 양상을 정리해 두어야 한다.

완자 사전
- **미국 전략 정보처(OSS)**
제2차 세계 대전 당시 미국의 정보 기관

04 서양 문물의 수용

학습 목표
- 동아시아에서 서양 문물과 사상이 수용된 양상을 설명할 수 있다.
- 서양 문물과 사상이 동아시아에 미친 영향을 이해할 수 있다.

이것이 핵심!

근대적 생활 방식의 확산

근대 도시 형성	개항장에 조계 형성 → 상하이, 요코하마, 부산, 인천 등이 근대 도시로 발전
철도 건설	• 초기 부설 과정에서 갈등 발생 → 철도 파괴 • 육로 교통 정착에 기여

★ **조계(거류지)**
외국인이 개항장에서 자유롭게 통상하고 거주할 수 있도록 설정한 구역이다. 청과 조선에서 조계, 일본에서는 거류지라고 불렀다.

★ **동아시아의 태양력 채택**
동아시아에서는 태양의 운행을 기준으로 하는 태양력을 도입하면서 기존에 사용하던 태음력과의 날짜 간격으로 인한 혼란이 나타났다. 이에 따라 음력과 양력을 함께 사용한 것이 오늘날까지 이어지고 있다.

★ **시계의 사용**

일본 시계 상점 앞의 풍경
동아시아에서는 서구식 시간관념이 도입되면서 대형 시계탑이 도시에 세워지고 손목시계가 사용되었다.

1 근대 도시의 형성과 도시 생활

1. 근대 도시의 형성

(1) **개항장의 성장과 조계의 형성**: 동아시아 각국이 개항 이후 일부 도시에서 외국인의 왕래와 무역 허용 → *조계(거류지)의 형성(→ 외국인의 자치 허용, 치외 법권 인정)

(2) **동아시아 각국의 근대 도시** 자료① ─ 상거래·무역의 중심지로 번영하면서 인구가 증가하였어.

청	상하이: 난징 조약(1842)으로 개항, 영국·미국·프랑스의 조계 형성, 서양식 호텔과 공원, 신문사 등 설립
일본	• 요코하마: 미·일 수호 통상 조약(1858)으로 개항, 서구 문화의 유입 창구 역할 • 도쿄: 메이지 정부의 근대 도시화 정책 추진 → 긴자에 서양식 거리 조성
조선	• 부산, 인천: 강화도 조약(1876)으로 개항, 일본인 거류지 형성 • 한성: 각국과 조약 체결 이후 외국 공사관 설치, 대한 제국 정부가 황성 만들기 사업 추진

─ 도로를 확장하고 벽돌 건축으로 서양식 거리를 조성하였어.

2. 서구적 생활 방식의 수용

(1) **서구 문물의 수용**: 전통 복식과 서양식 복장의 혼재, 전화·사진술 등 도입
─ 서양식 복장과 단발을 하는 것이 개화의 상징으로 여겨졌어.

(2) **서구식 시간관념의 도입**

① *태양력의 도입: '일본(1873) – 조선(1896) – 중국(1912)'의 순서로 태양력 채택

② 근대적 시간관념의 확산: 24시간제와 7요일제의 도입, *시계의 사용, 철도의 운행, 시간표에 따른 근대 학교의 규칙적인 수업으로 확산
─ 하루를 24시간으로 하고 일주일을 7일로 하였어.
─ 철도는 운행 시간이 규칙적이고 정확해서 시간을 알려 주는 중요한 수단이었어.

3. 철도의 건설 자료②

(1) **동아시아의 철도 도입**: 제국주의 열강이 동아시아의 이권을 침탈하는 과정에서 부설 → 동아시아에서 서양 열강의 침략 도구로 인식(→ 건설 과정에서 갈등 발생)

(2) **동아시아 각국의 철도 건설**

청	열강의 침략, 서양인들과의 잦은 충돌, 풍수 파괴 우려로 철도 건설에 부정적 → 청·일 전쟁 패배 이후 정부가 철도를 국력 증강의 요소로 인식 → 철도 부설 정책을 기본 정책으로 확정(1889)
일본	메이지 정부의 철도 건설 추진 → 1872년 최초의 철도 부설(도쿄~요코하마) → 철도 노선 확대
대한 제국	• 일본 주도로 철도 건설: 경인선 부설(1899), 러·일 전쟁 때 경부선·경의선 부설 • 철도 건설 과정에서 일본이 토지 약탈 → 의병들이 철도 군용 전선 파괴 시도

─ 한국 최초의 철도야.
─ 원활한 군수 물자 수송을 위해 부설하였어.

이것이 핵심!

서구 중심적 세계관의 수용

만국 공법	부국강병, 주권 보전 등의 논리로 활용
사회 진화론	자강의 논리로 수용

★ **만국 공법**
미국의 국제법 학자 헨리 휘튼이 저술한 국제법 서적을 중국에서 한문으로 번역하는 과정에서 유래한 용어

2 서구적 세계관의 전파

1. 만국 공법의 전파 자료③

(1) *만국 공법: 서양에서 국가 간에 적용되던 국제법 → 서양 열강이 식민 지배와 불평등 조약 체결을 합리화하는 데 활용 → 제국주의의 팽창 과정에서 세계에 확산
─ 주권국 간의 대등한 관계를 지향하였어. 그리고 국가를 문명국, 반문명국, 미개국으로 구분하였어.

(2) **동아시아 각국의 만국 공법 수용**

청	중화사상을 바탕으로 대외 관계의 참고 문헌이나 실무적 지침서로 간주
일본	근대 국가 체제를 갖추기 위한 논리로 활용, 서구 열강과 체결한 불평등 조약의 개정 노력에 이용, 강화도 조약 체결 시 만국 공법을 근거로 조선이 자주국임을 주장, 주변 지역으로의 침략 정당화에 활용
조선	주권 보존 수단으로 수용, 거문도 사건으로 일부에서 실효성에 의문 제기 → 청·일 전쟁 이후 적극 수용

완자 자료 탐구

내 옆의 선생님

자료 1 근대 도시의 성장

청의 상하이

일본의 요코하마

조선의 인천

개항 이후 동아시아 각국에서는 개항장을 중심으로 외국인의 왕래와 무역이 이루어지며 조계가 형성되었다. 이렇게 개항한 청의 상하이, 일본의 요코하마, 조선의 인천 등은 서구 문물을 받아들이는 통로 역할을 하며 각국을 대표하는 근대 도시로 성장하였다.

정리 비법을 알려줄게!

동아시아의 근대 도시

상하이	난징 조약으로 개항 → 조계 설정, 무역의 중심지로 번영 → 인구 증가
요코하마	미·일 수호 통상 조약으로 개항 → 전국의 상인이 모이는 무역항으로 성장
인천	강화도 조약으로 개항 → 일본인 거류지 형성, 서구 문화 유입의 창구가 됨

자료 2 동아시아의 철도 도입

- 우렁차게 토하는 기적 소리에 / 남대문을 등지고 떠나 나가서 빨리 부는 바람 같은 형세니 / 날개 가진 새라도 못 따르겠네. 늙은이와 젊은이 섞여 앉았고 / 우리네와 외국인 같이 탔으나 내외 친소 다 같이 익혀 지내니 / 조그마한 딴 세상 절로 이루었네. – 최남선, 「경부 철도가」
- 기차역을 짓기 위해 구룡산 일대의 토지를 서양인이 구입하였다. …… 구룡산 기슭을 파헤칠 때 동굴에서 커다란 뱀 세 마리가 튀어나왔다. …… 지금 세 마리가 하늘로 날아가 이곳의 풍수가 이미 파괴되었으니, 앞으로 골짜기가 어떤 모습으로 바뀔지 알 수 없다고 했다. 이처럼 급격한 쇠망이 애처로울 따름이다. – 「점석재화보」

철도는 인구 이동과 물자 유통 등을 촉진하였고 여행 시간과 거리감을 단축하여 사람들의 활동 공간과 시야를 확대하였다. 그러나 동아시아에서는 이를 서양 열강의 침략 도구로 인식하면서 초기 건설 과정에서 철도 건설에 반대하는 사람들이 많았다.

자료 하나 더 알고 가자!

일본의 철도 부설

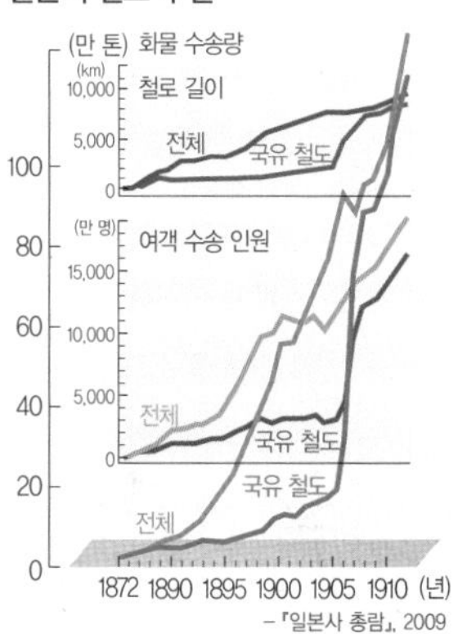

– 『일본사 총람』, 2009

일본은 철도 건설을 적극적으로 추진한 결과 철도 노선이 크게 늘어났어.

자료 3 만국 공법의 수용

유길준은 당시 청이 조선의 내정에 간섭하고 있던 상황에서 조선의 독립을 만국 공법의 질서 속에서 유지해야 한다고 주장하였어.

- 국가를 다스리는 권리를 주권이라 하는데, 주권은 안에서 행해지기도 하고 밖에서 행해지기도 한다. 주권이 안에서 행해지는 것은 각국의 법도에 따르며, 그것은 백성에게 맡겨지기도 하고 군주에 귀속되기도 한다. …… 주권이 밖에서 행해질 때는 반드시 타국의 승인이 필요하며 …… 각국은 그 승인 여부를 자주적으로 결정하며 그에 따른 책임을 진다. – 헨리 휘튼, 『만국 공법』
- 고금의 공법 대가들에 따르면 …… 그 나라를 자주적으로 다스릴 때 주권 독립국이라 하며, 주권은 한 나라를 관제하는 최대의 권리라 한다. …… 주권을 자주적으로 사용하고 외국의 지휘를 받지 않는 나라가 진정한 독립국인 것이다. – 유길준, 『서유견문』

만국 공법은 주권 국가 간의 대등한 관계를 원칙으로 하였다. 동아시아에서는 만국 공법을 수용하여 부국강병, 주권 보존 등의 논리로 활용하고자 하였다.

문제로 확인할까?

만국 공법과 관련된 설명으로 옳은 것을 〈보기〉에서 모두 고르시오.

보기
ㄱ. 서구 열강의 제국주의적 침략을 뒷받침하였다.
ㄴ. 동아시아에서는 부국강병의 논리로 수용되었다.
ㄷ. 주권 국가 간의 대등한 관계를 원칙으로 하였다.
ㄹ. 일본은 대외 관계의 실무적 지침서 정도로 간주하였다.

ㄱ, ㄴ, ㄷ 답

04 서양 문물의 수용

★ **사회 진화론**
찰스 다윈이 제시한 생물학적 진화론에 입각하여 인간 사회를 이해하려는 이론

★ **옌푸**
영국의 「진화와 윤리」를 「천연론」으로 번역·출간하여 중국에 사회 진화론을 소개하였다.

2. *사회 진화론 교과서 자료

(1) **특징**: 사회에 적자생존과 약육강식의 법칙 적용 → 서양 열강의 제국주의적 침략 정당화

(2) **동아시아 각국의 사회 진화론 수용**: 자강의 논리로 수용 ─ 열강에 대항하는 수단으로 이용하고자 하였어.

일본	메이지 유신 과정에서 수용(가토 히로유키가 인간의 기본권 부정, 천황에 대한 충성과 복종 정당화 → 일본의 제국주의적 침략을 정당화하는 논리로 활용)
중국	청·일 전쟁 이후 유입(*옌푸, 량치차오가 교육·식산 진흥 주장 → 변법자강 운동, 신문화 운동에 영향을 줌)
한국	개화파 중심으로 수용(유길준이 교육·산업을 일으켜 국력을 키우자고 주장 → 애국 계몽 운동에 영향을 줌)

이것이 핵심!

근대적 지식의 확산

근대 교육의 보급	정부의 교육 제도 개편 → 교육 기관 설립(민간 참여) → 교육 기회 확대
여성의 권리 신장	근대식 여학교 설립, 남성과 동등한 여성의 권익을 위한 활동 전개
신문의 도입	민권 관념 보급, 여론 형성

★ **여권통문(여학교 설시 통문)**
서울의 양반 부인들이 발표한 것으로, 여성도 동등하게 교육받고 직업을 가질 권리가 있다는 내용을 담았다.

★ **학지광**
일본에 유학 중인 한국인 학생들이 민중 계몽을 도모하여 발행한 잡지

★ **신문지법**
통감부가 한국의 민족 언론을 탄압하는 도구로 사용한 법령이다. 정기 간행물 발행의 허가제와 보증금제로 신문 발행을 억제하고, 반포 금지와 발행 정지 및 금지 등의 규제를 가할 수 있도록 하였다.

3 근대 지식의 확산

1. 근대 교육의 보급

(1) **근대식 교육의 도입**: 사회 발전을 위한 교육의 필요성 인식 ─ 이에 따라 정부와 민간에서 학교 설립, 유학생 파견 등을 추진하였어.

(2) **동아시아 각국의 근대 교육** 자료 ④
─ '소학교 – 중학교 – 대학교'의 근대 학제를 마련하였어.

일본	메이지 유신 이후 근대 학제 발표(1872), 소학교의 의무 교육 제도 도입, 도쿄 대학 설립, 「교육 칙어」 반포(1890, 국민의 충성심과 효심 강조 → 천황 중심의 국가 체제 확립에 활용)
청	청·일 전쟁 이후 서양과 일본의 학제를 본떠 개혁 추진 → 국자감을 경사 대학당으로 개편(1898), 지방에 중·소 학당 설립, 근대 학제 마련(1902)
조선	육영 공원 설립(1886), 갑오개혁 때 근대 학제 도입 및 「교육입국 조서」 반포(→ 관립 학교 설립), 애국 계몽 운동 추진 과정에서 사립 학교 설립

─ 조선 최초의 근대식 공립 교육 기관이야.

2. 근대적 주체의 형성

(1) **여성 교육과 여성 권리 의식의 성장**

① 동아시아 각국의 여성 교육: 근대 여성 교육 확산 → 남녀를 대상으로 초등·중등 교육 시행(일본), 선교사들과 민간에서 여학교 설립(청·대한 제국)

② 여성 권리 의식의 성장

일본	부인 교풍회 조직(일부다처제, 매춘 금지 주장)
한국	*여권통문 발표(1898), 찬양회가 여성 계몽과 여학교 설립 운동 전개
중국	신해혁명 이후 여권 신장 분위기 고조, 신문화 운동 이후 여성 교육과 인권 문제 등을 개혁 과제로 논의

(2) **청년의 탄생**: 확고한 자의식을 갖춘 근대적 주체로 성장 ─ 당시 청년은 근대적 경쟁을 주도할 수 있는 새로운 젊은이를 의미하였어.

한국	「*학지광」 발행, 국권 피탈 이후 민족 운동 주도(6·10 만세 운동, 광주 학생 항일 운동 등)
중국	신문화 운동 주도, 「청년잡지」 발행(1915)

─ 천두슈가 청년들의 사상과 행동의 개혁을 추구하기 위해 발행한 이 잡지는 1916년에 「신청년」으로 명칭을 바꾸었어.

3. 신문의 도입 자료 ⑤

(1) **신문의 역할**: 국내외 소식을 전달하며 여론 형성, 민권 관념 보급, 서구 문물 소개
─ 광고를 통해 다양한 서구 문물을 소개하였어.

(2) **동아시아 각국의 신문 발행**: 관보와 민간 신문 발행

청	상하이 조계지에서 영국 상인이 「신보」(1872) 발행 → 정부의 언론 통제(등록제, 검열제) → 20세기 초부터 신문 발행 허용
일본	개항장에서 신문 발행, 정부의 신문 발행 허가제 시행(1868) → 「요코하마 마이니치 신문」(1870, 일본 최초의 일간지), 「요미우리 신문」, 「아사히 신문」 등 발행 → 자유 민권 운동에 영향을 줌
조선	「한성순보」(1883, 조선 최초의 근대 신문), 「독립신문」(민간에서 발행, 민중 계몽, 여론 형성), 「황성신문」과 「대한매일신보」(민권과 국권 의식 고취) 등 발행 → 일본이 *신문지법을 제정(1907)하여 언론 탄압

왜? 정부 정책에 비판적인 신문을 규제하기 위해서였어.

민중을 계몽하기 위해 한글로 발간하였는데, 이는 한글을 일상적인 문자로 격상시키는 데 기여하였어.

수능이 보이는 교과서 자료 사회 진화론의 수용

가토 히로유키는 자유 민권 운동을 비판하면서 국가 체제가 확립되지 않은 상황에서 인권이 있을 수 없다고 보았어.

(가) 생물계에서 강자의 권리 경쟁이 발생하면 몸과 마음이 우월한 자가 열등한 자를 쓰러뜨리는 것을 피할 수 없다. …… 사회가 진보하고 발달하는 것에 따라 사람들 간에 능력의 차이가 생기며 …… 나라와 나라 사이에 생기는 권력 경쟁도 …… 동물계와 마찬가지로 맹폭한 성질을 띨 수밖에 없다. – 가토 히로유키, 「강자의 권리 경쟁」

(나) 사람과 동물은 각각 자신의 생존을 위해 싸우게 된다. 처음에는 종(種)과 종이 싸우며, 나아가 집단과 집단이 싸우게 된다. 약자는 언제나 강한 자의 먹이가 되고, 어리석은 자는 지혜로운 자에게 부림을 당한다. – 옌푸, 「천연론」

(다) 인생의 만사가 경쟁하지 않는 일이 없으니 크게는 천하와 국가의 일부터, 작게는 한 몸 한 집안의 일까지 다 경쟁으로 말미암아 먼저 진보할 수 있다. …… 국가 간의 경쟁이 없으면 어떤 방법으로 그 광위와 부강을 증진할 수 있는가? – 유길준, 「경쟁론」

서구 열강은 사회 진화론을 이용하여 약소국에 대한 침략을 정당화한 반면 동아시아 각국은 사회 진화론을 '스스로 힘을 키워야 한다.'라는 자강의 논리로 수용하였다.

완자샘의 탐구 강의

• (가), (다)의 주장을 정리해 보자.

(가)	생물학적 진화론에 따라 인간 사회에서 발달 정도에 따라 능력의 차이가 발생하는 것을 당연하다고 보았다.
(다)	약육강식의 원리에 따라 국가와 인종 간의 생존 경쟁을 통해 진보를 달성할 수 있다고 하였다.

• (나)의 사회 진화론을 비판할 수 있는 근거를 제시해 보자.

사회 진화론은 서구 열강의 제국주의적 침략을 정당화하였다.

함께 보기 176쪽, 1등급 정복하기 2

자료 4 근대식 교육의 도입 양상

• 나의 신민이 충(忠)과 효(孝)로서 많은 사람의 마음을 하나로 만들어 대대손손 그 아름다움을 다하게 하는 것이 우리 국체의 정화이며 교육의 연원도 실로 여기에 있다. – 「교육 칙어」, 1890

• 세상 형편을 돌아보면 부유하고 독립하여 사는 나라는 모두 백성의 지식이 발달하였다. 지식의 발달은 교육에서 비롯된 것이니, 교육은 실로 나라를 보존하는 근본이다. …… 이제 내가 정부에 명하여 학교를 널리 설치하고 인재를 양성하여 국가의 중흥에 큰 공을 세우고자 하니 국민들은 애국하는 마음으로 덕(德)·체(體)·지(智)를 함양하라. – 「교육입국 조서」, 1895

일본은 메이지 유신 이후 근대 학제를 제정하였고, 「교육 칙어」를 반포하여 천황 중심의 국가 체제 확립에 활용하고자 하였다. 조선 정부는 갑오개혁 때 근대 학제를 갖추었으며, 「교육입국 조서」를 반포하여 덕, 체, 지를 겸비한 교육을 강조하였다.

정리 비법을 알려줄게!

동아시아의 근대식 교육 도입

일본	메이지 유신 이후 근대 학제 제정, 「교육 칙어」 반포(→ 천황 중심의 국가 체제 확립에 활용)
조선	갑오개혁 때 근대 학제 도입, 「교육입국 조서」 반포(→ 덕, 체, 지를 겸비한 교육 강조)

문제로 확인할까?

고종이 반포하였으며, 덕, 체, 지를 겸비한 교육을 강조한 문서는?

답 교육입국 조서

자료 5 근대 신문의 발행

조선 최초의 민간 신문인 「독립신문」은 열강의 침략을 폭로하고 국권 수호를 위한 여론을 조성하며 정부의 정책을 비판하였어.

우리가 독립신문을 오늘 처음으로 출판하는데 …… 상하귀천을 달리 대접하지 않고 모두 조선 사람으로만 알고 …… 조선 인민을 위하여 무슨 일이든지 대신 말할 것이다. 정부에서 하시는 일을 백성에게 전할 터이요, 백성의 정세를 정부에 전할 터이니 만일 백성이 정부 일을 자세히 알고 정부에서 백성의 일을 자세히 아시면 피차에 유익한 일만 있을 것이다. – 「독립신문」 창간호, 1896

개항 이후 동아시아에서 발행되기 시작한 신문은 국내외의 소식을 전달하며 여론을 형성하였고, 근대 지식을 전파하는 데 크게 기여하였다. 동아시아 각국에서는 정부의 정책과 소식을 전하는 관보와 다양한 민간 신문이 발행되었다.

자료 하나 더 알고 가자!

근대 신문 속 광고

황성신문에 실린 잡화점 광고(1905)

근대 신문은 광고를 통해 서구 문물을 소개하며 상품에 대한 정보를 제공하였어.

STEP 1 핵심 개념 확인하기

정답친해 51쪽

1 인천, 요코하마와 같은 동아시아의 개항장에서는 외국인의 생활 공간인 (　　　　)가 형성되었다.

2 다음 설명이 맞으면 ○표, 틀리면 ×표를 하시오.

(1) 조계에서는 외국인의 자치가 허용되었다. (　　)

(2) 동아시아에서는 개항 이후 '일본 – 조선 – 중국'의 순서로 태양력을 채택하였다. (　　)

3 인구 이동과 물자 유통을 촉진하였으나 동아시아에서 열강의 침략 도구로 인식하기도 하였던 근대 문물은?

4 (　　　　)은 서구형 국제 질서 원리로, 열강의 팽창과 함께 세계에 확산된 국제법이다.

5 다음에서 설명하는 이론을 쓰시오.

> 열강이 약소국에 대한 침략을 정당화하는 데 이용하였으며, 동아시아에서 서양 열강의 위협에 대항하기 위해 '스스로 힘을 키워야 한다.'라는 자강 운동의 논리로 수용되었다.

6 조선에서는 갑오개혁 이후 (　　　　)가 반포되고 근대 학교 법규를 제정하면서 많은 관립 학교가 세워졌다.

7 다음에서 설명하는 신문을 〈보기〉에서 고르시오.

보기
ㄱ. 신보　　ㄴ. 한성순보　　ㄷ. 대한매일신보

(1) 영국 상인이 1872년 상하이 조계지에서 발간하였다. (　　)

(2) 조선 정부가 1883년에 발간한 최초의 근대 신문이다. (　　)

STEP 2 내신 만점 공략하기

01 (가)에 대한 설명으로 옳지 <u>않은</u> 것은?

> 동아시아 각국에서는 개항장을 중심으로 외국인의 왕래와 무역이 이루어지면서 (가) 이/가 형성되었고, 청의 상하이, 일본의 요코하마, 조선의 인천 등이 근대 도시로 성장하였다.

① 외국인을 위한 생활 공간이다.
② 서구 문물이 동아시아로 유입되는 창구였다.
③ 외국인의 자치와 치외 법권을 인정하지 않았다.
④ 청·조선에서는 조계, 일본에서는 거류지라고 불렀다.
⑤ 외국인이 개항장에서 자유롭게 통상할 수 있도록 설정한 구역이다.

중요

02 (가)~(다) 도시에 대한 설명으로 옳은 것은?

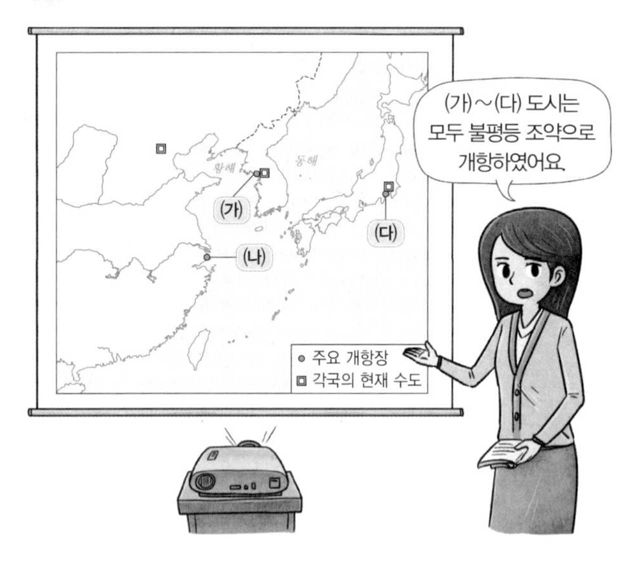

① (가) – 한국 최초의 철도가 부설되었다.
② (가) – 대한민국 임시 정부가 수립되었다.
③ (나) – 정부가 황성 만들기 사업을 추진하였다.
④ (다) – 도쿄 대학이 설립되었다.
⑤ (다) – 영국 상인이 「신보」를 창간하였다.

03 자료를 보고 당시의 사회 모습을 잘못 추론한 학생은?

> **화륜거(열차) 왕래 시간 안내**
>
> 경인 철도에 화륜거 운전하는 시간은 다음과 같다. 화륜거는 인천에서 동쪽으로 향하며, 매일 오전 7시에 떠나서 유현 7시 6분, 우각동 7시 11분, 부평 7시 36분, 소사 7시 50분, 오류동 8시 15분, 노량진 8시 40분에 도착한다.

① 갑: 시계가 사용되었을 거야.
② 을: 서구식 시간관념이 도입되었을 거야.
③ 병: 시간을 양으로 측정할 수 있었을 거야.
④ 정: 시간을 화폐처럼 계산할 수 있었을 거야.
⑤ 무: 태음력이 폐지되고 태양력이 도입되었을 거야.

04 (가)에 들어갈 내용으로 적절하지 않은 것은?

중요

> **동아시아사 신문**
>
> **동아시아에 철도가 부설되다!**
>
> 
> 탕산역에서 철도 운행을 시찰하는 청의 관리들
>
> 1825년 영국에서 최초로 만들어진 이후 산업이 발전하는 데 큰 영향을 미친 철도가 동아시아에 부설되고 있다. 철도에 대한 동아시아 각국의 반응은 다양하다.
>
> (가)

① 중국에서는 의화단이 철도를 공격하였다.
② 한국의 철도는 일본의 주도로 부설되었다.
③ 일본의 메이지 정부는 철도 건설에 부정적이었다.
④ 한국에서는 의병이 철도나 철도 공사장을 공격하였다.
⑤ 청 정부는 철도 부설 정책을 기본 정책으로 확정하였다.

05 다음 노래의 소재가 된 근대 문물에 대한 설명으로 옳은 것은?

> 우렁찬 기적 소리에 / 남대문을 등지고 떠나 나가서 빨리 부는 바람 같은 형세니 / 날개 가진 새라도 못 따르겠네.

① 민권 관념을 보급하고 여론을 형성하였다.
② 사람들의 모습을 정확하게 재현해 주었다.
③ 통신을 통한 빠른 연락을 가능하게 하였다.
④ 사람들의 여행 시간과 거리감을 줄여 주었다.
⑤ 소비 경향과 유행을 선도하는 역할을 하였다.

[06~07] 다음을 읽고 물음에 답하시오.

> 국가를 다스리는 상권(上權)을 일러 주권이라 하는데, 이 주권은 안에서 행해지기도 하고 밖에서 행해지기도 한다. …… 주권이 안에서 행해지는 것은 타국의 승인이 필요하지 않다. …… 주권이 바깥에서 행해지는 데는 반드시 타국의 승인을 필요로 하며 그래야 비로소 완전해질 수 있다.

06 위 내용에 대한 설명으로 옳은 것은?

① 19세기 찰스 다윈이 주장하였다.
② 미국의 윌슨 대통령이 제창하였다.
③ 항일 구국 연맹의 사상적 기반이 되었다.
④ 중국 중심의 조공·책봉 질서를 중시하였다.
⑤ 국가를 문명국, 반문명국, 미개국으로 구분하였다.

07 위 내용에 대한 동아시아 각국의 적용 사례를 옳게 연결한 것을 〈보기〉에서 고른 것은?

> **보기**
>
> ㄱ. 청 – 주권을 보존하기 위한 근거로 삼았다.
> ㄴ. 일본 – 침략을 정당화하는 근거로 활용하였다.
> ㄷ. 조선 – 대외 관계의 참고 문헌으로 간주하였다.
> ㄹ. 조선 – 거문도 점령 사건을 해결하는 데 적용하고자 하였다.

① ㄱ, ㄴ ② ㄱ, ㄷ ③ ㄴ, ㄷ
④ ㄴ, ㄹ ⑤ ㄷ, ㄹ

08 다음 주장을 활용한 탐구 활동으로 가장 적절한 것은?

> 경쟁이란 것은 자존을 위한 싸움이니, 하나의 개체가 다른 개체와 더불어 투쟁함으로써 혹은 살아남고 혹은 멸망하는데, 그 큰소리침은 자연의 선택으로 귀결된다.
> – 옌푸, 『천연론』

① 대한국 국제의 내용을 확인한다.
② 동학 농민 운동의 배경을 파악한다.
③ 존왕양이 운동이 일어난 계기를 찾아본다.
④ 변법자강 운동의 토대가 된 사상을 알아본다.
⑤ 중국의 제2차 국·공 합작의 성립 과정을 정리한다.

09 중요 가상 대화에 나타난 이론에 대한 설명으로 옳은 것을 〈보기〉에서 고른 것은?

유길준

세상의 일 중에서 경쟁하지 않는 경우가 없습니다. 크게는 국가의 일부터 작게는 집안의 일까지 모두 경쟁을 통해 진보할 수 있습니다.

국제 관계에서도 그렇습니다. 만국 공법이 대단히 우아하게 보이지만, 각국 교제의 도(道)는 죽느냐 죽이느냐에 있을 뿐입니다.

후쿠자와 유키치

보기

ㄱ. 3·1 운동에 영향을 주었다.
ㄴ. 신문화 운동의 사상적 배경이 되었다.
ㄷ. 일본에서는 '난학(蘭學)'이라고 불렀다.
ㄹ. 동아시아에서 자강의 논리로 수용되었다.

① ㄱ, ㄴ ② ㄱ, ㄷ ③ ㄴ, ㄷ
④ ㄴ, ㄹ ⑤ ㄷ, ㄹ

10 다음 퀴즈의 정답으로 옳은 것은?

> **동아시아사 퀴즈 대회**
> 사회자: 일본에서 발표되었으며, 천황에 대한 충심과 효심을 강조하면서 식민지 국가에서의 교육 정책에 활용된 문서는 무엇일까요?

① 여권통문 ② 교육 칙어
③ 정우회 선언 ④ 교육입국 조서
⑤ 베이징 학생계 선언

11 다음 조서에 대한 설명으로 옳은 것은?

> 세상 형편을 돌아보면 부유하고 독립하여 사는 나라는 모두 백성의 지식이 발달하였다. 지식의 발달은 교육에서 비롯된 것이니, 교육은 실로 나라를 보존하는 근본이다. …… 학교를 널리 설치하고 인재를 양성하여 국가의 중흥에 큰 공을 세우고자 한다.

① 육영 공원의 설립에 영향을 주었다.
② 소학교의 의무 교육 제도를 도입하였다.
③ 덕, 체, 지를 겸비한 교육을 강조하였다.
④ 천황 중심의 국가 체제 확립에 활용되었다.
⑤ 고등 교육 기관인 도쿄 대학의 설립으로 이어졌다.

12 자료와 관련된 설명으로 옳지 않은 것은?

> 문명개화한 나라를 보면 남녀가 일반 사람이다. 어려서부터 각각 학교에 다니며 여러 재주를 배우고 …… 이제 우리도 새것을 좇아 …… 남녀가 일반 사람이 되게 하고자 여학교를 세우고자 하니 …….
> – 『황성신문』, 1898

① 서울의 양반 부인들이 발표하였다.
② 찬양회의 여학교 설립 운동에 영향을 주었다.
③ 여성 교육과 여성의 사회 진출을 주장하였다.
④ 유교적 덕목과 국가에 대한 충성을 강조하였다.
⑤ 개항 이후 확산된 근대 여성 교육의 영향을 받았다.

13 밑줄 친 내용에 해당하는 신문이 아닌 것은?

개항과 함께 동아시아에서 발행되기 시작한 신문은 국내외의 소식을 전해주며 여론을 형성하는 역할을 하였다. 동아시아 각국에서는 정부의 정책과 소식을 전하는 관보와 다양한 민간 신문이 발행되었다.

① 신보
② 독립신문
③ 한성순보
④ 대한매일신보
⑤ 요코하마 마이니치 신문

중요
14 (가)에 들어갈 내용으로 적절한 것은?

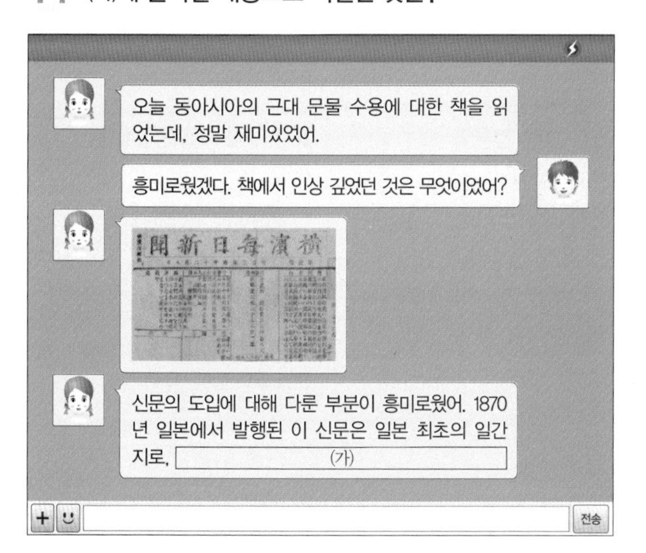

① 이권 수호 운동을 통해 여론을 형성하였어.
② 통감부의 신문지법 제정으로 탄압을 받았어.
③ 정부의 검열제를 피해 조계지에서 창간되었어.
④ 열강의 침략상을 폭로하고 정부의 정책을 비판하였어.
⑤ 민중의 의식을 성장시켜 자유 민권 운동에 영향을 주었어.

서술형 문제

● 정답친해 53쪽

01 다음을 읽고 물음에 답하시오.

- 나라와 나라 사이에서 생기는 권력 경쟁도 …… 동물계에서와 마찬가지로 맹폭한 성질을 띨 수밖에 없다. …… 이는 결코 도덕에 반하고 법리를 어기는 것이 아니라 당연한 것이다.
- 사람과 동물은 각각 자신의 생존을 위해 싸우게 된다. 처음에는 종(種)과 종이 싸우며, 나아가 집단과 집단이 싸우게 된다. 약자는 언제나 강한 자의 먹이가 되고, 어리석은 자는 지혜로운 자에게 부림을 당한다.

(1) 윗글에 공통적으로 반영된 사회 이론을 쓰시오.

(2) (1) 이론이 동아시아에 수용되면서 나타난 특징과 한계를 서술하시오.

길잡이 이론을 수용할 당시 동아시아 각국이 처한 상황을 생각해 본다.

02 다음을 읽고 물음에 답하시오.

나의 신민들이 지극한 충과 효로서 많은 사람의 마음을 하나로 만들어 대대손손 그 아름다움을 다하게 하는 것이 우리 국체의 정화이며 교육의 연원 또한 실로 여기에 있다. 너희 신민들은 부모에게 효를, 형제에게 우애를 다하고 …… 학문을 닦고 업무를 익혀서 지식과 재능을 기르며 …… 영원무궁한 황국의 번영을 도와야 할 것이다.

(1) 위 발표문의 명칭을 쓰시오.

(2) 일본에서 (1)을 제정한 목적에 대해 서술하시오.

길잡이 위 발표문의 '황국의 번영을 도와야 할 것'이라는 부분에 주목한다.

STEP 3 1등급 정복하기

1 다음 전시회에서 볼 수 있는 전시 자료로 적절하지 않은 것은?

동아시아 박물관 특별 전시

동아시아, 서양 문물을 수용하다

[전시 안내]
이번 사진전에서는 개항 이후 동아시아에서 서구 문물의 수용으로 달라진 동아시아 각국의 모습을 보여 주는 사진과 그림이 전시됩니다. 많은 관람 부탁드립니다.
[주요 전시 사진]

근대 건물이 들어선 상하이

이화 학당의 수업 모습

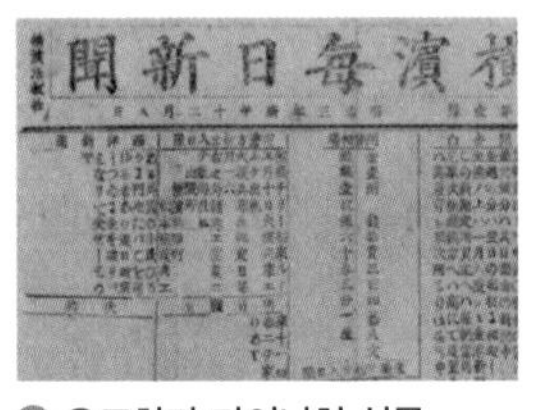

橫濱每日新聞

요코하마 마이니치 신문

① 경인선 개통식
② 데라코야의 수업 모습
③ 「황성신문」에 실린 잡화점 광고
④ 육영 공원에서 사용한 영어 교재
⑤ 도쿄 긴자 거리에 점등된 전등을 바라보는 사람들의 모습

> 서구 문물의 수용

완자샘의 시험 꿀팁
개항 이후 동아시아에서 서구 문물의 수용으로 나타난 모습을 묻는 경우가 많으므로 서구 문물을 수용하면서 달라진 모습을 정리해 두어야 한다. 또 동아시아 각국이 서구 문물을 수용하는 과정에서 보인 양면적 인식의 사례도 알아 두면 좋다.

수능 응용

2 자료에 공통적으로 반영된 이론에 대한 설명으로 옳은 것을 〈보기〉에서 고른 것은?

- 생물계에서 강자의 권리 경쟁이 발생하면 우월한 자가 열등한 자를 쓰러뜨리는 것을 피할 수 없다. 우리 인간도 모든 생물과 그 근원을 같이하며…… 사회가 진보하고 발달하는 것에 따라 사람들 사이에 능력의 차이가 생기며…… – 가토 히로유키
- 인생의 만사가 경쟁하지 않는 일이 없으니 크게는 천하와 국가의 일부터, 작게는 한 몸 한 집안의 일까지 다 경쟁으로 말미암아 먼저 진보할 수 있다. …… 만약 국가 간의 경쟁이 없으면 어떤 방법으로 그 광위와 부강을 증진할 수 있는가? – 유길준

보기
ㄱ. 3·1 운동의 사상적 배경이 되었다.
ㄴ. 일본의 제국주의적 침략 행위를 뒷받침하였다.
ㄷ. 일본이 강화도 조약에서 조선을 자주국이라고 명시하는 근거가 되었다.
ㄹ. 동아시아 각국에서 서양 열강에 대항할 수 있는 자강의 논리로 이용되었다.

① ㄱ, ㄴ ② ㄱ, ㄷ ③ ㄴ, ㄷ
④ ㄴ, ㄹ ⑤ ㄷ, ㄹ

> 서구적 세계관의 수용

완자샘의 시험 꿀팁
동아시아에 영향을 준 서구적 세계관을 묻는 문제가 자주 출제된다. 동아시아 각국이 서구적 세계관을 어떻게 받아들였는지 정리해 두면 도움이 된다.

완자 사전
- 열등
질의 정도나 등급이 보통의 수준이나 다른 것보다 낮음

3 ㉠~㉤과 관련된 설명으로 옳지 않은 것은?

개항 이후 동아시아 각국은 사회 발전을 위한 교육의 필요성을 인식하여 서양의 교육 제도를 수용하였다. ㉠ 일본은 메이지 유신 이후 근대 학제를 발표하였고, 1890년에는 ㉡「교육 칙어」를 반포하였다. 청·일 전쟁 이후 ㉢ 청도 학제 개혁을 추진하였고, 1902년 근대 학제를 발표하였다. ㉣ 조선에서는 1894년에 근대 학제가 도입되었으며, ㉤ 고종은 「교육입국 조서」를 반포하였다.

① ㉠ – 소학교의 의무 교육 제도를 도입하였다.
② ㉡ – 천황 중심의 국가 체제 확립에 활용하고자 하였다.
③ ㉢ – 국자감을 경사 대학당으로 개편하고 중·소 학당을 세웠다.
④ ㉣ – 최초의 근대식 공립 교육 기관인 육영 공원을 설립하였다.
⑤ ㉤ – 덕, 체, 지를 겸비한 교육을 강조하고 관립 학교 설립에 영향을 주었다.

> 동아시아의 근대 교육

완자 사전

• **덕, 체, 지**
도덕 교육에 해당하는 덕육(德育), 신체의 건전한 성장을 도모하는 체육(體育), 지식의 습득과 적용을 목적으로 하는 지육(智育)을 아울러 이르는 말

4 (가) 문물에 대해 옳게 설명한 학생을 〈보기〉에서 고른 것은?

가상 토론회 대본

[(가)]의 도입, 위기인가 기회인가?

• [(가)] **건설에 대한 찬성 입장:** 마치 바람과 같이 빨라서 날개를 가진 새라도 따르지 못 할 것입니다. 노인과 젊은이가 고루 섞어서 앉을 수 있고, 외국인도 우리와 함께 타며 다 같이 익혀 지낼 수 있어 마치 조그마한 딴 세상을 이룬 것만 같은 느낌입니다.
• [(가)] **건설에 대한 반대 입장:** 역을 짓기 위해 구룡산 일대의 토지를 서양인이 구입하였는데, 구룡산 기슭을 파헤칠 때 동굴에서 커다란 뱀 세 마리가 튀어나왔습니다. 지금 세 마리가 하늘로 날아가 이곳의 풍수가 이미 파괴되어 버렸습니다. 앞으로 골짜기가 어떤 모습으로 바뀔지 알 수 없습니다.

보기

ㄱ. 갑: 대한 제국은 정부 주도로 경인선과 경부선을 부설하였어.
ㄴ. 을: 일본에서는 메이지 정부가 적극적으로 건설을 추진하였어.
ㄷ. 병: 여행 시간을 단축하여 육로 교통의 정착에 큰 역할을 하였어.
ㄹ. 정: 청에서는 일본의 주도로 건설되어 의병들이 파괴를 시도하였어.

① ㄱ, ㄴ ② ㄱ, ㄷ ③ ㄴ, ㄷ
④ ㄴ, ㄹ ⑤ ㄷ, ㄹ

> 서구 문물의 도입

완자 사전

• **풍수**
집이나 무덤 등의 방위와 지형

- **1842** • (❶) 체결: 청이 상하이를 비롯한 5개 항구 개항
- **1861** • 양무운동 시작: 중체서용 표방 → 서양 기술 도입 시도
- **1868** • (❷): 일본, 천황 중심의 개혁 실시
- **1894** • 청·일 전쟁 발발: 일본 승리, 시모노세키 조약 체결
- **1897** • 대한 제국 수립: 고종의 황제 즉위, 근대 개혁 추진
- **1898** • 변법자강 운동: 캉유웨이 주도, 전면적 개혁 추진
- **1904** • 러·일 전쟁 발발: 일본 승리(1905)
- **1919** • 3·1 운동: 대한민국 임시 정부 수립, 5·4 운동에 영향을 줌
- **1921** • 워싱턴 회의: 일본이 차지한 중국 이권 일부 반환 결정
- **1931** • 만주 사변: 일본의 만주 침략 → 만주국 수립(1932)
- **1937** • 중·일 전쟁 발발: 일본의 중국 침략 → 제2차 국·공 합작 성립(1938)
- **1940** • (❸) 창설: 중국 국민당 정부의 지원(이후 연합군의 일원으로 참전)
- **1941** • 태평양 전쟁: 일본의 하와이 진주만 기습으로 발발

01 새로운 국제 질서와 근대화 운동

1. 동아시아 각국의 개항과 근대적 조약 체결

청	난징 조약 체결(1842, 홍콩 할양, 공행 폐지)
일본	미·일 화친 조약(1854) 체결 → 미·일 수호 통상 조약 체결(1858, 추가 개항, 영사 재판권 인정)
조선	강화도 조약(조·일 수호 조규) 체결(1876, 3개 항구 개항)
베트남	제1차 사이공 조약 체결(1862, 선교의 자유 허용)

2. 근대화 운동의 전개

청	(❹) 추진(이홍장 주도, 중체서용 표방)
일본	메이지 유신 실시(폐번치현, 징병제, 신분제 폐지 등)
조선	갑신정변 전개(1884) → 갑오·을미개혁 추진(1894~1896)

3. 국민 국가 수립을 위한 노력

일본	자유 민권 운동 → (❺) 제정(1889, 입헌 군주제 규정)
조선	독립 협회의 활동, 대한 제국의 광무개혁 추진, 대한국 국제 반포(1899, 전제 군주정 표방)
청	• 변법자강 운동 전개(1898) • 신정 추진 → 흠정헌법 대강 발표(1908) → 신해혁명(1911) → 청 왕조 멸망, 중화민국 수립(1912)

02 제국주의 침략과 민족 운동

1. 제국주의 침략과 동아시아 국제 질서의 재편

(1) 청·일 전쟁

청·일 전쟁(1894)
동학 농민 운동을 계기로 청·일의 충돌 → 일본 승리 → 시모노세키 조약 체결(1895, 일본이 타이완·랴오둥반도 차지)

청의 몰락, 일본의 제국주의 팽창 정책 본격화

(2) 러·일 전쟁과 일본의 한국 병합

러·일 전쟁	일본의 선제공격 → 봉천 전투, 동해 해전 등에서 일본 승리 → (❻) 체결(1905)
일본의 한국 병합	을사조약 강제 체결(1905, 외교권 박탈, 통감 파견) → 고종 강제 퇴위, 군대 해산 → 대한 제국의 국권 강탈(1910)

2. 제1차 세계 대전의 발발과 민족 운동의 전개

(1) 제1차 세계 대전과 동아시아

제1차 세계 대전	일본의 참전 → 중국에 '21개조 요구' 제출(중국에 대한 내정 간섭과 이권 침탈 목적)
워싱턴 회의	미국의 주도로 개최(1921), 동아시아에 대한 열강의 이해관계 조정 → 해군 군비 제한, 일본이 중국에 산둥반도의 이권 반환 → 워싱턴 체제 성립

(2) 한국의 민족 운동

(❼)	대중적 비폭력 시위 전개 → 대한민국 임시 정부 수립의 계기, 중국의 5·4 운동에 영향을 줌
대한민국 임시 정부 수립	상하이에서 수립(1919), 민주 공화제 채택, 비밀 행정 조직망(연통제, 교통국) 조직 등
국외 민족 운동	봉오동·청산리 전투에서 승리, 의열단 조직
국내 민족 운동	민족 유일당 운동 → 신간회 결성(1927)

(3) 중국의 민족 운동

의화단 운동	부청멸양 제기, 서양 관련 시설 공격
(❽)	산둥반도의 이권 반환, '21개조 요구'의 철회 촉구 → 베이징 정부가 베르사유 조약의 조인 거부
통일 정부 수립	제1차 국·공 합작 성립(1924) → 국민당이 북벌 전개(1926) → 난징에 국민 정부 수립(1927)

03 침략 전쟁의 확대와 국제 연대

1. 일본의 침략 전쟁 확대

만주 사변	일본의 만주 침략(1931) → 만주국 수립(1932)
중·일 전쟁	루거우차오 사건(1937) → 일본의 중국 침략 → 제2차 국·공 합작 성립(국민당과 공산당의 내전 중단)
태평양 전쟁	일본의 하와이 진주만 기습 → 일본의 동남아시아와 남태평양 일대 습격 → 미드웨이 해전 → 미국의 원자 폭탄 투하 → 일본의 무조건 항복

2. 일본의 침략 전쟁에 따른 피해

총동원 체제	• 총동원 체제 성립: 국가 총동원법 제정(1938) → 노동력·병력 동원, 공출제 실시 등 • 황국 신민화 정책: 황국 신민 서사 암송, 신사 참배 강요 등
민간인의 피해	간도 참변으로 인한 희생(한국), 삼광 작전과 난징 대학살로 인한 피해(중국), 원자 폭탄 투하로 인한 피해(일본) 등

3. 항일을 위한 한·중 연대

만주 사변 이후	• 조선 혁명군: 중국 의용군과 연합 • 한국 독립군: 중국 호로군과 연합 • 동북 항일 연군: 한·중 사회주의 세력의 연합
중·일 전쟁 이후	• (❾): 김원봉이 창설, 중국군 지원 활동 • 한국 광복군: 연합군으로 참전, 미군과 합동 훈련 전개 • 조선 의용군: 중국 공산당의 팔로군과 연합

4. 반제와 반전, 평화를 위한 국제 연대

반제·반전 사상의 대두	고토쿠 슈스이, 우치무라 간조, 안중근(『동양 평화론』 저술) 등이 일본의 침략 전쟁에 반대
무정부주의의 영향	동방 무정부주의자 연맹, 항일 구국 연맹 등 조직

04 서양 문물의 수용

1. 서구 문물의 수용

근대 도시 형성	• 개항 도시: 상하이, 요코하마, 인천 등 발전 • 수도: 도쿄(일본), 한성(대한 제국) 등 정비
시간관념	서구식 시간관념 도입 → 시계 사용, 태양력 채택
철도 건설	인구 이동, 상권 확대, 인적 교류 등 촉진

2. 서구적 세계관의 전파

구분	(❿)	사회 진화론
청	중화사상을 바탕으로 대외 관계의 참고 문헌이나 실무적 지침서로 간주	량치차오가 교육과 식산 진흥 주장 → 변법자강 운동과 신문화 운동에 영향을 줌
일본	근대 국가 수립의 논리로 활용	제국주의적 침략 행위 정당화
조선	주권 보존의 수단으로 수용	개화파 중심으로 수용 → 애국 계몽 운동에 영향을 줌

3. 근대 지식의 확산

구분	신문	교육
청	영국인이 상하이 조계지에서 「신보」 발행	국자감을 경사 대학당으로 개편, 지방에 중·소 학당 설립
일본	「요코하마 마이니치 신문」, 「요미우리 신문」 등 발행	메이지 유신 이후 근대 학제 마련, 「교육 칙어」 반포
조선	「한성순보」, 「독립신문」, 「대한매일신보」 등 발행	갑오개혁 때 근대 학제 도입 및 「교육입국 조서」 반포

●정답● ① 난징 조약 ② 메이지 유신 ③ 한국 통감부 ④ 양무운동 ⑤ 대일본 제국 헌법(메이지 헌법) ⑥ 포츠머스 조약 ⑦ 3·1 운동 ⑧ 5·4 운동 ⑨ 조선 의용대 ⑩ 만국 공법

01 (가), (나) 조약과 관련된 설명으로 옳은 것은?

(가) • 영국 인민이 광저우, 상하이 등지에서 무역 통상에 나설 수 있도록 허용한다.
• 홍콩을 영국에 넘겨주고, 영국이 적당한 법을 세워 다스릴 수 있도록 허용한다.
(나) • 시모다, 하코다테 외에 다음 장소를 개항한다. 가나가와, 나가사키, 니가타, 효고(고베) 등
• 모든 일본의 수출입품은 별도의 규정과 같이 일본의 관청에 관세를 납부한다.

① 청은 (가)의 체결로 공행을 폐지하였다.
② 청은 (가)에서 크리스트교 선교를 공인하였다.
③ (나)에서 일본의 영토 할양을 규정하였다.
④ (나)는 일본이 서양과 체결한 최초의 근대적 조약이다.
⑤ (가), (나)는 서구 열강과의 전쟁에서 패배한 후 체결되었다.

02 다음 연극의 소재가 된 근대화 운동에 대한 설명으로 옳은 것을 〈보기〉에서 고른 것은?

장면 #7. 중국 한인 관료들의 대화
• 이홍장: 중국의 제도는 이미 서양보다 우수합니다. 그러나 우리가 위기를 안정으로 돌리는 길은 외국의 기기를 모방하는 데서 비롯됩니다.
• 증국번: 맞습니다. 중국의 제도를 바탕으로 서양의 기술을 도입하여 나라를 강하게 만들어야 합니다.

보기
ㄱ. 전국에 군수 공장, 기선 회사를 설립하였다.
ㄴ. 청·일 전쟁에서 청이 패하며 한계가 드러났다.
ㄷ. 토지의 균등한 분배와 남녀평등을 주장하였다.
ㄹ. 보수 세력이 반발하여 100여 일 만에 실패하였다.

① ㄱ, ㄴ ② ㄱ, ㄷ ③ ㄴ, ㄷ
④ ㄴ, ㄹ ⑤ ㄷ, ㄹ

03 밑줄 친 '정변'에 대한 탐구 활동으로 적절한 것은?

동아시아사 인물 카드
○○○은 임오군란 이후 청의 내정 간섭으로 개화 정책을 추진하는 데 어려움을 겪게 되자, 1884년 박영효를 비롯한 개화파의 일원들과 함께 정변을 일으켰다.

① 중체서용의 의미를 찾아본다.
② 파리 강화 회의의 결과를 알아본다.
③ 개혁 정강 14개조의 내용을 확인한다.
④ 「정우회 선언」을 발표한 목적을 탐구한다.
⑤ 전국 각지에 군수 공장을 세운 이유를 조사한다.

04 다음 질문에 대한 답변으로 적절하지 않은 것은?

미·일 화친 조약으로 개항한 후 대일본 제국 헌법이 반포되기까지 일본에서 어떠한 일이 일어났을까요?

① 청·일 전쟁에서 승리하였습니다.
② 식산흥업 정책을 추진하였습니다.
③ 자유 민권 운동이 전개되었습니다.
④ 막부를 타도하려는 움직임이 나타났습니다.
⑤ 사민평등의 원칙 아래 신분제가 폐지되었습니다.

05 (가), (나) 헌법에 대한 설명으로 옳은 것은?

(가) 제1조 대일본 제국은 만세일계의 천황이 통치한다.
제4조 천황은 국가의 원수로서 통치권을 총괄한다.
(나) 제2조 대한 제국의 정치는 만세불변할 전제 정치이다.
제3조 대한국 대황제는 법률을 제정하여 그 반포와 집행을 명한다.

① (가) – 흠정헌법 대강의 영향을 받았다.
② (가) – 존왕양이 운동의 결과 제정되었다.
③ (나) – 의회 제도를 도입하였다.
④ (나) – 자유 민권 운동에 영향을 주었다.
⑤ (가), (나) – 천황(황제)에게 많은 권한을 부여하였다.

06 (가) 전쟁의 영향으로 나타난 동아시아 각국의 상황으로 옳은 것은?

> 동학 농민 운동을 계기로 조선에 파병한 일본은 청군을 공격하여 (가) 을/를 일으켰다. 일본은 평양 전투, 황해 해전에서 청군을 이기고 (가) 에서 승리하였다.

① 일본에서 정한론이 대두되었다.
② 타이완이 일본의 식민지가 되었다.
③ 만주에서 한·중 연합이 이루어졌다.
④ 청이 외국 영사의 베이징 주재를 허용하였다.
⑤ 일본이 대한 제국에 을사조약 체결을 강요하였다.

07 다음 회의와 관련된 설명으로 옳지 않은 것은?

> 제1차 세계 대전의 전후 처리를 논의하기 위해 열렸으며, 회의의 결과 베르사유 조약이 체결되었다.

① 각국의 해군 군비 제한을 결정하였다.
② 일본의 산둥반도 이권 계승을 승인하였다.
③ 중국이 '21개조 요구'의 철폐를 주장하였다.
④ 일본이 승전국의 자격으로 회의에 참여하였다.
⑤ 회의에서 채택된 민족 자결주의의 영향으로 3·1 운동이 일어났다.

08 다음 방향에서 전개된 한국의 민족 운동의 영향으로 볼 수 없는 것은?

> 울분이 쌓인 2천만 민족을 구속하는 것은 동양의 평화를 보장하는 길이 아니고 …… 조선의 독립은 조선 사람이 정당한 삶의 번영을 이루게 하고, 일본이 그릇된 길에서 벗어나 동양을 지지하는 자의 책임을 다하게 하는 것이다.

① 일본이 이른바 문화 통치를 실시하였다.
② 만주 지역에서 의열단이 의열 활동을 벌였다.
③ 상하이에서 대한민국 임시 정부가 수립되었다.
④ 고종이 헤이그 만국 평화 회의에 특사를 파견하였다.
⑤ 중국에서 대학생을 중심으로 5·4 운동이 전개되었다.

09 다음 사건에 대한 설명으로 옳은 것은?

① 판보이쩌우가 주도하였다.
② 한·중 연합으로 전개되었다.
③ 「2·8 독립 선언」의 영향을 받았다.
④ 산둥반도의 이권 반환을 주장하였다.
⑤ 일본의 식민 통치 방식을 문화 통치로 바꾸게 하였다.

10 다음 헌법을 제정한 단체에 대한 설명으로 옳은 것을 〈보기〉에서 고른 것은?

> 제1조 대한민국은 대한 인민으로 조직함
> 제2호 대한민국의 주권은 대한 인민 전체에 있음
> 제4조 대한민국의 인민은 일체 평등함
> 제5조 대한민국의 입법권은 의정원이, 행정권은 국무원이, 사법권은 법원이 행사함

보기

ㄱ. 민주 공화제를 채택하였다.
ㄴ. 파리 강화 회의에 독립 청원서를 제출하였다.
ㄷ. 양세봉의 지휘 아래 중국 의용군과 연합하였다.
ㄹ. 만민 공동회를 개최하여 이권 수호 운동을 전개하였다.

① ㄱ, ㄴ ② ㄱ, ㄷ ③ ㄴ, ㄷ
④ ㄴ, ㄹ ⑤ ㄷ, ㄹ

11 다음과 같이 전개된 전쟁의 과정에서 일어난 일이 아닌 것은?

> 일본군이 루거우차오 사건을 계기로 중국을 침략하였다.

> 중국 국민당 정부가 충칭으로 수도를 옮겨 장기 항전에 대비하였다.

① 조선 의용대가 중국군과 항일 연대를 결성하였다.
② 중국 국민당과 공산당이 제2차 국·공 합작을 이루었다.
③ 일본이 국제 연맹을 탈퇴하고 대외 강경책을 추진하였다.
④ 일본이 난징 대학살을 일으켜 수많은 민간인을 살해하였다.
⑤ 일본이 국가 총동원법을 제정하여 한국인의 노동력과 병력을 동원하였다.

12 (가) 전쟁에 대한 설명으로 옳은 것은?

동아시아 박물관 특별 전시

사진으로 보는 (가)

일본의 진주만 공습

나가사키 원자 폭탄 투하

일본이 제2차 세계 대전 중에 일으킨 (가) 의 참상을 보여 주는 사진을 전시합니다.

① 제1차 세계 대전 중에 일어났다.
② 일본이 루거우차오 사건을 구실로 일으켰다.
③ 일본이 미국과 영국의 지원에 힘입어 승리하였다.
④ 중국에서 제2차 국·공 합작이 이루어지는 데 영향을 주었다.
⑤ 미드웨이 해전을 기점으로 전쟁의 주도권이 연합군에게 넘어갔다.

13 다음 선언이 발표되었을 당시 동아시아에서 볼 수 있었던 모습이 아닌 것은?

> 미국과 영국은 자국의 번영을 위해 …… 대동아를 예속화하고 안정을 해치려고 하였다. 이것이 대동아 전쟁의 원인이다. 대동아 각국은 서로 제휴하여 대동아 전쟁을 완수하고 대동아를 미국과 영국의 속박으로부터 해방시켜 …… 세계 평화의 확립에 이바지하고자 한다.

① 일본군 '위안부'로 징집되는 한국인 여성
② 러시아군의 뤼순 기지를 공격하는 일본군
③ 타이완에서 양곡을 징수하는 일본의 경찰
④ 황국 신민 서사를 암송하는 한국의 학생들
⑤ 탄광에서 강제 노역에 시달리는 한국인 남성

14 다음 수행 평가에 따라 만든 신문 기사의 제목으로 가장 적절한 것은?

> [수행 평가] '항일을 위한 한·중 연대'를 주제로 동아시아 역사 신문의 기사를 작성하시오.

① 2·8 독립 선언의 현장 속으로!
② 의열단의 의열 투쟁을 조명하다
③ 김원봉, 조선 의용대를 창설하다!
④ 김구가 한인 애국단을 조직한 이유는?
⑤ 아주 화친회, 동아시아 최초의 국제 연대를 이루다

15 다음에서 설명하는 군사 조직으로 옳은 것은?

> 대한민국 임시 정부가 1940년에 중국 국민당 정부의 지원을 받아 창설하였으며, 태평양 전쟁이 발발한 이후 연합군의 일원으로 참전하였다.

① 조선 의용대 ② 조선 혁명군
③ 한국 광복군 ④ 한국 독립군
⑤ 동북 항일 연군

16 (가), (나) 도시에 관련된 설명으로 옳은 것은?

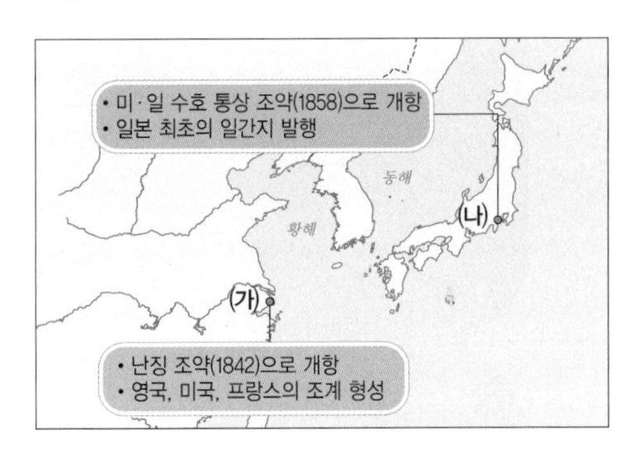

① (가) – 경사 대학당이 설립되었다.
② (가) – 황성 만들기 사업이 추진되었다.
③ (나) – 일본 최초의 철도가 부설되었다.
④ (나) – 영국 상인이 「신보」를 창간하였다.
⑤ (나) – 긴자에 서양식 거리가 조성되었다.

17 다음 내용을 뒷받침하는 사례로 적절하지 않은 것은?

> 개항 이후 동아시아에서는 서양 문물을 수용하면서 일상 생활에서 많은 변화가 나타났다.

① 철도의 건설로 인구 이동이 활발해졌다.
② 신문이 발행되어 민권 관념을 보급하였다.
③ 개항장을 중심으로 근대 도시가 형성되었다.
④ 서구식 시간관념이 형성되고 태음력이 채택되었다.
⑤ 근대 학교가 설립되었고, 여성 교육의 중요성이 커졌다.

18 다음에서 설명하는 국제법의 특징으로 옳은 것은?

> 미국의 국제법 학자 헨리 휘튼이 저술한 국제법 서적을 한문으로 번역하는 과정에서 붙여진 명칭으로, 서양 국가 사이에 적용되었다.

① 불평등한 국제 질서를 정당화하였다.
② 19세기에 찰스 다윈이 처음 주장하였다.
③ 모든 국가를 문명국, 미개국으로 나누었다.
④ 중국 중심의 조공·책봉 관계를 중시하였다.
⑤ 중국에서 변법자강 운동의 논리로 활용되었다.

19 자료에 공통으로 나타난 사상과 관련된 설명으로 옳지 않은 것은?

> • 경쟁이란 것은 자존을 위한 싸움이니, 하나의 개체가 다른 개체와 더불어 투쟁함으로써 혹은 살아남고 멸망하는데, …… 자연의 선택이라는 것은 물(物)이 투쟁해서 존재하는 것이다. – 옌푸
> • 만국 공법은 대단히 우아하게 보이지만 그것은 오직 명목상 그런 것이며, 교제의 실제는 권위를 다투고 이익을 탐하는 것에 불과한 것이다. …… 각국 교제의 도(道)는 죽느냐 죽이느냐에 있을 뿐이다. – 후쿠자와 유키치

① 태평천국 운동의 사상적 배경이 되었다.
② 일본의 제국주의적 침략을 정당화하였다.
③ 동아시아에서 자강의 논리로 수용되었다.
④ 변법자강 운동과 신문화 운동에 영향을 주었다.
⑤ 사회에 적자생존과 약육강식의 법칙을 적용하였다.

20 (가), (나)를 발표한 국가의 근대 교육에 대한 설명으로 옳은 것을 〈보기〉에서 고른 것은?

> (가) 나의 신민이 충(忠)과 효(孝)로서 많은 사람의 마음을 하나로 만들어 대대손손 그 아름다움을 다하게 하는 것이 우리 국체의 정화이며 교육의 연원도 실로 여기에 있다.
> (나) 세상 형편을 돌아보면 부유하고 독립하여 사는 나라는 모두 백성의 지식이 발달하였다. 지식의 발달은 교육에서 비롯된 것이니, 교육은 실로 나라를 보존하는 근본이다. …… 정부에 명하여 학교를 널리 설치하고 인재를 양성하고자 하니 국민들은 애국하는 마음으로 덕(德)·체(體)·지(智)를 함양하라.

보기

ㄱ. (가) – 육영 공원을 설립하였다.
ㄴ. (가) – 소학교의 의무 교육 제도를 도입하였다.
ㄷ. (나) – 갑오개혁 때 근대 학제를 도입하였다.
ㄹ. (나) – 경사 대학당을 비롯한 신식 학당을 세웠다.

① ㄱ, ㄴ　② ㄱ, ㄷ　③ ㄴ, ㄷ
④ ㄴ, ㄹ　⑤ ㄷ, ㄹ

오늘날의 동아시아

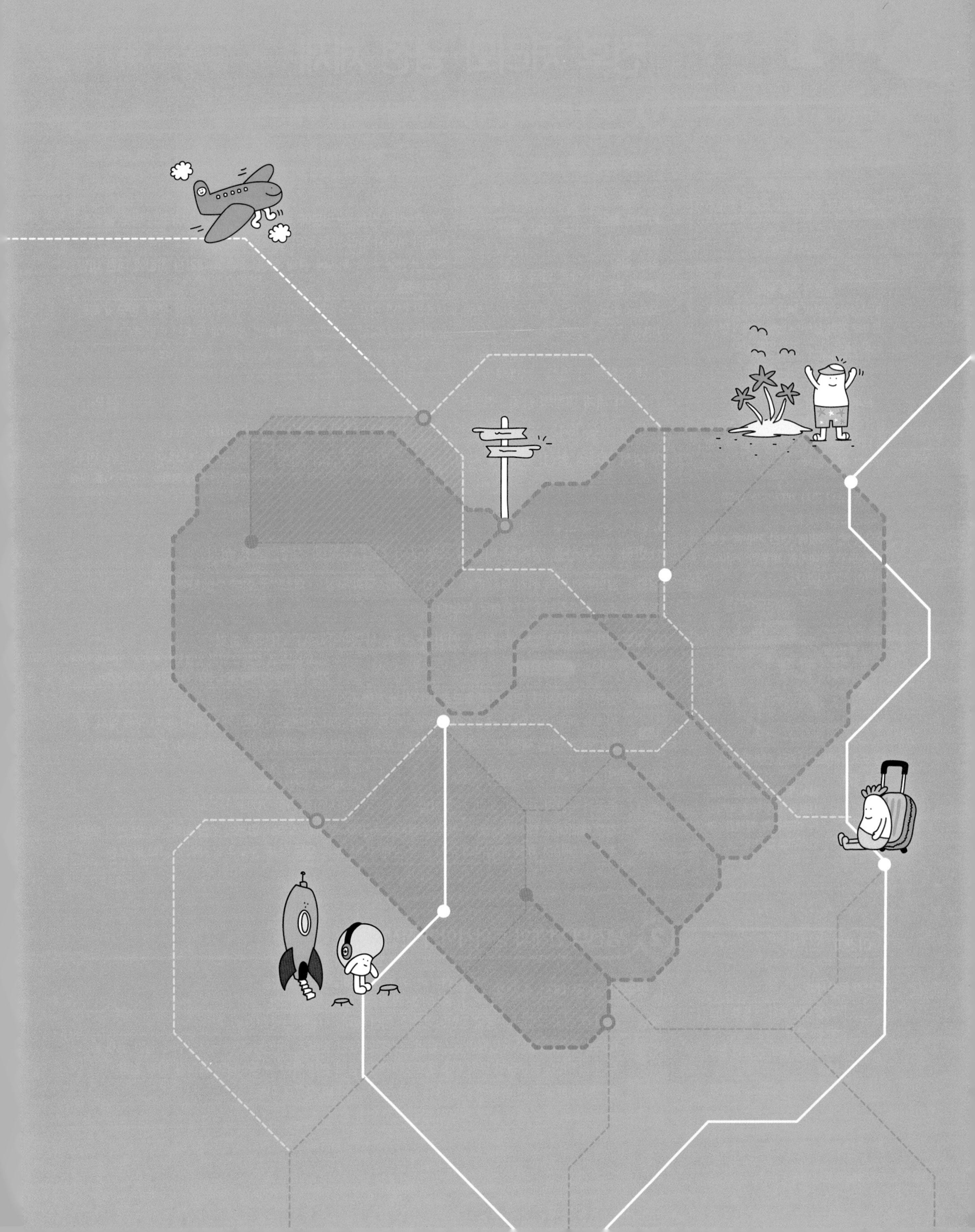

01 제2차 세계 대전의 전후 처리와 냉전 체제

학습 목표
- 제2차 세계 대전 이후 동아시아 각국의 전후 처리 과정을 파악할 수 있다.
- 냉전의 형성과 해체에 따른 동아시아의 변화 모습을 설명할 수 있다.

이것이 핵심!

제2차 세계 대전의 종전

국제 회담의 개최: 카이로 회담, 얄타 회담, 포츠담 회담
↓
일본의 항복
↓
일본의 전후 처리: 미군정이 일본의 비군사화와 민주화 목표로 개혁 실시 → 냉전 체제의 형성으로 일본의 반공 기지 역할 강화

★ **트루먼 독트린**
공산주의의 확산을 막기 위해 서유럽에 대한 경제적·군사적 지원을 약속한 미국의 외교 정책

★ **극동 국제 군사 재판(도쿄 재판)**
1946년 5월부터 2년 반 동안 일본의 주요 전범 28명에 대한 재판을 진행하여 도조 히데키를 비롯한 7명에게 사형이 선고되었다.

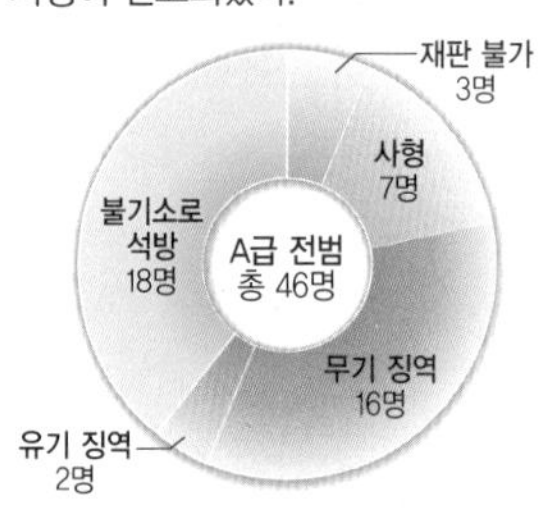

⊙ 도쿄 재판 당시 A급 전범에 대한 판결 결과

당시 일본 신문들은 비군사화와 민주화에 역행하는 미군정의 정책을 '역코스'라고 불렀어.

1 제2차 세계 대전의 전후 처리와 냉전의 형성

1. 연합국의 전후 처리 구상

"적당한 시기에 한국이 자유롭게 되고 독립하게 될 것을 결의한다."라고 하여 한국의 즉각적인 독립을 의미하는 것은 아니었어.

구분	참여국	내용
카이로 회담 (1943. 11.)	미국, 영국, 중국	카이로 선언 발표 → 일본에 무조건 항복 요구, 전승국의 영토 불확장, 일본의 식민지 독립 반환 논의, 한국의 독립을 최초로 약속
얄타 회담 (1945. 2.)	미국, 영국, 소련	전쟁 수행과 전후 처리에 관해 합의, 소련의 대일전 참전에 대한 비밀 협정 체결
포츠담 회담 (1945. 7.)	미국, 영국, 중국, 소련 (8월 서명)	포츠담 선언 발표 → 일본의 비무장과 민주주의 이행 결정, 한국의 독립을 비롯한 카이로 선언의 이행 재확인, 일본에 무조건 항복 촉구

2. 냉전 체제의 형성

'냉전(Cold War)'은 무력을 사용하지 않고 경제, 외교, 정보 등을 수단으로 전개된 국제적 대립을 일컫는 말이야. 직접적인 싸움을 의미하는 '열전(Hot War)'과 대비되지.

(1) **제2차 세계 대전의 종결**: 미국이 일본에 원자 폭탄 투하, 소련군의 대일전 참전 → 일본의 무조건 항복(1945. 8. 15.), 대서양 헌장에 따라 국제 연합(UN) 창설(1945. 10.)

(2) **냉전 체제의 형성**: 소련의 지원으로 동유럽의 공산화 진행 → 미국의 *트루먼 독트린 발표(1947) → 미국과 소련의 이념 대립 심화

연합국은 국제 평화와 안전 유지를 위해 대서양 헌장에서 국제기구의 창설에 합의하였어.

3. 동아시아의 전후 처리

(1) **한국**: 38도선을 경계로 미군과 소련군이 각각 남북에 진주, 군정 실시

남한	남한만의 단독 선거 실시(1948. 5. 10.) → 제헌 국회 구성 → 대한민국 정부 수립(1948. 8. 15.)
북한	조선 민주주의 인민 공화국 선포(1948. 9.)

(2) **일본**: 미군이 단독으로 점령, 연합군 최고 사령부(SCAP/GHQ) 설치

샌프란시스코 강화 조약이 발효되기 전까지 일본에 대한 기본 정책을 결정하였어. 최고 사령관은 맥아더였어.

① 종전 직후 교과서 자료

배경	일본의 비군사화, 민주화를 목표로 미군정의 개혁 추진
내용	일본군 해체, 공직에서 군국주의자 추방, *극동 국제 군사 재판(도쿄 재판) 개최, 재벌·농지 개혁 실시, 신헌법(평화 헌법) 제정(1946, 주권 재민·전쟁 포기·군사력 보유 금지 명시), 노동권 보장, 교육 자유화 등

② 미국의 대일본 정책 변화 자료 ①

이를 위해 미국은 일본의 경제 재건을 우선시하였어.

배경	중국과 북한의 공산화, 6·25 전쟁 발발 → 일본을 동아시아의 반공 기지로 삼고자 함
내용	경찰 예비대 조직(자위대로 개편), 샌프란시스코 강화 조약 체결(1951, 일본의 주권 회복), 미·일 안전 보장 조약 체결(1951, 미국과 일본의 군사 동맹 관계 구축), 노동 운동 억제, 군국주의 세력의 공직 복귀 등

이것이 핵심!

냉전과 동아시아

중국	국·공 내전 발발 → 중화 인민 공화국 수립
한국	6·25 전쟁 발발 → 휴전 협정 체결
베트남	베트남 전쟁 발발 → 베트남 사회주의 공화국 수립

2 냉전의 전개와 동아시아의 전쟁

1. 중국의 국·공 내전 자료 ②

내전 위기가 고조되자 미국이 평화 교섭을 중재하였지만 협상은 성공하지 못하였어.

배경	종전 후 중국 국민당과 중국 공산당의 평화 협상 실패 → 내전 본격화(1946. 7.)
전개	미국의 지원을 받은 국민당이 공산당의 근거지인 옌안 점령 → 국민당군 위축(부정부패, 실업 문제 등으로 민심 이반), 공산당이 유격 전술과 토지 개혁을 통해 전세 역전 → 공산당이 베이징, 난징 점령
결과	공산당이 중화 인민 공화국 수립(1949. 10.), 국민당은 타이완으로 이동
영향	동아시아의 냉전 체제 강화, 일본의 반공 기지 역할 강화

완자 자료 탐구

내 옆의 선생님

수능이 보이는 교과서 자료 일본의 신헌법(평화 헌법)

제1조 천황은 일본국의 상징이자 일본 국민 통합의 상징이며, 이 지위는 주권을 지닌 일본 국민의 총의에 근거한다. ─ 천황의 절대적인 권력을 보장한 제국 헌법과 달리 신헌법에서는 천황을 상징적인 존재로 규정하였어.

제3조 천황의 국사에 관한 모든 행위는 내각의 조언과 승인을 필요로 하며, …….

제9조 ① 일본 국민은 정의와 질서를 기조로 하는 국제 평화를 성실히 희구하며, 국제 분쟁을 해결할 수단으로서 국권의 발동인 전쟁과 무력에 의거한 위협 또는 무력행사를 영구히 포기한다.

② 전항의 목적을 달성하기 위하여 육·해·공군 및 그 외 전력을 보유하지 않는다. 국가의 교전권을 인정하지 않는다. ─ 군사력 보유 금지 규정은 이후 경찰 예비대가 창설되면서 그 의미가 퇴색되었어.

신헌법에서는 천황을 상징적인 존재로 규정하고, 민주주의 기본 원리를 실현하기 위해 국민 주권, 권력 분립의 원칙을 밝혔으며, 인권 보호 조항을 강화하였다. 또한 일본의 전쟁 포기, 군사력 보유 금지 등을 명시하였다.

완자샘의 탐구 강의

• 일본의 신헌법을 '평화 헌법'이라고 부르는 이유를 설명해 보자.

미군정의 주도로 제정된 신헌법은 제9조에서 전쟁 포기와 군사력 보유 및 교전권의 금지를 밝혔다. 이 조항에 따라 일본은 정식 군대를 가질 수 없게 되었다. 일본이 신헌법을 통해 전쟁을 포기함으로써 군국주의가 아닌 국제 평화에 기여한다는 의미에서 신헌법을 '평화 헌법'이라 부르게 되었다.

함께 보기 194쪽, 1등급 정복하기 1

자료 1 샌프란시스코 강화 조약

─ 이 조약은 이후 동아시아 국가 사이에 갈등의 소지를 크게 남겼어.

제1조 일본과 각 연합국 사이에 전쟁 상태는 이 조약이 일본과 해당 연합국 사이에 효력이 발생할 때 종료한다. 연합국은 일본 및 그 영해에 대한 일본 국민의 완전한 주권을 승인한다.

제14조 일본은 전쟁으로 준 피해에 대해 연합국에 배상하는 것이 마땅하나 현재의 일본 경제 상태로는 어렵다. 연합국은 일본인이 일하여 갚도록 하는 배상에 대한 교섭을 시작한다. 그렇지 않으면 연합국은 배상을 포기한다.

1951년 미국은 샌프란시스코 강화 회의를 개최하여 일본의 주권을 회복해 주었다. 그러나 일본 침략의 가장 큰 피해국이었던 한국, 중국은 회의에 초청받지 못하였고, 그 결과 일본의 전쟁 책임과 피해국에 대한 배상 문제가 제대로 처리되지 않았다.

문제로 확인할까?

샌프란시스코 강화 조약에 대한 설명으로 옳은 것은?

① 한국, 중국이 조약 체결에 참여하였다.
② 1951년 연합국과 일본 사이에 체결되었다.
③ 일본의 전쟁 책임과 피해국에 대한 배상 문제 등을 규정하였다.
④ 소련의 주도로 개최된 샌프란시스코 강화 회의에서 조인되었다.
⑤ 극동 국제 군사 재판의 개최, 일본의 신헌법 제정의 계기가 되었다.

② 답

자료 2 국·공 내전의 전개

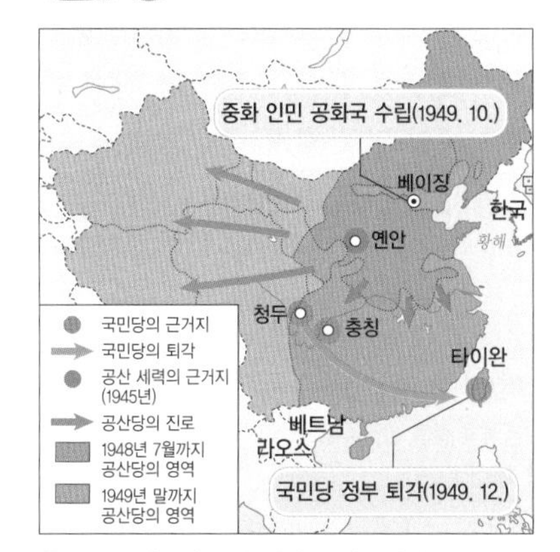

국·공 내전과 중화 인민 공화국의 수립

국·공 내전 초기에는 미국의 지원을 바탕으로 병력과 장비 면에서 우세한 국민당군이 전쟁을 주도하였다. 국민당군은 만주와 화북 지역의 주요 도시 대부분을 점령하였으나 관료들의 부패와 물가 상승으로 점차 민심을 잃어 갔다. 반면, 공산당은 토지 개혁을 시행하여 농민의 지지를 획득하였고, 효과적인 유격 전술로 승리를 거두었다. 마침내 공산당은 중국 본토 대부분을 장악하였고, 1949년 베이징에서 중화 인민 공화국 수립을 선포하였다. 패배한 국민당은 타이완으로 근거지를 옮겼다. ─ 국민당군에게 밀리던 공산당군은 소련의 지원을 받으며 전세를 역전시켰어.

자료 하나 더 알고 가자!

국·공 내전 시기 국민당군과 공산당군 병력의 증감 비교

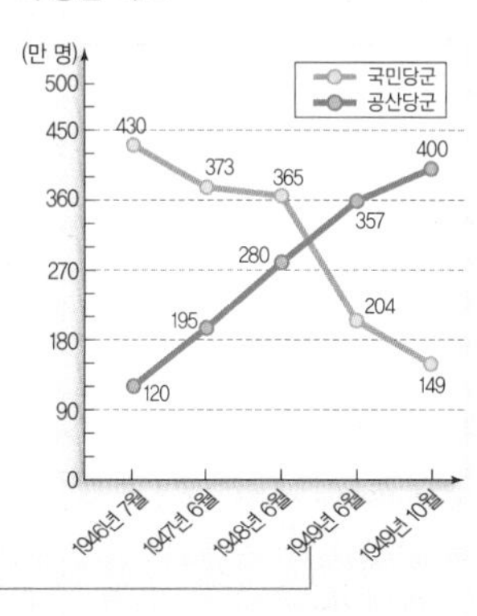

01 제2차 세계 대전의 전후 처리와 냉전 체제

2. 6·25 전쟁

이 발표에 따라 북한은 한반도에서 전쟁이 나더라도 미국이 개입할 가능성이 낮다고 보았어.

배경	중국의 공산화, *애치슨 라인 발표, 소련·중국의 동의를 얻은 북한이 한반도의 무력 통일 도모
전개	북한군의 남침(1950. 6. 25.), 낙동강 일대를 제외한 한반도 대부분 장악 → 미군을 중심으로 한 유엔군 참전, 인천 상륙 작전으로 전세 역전 → 중국군의 개입 → 38도선 부근에서 전선 교착 → 휴전 협상 시작 → 휴전선 설정과 포로 송환 문제로 난항 → 휴전 협정 체결(1953. 7. 27.)
영향	• 한반도: 인적 피해 발생(사상자, 이산가족), 산업 시설 파괴, 한·미 상호 방위 조약 체결(1953) • 일본: 샌프란시스코 강화 조약을 통해 주권 회복, 전쟁 특수를 통해 경제 호황을 누림 • 미국: 한국·일본·타이완과 상호 방위 조약 체결 → 미국을 중심으로 한 반공 동맹 강화 • 타이완: 미국의 전면적인 지지 획득, 일본과 평화 조약 체결 • 중국: 타이완 점령 기회 상실, 사회주의권에서 정치적 위상 상승, 공산당 내부의 단결 강화

일본은 유엔군에 보급품과 장비를 제공하면서 경제를 성장시켰어.

3. 베트남 전쟁 자료 ③

(1) 베트남 독립 전쟁(제1차 인도차이나 전쟁): 베트남 민주 공화국 수립(1945) → 프랑스와의 전쟁 발발 → 디엔비엔푸 전투에서 베트남 승리 → 제네바 협정 체결(1954)

호찌민이 하노이에서 공산주의 정부의 수립을 선포하였어.

프랑스군의 베트남 철수, 북위 17도선 기준으로 베트남 임시 분할, 2년 이내 총선거 실시 등이 결정되었어.

(2) 베트남 전쟁(제2차 인도차이나 전쟁)

배경	미국의 베트남 총선거 개입 → 북베트남(공산당 지배)과 남베트남(미국이 지원)으로 분단 → 북베트남이 민족 해방 전선(베트콩) 지원을 통해 남베트남 공격
전개	미국의 북베트남 공격(*통킹만 사건을 구실로 전쟁 개입) → 한국의 미국 지원, 중국·북한·소련의 북베트남 지원 → 미국 내 반전 여론 고조 → *닉슨 독트린 발표(1969) → 파리 평화 협정(베트남 평화 협정) 체결(1973) → 미군 철수 → 북베트남의 사이공 점령 → 베트남 사회주의 공화국 수립(1976)
영향	베트남이 캄보디아 점령·라오스 간섭(파리 평화 협정 위반), 냉전 완화의 계기 제공

북베트남과 남베트남 민족 해방 전선의 구정 공세(1968)를 계기로 미국 내에서는 미군의 베트남 철수를 요구하는 목소리가 높아졌어.

★ 애치슨 라인

미국의 국무 장관 애치슨이 발표한 미국의 동아시아 방위선으로, 한반도와 타이완이 제외되었다.

★ 통킹만 사건

1964년 미국 정부가 북베트남 어뢰정이 미국 군함을 공격하였다고 조작하여 발표한 사건으로, 미국은 이 사건을 빌미로 베트남 전쟁에 개입하였다.

★ 닉슨 독트린

미국의 닉슨 대통령이 발표한 대아시아 외교 정책이다. 아시아의 방위 책임은 아시아 국가들이 일차적으로 해결하고, 미국은 개입을 최소화한다는 내용을 담고 있다.

3 동아시아 각국의 국교 수립

1. 냉전과 체제 간의 동맹

왜? 미국은 북한, 소련, 중국에 대응하기 위해 한·미·일 삼각 동맹을 구축하려고 하였어.

(1) 일본과 타이완(중화민국): 일·화 평화 조약 체결(1952) ─ 동아시아 국가 중 가장 먼저 국교를 회복하였어.

(2) 한국과 일본: 미국이 한·일의 수교 촉구 → 일본의 수출 시장 확보 목적, 한국에서 자본·기술 마련의 필요성 대두 → 한·일 기본 조약 체결(1965) 자료 ④

꼭! 한국은 일본으로부터 청구권 포기 명목으로 자금과 기술을 지원받아 경제 개발 계획을 추진하였어. 그러나 침략과 지배에 대한 일본의 사죄와 배상을 받지 못해 지금도 갈등이 지속되고 있어.

2. 냉전의 완화와 각국의 국교 수립 자료 ⑤

(1) 냉전의 완화

① 닉슨 독트린 발표(1969): 미국의 재정 부담 심화(군비 확장, 대외 원조, 베트남 전쟁 비용 등), 반전 여론 확산 → 닉슨 대통령이 새로운 대외 정책의 원칙 제시

② 미국과 소련의 군비 경쟁 완화: 미국과 소련의 핵 확산 방지 조약 체결(1969) → *전략 무기 제한 협정(SALT) 체결(1972)

(2) 동아시아 국제 관계의 변화

미국은 중국을 유일한 합법 정부로 승인하고 타이완이 중국의 일부임을 인정하였어.

중국과 미국	중국의 유엔 가입(1971) → 미국 대통령 닉슨의 중국 방문(미·중 공동 성명 발표, 1972) → 정식 국교 수립(1979)
중국과 일본	중·일 공동 성명 발표(1972) → 중·일 평화 우호 조약 체결(1978)
한국	냉전 완화의 분위기 속에 공산권 국가와의 관계 개선 모색 → 소련과 국교 수립(1990) → 중국과 국교 수립(타이완과의 국교 단절), 베트남과 국교 수립(1992)

전쟁 상태의 종결을 선언하였어.

중국은 일본의 사과를 받는 대신 배상 청구권을 포기하였어. 일본은 중국을 유일한 합법 정부로 인정하고, 타이완과 국교를 단절하였어.

이것이 핵심!

동아시아의 국교 수립

일본과 타이완	일·화 평화 조약 체결(1953)
한국과 일본	한·일 기본 조약 체결(1965)

↓

냉전 체제의 완화

↓

중국과 미국	닉슨의 중국 방문(1972) → 국교 수립(1979)
중국과 일본	중·일 공동 성명 체결(1972)
한국과 중국	국교 수립(1992)

★ 전략 무기 제한 협정(SALT)

미국과 소련 간에 체결된 최초의 군비 제한 조약으로, 데탕트(평화 공존)의 상징이 되었다.

자료 3 베트남 전쟁의 발발

북위 17도선을 군사 분계선으로 한 베트남의 남북 분할이 결정되었어.

- 북위 17도선을 경계로 300일 이내에 호찌민 정부군은 그 이북으로, 프랑스군은 그 이남으로 이동한다.
- 군사 경계선은 잠정적이며, 정치적 통일 문제는 1956년 총선거를 실시하여 결정한다. – 제네바 협정, 1954

베트남은 제네바 협정에 따라 총선거를 통한 통일을 눈앞에 두었다. 그러나 남베트남과 미국의 선거 시행 거부에 반발한 세력이 남베트남 민족 해방 전선을 결성하였고, 호찌민의 북베트남 사회주의 정권은 이들을 지원하였다. 미국은 통킹만 사건을 빌미로 1965년 북베트남을 폭격하고, 남베트남에 전투 부대를 보냈다.

베트남 전쟁의 전개

정리 비법을 알려줄게!

베트남 전쟁의 발발

베트남 독립 전쟁

호찌민이 베트남의 독립 선포 → 프랑스가 인정하지 않아 전쟁 발발(1946) → 베트남의 승리 → 제네바 협정 체결

↓

전쟁의 재개

남베트남 민족 해방 전선 결성(1960) → 통킹만 사건(1964)을 구실로 미국 참전

문제 로 확인할까?

북위 17도선을 군사 분계선으로 한 베트남의 남북 분할을 결정한 협정은?

답 제네바 협정

자료 4 한·일 기본 조약과 청구권 협정

한·일 기본 조약은 대한민국과 일본 간의 기본 관계에 대한 조약과 4개의 부속 협정 및 25개의 문서로 되어 있어.

[한·일 기본 조약]

제2조 1910년 8월 22일 및 그 이전에 대한 제국과 대일본 제국 간에 체결된 모든 조약 및 협정이 이미 무효임을 확인한다.

제3조 대한민국 정부가 …… 한반도에 있어서의 유일한 합법 정부임을 확인한다.

[재산 및 청구권에 관한 문제의 해결과 경제 협력에 관한 협정]

제1조 1. 일본국은 대한민국에 대하여
(a) 3억불과 동등한 가치를 갖는 일본국의 생산물 및 일본인의 용역을 …… 10년 기간에 걸쳐 무상으로 제공한다.

제2조 1. 양국은 …… 청구권에 관한 문제가 …… 완전히 그리고 최종적으로 해결되었음을 확인한다.

한국과 일본은 1952년부터 국교 수립을 위한 회담을 시작하였으나 일본의 식민 지배에 대한 사과와 피해 배상을 둘러싼 의견 대립으로 결렬되었다. 마침내 미국의 요구, 한·일 양국의 필요성에 따라 반대 여론에도 불구하고 1965년에 한·일 기본 조약이 체결되었다.

자료 하나 더 알고 가자!

한국의 한·일 국교 정상화 반대 시위

한국에서는 식민 지배에 대한 일본의 사죄와 배상이 미흡하다는 점에서 굴욕 외교라는 비판이 일었어. 일본에서는 한·일의 국교 정상화가 한·미·일 군사 동맹으로 이어져 평화 헌법을 위협할 수 있다는 우려의 목소리가 높았어.

자료 5 냉전의 완화와 동아시아의 국교 수립

일본은 중·일 전쟁에 대해 "책임을 통감하고 반성한다."라고 표명하였어.

[닉슨 독트린(1969)]

- 강대국의 핵에 의한 위협의 경우를 제외하고는 내란이나 침략에 대하여 아시아 각국이 스스로 협력하여 그에 대처하도록 한다.
- 미국은 아시아 국가들의 경제 발전에 필요한 원조를 제공할 것이며 …….

[중·일 공동 성명(1972)]

- 이 성명이 공포된 날로부터 중화 인민 공화국과 일본국 사이의 지금까지의 비정상적 상태가 종식되었음을 선포한다.
- 일본국 정부는 중화 인민 공화국 정부가 중국의 유일한 합법 정부임을 승인한다.

닉슨 독트린 발표 이후 미국이 중국과의 관계 개선을 꾀하면서 1972년 닉슨 대통령이 중국을 방문하였다. 미국과 중국은 공동 성명을 발표한 후 1979년에 정식으로 국교를 수립하였다. 냉전 완화의 국제 정세 속에 1972년 일본과 중국도 국교를 정상화하였다.

정리 비법을 알려줄게!

냉전 체제의 변화와 동아시아

냉전의 완화

닉슨 독트린 발표(1969), 미국과 중국의 군비 경쟁 완화

↓

미국	일본
닉슨의 중국 방문(1972) → 중국과 국교 수립(1979)	중·일 공동 성명(1972) → 중·일 평화 우호 조약(1978)

↓

중국	중국 내 유일한 합법 정부로 인정받음

정답친해 57쪽

STEP 1 핵심 개념 확인하기

1 **제2차 세계 대전과 관련하여 다음 설명이 맞으면 ○표, 틀리면 ×표를 하시오.**

(1) 카이로 회담에서 소련의 대일전 참전이 결정되었다. ( )

(2) 원자 폭탄이 투하되고 소련이 참전하자, 일본은 무조건 항복하였다. ( )

(3) 전쟁 중에 발표된 대서양 헌장에 따라 1945년 국제 연합(UN)이 출범하였다. ( )

(4) 일본의 항복 이후 38도선을 경계로 미군과 소련군이 각각 한반도의 남북에 진주하였다. ( )

2 **일본은 1946년 (   )을 제정하여 천황을 상징적인 존재로 규정하고 군사력의 보유를 금지하였다.**

3 **다음 괄호 안의 내용 중 알맞은 말에 ○표를 하시오.**

(1) 중국 (공산당, 국민당) 정부는 국·공 내전에서 패배한 후 근거지를 타이완으로 옮겼다.

(2) 미국은 (6·25 전쟁, 베트남 전쟁)이 발발하자 일본을 동아시아의 반공 기지로 만들고자 하였다.

(3) 베트남은 (제네바 협정, 파리 평화 협정)이 체결되면서 미군이 완전 철수한 후 통일을 이루었다.

4 **다음에서 설명하는 국가를 〈보기〉에서 고르시오.**

보기

ㄱ. 일본　　ㄴ. 베트남　　ㄷ. 중화 인민 공화국

(1) 6·25 전쟁 특수를 통해 경제 호황을 누렸다. ( )

(2) 닉슨 독트린 발표 이후 유엔에 가입하고 미국과 수교를 맺었다. ( )

5 **다음 외교 관계의 성립 배경을 옳게 연결하시오.**

(1) 중·일 수교 •　　• ㉠ 소련의 해체

(2) 한·중 수교 •　　• ㉡ 닉슨 독트린 발표

STEP 2 내신 만점 공략하기

01 **다음 국제 회담에서 정해진 기본 방침으로 옳은 것은?**

> 1943년 11월, 미국의 루스벨트 대통령, 영국의 처칠 수상, 중화민국의 장제스 총통이 이집트의 수도 카이로에 모여 세계 전쟁에 대한 대응 문제를 논의하였다.

① 일본의 주권을 회복시킨다.
② 전후 국제기구를 창설한다.
③ 일본에 무조건 항복을 요구한다.
④ 베트남에서 프랑스군을 철수시킨다.
⑤ 소련이 일본을 공격할 때 이에 협조한다.

02 **다음 만남 당시 볼 수 있었던 모습으로 적절한 것은?**

[역사의 한 장면]

맥아더와 천황이 만나다

히로히토 천황은 맥아더 사령관을 만나기 위해 사령부를 방문하였다. 맥아더 옆에 선 천황의 왜소한 모습은 그를 '살아 있는 신'으로 받들던 일본인들에게 패전의 현실을 실감하게 하였다.

① 연합군 최고 사령부로 출근하는 미군
② 황국 신민 서사를 암송하는 한국 학생
③ 연합군 포로들을 감시하는 일본인 감독관
④ 군수 공장에 강제로 끌려가 일하는 중국 여성
⑤ 전쟁 물자로 쓰기 위해 쌀을 공출하는 일본 관리

03 **밑줄 친 '연설'이 발표된 시기를 연표에서 고른 것은?**

> 미국 대통령 트루먼은 의회의 연설에서 새로운 미국의 외교 정책을 밝혔다. 연설의 내용은 공산주의의 확산을 막기 위해 각국에 군사적·경제적 원조를 제공한다는 것이었다.

	(가)		(나)		(다)		(라)		(마)	
카이로 회담		국제 연합 창설		대한민국 정부 수립		6·25 전쟁		미·일 안전 보장 조약		제네바 회담

① (가)　② (나)　③ (다)　④ (라)　⑤ (마)

중요

04 다음 신문 기사에서 다룬 재판에 대한 설명으로 옳지 않은 것은?

> **동아시아 신문** 2016. △△. ○○.
>
> **일본의 전쟁 범죄 단죄한 재판, 개정 70주년 맞아**
>
> 연합군이 일본의 제2차 세계 대전의 지도부를 단죄한 재판이 열린지 70년이 되었다. 중국에서는 최근 "일본이 역사를 잊어서는 안 되며, 이 재판에서의 진상 왜곡을 용납할 수 없다."라고 일본의 반성을 촉구하고 나섰다. 이 재판은 1946년 1월에 연합군 사령관인 맥아더가 조례를 제정한 후 그에 따라 전범을 추리고 기소하는 과정을 거쳐 1946년 5월 3일에 개정하였다.

① A급 전범을 대상으로 이루어졌다.
② 일본 도쿄에서 약 2년간 진행되었다.
③ 일본 천황이 재판에서 중형을 선고받았다.
④ 전쟁에 협력한 재벌은 대부분 처벌받지 않았다.
⑤ 재판 과정에서 일본의 전쟁 관련 범죄가 드러났다.

05 ㉠, ㉡ 정책과 관련된 설명으로 옳은 것은?

'제2차 세계 대전 이후의 일본의 전후 처리'라는 주제로 조사한 내용을 발표해 주세요.

제2차 세계 대전이 끝난 후 미국은 일본에 연합군 최고 사령부를 설치하고, 일본의 비군사화와 민주화를 목표로 ㉠ 정책을 추진하였습니다.

냉전 체제가 가시화되면서 미국의 대일본 정책은 변화하였습니다. 당시 일본의 신문들은 이때 미군정이 시행한 ㉡ 정책을 '역코스'라고 하였습니다.

① ㉠ – 거대 재벌을 지원하였다.
② ㉠ – 군국주의자를 공직에 복귀시켰다.
③ ㉡ – 대지주의 토지 소유를 제한하였다.
④ ㉡ – 자위대의 전신인 경찰 예비대를 조직하였다.
⑤ ㉠, ㉡ – 샌프란시스코 강화 조약에 따라 추진되었다.

중요

06 다음 과정을 통해 제정된 헌법에 포함된 내용으로 옳은 것을 〈보기〉에서 고른 것은?

연합군 사령부, 일본에 개헌 요구 → 일본 정부, 개헌 논의 착수 → 연합군 사령부, 개헌안 제시 → 개헌안의 일본 국회 통과

보기

ㄱ. 경찰 예비대 창설
ㄴ. 일본의 군사력 보유 금지
ㄷ. 천황의 군 통수권과 입법권
ㄹ. 국민 주권과 기본적 인권 보장

① ㄱ, ㄴ ② ㄱ, ㄷ ③ ㄴ, ㄷ
④ ㄴ, ㄹ ⑤ ㄷ, ㄹ

07 다음 조약 체결의 영향으로 적절한 것은?

체결 일자	1951년 9월 8일
대상 국가	일본
체결 국가	미국, 영국 등 45개국
거부 국가	소련, 폴란드, 체코슬로바키아

① 중국 대륙이 공산화되었다.
② 미군정의 일본 통치가 시작되었다.
③ 미국과 일본의 반공 동맹이 강화되었다.
④ 제1차 세계 대전이 공식적으로 마무리되었다.
⑤ 일본이 침략 전쟁 중 중국에 끼친 피해를 배상하였다.

08 ㉠~㉤에 대한 설명으로 옳지 않은 것은?

> 1946년 중국 국민당과 중국 공산당 사이에 ㉠ 내전이 발발하였다. 내전 초기에는 ㉡ 중국 국민당의 군대가 우세하였으나 중국 공산당의 군대가 반격에 나서며 ㉢ 전세가 역전되었다. 결국 이 전쟁에서 ㉣ 중국 공산당이 승리하였고, 1949년 ㉤ 중화 인민 공화국이 수립되었다.

① ㉠ – 평화 협상이 실패로 돌아가면서 시작되었다.
② ㉡ – 미국의 지원으로 병력과 장비 면에서 우세하였다.
③ ㉢ – 공산당이 토지 개혁을 통해 농민의 지지를 얻었다.
④ ㉣ – 패배한 국민당은 타이완으로 이동하였다.
⑤ ㉤ – 수립 직후 미국에게 합법 정부임을 인정받았다.

09 다음 협정이 체결된 후 동아시아 각국의 상황으로 옳지 않은 것은?

> 1. 한 개의 군사 분계선을 확정하고 적대 군대 간에 한 개의 비무장 지대를 설정한다.
> 6. 쌍방은 비무장 지대 내에서 또는 비무장 지대에 향하여 어떠한 적대 행위도 감행하지 못한다.

① 한국 – 미국과 상호 방위 조약을 맺었다.
② 중국 – 공산당 지배 체제가 약화되었다.
③ 중국 – 타이완 점령 기회를 상실하였다.
④ 일본 – 전쟁 특수로 경제 호황을 누렸다.
⑤ 타이완 – 미국으로부터 지지를 획득하였다.

10 두 전쟁의 공통점으로 적절한 것은?

> • 한국의 6·25 전쟁 • 중국의 국·공 내전

① 미국이 전투 부대를 파견하였다.
② 국내외의 이념 갈등을 배경으로 일어났다.
③ 전쟁 초기에 공산주의 진영이 우세하였다.
④ 전쟁의 결과 각각 통일 정부가 수립되었다.
⑤ 동아시아에서 냉전이 완화되는 배경이 되었다.

11 (가) 전쟁과 관련된 설명으로 옳지 않은 것은?

① 한국군이 참전하였다.
② 대규모의 국제전으로 전개되었다.
③ 디엔비엔푸 전투에서 승패가 결정되었다.
④ 전쟁 중 미국 내에서 반전 운동이 확산되었다.
⑤ 미국의 닉슨 독트린 발표 후 전쟁이 종결되었다.

12 중요 자료를 읽고 학생들이 나눈 대화 내용 중 옳은 것은?

> 베트남의 재통일은 남·북베트남 간의 논의와 협의에 따라 평화적인 방법으로 서서히 이루어져야 한다. 17도선에 의한 두 지역 사이의 군사 분계선은 1954년의 협정에 따라 잠정적일 뿐이며, 정치적이거나 영토상의 경계는 아니다.

① 갑: 제네바 협정에 포함된 조항이야.
② 을: 협정의 내용은 이후 철저히 지켜졌어.
③ 병: 베트남 전쟁을 마무리하기 위해 체결되었어.
④ 정: 미군이 베트남에 군대를 파견하는 계기가 되었어.
⑤ 무: 협정을 체결한 후 호찌민이 공화국을 선포하였어.

13 다음 조약 체결의 결과로 옳은 것은?

> • 1910년 8월 22일 및 그 이전에 대한 제국과 대일본 제국 간에 체결된 모든 조약과 협정이 이미 무효임을 확인한다.
> • 대한민국 정부가 한반도에 있어서의 유일한 합법 정부임을 확인한다.

① 일·화 평화 조약이 체결되었다.
② 한국과 중국이 국교를 수립하였다.
③ 한·미·일의 반공 동맹이 약화되었다.
④ 일본에서 천황이 상징적인 존재가 되었다.
⑤ 한국이 일본으로부터 경제 협력 자금을 제공받았다.

14 밑줄 친 상황이 동아시아에 미친 영향으로 적절한 것은?

> 1969년 미국의 대통령으로 취임한 <u>닉슨은 괌에서 아시아에 대한 외교 정책을 발표</u>하고, 이후 중국을 방문하였다.

① 중국과 일본의 관계가 개선되었다.
② 한국이 일본과 국교를 정상화하였다.
③ 일본에서 경찰 예비대가 창설되었다.
④ 타이완이 일본과 평화 조약을 체결하였다.
⑤ 베트남이 프랑스로부터의 독립을 선언하였다.

15 다음 사건이 일어나게 된 배경으로 옳은 것을 <보기>에서 고른 것은?

역사 속 오늘

2월 21일

1972년 오늘, 미국의 닉슨 대통령이 중국을 방문하다.

자본주의 국가 미국의 대통령이 처음으로 공산주의 국가인 중국을 방문한 것은 '죽의 장막'이 걷히는 순간을 의미하였다. 이 방문은 미국과 소련을 중심으로 한 냉전이 끝나고 데탕트(평화 공존)의 시대가 왔음을 알려주는 상징적인 사건이었다.

보기

ㄱ. 일본과 타이완이 국교를 맺었다.
ㄴ. 중국과 소련이 국경 분쟁을 겪었다.
ㄷ. 미국이 베트남 전쟁에서 철군하기로 하였다.
ㄹ. 중국 공산당이 중화 인민 공화국을 수립하였다.

① ㄱ, ㄴ ② ㄱ, ㄷ ③ ㄴ, ㄷ
④ ㄴ, ㄹ ⑤ ㄷ, ㄹ

16 다음 성명서에 대한 설명으로 옳은 것은?

일본은 일본국이 과거 전쟁으로 인해 중국 인민에게 입힌 중대한 손해와 책임을 통감하며 깊이 반성한다.
제1조 이 성명이 공포된 날로부터 중화 인민 공화국과 일본국 사이의 지금까지의 비정상적 상태가 종식되었음을 선포한다.
제2조 일본국 정부는 중화 인민 공화국 정부가 중국의 유일한 합법 정부임을 승인한다.

① 소련의 해체를 계기로 체결되었다.
② 중국이 국제 연합(UN)에 가입하는 배경이 되었다.
③ 한국과 일본이 국교를 정상화하는 데 영향을 주었다.
④ 일본이 중국에 경제 개발 자본을 지원하기로 합의하였다.
⑤ 타이완과 일본의 외교 관계가 단절되는 결과를 가져왔다.

서술형 문제

● 정답친해 59쪽

01 다음 발표가 동아시아에 미친 영향을 서술하시오.

일본의 무장 해제에 따라 미국은 미국과 전 태평양 지역의 안전 보장을 위해 필요한 기간 일본의 군사적 방위를 담당한다. 애치슨 라인은 알류샨 열도에서 일본을 거쳐 오키나와 …… 필리핀 군도로 이어진다.

길잡이 애치슨 라인 설정에 대한 북한의 판단이 드러나도록 서술한다.

02 다음을 읽고 물음에 답하시오.

(가) 일본국과 각 연합국 사이에 전쟁 상태는 제23조가 정하는 것에 의하여 이 조약이 일본국과 해당 연합국 사이에 효력이 발생할 때에 종료한다.
(나) 양국(한국과 일본)은 …… 청구권에 관한 문제가 …… 완전히 그리고 최종적으로 해결되었음을 확인한다.
– 재산 및 청구권에 관한 문제의 해결과 경제 협력에 관한 협정

(1) (가) 조약의 명칭을 쓰시오.

(2) (가) 조약의 한계점을 (나) 조약을 근거로 서술하시오.

길잡이 (가) 조약 체결에 참여한 국가들을 파악한 후 (나) 조약의 청구권 문제와 관련하여 한계점을 찾는다.

03 미국의 외교 정책이 다음과 같이 변화한 배경을 세 가지 서술하시오.

미군에 대한 무력 공격을 격퇴하고 침략을 막기 위해 필요한 모든 조치를 취할 수 있는 권한을 대통령에게 부여한다.
– 통킹만 결의

미국은 베트남 전쟁과 같은 아시아 지역의 전쟁에 개입하지 않으며, 아시아 국가들의 경제 발전에 필요한 원조를 제공할 것이다.
– 닉슨 독트린

길잡이 베트남 전쟁 당시 미국이 처한 상황을 생각해 본다.

STEP 3 1등급 정복하기

1 (가), (나) 헌법에 대한 설명으로 옳은 것을 〈보기〉에서 고른 것은?

> (가) 제1조 대일본 제국은 만세일계의 천황이 통치한다.
> 제24조 일본 신민은 법률이 정하는 재판관의 재판을 받을 권리를 박탈당하지 않는다.
> (나) 제1조 천황은 일본국의 상징이자 일본 국민 통합의 상징이며, 이 지위는 주권을 지닌 일본 국민의 총의에 근거한다.
> 제9조 일본 국민은 …… 전쟁과 무력에 의거한 위협 또는 무력의 행사를 영구히 포기한다. 전 항의 목적을 달성하기 위해 육·해·공군 및 기타의 전력을 보유하지 않는다.

보기

ㄱ. (가) – 주권 재민의 원칙에 입각하였다.
ㄴ. (가) – 천황에게 막강한 권리를 부여하였다.
ㄷ. (나) – 자유 민권 운동의 영향을 받아 제정되었다.
ㄹ. (나) – 전쟁 포기를 명시하여 '평화 헌법'으로 불린다.

① ㄱ, ㄴ ② ㄱ, ㄷ ③ ㄴ, ㄷ
④ ㄴ, ㄹ ⑤ ㄷ, ㄹ

> 일본의 헌법

완자샘의 시험 꿀팁

전후 처리 과정에서 제정된 일본의 헌법과 관련해서는 헌법의 제정 배경, 영향 등을 묻는 경우가 많다. 이 헌법의 특징과 주요 내용을 이전의 헌법과 비교하는 유형으로도 출제되므로, 이전의 헌법과 함께 정리해 두는 것이 좋다.

2 (가), (나) 선언과 관련된 설명으로 옳은 것은?

(가)

> 중국의 항일 전쟁은 승리로 끝났고, 평화 건국의 새로운 단계가 시작되므로 공동으로 노력하여 평화, 민주주의, 단결, 통일을 기초로 주석의 지도 아래 장기적 합작으로 확고하게 내전을 피하고 독립적이고 자유롭고 부강한 신 중국을 건설하며 삼민주의를 시행한다.

(나)

> 모든 사람은 평등하게 태어났고, 양도할 수 없는 권리 중에는 생명과 자유와 행복의 추구가 있다. 이는 틀림없는 사실이다. 하지만 지난 80년이 넘은 세월 동안 프랑스 제국주의자들은 자유, 평등, 박애 정신을 악용하여 베트남과 베트남의 국민을 억압해 왔다.

① (가) 발표 이후 제2차 국·공 합작이 이루어졌다.
② (가)의 밑줄 친 '주석'은 중화 인민 공화국의 수립을 선포하였다.
③ (나)는 제2차 세계 대전 이후 호찌민이 발표하였다.
④ (나)에서 통일을 위한 총선거를 실시하기로 결정하였다.
⑤ (가), (나) 발표 직후 공통적으로 내전이 벌어졌다.

> 전후의 동아시아

완자 사전

• **삼민주의(三民主義)**
쑨원이 주장한 중국 혁명의 기본 이념으로, 민족·민권·민생의 세 가지 원칙을 의미한다.

정답친해 59쪽

3 (가)에 들어갈 내용으로 가장 적절한 것은?

1. 탐구 주제: 동아시아의 국교 수립과 정세 변화
2. 탐구 내용: 냉전 완화 이후 체결된 두 개의 외교 문서를 분석하였다.

[성명서 1] 이 성명이 공포된 날로부터 일본국과 중화 인민 공화국 사이의 지금까지의 비정상적 상태가 종식되었음을 선포한다.	[성명서 2] 대한민국 정부와 중화 인민 공화국 정부는 …… 1992년 8월 24일 자로 상호 승인하고 대사급 외교 관계를 수립하기로 하였다.

3. 탐구 결과: (가)

① 중국에 대한 경제 봉쇄가 심해졌다.
② 중화민국이 국제 질서를 주도하였다.
③ 한국, 미국, 일본이 삼각 동맹을 구축하였다.
④ 한국, 일본에 주둔하였던 미군이 철수하였다.
⑤ 중화 인민 공화국이 중국 유일의 합법 정부로 인정받았다.

> 동아시아의 국교 수립과 정세 변화

완자 사전

- **중화민국(中華民國)**
타이완의 공식 국호이다. 중국과의 관계를 중시하는 나라에서는 대부분 타이완 또는 타이완 정부로 칭한다.

평가원 응용

4 다음은 동아시아 국가들과 관련된 조약의 내용이다. (가), (나) 시기에 동아시아에서 일어난 사건이 아닌 것은?

연합국은 일본 및 그 영해에 대한 일본 국민의 주권을 승인한다. …… 연합국은 일본인이 일하여 갚도록 하는 배상에 대한 교섭을 시작한다. 그렇지 않으면 배상을 포기한다.

↓ (가)

미국과 다른 모든 나라들은 1954년 제네바 협정에서 승인된 베트남의 독립, 주권, 통일과 영토 보존을 존중한다. 미국은 남베트남의 내부 문제에 군사 개입을 하지 않는다.

↓ (나)

대한민국 정부와 중화 인민 공화국 정부는 평화 공존의 원칙에 따라 항구적인 선린 우호 협력 관계를 발전시켜 나갈 것에 합의한다.

① (가) – 닉슨 독트린이 발표되었다.
② (가) – 한국, 일본이 국교를 정상화하였다.
③ (가) – 한·미 상호 방위 조약이 체결되었다.
④ (나) – 베트남 사회주의 공화국이 수립되었다.
⑤ (나) – 타이완이 일본과의 외교 관계를 단절하였다.

> 20세기 동아시아의 수교와 협정

완자샘의 시험 꿀팁

동아시아 국가들의 협정 문서를 제시하고 국교 수립의 배경과 영향을 묻는 문제가 자주 출제된다. 제2차 세계 대전 이후 동아시아 각국이 어떠한 과정을 거쳐 국교를 정상화하였는지 정리해 두도록 한다.

02 경제 성장과 교역의 확대

• 일본, 한국, 타이완의 경제 성장 과정을 시기 순으로 정리할 수 있다.
• 사회주의 국가들이 개혁·개방 정책을 실시한 배경과 실시 결과를 설명할 수 있다.

1 자본주의 국가들의 경제 발전

1. 자본주의 국가들의 경제 성장 자료①

(1) **동아시아형 경제 성장 모델**: 일본, 한국, 타이완의 경제 성장 과정에서 나타난 공통적인 양상

(2) **특징**: 유상 매입 방식의 농지 개혁 실시, 정부 주도의 기술 개발과 산업 육성, 수출 중심의 경제 정책 추진, 미국의 대규모 경제 원조와 수출 시장 제공

└ 농지 개혁으로 자영농을 육성하였는데, 이는 농업 생산력의 향상과 농민의 구매력 증가로 이어졌어.

2. 일본의 경제 발전 자료①

(1) **1950년대 초반**: 제2차 세계 대전의 패배로 경제난 발생 → 미국의 지원과 6·25 전쟁 특수로 경제 회복 자료②

(2) **1950년대 중반~1970년대 초반**: 연평균 10% 이상의 고도성장, 중공업과 전자 산업 위주로 경제 구조 전환

└ 세계 2위의 경제 대국으로 성장하였어.

(3) **석유 파동 이후**: 두 차례의 *석유 파동으로 경제 위기 발생 → 기업들의 기술 개발과 경영 합리화로 극복

(4) **1980년대 초반**: 첨단 제품의 생산 확대, 수출 증가 → 최대의 경제 호황

(5) **1980년대 중반**: 미국과의 무역 마찰 발생 → 엔화 가격 상승(*플라자 합의) → 주가와 부동산 가격 폭등으로 거품 경제 형성

└ 엔화 가격이 상승하자 일본 정부는 수출 기업을 보호하기 위해 금리를 낮추었어.

왜? 금리가 낮아지자 기업과 개인이 대출을 받아 부동산과 주식 등에 과잉 투자를 하면서 가격이 폭등하였어.

(6) **1990년대 이후**: 1990년대 거품 경제 붕괴(주가와 부동산 가격 폭락) → 장기 불황 시작(실업률 증가, 사회 불안 발생)

3. 한국의 경제 성장 자료①

시기	내용
1950년대	남북 분단과 6·25 전쟁으로 경제 혼란 → 미국의 원조 물자에 기반을 둔 *삼백 산업 등 소비재 공업 발달
1960년대	• 경제 개발 5개년 계획 추진: 1962년부터 제1차 경제 개발 5개년 계획 추진 → 외국의 자본과 기술·국내의 값싼 노동력을 이용한 수출 주도형 경제 정책 실시, 경공업 육성, 1960년대 말 연 10% 이상의 경제 성장 달성 자료③ • 경제 발전 자금 마련: 베트남 전쟁과 외국 차관 도입 등으로 경제 개발 자금 마련
1970년대	철강·조선·기계 등 중화학 공업 발전(→ 산업 구조의 고도화), 1970년대 말 중화학 공업에 대한 과잉 투자와 제2차 석유 파동으로 경제 위기
1980년대	저유가, 저달러, 저금리라는 3저 현상에 힘입어 경제 성장 지속 → 아시아의 4대 신흥 공업국으로 성장 (타이완, 싱가포르, 홍콩, 한국은 '아시아의 네 마리 용'으로 불렸어.)
1990년대 이후	*경제 협력 개발 기구(OECD) 가입, 1997년 발생한 외환 위기로 국제 통화 기금(IMF)의 구제 금융을 지원받음(→ 구조 조정, 외자 유치, 민간의 노력 등으로 위기 극복)

└ 국민이 자발적으로 금 모으기 운동에 참여하였어.

4. 타이완의 경제 성장 자료①

시기	내용
1950년대	수입 물품 대체를 위해 국내 시장 개발과 경공업 중심 정책 추진
1960년대	미국의 경제 원조 중단 후 수출 촉진 정책 실시, 베트남 전쟁에 참전하면서 철강·석유 화학 등 자본 집약적 산업 발달
1970년대	외자 유치를 통한 경제 발전 정책 추진, 제조업 중심의 산업 육성
1980년대	3저 호황, 반도체 등의 첨단 산업 육성 → 신흥 경제국으로 부상
2000년대 이후	세계 경기 침체로 마이너스 성장률 기록 → 점차 안정적 경제 성장

이것이 핵심!

일본, 한국, 타이완의 경제 변화

국가	내용
일본	1950~70년대 미국의 지원, 전쟁 특수로 경제 성장 → 1980년대 거품 경제 형성 → 1990년대 주가와 부동산 가격 폭락, 장기 불황 시작
한국	1950년대 미국의 경제 원조에 의존 → 1960년대 경제 개발 5개년 계획 추진 → 1970년대 중화학 공업 육성 → 1980년대 3저 호황 → 1997년 외환 위기
타이완	1960년대 수출 촉진 정책 실시 → 1970년대 외자 유치를 통한 경제 발전 정책 추진 → 1980년대 첨단 산업 육성 → 2000년대 초반 마이너스 성장률 기록

★ 석유 파동
국제 석유 가격 급등으로 전 세계 경제에 큰 타격을 준 사건이다. 1차 석유 파동은 1973년, 2차 석유 파동은 1979년에 일어났다.

★ 플라자 합의
1970년대 미국의 무역 적자가 커지자 1985년 미국, 프랑스, 독일, 일본, 영국의 재무 장관들이 모여 일본 엔화와 독일 마르크화의 평가 절상에 대해 합의하였다. 이에 따라 엔화 가치가 달러당 237엔에서 143엔으로 크게 상승하였다.

★ 삼백 산업
제분, 제당, 섬유 공업을 일컫는다. 공업의 주원료인 밀가루, 설탕, 면화가 모두 흰색이어서 삼백 산업이라고 불렀다.

★ 경제 협력 개발 기구(OECD)
정책 협력을 통해 회원 각국의 경제·사회 발전을 모색하고, 세계 경제 문제에 공동으로 대처하기 위해 1961년 파리에서 발족한 국제기구

완자 자료 탐구

내 옆의 선생님

자료 1 일본, 한국, 타이완의 경제 발전

이 시기 한국은 외환 위기가 발생하였고, 일본은 거품 경제가 붕괴되면서 불황을 겪었어. 타이완도 동남아시아 금융 위기의 여파로 경제가 침체되었어.

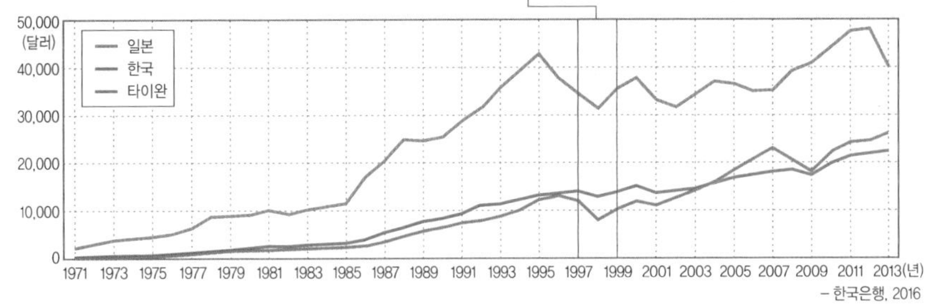

– 한국은행, 2016

⬆ 일본, 한국, 타이완의 1인당 국민 소득(GNI)

일본, 한국, 타이완은 20세기 후반 높은 경제 성장을 이룩하였다. 특히 1980년대 후반 저금리, 저유가, 저달러라는 3저 현상은 세 국가의 경제 성장에 기여하였다. 그러나 1990년대 말 각국은 경제 위기를 겪게 되었고, 이를 극복하기 위한 노력이 이루어졌다.

자료 2 제2차 세계 대전 이후 일본의 경제 성장

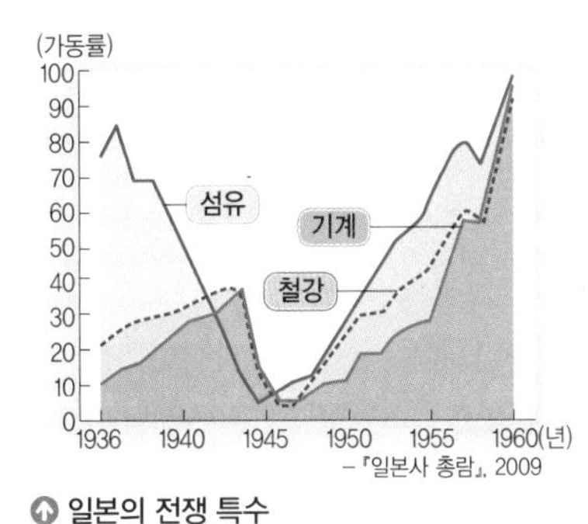

– 『일본사 총람』, 2009

⬆ 일본의 전쟁 특수

일본은 제2차 세계 대전 이후 극심한 경제난을 겪었다. 그러나 미·소 중심의 냉전 질서가 형성되면서 미국은 일본을 반공의 거점으로 삼고자 하였고, 이를 위해 일본을 경제적·군사적으로 지원하였다. 또한 한국에서 6·25 전쟁이 일어나자 일본은 군수 물자 공급 기지로서 산업 생산량을 늘려 전쟁 특수를 누렸다. 그 결과 1950년대부터 일본 경제는 급속한 성장을 이루었다.

자료 3 한국의 경제 개발 5개년 계획

2. 계획 방법

가. 계획 기간 중 경제의 체제는 되도록 민간인의 자유와 창의를 존중하는 자유 기업의 원칙을 토대로 하되, 기간 부문과 그 밖의 중요 부분에 대하여서는 정부가 직접적으로 관여하거나 또는 간접적으로 유도 정책을 쓰는 '지도받는 자본주의 체제'로 한다.

나. 계획에 있어서는 정부가 직접적인 정책 수단을 보유하는 공적 부문에 그 중심을 두고, 이것이 민간 부문에 미치는 파급 효과와 민간 부문의 자발적인 활동을 자극하는 한편, 이에 필요한 유도 정책을 감안하기도 한다.

제1차 경제 개발 5개년 계획에서는 철강과 전력 등 국가 산업의 기초가 되는 기간산업을 늘리는 데 힘썼어.

다. 한국 경제의 궁극적인 진로는 산업의 근대화를 통한 공업화에 있음에 …….

– 「제1차 경제 개발 5개년 계획 평가 보고서」, 1967

박정희 정부는 1962년부터 경제 개발 5개년 계획을 실시하였다. 외국의 자본과 기술, 국내의 값싼 노동력을 이용한 수출 주도형 경제 정책을 추진하여 1960년대 말에는 연 10% 이상의 경제 성장과 높은 수출 증가세를 보였다.

문제 로 확인할까?

1980년대 일본, 한국, 타이완의 경제 상황에 대한 설명으로 옳은 것은?

① 부동산과 주식 가격이 폭락하였다.
② 석유 파동으로 경제 위기를 겪었다.
③ 3저 현상에 힘입어 경제 성장을 지속하였다.
④ 세계 경기 침체로 마이너스 성장률을 기록하였다.
⑤ 경공업 분야를 육성하며 안정적인 경제 성장을 이어 갔다.

Ⓒ 답

정리 비법을 알려줄게!

일본의 경제 발전

시기	내용
1950년대 ~ 1970년대 초반	미국의 지원과 6·25 전쟁 특수로 고도성장을 이룸
1970년대 중후반	석유 파동으로 경제 위기 발생 → 기업들의 기술 개발, 경영 합리화 등으로 위기 극복
1980년대	거품 경제 형성(부동산과 주식 투자 과열)
1990년대 이후	거품 경제 붕괴 → 장기 침체 지속

자료 하나 더 알고 가자!

한국의 산업 구조 변화

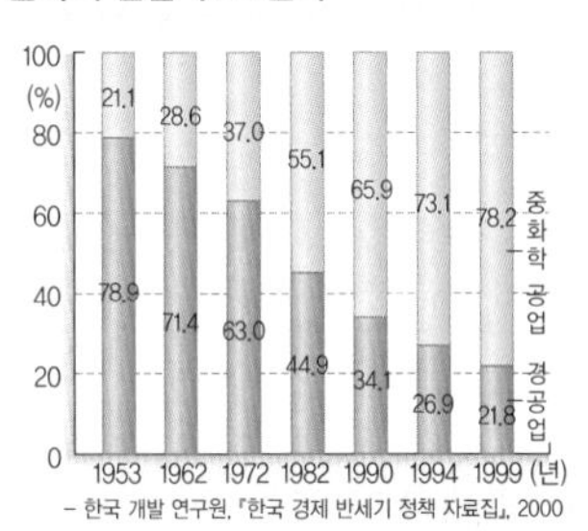

– 한국 개발 연구원, 『한국 경제 반세기 정책 자료집』, 2000

한국은 1970년대 국가 정책에 따라 철강, 조선, 기계 등의 중화학 공업을 육성하여 산업 구조의 고도화를 이루었어.

02 경제 성장과 교역의 확대

이것이 핵심!

사회주의 국가들의 경제 변화

중국	1950년대 초반 사회주의 경제 체제로 재편 → 1950년대 후반 대약진 운동 실시 → 1970년대 말부터 개혁·개방 정책 실시 → 2001년 세계 무역 기구(WTO) 가입
베트남	통일 후 경제 위기 → 1980년대 중반부터 도이머이 정책 실시(시장 경제 체제 요소 일부 도입)
북한	1950년대 사회주의 경제 체제 확립 → 1970년대부터 경기 침체 → 1980년대 이후 부분적 개방 정책 실시

★ **합작사**
중국의 협동조합으로, 자본주의 사회에서 사회주의로의 이행기에 요구되는 과도적 조직이다.

★ **인민공사**
중국이 1958년에 농업 집단화를 위해 만든 대규모 집단 농장으로, 집단 노동 및 노동량에 따라 수확물이 분배되는 생활 공동체이자 농촌 행정의 기초 단위였다.

★ **합영법**
북한이 서구의 자본과 기술을 도입하기 위해 1984년 최고 인민 회의에서 제정한 합작 투자법

2 사회주의 국가들의 경제 정책과 개방

1. 사회주의 경제 체제의 추진

(1) **특징**: 생산 수단의 국유화(집단 농장 운영, 산업 시설과 주요 기업 국영화), 국가 주도의 경제 개발 계획 추진(중공업 육성, 자립 경제 확립 목표)

(2) **한계**: 농민과 노동자들의 근로 의욕 저하, 관료들의 부정부패 등 → 시장 경제 체제 요소 도입, 개혁·개방 추진

2. 중국의 경제 발전과 개혁·개방

(1) **초기의 경제 정책**: 사회주의 경제 체제로 재편 → 제1차 5개년 계획 추진(1953), 농업 집단화 실시(농민의 *합작사 가입)

└ 지주의 토지를 농민들에게 분배하는 토지 개혁을 시행하고 주요 기업을 국영화하였어.

(2) **대약진 운동**: 1950년대 후반부터 마오쩌둥의 주도로 실시 교과서 자료

목적	농업과 공업 부문의 대규모 생산
전개	철강 증산 운동 전개, *인민공사 조직(농업의 집단화), 대규모 수리 관개 사업 시행 등
결과	농민의 불만과 근로 의욕 감소, 기술력의 부족, 자연재해에 따른 생산력 저하 등으로 실패

(3) **덩샤오핑의 개혁·개방 정책**: 1970년대 말부터 시장 경제화 추구 → 인민공사 해체(가족농업으로 전환), 농산물 가격의 점진적 시장화, 사기업 설립 허용, 경제특구 설치 → 연 10%대의 고도성장 달성 교과서 자료

└ 마오쩌둥이 죽은 후 정권을 잡은 덩샤오핑은 '검은 고양이든 흰 고양이든 쥐만 잘 잡으면 된다.'라는 흑묘백묘론을 주장하면서 시장 경제를 도입하였어.

(4) **2000년대 이후의 경제 발전**: 세계 무역 기구(WTO) 가입(2001), 세계 2위의 경제 대국으로 성장(2010)

3. 베트남의 경제 변화

(1) **통일 후 경제 위기**: 전쟁의 후유증, 농업 집단화에 따른 생산력 저하, 중국·캄보디아와의 마찰로 과도한 재정 지출, 미국의 경제 제재 등 → 경제 위기 심화

(2) **도이머이 정책**: 1980년대 중반 시장 경제 체제 일부 도입 → 농업 부문 투자 확대(세계 3대 쌀 수출국으로 성장), 공업 부문에서 외자 유치와 교역 확대를 위한 개방 정책 실시 자료④

└ '새롭게 바꾼다.'라는 의미로 우리말로는 '쇄신'이라고 해.

4. 북한의 경제 변화

1950~1960년대	사회주의 경제 체제 확립, 3개년 계획 추진, 중공업 중심의 경제 정책 실시, 천리마운동 실시
1970년대	경직된 경제 체제, 소련의 원조 중단, 과도한 군사비 지출 → 경제 침체 본격화
1980년대 이후	부분적 경제 개방 정책 실시 → *합영법 제정, 나진·선봉 지역을 경제특구로 지정, 남한과 경제 교류 추진(금강산 관광 사업, 개성 공단 사업 등) → 성과 미흡, 개혁·개방 정책 부진

└ 천리마운동: 노동력을 동원하여 생산력 향상을 추구한 운동으로 초기에는 다소 성과가 있었지만 자본과 기술 부족으로 한계가 드러났어.

이것이 핵심!

동아시아 역내 교역의 변화

냉전 시기 동아시아의 역내 교역
미국 중심으로 한국·일본·타이완 연결
↓
탈냉전 시기 동아시아의 역내 교역
동아시아 역내 중심으로 무역 구조 변화

3 동아시아 역내 교역의 활성화

1. 냉전 시기 동아시아 교역망: 미국을 중심으로 한국, 일본, 타이완 연결

2. 동아시아 역내 교역의 변화: 냉전 해체, 중국의 개혁·개방 정책 추진 → 한국·중국·일본의 교역 규모 급증, 미국 중심에서 동아시아 역내 중심으로 무역 구조 변화, 세계 경제에서 동아시아 국가의 경제 비중 확대 자료⑤

3. 동아시아 경제 협력 증대: 자유 무역 협정(FTA) 체결, 동아시아 국가 간 경제 협력 시도

└ 한국과 중국은 2015년에 자유 무역 협정(FTA)을 체결하였어.

└ 아시아 인프라 투자 은행(AIIB) 창립, 역내 포괄적 경제동반자 협정(RCEP) 추진 등 국가 간 경제 협력이 이루어지고 있어.

완자 자료 탐구

내 옆의 선생님

수능이 보이는 교과서 자료 중국의 대약진 운동과 개혁·개방 정책

대약진 운동의 선전물

> 새로운 역사 시기에 우리 당이 분투해야 할 목표는 우리나라를 현대적 농업, 현대적 공업, 현대적 국방, 현대적 과학 기술을 갖추고 고도의 민주주의와 고도의 문명을 가진 사회주의 강국으로 한걸음 한걸음 건설해 나가는 것이다.
> – 「건국 이래 당의 약간의 역사 문제에 관한 결의」, 1981

4대 현대화 노선은 중국 개혁·개방의 기본 방침으로 설정되었어.

중국은 1950년대 후반부터 근대적 공산주의 국가 건설을 목표로 한 대약진 운동을 실시하였다. 그러나 농촌의 생산력 저하, 연속된 자연재해 등으로 대약진 운동은 실패로 끝났다. 마오쩌둥이 죽은 후 정권을 잡은 덩샤오핑은 1978년 농업, 공업, 국방, 과학 기술 4개 부문의 현대화를 내세우며, 개혁·개방 정책을 추진하였다.

완자샘의 탐구 강의

• 대약진 운동에서 강조한 내용은?
근대적 공산주의 국가 건설을 목표로 농업과 공업 부문에서의 대규모 생산을 강조하였다.

• 중국의 덩샤오핑이 개혁·개방 정책을 실시한 이유를 서술해 보자.
1970년대 중국 경제가 혼란에 빠지자 덩샤오핑은 경제 위기를 극복하기 위해 개혁·개방 정책을 추진하였다.

함께 보기 205쪽, 1등급 정복하기 3

자료 4 베트남의 도이머이 정책

> 가장 중요한 것은 주인 역할, 즉 노동자가 열성을 발휘하여 군중 운동을 이행하는 것이며, 동시에 생산관계 혁명, 과학 – 기술 혁명 및 사상 – 문화 혁명을 조성하기 위한 경제 정책, 사회 정책을 쇄신하는 것이다. 식량·식품, 소비재 생산 원료, 수출품에 대한 급박한 요구가 농업의 최우선 위치를 결정한다. 소비재 생산지는 시장과 밀착해야 하고, 소비자의 수요 및 시장 기호를 확실하게 붙들어야 한다.
> – 「베트남 공산당 제6차 전당 대회 보고문」, 1986

곡물과 소비재 생산의 증대 등 소비에 필요한 생산량 확보에 우선 순위를 두었어.

베트남은 1986년 개혁·개방을 표방하는 도이머이 정책을 채택하여 시장 경제 체제 일부를 도입하였다. 농업세를 내리고 농업 부문에 투자하여 농민의 생산 의욕을 고취시켰고, 공업 발전을 위해 자본주의 국가와의 교역 확대와 외국 자본 유치 등을 추진하였다.

문제로 확인할까?

베트남의 도이머이 정책에 대한 설명으로 옳은 것은?

① 철강 증산 운동을 전개하였다.
② 제1차 5개년 계획을 수립하였다.
③ 산업 시설과 주요 기업을 국영화하였다.
④ 인민공사를 조직하여 농민을 가입시켰다.
⑤ 시장 경제 체제의 일부 요소를 도입하였다.

⑤ 답

자료 5 동아시아 역내 교역의 활성화

ⓐ, ⓑ: 중국이 2001년에 세계 무역 기구(WTO)에 가입하면서 외자 유치와 수출 증대에 적극 나서자, 한국과 일본은 중국에 대한 투자를 늘려 나갔어.

2000년 (억 달러)
한국 → 중국 185 ⓐ, 중국 → 한국 128
한국 → 일본 205, 일본 → 한국 318
중국 → 일본 417, 일본 → 중국 415 ⓑ

2015년 (억 달러)
한국 → 중국 1,371 ⓐ, 중국 → 한국 903
한국 → 일본 256, 일본 → 한국 459
중국 → 일본 1,357, 일본 → 중국 1,430 ⓑ

– 한국 무역 협회, 일본 무역 진흥 기구, 2016

한국·중국·일본의 역내 교역량 변화

냉전의 해체와 중국의 개혁·개방 정책으로 한·중·일 간의 무역이 활발해지면서 교역 규모가 급증하였다. 이에 동아시아 무역 구조의 중심이 미국에서 동아시아 역내로 변화하였고, 역내 교역의 활성화로 세계 경제에서 동아시아가 차지하는 비중이 크게 높아졌다.

자료 하나 더 알고 가자!

세계 경제에서 한·중·일의 비중

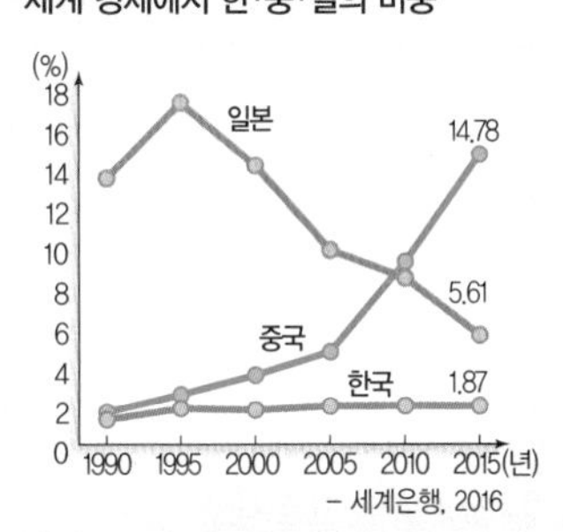

2016년 국내 총생산 규모에서 중국과 일본이 각각 세계 2위와 3위, 한국이 10위권을 차지하였어.

STEP 1 핵심 개념 확인하기

정답친해 60쪽

1 제2차 세계 대전 이후 일본, 한국, 타이완에 경제 원조와 수출 시장을 제공하여 세 국가의 경제 발전에 영향을 준 국가는?

2 다음 설명이 맞으면 ○표, 틀리면 ×표를 하시오.

(1) 일본은 1990년대 주가와 부동산 가격이 폭락하면서 장기 불황에 빠졌다. ( )

(2) 한국은 1950년대 미국의 원조 물자에 기반을 둔 삼백 산업이 발달하였다. ( )

(3) 타이완은 1980년대 도이머이 정책을 추진하여 시장 경제 체제를 일부 도입하였다. ( )

3 1980년대 일본에서 기업과 개인이 부동산과 주식에 과잉 투자하면서 나타난 경제 현상을 일컫는 말은?

4 한국은 1980년대 저유가, 저달러, 저금리라는 ( )에 힘입어 경제 성장을 이룩하였다.

5 다음 괄호 안의 내용 중 알맞은 말에 ○표를 하시오.

(1) 북한은 1950년대 후반 (대약진 운동, 천리마운동)을 추진하여 대중 동원을 통한 경제 발전을 꾀하였다.

(2) 마오쩌둥은 1958년부터 철강 증산 운동을 전개하고, 농촌에 (합작사, 인민공사)를 조직하여 농민을 가입시켰다.

(3) 1980년대를 전후하여 중국과 베트남은 (계획 경제 체제, 시장 경제 체제)를 일부 받아들여 개혁·개방 정책을 추진하였다.

6 중국의 덩샤오핑이 추진한 개혁·개방 정책에 해당하는 것을 〈보기〉에서 모두 고르시오.

보기	
ㄱ. 합영법 제정	ㄴ. 경제특구 설치
ㄷ. 인민공사 해체	ㄹ. 주요 기업의 국영화

STEP 2 내신 만점 공략하기

01 중요 선생님의 질문에 대한 답변으로 적절하지 않은 것은?

> 선생님: 일본, 한국, 타이완의 경제 성장 과정에서 나타난 공통점은 어떤 것이 있을까요?

① 분배 위주의 경제 정책을 채택하였습니다.
② 수출 주도형 경제 발전을 추진하였습니다.
③ 경제 성장 초기에 미국의 원조를 받았습니다.
④ 정부 주도로 기술 개발과 산업을 육성하였습니다.
⑤ 우수한 교육을 받은 인적 자원을 활용하였습니다.

02 (가)~(라)는 일본의 경제 발전 과정에서 있었던 일이다. 이를 일어난 순서대로 나열한 것은?

> (가) 거품 경제가 형성되었다.
> (나) 주가와 부동산 가격이 폭락하였다.
> (다) 두 차례의 석유 파동으로 경제 위기를 겪었다.
> (라) 미국의 지원과 6·25 전쟁 특수로 경제가 성장하였다.

① (가) – (나) – (다) – (라)
② (나) – (가) – (다) – (라)
③ (다) – (라) – (가) – (나)
④ (라) – (가) – (다) – (나)
⑤ (라) – (다) – (가) – (나)

03 그래프는 일본의 땅값 변화를 나타낸 것이다. (가) 시기에 나타난 일본의 경제 상황으로 적절한 것은?

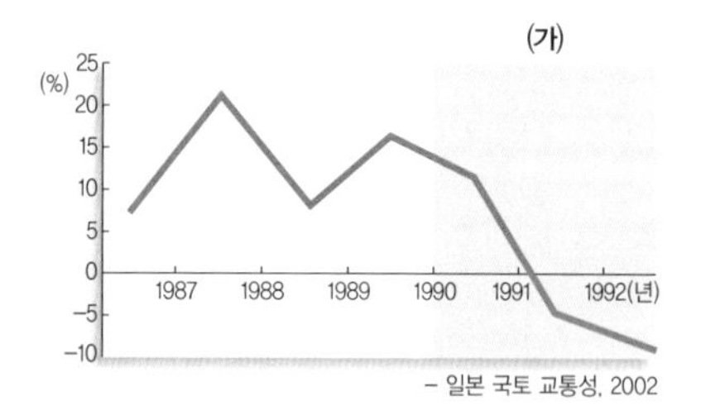

– 일본 국토 교통성, 2002

① 거품 경제가 붕괴되었다.
② 부동산 투자가 증가하였다.
③ 국가 부채 비율이 낮아졌다.
④ 일본인의 해외 투자가 급증하였다.
⑤ 연평균 10% 이상의 경제 성장을 이루었다.

04 다음 경제 계발 계획이 시행되었던 시기 한국의 경제에 대한 설명으로 옳은 것은?

> 라. 자연환경과 인적 자원을 합리적으로 결합시킴으로써 생산력의 극대화를 꾀하며, 자본 공급의 확보를 위하여서는 다음과 같이 한다.
> (1) 국내 자원을 최대한으로 동원하고, 외화 소득의 조달에 있어서는 외자 도입에 중점을 두며, 정부 보유 달러는 사업 목적을 위하여 계획적으로 사용한다.
> (2) 국내 노동력을 최대한 활용하여 자본화를 기한다.

① 기업의 구조 조정을 단행하였다.
② 수출 중심의 경제 정책을 추진하였다.
③ 대기업을 중심으로 중공업을 육성하였다.
④ 미국의 원조를 받아 소비재 공업을 발전시켰다.
⑤ 중공업에 대한 지나친 투자와 석유 파동으로 경제 위기를 겪었다.

중요

05 (가)와 (나) 시기 사이 한국의 경제 상황으로 옳은 것을 〈보기〉에서 고른 것은?

> (가) 세계 제2의 석유 수출국 이란이 원유 수출을 중단하자 원유 가격이 급등하였다. 이로 인해 원유 수입 국가들은 어려움에 빠지게 되었고, 한국 역시 큰 피해를 입었다.
> (나) 정부가 시장 감독 기능을 제대로 수행하지 못하는 가운데 무분별하게 사업을 확장하여 부실해진 일부 대기업이 도산하였다. 이때 외국 투자가들이 자금을 회수하자 외환 보유고는 급격히 줄어들었다.

보기
ㄱ. 미국의 원조로 삼백 산업이 발달하였다.
ㄴ. 경제 협력 개발 기구(OECD)에 가입하였다.
ㄷ. 제1차 경제 개발 5개년 계획을 추진하였다.
ㄹ. 저유가, 저달러, 저금리의 3저 현상에 힘입어 경제 호황을 누렸다.

① ㄱ, ㄴ ② ㄱ, ㄷ ③ ㄴ, ㄷ
④ ㄴ, ㄹ ⑤ ㄷ, ㄹ

06 밑줄 친 '여러 노력'에 해당하지 않은 것은?

> **동아시아사 신문**
>
> 정부는 국제 통화 기금(IMF)에서 빌린 자금을 모두 상환하였다고 밝혔다. 정부 관계자는 "국제 통화 기금(IMF) 차입금 195억 달러 가운데 최종 잔액 1억 4천만 달러를 상환했다."라며, "이는 2004년까지 갚기로 한 당초 계획보다 3년 앞당긴 것"이라고 설명하였다. 외신도 한국이 외환 위기 극복을 위해 여러 노력을 쏟은 결과 국제 통화 기금 관리 체제에서 조기에 벗어날 수 있었다고 전하였다.

① 금 모으기 운동을 전개하였다.
② 외국 자본을 적극 유치하였다.
③ 공기업과 정부 기관을 구조 조정하였다.
④ 부실 금융 기관과 대기업을 매각하였다.
⑤ 중국과 자유 무역 협정(FTA)을 체결하였다.

07 다음은 어느 학생의 형성 평가지이다. 이 학생이 받을 점수는?

형성 평가

타이완의 경제 성장에 대한 설명이 맞으면 ○표, 틀리면 ×표를 하시오.

문항	답안
(1) 1950년대 정부 주도로 경공업을 육성하였다.	○
(2) 1960년대 베트남 전쟁에 참전하면서 자본 집약적 산업이 발달하였다.	×
(3) 1980년대 반도체를 비롯한 첨단 산업을 육성하였다.	○
(4) 1990년대 3저 현상에 힘입어 아시아의 4대 신흥 공업국으로 성장하였다.	○
(5) 2000년대 이후 세계 경기가 침체되면서 마이너스 성장률을 기록하였다.	×

(문항당 2점)

① 2점 ② 4점 ③ 6점 ④ 8점 ⑤ 10점

08 다음 목적에 따라 토지 개혁을 실시한 동아시아 국가들의 공통된 경제 정책을 〈보기〉에서 고른 것은?

> 지주 계급이 봉건적 수탈을 행하는 토지 소유제를 폐지하고 농민적 토지 소유제를 실시한다.

보기

ㄱ. 민간 기업의 육성을 중시하였다.
ㄴ. 자립 경제의 확립을 목표로 하였다.
ㄷ. 수출 중심의 경제 정책을 실시하였다.
ㄹ. 중공업 발전을 우선적으로 추진하였다.

① ㄱ, ㄴ ② ㄱ, ㄷ ③ ㄴ, ㄷ
④ ㄴ, ㄹ ⑤ ㄷ, ㄹ

09 다음 소설에 나타난 중국의 경제 운동에 대한 설명으로 옳지 않은 것은?

> 우리 땅 다섯 무도 전부 인민공사 명의로 재분배되고, …… 며칠 되지도 않아서 집에 있는 솥까지도 인민공사가 다 가져갈 줄을. 들어 보니 강철을 만들기 위해서라더군.

① 마오쩌둥의 주도로 추진되었다.
② 근대적 공산주의 국가 건설을 목표로 하였다.
③ 마을마다 용광로를 만들어 철강 증산을 꾀하였다.
④ 인민공사를 조직하여 재산과 토지를 국유화하였다.
⑤ 사기업을 허용하고 기업 경영의 자율성을 보장해 주었다.

중요
10 밑줄 친 '경제 정책'과 관련된 내용으로 옳은 것은?

> 덩샤오핑은 흑묘백묘론을 주장하였다. 흑묘백묘란, '검은 고양이든 흰 고양이든 쥐만 잘 잡으면 된다.'라는 뜻으로, 덩샤오핑의 <u>경제 정책</u>을 대변하는 용어이다.

① 경제특구를 폐쇄하였다.
② 주요 기업을 국영화하였다.
③ 제1차 5개년 계획을 실시하였다.
④ 농업 생산 합작사를 조직하였다.
⑤ 4개 부문의 현대화를 추진하였다.

11 자료를 활용하여 보고서를 작성할 때 그 주제로 가장 적절한 것은?

중국 경제의 변화

① 개혁·개방 정책의 성과
② 대약진 운동의 실시 배경
③ 제1차 5개년 계획의 결과
④ 사회주의 경제 체제의 도입
⑤ 베트남 전쟁 특수로 인한 경제 성장

12 밑줄 친 내용에 따라 추진된 베트남의 경제 정책에 대한 설명으로 옳지 않은 것은?

> 가장 중요한 것은 주인 역할, 즉 노동자가 열성을 발휘하여 군중 운동을 이행하는 것이며, 동시에 <u>생산관계 혁명, 과학 – 기술 혁명 및 사상 – 문화 혁명을 조성하기 위한 경제 정책, 사회 정책을 쇄신하는 것이다</u>. 식량·식품, 소비재 생산 원료, 수출품에 대한 급박한 요구가 농업의 최우선 위치를 결정한다. –「베트남 공산당 제6차 전당 대회 보고문」

① 시장 경제 체제의 일부를 도입하였다.
② 경제 위기를 극복하기 위해 1986년부터 추진되었다.
③ 모든 농지를 협동농장화하고 농업의 집단화를 추진하였다.
④ 정부는 농업세를 경감하고 농업 부문에 집중적으로 투자하였다.
⑤ 공업 부문에서 외자 유치와 교역 확대를 위한 개방 정책을 실시하였다.

13 (가) 시기 북한의 경제 상황으로 옳은 것은?

합영법을 제정하여 외국 자본을 유치하였다.

(가)

남한과의 경제 교류를 꾀하여 개성 공단 사업을 추진하였다.

① 모든 농지를 협동농장으로 재편하였다.
② 나진·선봉 지역을 경제특구로 지정하였다.
③ 집단적 증산 운동인 천리마운동을 전개하였다.
④ 소련과 중국의 원조를 받아 3개년 계획을 실시하였다.
⑤ 철강 증산 운동을 전개하고, 대규모 수리 시설을 건설하였다.

중요

14 그래프는 동아시아 역내 교역량 변화를 나타낸 것이다. 이를 분석한 내용으로 적절한 것을 〈보기〉에서 고른 것은?

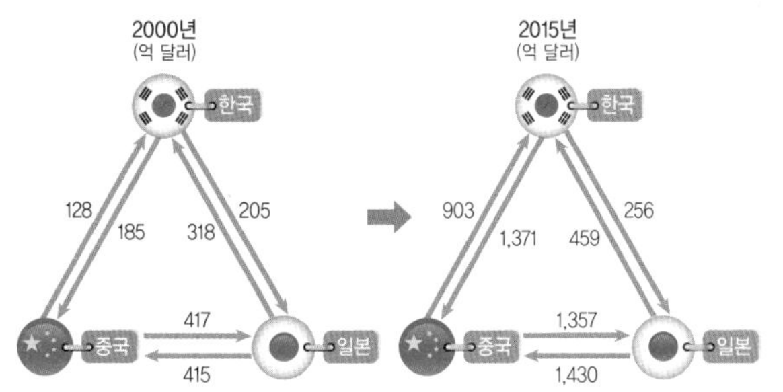

– 한국 무역 협회, 일본 무역 진흥 기구, 2016

보기

ㄱ. 한국과 일본의 중국 투자가 줄어들었다.
ㄴ. 한·중·일 간의 교역 규모가 크게 늘었다.
ㄷ. 역내 교역에서 중국의 비중이 감소하였다.
ㄹ. 동아시아 국가들의 상호 의존도가 높아졌을 것이다.

① ㄱ, ㄴ ② ㄱ, ㄷ ③ ㄴ, ㄷ
④ ㄴ, ㄹ ⑤ ㄷ, ㄹ

서술형 문제

● 정답친해 62쪽

01 그래프는 일본의 1인당 국내 총생산 변화를 나타낸 것이다. 이를 보고 물음에 답하시오.

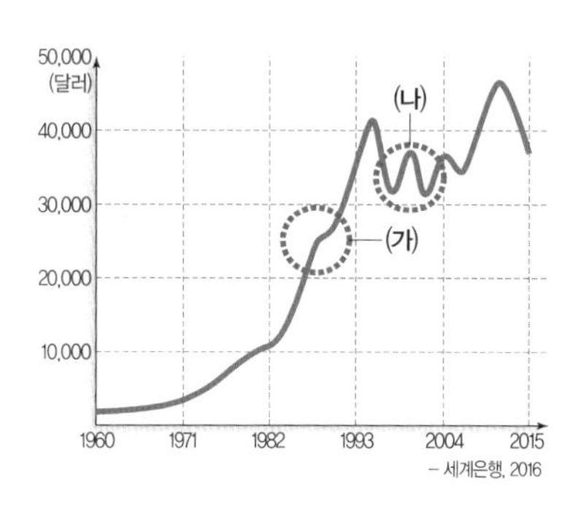

– 세계은행, 2016

(1) (가) 시기 엔화 가치의 상승에 영향을 준 국제 합의를 쓰시오.

(2) (나) 시기에 일본의 국내 총생산이 하락하게 된 이유를 세 가지 서술하시오.

길잡이 (가) 시기의 경제 변화와 관련하여 일본 정부의 대응에 주목하여 서술한다.

02 다음을 읽고 물음에 답하시오.

중국은 1950년대 후반부터 근대적 공산주의 국가 건설을 목표로 (가) 을/를 실시하였다. 마을마다 용광로를 만들어 철강 증산 운동을 전개하였고, 모든 재산과 토지를 국유화하였다. 농촌에는 인민공사를 조직하여 농민들에게 집단생활을 강요하였다.

(1) (가)에 들어갈 경제 운동을 쓰시오.

(2) (1)이 실패한 원인을 세 가지 서술하시오.

길잡이 (1)이 추진된 당시 중국의 상황과 사회주의 경제 체제의 한계점을 생각해 본다.

STEP 3 1등급 정복하기

1 (가), (나) 국가의 경제 성장 과정에서 나타난 공통적인 특징으로 옳은 것은?

> • (가) 은/는 제2차 세계 대전 이후 경제적으로 큰 어려움에 처하였다. 그러나 전쟁 전부터 축적해 놓았던 기술력과 6·25 전쟁 특수가 더해져 1955년부터 1973년까지 연평균 10% 이상의 고도성장을 이루며 경제 대국으로 발돋움하였다.
> • (나) 은/는 1960년대에 제1·2차 경제 개발 5개년 계획을 추진하면서 1960년대 말에 연평균 10% 이상의 경제 성장과 높은 수출 증가세를 보였다. 1980년대 중반부터 국제적으로 조성된 3저 현상에 힘입어 아시아의 4대 신흥 공업국으로 성장하였다.

① 수출보다 내수 산업을 육성하였다.
② 정부 주도로 경제 정책을 추진하였다.
③ 산업 시설과 주요 기업을 국영화하였다.
④ 소련으로부터 대규모 경제 원조를 받았다.
⑤ 무상 몰수 방식의 토지 개혁을 실시하였다.

동아시아 국가들의 경제 성장

완자 사전

• **내수 산업**
주로 국내 시장에 내다 팔 물품을 생산하는 산업

2 그래프는 일본, 한국, 타이완의 1인당 국민 소득을 나타낸 것이다. (가) 시기 각국의 경제 상황으로 옳지 않은 것은?

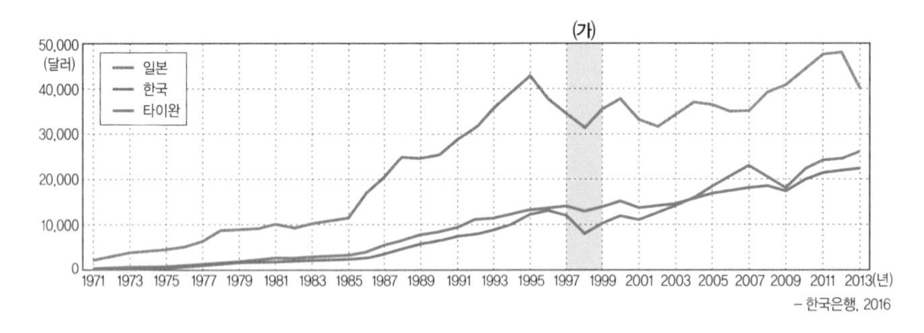

– 한국은행, 2016

① 일본 – 주가와 부동산 가격이 폭락하였다.
② 일본 – 두 차례의 석유 파동으로 경제 위기를 겪었다.
③ 한국 – 정부가 긴축 재정 정책을 실시하였다.
④ 한국 – 국제 통화 기금(IMF)의 관리를 받았다.
⑤ 타이완 – 금융 위기의 여파로 내수 시장이 침체되었다.

자본주의 국가들의 경제 상황

완자샘의 시험 꿀팁

일본, 한국, 타이완의 경제 상황을 시기별로 묻는 경우가 많다. 자본주의 국가들의 경제 발전 과정을 시기별로 정리하고, 그 특징을 파악해야 한다.

완자 사전

• **국제 통화 기금(IMF)**
세계 무역의 안정적 확대를 통하여 가맹국의 고용 증대, 소득 상승, 생산 자원의 개발 등에 기여하기 위해 설립된 국제 금융 기구

평가원 응용

3 다음 발언을 한 인물이 추진한 경제 정책으로 옳은 것은?

① 인민공사를 해체하고 가족농업으로 전환하였다.
② 마을마다 용광로를 보급하여 철강의 증산을 시도하였다.
③ 주요 기업의 국유화와 생산 수단의 공유화를 전개하였다.
④ 농민 대부분을 합작사에 가입시켜 농업의 집단화를 추진하였다.
⑤ 제1차 5개년 계획을 실시하여 중공업 중심의 공업화를 추진하였다.

> 중국의 경제 정책

완자쌤의 시험 꿀팁

중국의 개혁·개방 정책에 대해 묻는 문제가 자주 출제된다. 중국이 실시한 개혁·개방 정책의 목적과 내용을 정리해 둔다.

4 다음 법률과 유사한 목적을 가진 북한의 경제 정책으로 옳은 것을 〈보기〉에서 고른 것은?

제1조 세계의 여러 나라들과의 경제 기술 교류와 협조를 확대 발전시키는 것은 조선 노동당과 공화국 정부의 일관한 대외 경제 정책이다. 조선 민주주의 인민 공화국은 공화국의 영역 안에서 우리나라 회사·기업소와 다른 나라의 회사·기업소·개인 사이에 평등과 호혜의 원칙에서 합영하는 것을 장려한다.
제2조 조선 민주주의 인민 공화국에서의 합영은 공업·건설·운수·과학 기술·관광업을 비롯한 여러 분야에서 할 수 있다.

보기

ㄱ. 나진·선봉 지역을 경제특구로 지정하였다.
ㄴ. 사유제를 부정하고 모든 농지를 협동농장화하였다.
ㄷ. 개성 공단을 건설하여 남한과의 경제 교류에 나섰다.
ㄹ. 천리마운동을 실시하여 대중 동원을 통한 생산력 향상을 꾀하였다.

① ㄱ, ㄴ　② ㄱ, ㄷ　③ ㄴ, ㄷ
④ ㄴ, ㄹ　⑤ ㄷ, ㄹ

> 북한의 경제 정책

완자 사전

• **호혜**
서로 특별한 혜택을 주고받는 일

03 동아시아의 정치·사회 발전과 화해를 위한 노력

학습목표
- 동아시아 각국의 민주화 과정과 사회 변동 양상을 정리할 수 있다.
- 동아시아 영토·역사 갈등의 사례를 찾아보고 해결 방안을 모색할 수 있다.

이것이 핵심!

동아시아 각국의 정치 변화

자본주의 국가들	• 공통점: 특정 정부나 정당의 장기 집권 → 정권 교체 • 변화: 한국(4·19 혁명 → 5·18 민주화 운동 → 6월 민주 항쟁), 일본('55년 체제' 성립 → 붕괴), 타이완(계엄령 해제)의 변화
사회주의 국가들	• 공통점: 경제난 극복 노력, 공산당 일당 지배 유지 • 변화: 중국(문화 대혁명 → 개혁·개방 추진 → 톈안먼 사건), 북한(부분적인 경제 개방 시도, 3대째 독재 체제 세습), 베트남(도이머이 정책 추진)의 변화

★ **10월 유신과 유신 헌법**
박정희 정부는 1972년 10월 비상계엄을 선포하여 국회를 해산하고 유신 헌법을 만들었다. 유신 헌법에 따라 대통령은 막강한 권한을 행사할 수 있었는데, 대표적인 권한이 비상 시 대통령이 국정 전반을 통제할 수 있도록 한 긴급 조치이다.

★ **록히드 사건(1976)**
미국의 군수 업체인 록히드사가 일본의 정부 관리에게 뇌물을 준 사실이 드러난 사건

★ **홍위병**
청소년들로 구성된 정치 운동 조직으로, 반혁명 인사로 지목된 지식인과 예술인 등을 처형하는 데 동원되었다.

⊙ 공산당 간부를 공개 심판하는 홍위병

★ **애국주의 교육**
공산당 중심, 국가의 통일, 우수한 문화 등을 강조하는 중국의 사상 교육

1 정치와 사회의 발전

1. 자본주의 국가들의 정치 발전

(1) 한국의 정치 발전 자료①

① 4·19 혁명(1960): 이승만 정부가 개헌을 통해 장기 집권 시도, 3·15 부정 선거 → 국민의 대대적인 저항 → 이승만 정부(자유당) 붕괴, 장면 정부(민주당) 수립

② 유신 체제의 성립과 붕괴: 5·16 군사 정변으로 장면 정부 몰락, 박정희 정부 수립 → 박정희 정부가 3선 개헌(대통령을 세 번까지 연임할 수 있도록 헌법을 고쳤어.), ★10월 유신 선포(1972)로 장기 집권의 기반 마련 → 국민의 저항, 정권 내부의 갈등, 박정희 대통령 피살로 유신 체제 붕괴(1979)

③ 5·18 민주화 운동과 6월 민주 항쟁

5·18 민주화 운동(1980)	전두환을 중심으로 한 신군부 세력 집권(12·12 사태, 1979) → 광주에서 신군부의 계엄령 확대 반대, 신군부 퇴진, 민주화 요구 시위 전개 → 신군부의 무력 진압으로 많은 시민들 희생
6월 민주 항쟁(1987)	1980년대 중반부터 각계각층에서 민주화 운동 전개, 전두환 정부의 대통령 간선제 방식 고수 → 대대적인 민주화 시위 전개 → 대통령 직선제 개헌을 이끌어 냄

④ 정권 교체: 1997년 야당 후보 김대중의 대통령 당선(광복 이후 최초의 평화적 정권 교체)

용어 계엄령: 비상 시 행정권과 사법권을 군대가 맡아 처리하도록 하는 명령

(2) 일본의 정치 발전

① '55년 체제'의 성립과 붕괴 자료②

성립	• '55년 체제': 안보와 재무장 문제를 둘러싸고 보수와 진보 정당 간 대립 격화 → 1955년 사회당의 좌우파 통합, 자유당과 민주당이 자유 민주당(자민당)으로 합당, 사회당과의 양당 체제 성립 • 자민당의 장기 집권: 경제 우선 정책 실시, 미·일 안전 보장 조약 개정 강행(1960) → 1970년대 두 차례 석유 파동과 ★록히드 사건으로 위기 → 경제 호황에 힘입어 다수당으로서 장기 집권
변화	1990년대 거품 경제 붕괴에 따른 경제 침체, 정경 유착, 부정부패로 자민당의 지지 기반 약화
붕괴	1993년 총선거 결과 비자민당 정당들이 과반수 획득 → 비자민당 연립 정부 수립('55년 체제' 붕괴)

② 정권 교체: 2009년 민주당 집권(야당인 민주당이 단일 정당에 의한 최초의 정권 교체를 이루었어.) → 민주당의 정책 실패로 2012년 자민당 재집권(호소카와 연립 내각이 들어섰지만 다시 자민당 중심의 연립 정부가 등장하였어.)

(3) 타이완의 정치 발전 자료①

① 국민당의 1당 지배 체제 성립: 국민당 정부 수립(1949) 이후 38년간 계엄령 실시(왜? 중국과의 군사적 긴장감을 이유로 내세웠어.) → 정치 독점, 국민의 언론·출판·집회·결사 등의 자유 제한

② 민주화의 진전: 시민들의 민주화 요구 → 계엄령 해제(1987), 총통 직선제 개헌(1988) → 민주 진보당(민진당)의 천수이볜이 총통에 선출(2000, 최초의 여야 간 정권 교체)

2. 사회주의 국가들의 정치 변화

(1) 중국의 정치 변화

① 문화 대혁명(1966~1976): 마오쩌둥이 자본주의 사상과 문화에 대한 투쟁 강조(문화 대혁명 당시 시장 경제 체제의 도입을 주장하는 세력을 주자파로 규정하고 숙청하였어.), ★홍위병을 앞세워 반대파 제거 → 시민들의 저항, 사회 혼란 초래 → 마오쩌둥 사망 후 중단

② 덩샤오핑 집권: 1970년대 말 집권 → 경제 위기 극복을 위해 개혁·개방 정책 실시

잠깐! 경제 정책인 개혁·개방 정책이 중국 시민들의 정치의식 변화에도 영향을 주었음을 기억해 두자.

③ 톈안먼 사건(1989): 개혁·개방의 가속화로 정치 체제 개혁 요구 대두 → 톈안먼에서 시민들이 민주화 요구 시위 전개 → 정부의 강경 진압으로 시민들 희생 자료③

(2) 오늘날의 중국: 공산당 일당 지배 유지, ★애국주의 교육 강화, 정부와 소수 민족 간 갈등 지속(예 티베트족과 위구르족의 독립 요구에 따른 갈등)

완자 자료 탐구

내 옆의 선생님

자료 1 한국과 타이완의 민주화

[한국의 6월 민주 항쟁]
- 우리는 …… 동장에서부터 대통령까지 국민의 손으로 뽑게 될 수 있을 때에도 국민 주권을 신성하게 행사할 것임을 온 국민의 이름으로 결의한다. - 6·10 대회 결의문
- 여야 합의하에 조속히 대통령 직선제 개헌을 하고 …… 평화적 정부 이양을 실현토록 하겠습니다. - 6·29 민주화 선언

[타이완의 계엄령 해제]
타이완 입법원은 지난 38년 동안 계속되어 온 계엄령의 해제안을 만장일치로 승인하였다. …… 타이완의 계엄령은 지난 1949년 현 국민당 정부가 타이완으로 넘어오면서부터 선포되어 지금까지 사실상 국민당의 1당 통치를 지탱해 온 중요한 지주였다.
– 동아일보, 1987. 7. 8.

한국에서는 전두환 정부가 장기 집권을 위해 대통령 간선제 방식을 고수하자 1987년에 6월 민주 항쟁이 일어났다. 같은 해 타이완에서는 시민들의 강력한 민주화 요구로 계엄령이 해제되었다. 이후 두 나라에서 각각 대통령 직선제 개헌과 총통 직선제 개헌이 이루어졌다.

정리 비법을 알려줄게!

한국과 타이완의 민주화 진전

구분	한국	타이완
계기	전두환 정부의 대통령 간선제 방식 고수	국민당의 1당 지배 체제 지속(국민의 기본권 억압)
과정	시민들의 대통령 직선제 요구 → 정부가 요구 수용	시민들이 1당 독재 비판 → 정부의 계엄령 해제
결과	대통령 직선제로 개헌(1987)	총통 직선제로 개헌(1988)

자료 2 일본의 '55년 체제' 성립과 정치 상황

자민당이 전체 의석수의 3분의 2 정도를 차지하였음을 알 수 있어. 이는 '55년 체제'가 지속되는 동안 거의 변하지 않았지.

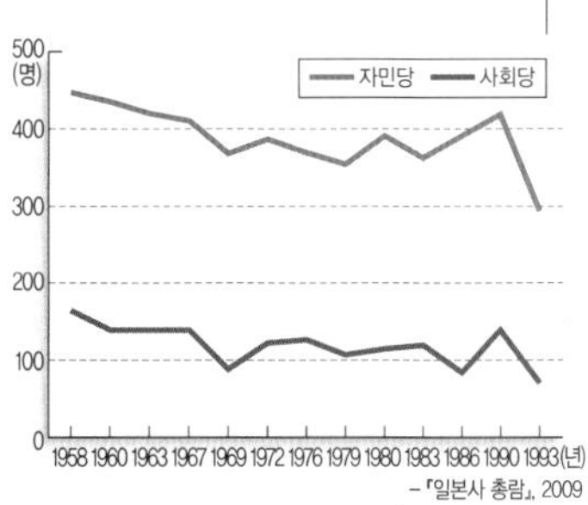

–『일본사 총람』, 2009

자민당과 사회당의 의석수 변화

사회당을 포함한 시민들은 자민당의 미·일 안전 보장 조약 개정안이 평화 헌법에 어긋난다며 반대하였어.

일본의 안보 투쟁(1960)

1955년 일본에서는 자민당과 사회당의 양당 체제가 성립하였다. 자민당 내각이 미·일 안전 보장 조약을 개정하여 군비 확장을 추진하자 시민들은 안보 투쟁을 전개하였다. 그러나 자민당은 우월한 의석수를 앞세워 단독으로 미·일 안전 보장 조약 개정안을 통과시켰다.

정리 비법을 알려줄게!

'55년 체제'의 성립과 붕괴

'55년 체제'의 성립
사회당의 좌우파 통합 → 자민당 결성 → 자민당 우위의 양당 체제 성립(1955)

일본의 경제와 정치 상황의 변화
1990년대 거품 경제 붕괴로 일본 경제 침체, 자민당 내각의 부정부패 만연

↓

'55년 체제'의 붕괴
비자민당 정당들이 과반수 획득 → 비자민당 연립 내각 수립으로 붕괴

자료 3 중국의 톈안먼 사건

이 햇빛이 찬란한 5월 속에 우리는 단식을 하고 있습니다. …… 관료는 부패하였으며, 강권은 높이 걸려 있고, 민주 인사들은 해외로 망명하지 않을 수 없으며, 사회의 치안은 날로 혼란에 빠지고 있습니다. …… 우리의 외침을 들어주십시오. 국가는 인민의 국가입니다. 인민은 우리의 인민입니다. 정부는 우리의 정부입니다.
– 톈안먼 시위 단식 선언서, 1989

(강권: 국가가 행사하는 강력한 권력)

(중국 정부가 시민들의 민주화 요구를 탄압하였음을 알 수 있어.)

중국에서 개혁·개방이 가속화되고 일부 관료들의 부패가 드러나자 정치 체제의 개혁을 요구하는 목소리가 높아졌다. 1989년에는 시민들이 톈안먼에서 민주화를 요구하는 시위를 전개하였다. 중국 정부는 이를 폭력적 난동으로 규정하고 무력으로 진압하였다.

문제로 확인할까?

중국에서 톈안먼 사건이 일어나는 데 영향을 준 요인을 <보기>에서 모두 고르시오.

보기
ㄱ. 대약진 운동이 추진되었다.
ㄴ. 개혁·개방이 가속화되었다.
ㄷ. 문화 대혁명이 전개되었다.
ㄹ. 관료들의 부정부패가 드러났다.

ㄹ ,ㄱ 目

03 동아시아의 정치·사회 발전과 화해를 위한 노력

★ **주체사상**
정치에서의 자주, 경제에서의 자립, 국방에서의 자위를 강조함으로써 김일성의 절대 권력을 정당화하는 유일 사상으로 이용되었다.

★ **다문화 사회로 진입한 동아시아**
동아시아 국가 간 노동자 이동과 국제결혼이 증가하면서 동아시아 사회는 본격적인 다문화 사회로 진입하였다. 이 과정에서 가치관 충돌과 같은 문제가 나타나자, 이를 해결하기 위한 사회 운동이 확산되고 있다.

(3) 북한의 변화

1950~1970년대	6·25 전쟁 이후 김일성이 반대파 숙청, 중·소 분쟁이 심화되자 *주체사상 표방, 사회주의 헌법 제정(1972) → 김일성 1인 지배 체제 구축
1980년대 이후	소련과 동유럽 사회주의권 국가들의 붕괴, 경제 사정 악화 → 부분적인 개방 정책 실시, 남북 교류 시도, 체제 유지 방편으로 핵 개발(→ 국제적 고립 심화)
2000년대 이후	김정은이 '김일성 – 김정일'에 이어 3대째 세습(2011), 조선 노동당의 일당 지배 유지 (군부를 앞세워 선군 정치를 실시하였어.)

(4) **베트남의 변화**: 캄보디아 내전 개입, 중국과의 국경 분쟁, 미국의 경제 제재 등 → 경제 사정 악화 → 도이머이 정책 추진(경제 성장 추구, 미국과 중국 등 외국과의 관계 개선)

3. 동아시아의 사회 변화: 산업화 진전, 인구 고령화 심화, *다문화 사회 진입에 따른 사회 문제 발생 → 시민운동 활발, 환경·인권·역사 문제 등에서 국제 연대와 협력의 필요성 증대
(한국, 일본, 타이완에서는 열악한 노동 환경의 개선을 요구하는 노동 운동이 전개되었어.)

이것이 핵심!

동아시아의 영토 갈등과 역사 갈등

영토 갈등	쿠릴 열도(러·일), 센카쿠 열도(중·일), 시사 군도(베트남·타이완·중국), 난사 군도(중국, 필리핀 등)를 둘러싼 영유권 분쟁 발생
역사 갈등	일본의 역사 교과서 왜곡·야스쿠니 신사 참배, 일본군 '위안부' 문제, 중국의 동북공정 추진 등으로 갈등 심화

2 동아시아의 갈등과 화해

1. 영토를 둘러싼 갈등 (꼭! 영토의 역사적 점유 여부가 영유권을 주장하는 근거가 되기 때문에 영토 분쟁은 역사 갈등의 배경이 되기도 해.)

(1) **동아시아의 영토 분쟁**: 오늘날 해양 자원의 중요성 증대 → 영토 분쟁 심화 교과서 자료

구분	쿠릴 열도(북방 도서)	센카쿠 열도(댜오위다오)	시사 군도(파라셀 제도)	난사 군도(스프래틀리 군도)
현황	제2차 세계 대전 이후 소련이 점령 → 현재 러시아가 영유	제2차 세계 대전 이후 미국이 점령 → 현재 일본이 실효 지배 중	제2차 세계 대전 이후 베트남이 관리 → 중국이 무력으로 점령	인근 해역의 자원 가치 상승으로 인접 국가들의 관심 증가
쟁점	일본이 러·일 전쟁 이전부터 자국의 영토였다고 주장 → 러시아에 반환 요구	• 일본: 청·일 전쟁 중에 선점하였다고 주장 • 중국: 청 영토를 일본이 빼앗은 것이라고 주장	베트남과 타이완이 영유권 주장, 중국이 각종 시설 설치 → 영토 분쟁 심화	중국, 베트남, 필리핀, 브루나이, 말레이시아 등 많은 국가들이 자국의 영토라고 주장

(2) 독도 자료 ④

① 일본: 러·일 전쟁 중 시마네현 고시를 발표하여 자국의 영토로 편입하였다고 주장

② 한국: 삼국 시대 이래 한국 고유의 영토, 현재 영토 주권 행사, 「대한 제국 칙령 제41호」·「연합국 최고 사령관 각서 제677호」 등에서 한국 영토임이 입증되었음을 강조

★ **자학 사관**
일본의 일부 우익 세력이 일본의 역사적 책임을 강조한 기존의 역사관이 일본을 깎아내리는 것이라며 부정적으로 평가하여 이르는 말

★ **야스쿠니 신사**
일본의 군인과 민간인 협력자들을 신으로 받들어 제사를 지내는 시설이다. 제2차 세계 대전의 A급 전범 일부에 대한 제사도 지내고 있다.

★ **고노 담화**
1993년 고노 요헤이 일본 관방 장관이 일본군 '위안부'의 강제 동원에 일본군이 직간접적으로 관여하였음을 인정한 성명

★ **동북공정**
중국이 2002~2007년까지 랴오닝성, 지린성, 헤이룽장성의 역사와 현재 상황을 파악하기 위해 추진한 연구 사업

2. 역사 인식을 둘러싼 갈등 자료 ⑤

일본의 역사 교과서 왜곡	일부 우익 세력이 기존의 역사관을 '*자학 사관'이라 비판, 왜곡된 역사 인식이 담긴 교과서 편찬(침략 전쟁과 식민 지배 미화, 전쟁 범죄 은폐)
*야스쿠니 신사 참배	일본 보수 정치인들이 야스쿠니 신사 공식 참배 → 한국, 중국 등은 일본이 침략 전쟁을 반성하지 않는 것으로 받아들여 강력하게 항의 → 일본 관료들의 참배 지속, 주변국과의 갈등 심화
일본군 '위안부' 문제	일본 정부가 일본군 '위안부' 동원 사실 은폐 → 피해자들의 증언 이후 비난 고조 → *고노 담화를 통해 공식 사과 → 직접 배상 회피 → 국제 사회에서 일본의 사과와 보상 요구 (유엔 인권 위원회에서 일본 정부에 공식 사과와 범죄자 처벌을 요구하였고, 미국과 유럽 각국의 의회에서도 관련 결의안을 채택하였어.)
중국의 *동북공정	• 추진 목적: 소수 민족의 동요 방지, 만주 지역에 대한 역사적 귀속권 강화 등 • 내용: 고조선, 부여, 고구려, 발해를 중국 왕조의 지방 정권으로 규정 • 영향: 한·중 갈등 심화 → 양국 정부가 동북공정을 학문적 차원으로 한정하기로 합의

3. 화해를 위한 노력: 동아시아 협력체 결성, 각국 정부 주도의 공동 역사 연구 진행, 각국의 시민 단체들이 연대하여 일본의 역사 왜곡에 공동 대응, 한국·중국·일본 학자들의 공동 역사 교재 발간, 문화 교류를 통한 상호 이해의 폭 확대 도모 등
(공동 과제에 대한 해결 방안을 찾기 위해 '동남아시아 국가 연합(ASEAN) + 3(한·중·일)', 동아시아 정상 회의(EAS) 등이 열리고 있어.)

완자 자료 탐구

내 옆의 선생님

수능이 보이는 교과서 자료 동아시아의 영토 분쟁

동아시아의 영토 분쟁은 식민지 지배의 처리 과정이나 전후 점령지의 처리 과정에서 비롯된 경우가 대부분이야.

동아시아의 주요 영토 분쟁 지역

해양 자원에 대한 동아시아 각국의 관심이 높아지면서 영토를 둘러싼 갈등은 대부분 바다에서 일어나고 있다. 쿠릴 열도, 센카쿠 열도, 시사 군도, 난사 군도는 동아시아의 대표적인 영토 분쟁 지역이다. 중국과 동남아시아 인근의 해역은 동아시아에서 유통되는 물자의 무역로이자 원유 수송로로 여러 국가가 이용하고 있다. 또한 석유와 천연가스가 많이 매장되어 있어 경제적 이유로도 영토 분쟁이 심화되고 있다.

최근에는 중국뿐만 아니라 타이완도 일본과 영유권 분쟁을 벌이고 있어.

완자샘의 탐구강의

• 다음 지역을 둘러싼 영토 분쟁과 관련된 국가를 정리해 보자.

지역	관련 국가
쿠릴 열도	일본, 러시아
센카쿠 열도	일본, 중국, 타이완

• 동아시아에서 해양 영토 갈등이 심화되고 있는 이유를 써 보자.

석유, 천연가스 등 해양 자원의 경제적 가치가 중시되고 있기 때문이다.

함께 보기 213쪽, 1등급 정복하기 2

자료 4 한국 고유의 영토, 독도

• 제1조 울릉도를 울도라 개칭하여 강원도에 부속하고, 도감을 군수로 개정하여 관제에 편입하고 군의 등급은 5등으로 할 일
제2조 군청 위치는 태하동으로 정하고, 구역은 울릉전도와 죽도·석도(독도)를 관할할 일

– 「대한 제국 칙령 제41호」, 1900

• 본 지령의 목적상 일본은 일본의 4개 도서(홋카이도, 혼슈, 규슈, 시코쿠)와 쓰시마섬을 포함한 약 1,000개의 인접한 작은 도서들로 한정되며, 울릉도, 리앙꼬르 암석(독도) 및 퀠파트(제주도)를 제외한다.

– 「연합국 최고 사령관 각서 제677호」 제3항 일부, 1946

대한 제국은 칙령 제41호에서 독도가 대한 제국의 영토임을 공식적으로 밝혔다. 이러한 사실을 통해 일본의 시마네현 고시가 국제법상 무효임을 알 수 있다. 한편, 제2차 세계 대전 이후 연합국 최고 사령관 총사령부는 독도를 일본의 통치 범위에서 제외하였다.

정리 비법을 알려줄게!

독도의 역사적 연원

시기	내용
삼국 시대	『삼국사기』에 신라 영토로 편입된 사실 기록
조선 시대	『세종실록지리지』·『신증동국여지승람』 등에 울릉도와 독도 명시, 안용복이 일본에 가서 울릉도와 독도가 조선 영토임을 확인함
대한 제국	「대한 제국 칙령 제41호」에서 독도가 고유 영토임을 밝힘
광복 이후	「연합국 최고 사령관 각서 제677호」와 부속 지도를 통해 독도가 한국 영토임을 확인

자료 5 일본과 중국의 역사 왜곡 문제

침략 전쟁의 진상을 왜곡하고 반성하지 않는 일본 우익 세력의 태도는 동아시아의 역사 갈등을 심화시키고 있어.

• 일본이 여러 전쟁에서 승리하여 동남아시아와 인도의 사람들에게 독립이라는 꿈과 용기를 주었다. 일본 정부는 이 전쟁을 대동아 전쟁이라고 이름 붙였다. 일본의 전쟁 목적은 자신을 지키고, 아시아를 서양의 지배에서 해방하고 '대동아 공영권'을 건설하는 것에 있다고 선언하였다.

– 『새로운 역사 교과서』(검정 신청본), 후소샤

• 고구려는 중국의 고대 소수 민족이 중국 영토 내에 세운 지방 정권으로, 중국 왕조의 책봉을 받고 조공을 하였다.

– 동북공정의 내용 일부

중국은 오늘날의 국경선을 기준으로 만주 일대에 세워졌던 고구려, 발해 등의 역사가 중국사라는 억지 논리를 내세웠어.

일본의 일부 우익 세력은 『새로운 역사 교과서』를 편찬하면서 제국주의 침략을 옹호하고 일본군 '위안부' 강제 동원과 같은 전쟁 범죄를 은폐하였다. 중국은 동북공정을 진행하는 과정에서 고구려의 역사를 중국사로 편입하여 한국의 고대사를 심각하게 왜곡하였다.

자료 하나 더 알고 가자!

한·중·일의 공동 역사 교재 발간

한국, 중국, 일본의 역사학자들은 공동 역사 교재를 발간하는 등 역사 인식의 차이를 줄이기 위해 노력하고 있어.

STEP 1 핵심 개념 확인하기

정답친해 63쪽

1 빈칸에 들어갈 한국의 민주화 운동을 쓰시오.

(1) 이승만 정부는 부정 선거를 통해 장기 집권을 꾀하였으나 1960년에 일어난 (   )으로 붕괴되었다.

(2) 1987년에 일어난 (   )을 계기로 정부가 시민들의 요구를 수용하면서 대통령 직선제 개헌이 이루어졌다.

2 다음 일본의 정치 체제를 일컫는 용어를 쓰시오.

> 1955년부터 자민당이 사회당과의 양당 구도 속에서 압도적인 의석수에 힘입어 장기 집권한 정치 체제

3 타이완에서 중국과의 군사적 긴장감을 이유로 38년간 계엄령을 유지하며 장기 집권한 정당은?

4 다음 설명이 맞으면 ○표, 틀리면 ×표를 하시오.

(1) 마오쩌둥은 대약진 운동의 실패로 권력이 약해지자 문화대혁명을 일으켰다. (   )

(2) 1989년 중국에서는 홍위병의 주도로 톈안먼에서 민주화를 요구하는 시위가 일어났다. (   )

(3) 김일성은 주체사상을 표방하였고, 1972년 사회주의 헌법을 제정하여 독재 체제를 구축하였다. (   )

5 다음 영토 분쟁이 일어나고 있는 지역을 〈보기〉에서 고르시오.

> 보기
> ㄱ. 쿠릴 열도(북방 도서)　　ㄴ. 시사 군도(파라셀 제도)
> ㄷ. 센카쿠 열도(댜오위다오)　　ㄹ. 난사 군도(스프래틀리 군도)

(1) 일본이 실효 지배하는 가운데 중국이 명·청 대부터 자국의 영토였다며 영유권을 주장하고 있다. (   )

(2) 러시아가 영유하고 있으나 일본이 러·일 전쟁 이전부터 자국의 영토였다며 러시아에 반환을 요구하고 있다. (   )

6 일본 정부 관료들은 도조 히데키를 포함한 제2차 세계 대전의 A급 전범에게 제사를 지내는 (   )를 공식 참배하여 주변국이 비난을 받고 있다.

STEP 2 내신 만점 공략하기

01 다음 한국의 민주화 운동이 가져온 결과로 옳은 것은?

> 3·15 부정 선거로 학생들과 시민들은 분노하였고, 거리에 나와 이승만 정부를 규탄하는 시위를 전개하였다.

① 장면 정부가 수립되었다.
② 10월 유신이 선포되어 국회가 해산되었다.
③ 야당 후보 김대중이 대통령으로 당선되었다.
④ 전두환을 중심으로 한 신군부 세력이 집권하였다.
⑤ 대통령을 세 번까지 연임할 수 있는 개헌안이 마련되었다.

02 자료를 활용하여 쓴 신문 기사의 제목으로 적절한 것은?

> 우리는 …… 동장에서부터 대통령까지 국민의 손으로 뽑게 될 수 있을 때에도 국민 주권을 신성하게 행사할 것임을 온 국민의 이름으로 결의한다. – 한국의 ○○대회 결의문

① 장면 정부, 이대로 몰락하나?
② 유신 헌법의 등장이 미칠 영향은?
③ 6월 민주 항쟁에 나선 시민들의 요구는?
④ 박정희 대통령 서거에 대한 시민들의 반응은?
⑤ 신군부의 계엄령 확대, 광주 시민들은 왜 분노했나?

03 (중요) 그래프는 일본 주요 정당의 의석수 변화를 나타낸 것이다. (가) 정당에 대한 설명으로 옳지 않은 것은?

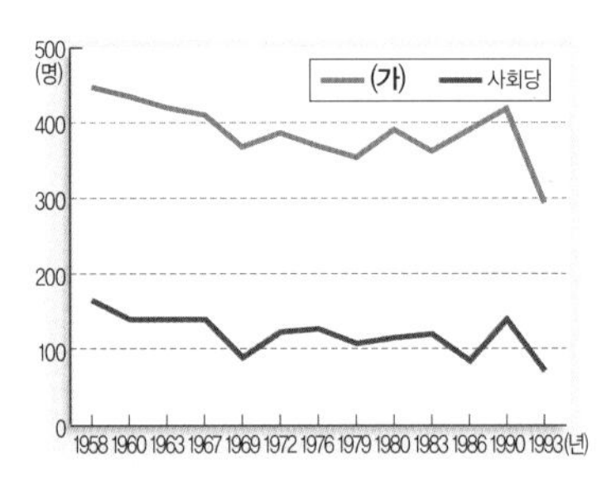

① 경제 우선 정책을 실시하였다.
② 록히드 사건으로 위기를 겪기도 하였다.
③ 평화 헌법을 개정해야 한다고 주장하였다.
④ 미·일 안전 보장 조약의 개정을 반대하였다.
⑤ 경제 상황이 악화되면서 지지 기반을 잃었다.

04 일본에서 다음 정치 상황이 나타나게 된 배경으로 옳은 것을 〈보기〉에서 고른 것은?

1993년에 치러진 총선거 결과 비자민당 정당들이 과반수를 획득하였고, 호소카와 연립 내각이 수립되었다.

보기
ㄱ. 자민당의 정경 유착 비리가 드러났다.
ㄴ. 거품 경제가 붕괴되며 경제가 침체되었다.
ㄷ. 헌법 개정을 위한 민주화 운동이 일어났다.
ㄹ. 좌우로 분열되었던 사회당이 하나로 통합되었다.

① ㄱ, ㄴ ② ㄱ, ㄷ ③ ㄴ, ㄷ
④ ㄴ, ㄹ ⑤ ㄷ, ㄹ

05 (가), (나) 사이 시기 동아시아 각국의 정치 상황으로 옳은 것은?

(가) 한국에서 광주 시민들이 신군부의 퇴진을 요구하며 시위를 전개하였다.
(나) 타이완에서는 민진당이 집권하면서 최초로 여야 간 정권 교체가 이루어졌다.

① 한국 – 5·16 군사 정변이 일어났다.
② 일본 – '55년 체제'가 성립하였다.
③ 일본 – 시민들이 안보 투쟁을 벌였다.
④ 타이완 – 정부가 계엄령을 선포하였다.
⑤ 타이완 – 총통 직선제 개헌이 이루어졌다.

06 밑줄 친 '혁명'에 대한 설명으로 옳은 것은?

지난 50여 일간 일부 지도층 동지들은 …… 정반대의 길을 따라가고 있으며, …… 프롤레타리아의 혁명 운동을 무너뜨리고 …… 얼마나 악독한 일인가? – 마오쩌둥, 1966

① 홍위병들이 '주자파' 처단에 앞장섰다.
② 자본주의 사상과 문화를 존중하였다.
③ 공산당 정권이 수립되는 계기가 되었다.
④ 개혁·개방이 가속화되는 가운데 일어났다.
⑤ 대약진 운동이 일어나는 데 영향을 주었다.

07 (가) 인물의 활동으로 옳은 것은?

북한의 (가) 은/는 권력 승계 후 유훈 통치를 실시하는 한편, 경제난을 극복하고자 개성 공단 사업을 추진하였다.

① 선군 정치 실시 ② 천리마운동 추진
③ 사회주의 헌법 제정 ④ 애치슨 선언 직후 남침 감행
⑤ 중·소 분쟁 중 주체사상 표방

중요
08 다음 질문에 대한 답변으로 옳은 것을 〈보기〉에서 고른 것은?

동아시아의 여러 영토 분쟁 중
센카쿠 열도를 둘러싼 쟁점은 무엇일까?

보기
ㄱ. 일본이 청·일 전쟁 중에 선점하였다고 주장하고 있다.
ㄴ. 일본은 러·일 전쟁 이전부터 자국의 영토였다며 러시아에 반환을 요구하고 있다.
ㄷ. 중국은 원래 청의 영토였던 지역을 일본이 빼앗은 것이라며 영유권을 주장하고 있다.
ㄹ. 일본은 러·일 전쟁 중 시마네현 고시에 따라 자국의 영토로 편입하였다고 내세우고 있다.

① ㄱ, ㄴ ② ㄱ, ㄷ ③ ㄴ, ㄷ
④ ㄴ, ㄹ ⑤ ㄷ, ㄹ

09 밑줄 친 내용에 해당하는 근거로 적절하지 않은 것은?

○월 △일 날씨 맑음
영토 수호 캠프에 온 지 며칠이 지났다. 오늘은 캠프에 참가한 다른 학교 친구들과 함께 독도가 한국 고유의 영토임을 뒷받침하는 근거를 찾아보았다. 다양한 활동을 하면서 독도에 대한 나의 관심이 더욱 깊어졌다.

① 지증왕의 정복 활동에 대한 사료
② 1905년에 발표된 시마네현 고시
③ 「대한 제국 칙령 제41호」의 주요 내용
④ 「연합국 최고 사령관 각서 제677호」와 부속 지도
⑤ 조선 시대에 안용복이 일본에서 한 활동에 대한 기록

10 조사 보고서의 (가)~(마) 중 옳지 않은 것은?

1. 조사 목적: 일본과 주변국 간에 역사 갈등을 일으키고 있는 요인들을 정리한다.
2. 조사 내용
(가) 일부 일본 우익 세력의 침략 전쟁 정당화
(나) 일본 정부 관료들의 야스쿠니 신사 공식 참배
(다) 일본이 태평양 전쟁 중 저지른 전쟁 범죄 은폐
(라) 한국에 대한 식민 지배를 미화한 역사 교과서 편찬
(마) 일본군 '위안부'와 관련하여 일본의 고노 담화 발표

① (가) ② (나) ③ (다) ④ (라) ⑤ (마)

11 중요 중국이 밑줄 친 '이 연구 사업'을 추진한 목적을 〈보기〉에서 고른 것은?

중국은 이 연구 사업을 진행하면서 고구려가 중국의 영토 내에 수립된 지방 정권이라고 주장하였다.

보기
ㄱ. 소수 민족의 동요 방지
ㄴ. 한반도의 정세 변화에 대비
ㄷ. 만주 지역 역사에 대한 한국과의 공동 연구 추진
ㄹ. '자학 사관'으로 기술된 교과서의 수정에 필요한 근거 마련

① ㄱ, ㄴ ② ㄱ, ㄷ ③ ㄴ, ㄷ
④ ㄴ, ㄹ ⑤ ㄷ, ㄹ

12 다음 주제에 적합한 발표 내용이 아닌 것은?

오늘날 동아시아에서 일어나고 있는 영토와 역사 갈등을 해결하기 위한 방안

① 여러 나라의 공동 역사 연구를 활성화해야 합니다.
② 문화 교류를 통해 상호 이해의 폭을 넓혀야 합니다.
③ 각국 정부가 다자간 협력체에 적극 참여해야 합니다.
④ 각국에서 자국사 중심의 역사 교육을 강화해야 합니다.
⑤ 민간 차원의 국제 연대를 통해 협력을 도모해야 합니다.

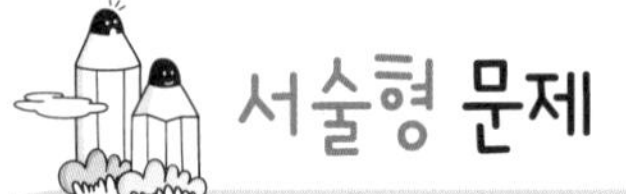

서술형 문제

● 정답친해 65쪽

01 (가), (나) 사건으로 한국과 타이완에 나타난 정치적 변화를 각각 서술하시오.

(가) 한국 정부가 6·29 민주화 선언 발표
(나) 타이완의 국민당 정부가 계엄령 해제

길잡이 두 국가에서 국가 수반을 선출하는 방식의 변화가 드러나도록 서술한다.

02 다음을 읽고 물음에 답하시오.

관료는 부패하였으며, 강권은 높이 걸려 있고, 민주 인사들은 해외로 망명하지 않을 수 없으며, 사회의 치안은 날로 혼란에 빠지고 있습니다. …… 우리의 외침을 들어주십시오. 국가는 인민의 국가입니다. – 단식 선언서

(1) 위 선언문과 관련된 사건을 쓰시오.

(2) (1) 사건이 일어나게 된 배경을 서술하시오.

길잡이 사건 당시의 경제·정치 상황을 서술한다.

03 다음을 보고 물음에 답하시오.

동중국해에 위치한 (가) 은/는 여러 개의 섬과 암초로 구성되어 있다. 이 지역을 둘러싸고 (나) 일본과 중국이 서로 영유권을 주장하고 있어 두 국가 간의 갈등이 심화되고 있다.

(1) (가) 지역의 명칭을 쓰시오.

(2) (나)의 내용을 각각 서술하시오.

길잡이 일본과 중국이 각각 내세우는 역사적인 근거를 중심으로 서술한다.

STEP 3 1등급 정복하기

정답친해 65쪽

1 다음 사진전에서 볼 수 있는 사진 해설로 적절한 것은?

> **동아시아 각국의 정치 변화**

사진으로 보는 동아시아 현대사 – 격동의 19○○년대

한국에서 광주 시민들이 신군부 타도를 외쳤다.

중국의 톈안먼에서 시민들이 정치 체제의 개혁을 요구하였다.

① 북한의 김일성이 사회주의 헌법을 공포하였다.
② 타이완 의회에서 총통 직선제 개헌안이 통과되었다.
③ 호찌민이 베트남 민주 공화국의 수립을 선포하였다.
④ 타이완의 국민당 정부 관료가 시민들에게 계엄령이 내려졌음을 알렸다.
⑤ 일본 시민들이 미·일 안전 보장 조약의 개정에 반대하며 시위를 벌였다.

완자 사전

- **호찌민**
베트남 공산당을 결성하였고, 이후 하노이에서 공산주의 정권을 수립하였다.
- **미·일 안전 보장 조약**
일본 영토에 미군을 주둔시키고 미국과 일본의 군사 동맹을 강화한다는 내용을 담고 있다.

평가원 응용

2 (가), (나)를 둘러싼 영토 분쟁 현황을 〈보기〉에서 고른 것은?

> **동아시아의 영토 분쟁**

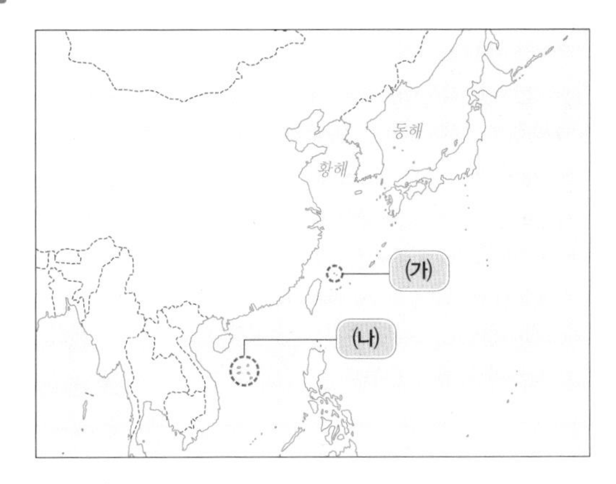

보기

ㄱ. (가) – 중국과 일본이 역사적인 근거를 내세워 서로 자국의 영토라고 주장하고 있다.
ㄴ. (가) – 인근 해역의 자원 가치가 상승하면서 동남아시아의 여러 나라와 중국이 서로 영유권을 주장하고 있다.
ㄷ. (나) – 중국이 무력으로 점령한 이후 베트남과 갈등을 겪고 있다.
ㄹ. (나) – 일본이 자국의 고유 영토라고 주장하며 러시아에 반환을 요구하고 있다.

① ㄱ, ㄴ ② ㄱ, ㄷ ③ ㄴ, ㄷ
④ ㄴ, ㄹ ⑤ ㄷ, ㄹ

완자샘의 시험 꿀팁

동아시아에서 일어나고 있는 영토 분쟁의 경우 주요 분쟁 지역을 표시한 지도를 제시하고, 세부 내용을 묻는 문제가 자주 출제된다. 주요 영토 분쟁 지역의 위치, 관련 국가, 쟁점을 정리해 두어야 한다.

1945	• 제2차 세계 대전 종결: (❶)의 무조건 항복 선언으로 종결, 한국의 광복
1949	• 중화 인민 공화국 수립: 국·공 내전에서 승리한 중국 공산당이 수립
1950	• 6·25 전쟁 발발: 북한군의 남침으로 발발
1951	• 샌프란시스코 강화 조약 체결: 일본과 연합국이 체결
1955	• 일본, '55년 체제' 성립: 자민당 창당으로 성립
1962	• 한국, 경제 개발 5개년 계획 시작: 박정희 정부가 수출 주도형 경제 개발 계획 추진
1965	• (❷) 체결: 한국과 일본이 국교 회복
1972	• 한국, 유신 체제 성립: 박정희 정부가 10월 유신 선포 • 미·중 공동 성명 발표: 미국 닉슨 대통령의 중국 방문을 계기로 발표
1973	• 파리 평화 협정 체결: 베트남에서 미군 철수 확정
1986	• 베트남, (❸) 실시: 경제 위기 극복을 위해 시장 경제 체제의 일부 요소 도입
1987	• 6월 민주 항쟁: 시민들이 대통령 직선제 요구 • 타이완, 계엄령 해제: 시민들의 민주화 요구로 해제
1989	• 톈안먼 사건: 시민들이 민주화 요구 시위 전개 → 정부의 무력 진압으로 시민들 희생
1992	• 한국이 중국과 국교 수립

01 제2차 세계 대전의 전후 처리와 냉전 체제

1. 제2차 세계 대전의 전후 처리와 냉전의 형성

(1) **국제 회담의 개최:** 연합국이 전후 처리 논의

카이로 회담	일본에 무조건 항복 요구, 최초로 한국의 독립 약속
얄타 회담	소련의 대일전 참전에 대한 비밀 협정 체결
(❹)	일본의 비무장 결정, 카이로 선언의 이행 재확인

(2) **냉전 체제의 형성:** 제2차 세계 대전 종결 후 미국과 소련의 이념 대립 심화

(3) **동아시아의 전후 처리**

한국	38도선을 경계로 미국과 소련이 각각 남과 북에서 군정 실시 → 대한민국 정부 수립(1948. 8. 15.), 북한 정부 수립(1948. 9.)
일본	• 냉전 가시화 이전: 미국이 일본 단독 점령 후 군정 실시(일본의 비군사화와 민주화 추진), 극동 국제 군사 재판(도쿄 재판) 개최, 신헌법(평화 헌법) 제정 등 • 냉전 가시화 이후: 샌프란시스코 강화 조약 체결(1951), 미·일 안전 보장 조약 체결(1951)

2. 냉전의 전개와 동아시아의 전쟁

국·공 내전	중국 국민당과 중국 공산당의 평화 협상 실패 → 초기 국민당 우세 → 공산당이 토지 개혁 실시 후 전세 역전, 승리 → 중화 인민 공화국 수립(1949), 국민당은 타이완으로 이동
6·25 전쟁	북한군의 남침(1950. 6. 25.), 한반도 대부분 장악 → 유엔군 참전, 인천 상륙 작전으로 전세 역전 → 중국군 개입 → 38도선 부근에서 전선 교착 → 휴전 협상 시작 → 휴전 협정 체결(1953. 7. 27.)
베트남 전쟁	베트남 민주 공화국 수립 → 프랑스와의 독립 전쟁 발발 → (❺) 체결(1954, 프랑스군 철수·총선거 실시 합의) → 미국의 베트남 총선거 개입 → 베트남이 남북으로 분단 → 통킹만 사건(1964) → 미국의 북베트남 공격 → 닉슨 독트린 발표(1969) → 파리 평화 협정(베트남 평화 협정) 체결(1973) → 미군 철수 → 베트남 사회주의 공화국 수립(1976)

3. 동아시아 각국의 국교 수립

냉전 완화 이전	• 일본과 타이완: 일·화 평화 조약 체결(1952) • 한국과 일본: 미국이 한국과 일본의 수교 촉구 → 한·일 기본 조약 체결(1965)
냉전 완화 이후	• 중국과 미국: 미국 (❻) 대통령의 중국 방문 → 미·중 공동 성명 발표(1972) → 국교 수립(1979) • 중국과 일본: 중·일 공동 성명 발표(1972) • 한국이 중국, 베트남과 국교 수립(1992)

02 경제 성장과 교역의 확대

1. 자본주의 국가들의 경제 발전

일본	• 1950년대: 미국의 지원, 6·25 전쟁 특수 등 → 연평균 10% 이상의 고도성장 지속(~1973) • 1970년대: 중공업과 전자 산업 위주의 성장 • 1980년대: 수출 증가로 경제 호황, 1985년 (❼) 이후 엔화 가치 상승(→ 거품 경제 형성) • 1990년대 이후: 거품 경제 붕괴 → 장기 침체 지속
한국	• 1950년대: 제분, 제당, 섬유 등의 소비재 공업 발달 • 1960년대: 제1·2차 경제 개발 5개년 계획 추진 → 1960년대 말 연 10% 이상의 고도성장 이룩 • 1970년대: 중화학 공업 발전 • 1980년대: 3저 현상(저유가·저달러·저금리)에 힘입어 경제 성장 • 1990년대: 1997년 외환 위기 발생 → 국제 통화 기금(IMF)의 긴급 구제 금융을 지원받음
타이완	• 1950년대: 수입 물품 대체를 위한 경공업 육성 • 1960년대: 중소기업을 중심으로 경제 성장 • 1970년대: 미·중 수교로 외교적 고립 직면 → 외자 유치를 통해 극복, 제조업 육성 • 1980년대: 3저 호황에 힘입어 경제 성장 지속 • 2000년대: 초반 마이너스 성장률 기록 → 부실기업 정리, 외자 유치 등을 통해 완만한 성장세 유지

2. 사회주의 국가들의 경제 변화

중국	• 초기의 경제 정책: 기업 국영화, 농업 집단화 추진 • 대약진 운동의 실시: 1958년부터 철강 증산 추진, 인민공사 조직 → 생산력 저하로 실패 • 개혁·개방 정책: 1970년대 말부터 덩샤오핑이 추진(인민공사 해체, 사기업 설립 허용, 경제특구 설치 등)
베트남	• 통일 직후: 과도한 군사비 지출로 경제 위기 직면 • 도이머이 정책 실시: 시장 경제 체제의 일부 요소 도입 → 농업 부문 성장
북한	• 사회주의 경제 체제 확립: 천리마운동 실시 • 부분적인 경제 개방 추진: 1970년대 후반부터 경제 침체 → (❽) 제정(1984, 외국의 자본과 기술 도입 목적), 경제특구 지정, 남한과의 경제 교류 추진 → 성과 미흡

3. 동아시아의 역내 교역

냉전 시기		탈냉전 시기
미국을 중심으로 한국, 일본, 타이완이 연결된 형태	➡	미국 중심의 무역 구조에서 한국·중국·일본 등 동아시아 국가 중심의 무역 구조로 변화, 동아시아 국가 간 경제 협력 증대

03 동아시아의 정치·사회 발전과 화해를 위한 노력

1. 자본주의 국가들의 정치 발전

한국	3·15 부정 선거 → 4·19 혁명(1960) → 이승만 정부 붕괴, 장면 정부 수립 → 5·16 군사 정변 → 10월 유신 선포(1972) → 박정희 대통령 피살 → 신군부 집권 → 5·18 민주화 운동(1980) → 6월 민주 항쟁(1987) → (❾) 대통령 당선(1997, 광복 이후 최초의 평화적 정권 교체)
일본	1955년 자유 민주당(자민당) 결성('55년 체제' 성립), 장기 집권 지속 → 1970년대 록히드 사건으로 위기 → 1993년 비자민당 연립 정부 수립('55년 체제' 붕괴) → 2009년 민주당 집권
타이완	국민당이 계엄령 실시 → 시민들의 민주화 요구 → 계엄령 해제(1987) → 총통 직선제 개헌(1988) → 민주 진보당(민진당)의 천수이볜이 총통에 선출(2000, 최초의 여야 간 정권 교체)

2. 사회주의 국가들의 정치 변화

중국	(❿)(마오쩌둥 주도, 홍위병 조직) → 덩샤오핑 집권, 개혁·개방 정책 실시 → 톈안먼 사건(1989)
북한	김일성이 주체사상 표방, 사회주의 헌법 제정(1972) → 김일성 사망 후 김정일의 권력 승계(유훈 통치 실시, 부분적인 경제 개방 시도) → 김정은이 3대째 권력 세습
베트남	도이머이 정책을 추진하여 외국과의 관계 개선 시도

3. 동아시아의 갈등과 화해

(1) 영토와 역사 인식을 둘러싼 갈등

영토 갈등	• 쿠릴 열도(북방 도서): 러·일 간 영토 분쟁 발생 • 센카쿠 열도(댜오위다오): 중·일 간 영토 분쟁 발생 • 시사 군도(파라셀 제도): 베트남, 타이완, 중국이 영유권 주장 • 난사 군도(스프래틀리 군도): 중국, 베트남, 타이완, 브루나이, 말레이시아 등이 서로 영유권 주장 • 독도: 한국이 현재 영토 주권 행사, 일본이 자국의 영토라고 주장
역사 갈등	• 일본의 역사 교과서 왜곡: 일본의 일부 우익 세력이 침략 전쟁과 식민 지배를 미화한 역사 교과서 편찬 • 야스쿠니 신사 참배: 일본 관료들이 공식 참배 → 주변국 반발 • 일본군 '위안부' 문제: 피해자들의 증언 이후 일본에 대한 비난 고조 → 일본이 고노 담화를 통해 공식 사과 → 직접 배상 회피 • 중국의 (⓫): 중국이 고조선, 부여, 고구려, 발해의 역사를 중국사로 편입하려 함 → 한·중 역사 갈등 심화

(2) **화해를 위한 노력:** 동아시아 협력체 결성, 한국·중국·일본 학자들의 공동 역사 연구 진행, 국제 연대 확대 등

●정답● ① 일본 ② 한·일 기본 조약 ③ 도이머이 정책 ④ 포츠담 회담 ⑤ 제네바 협정 ⑥ 닉슨 ⑦ 플라자 합의 ⑧ 합영법 ⑨ 김대중 ⑩ 문화 대혁명 ⑪ 동북공정

01 (가) 회담에서 결정된 내용으로 옳은 것은?

- (가)
  1. 개최 지역과 시기: 이집트 카이로, 1943년 11월
  2. 참가국: 미국, 영국, 중국

① 한국의 독립 ② 일본의 비무장
③ 국제 연합의 창설 ④ 소련의 대일전 참전
⑤ 미국의 방위선에서 한반도 제외

02 선생님의 질문에 대한 학생들의 답변으로 적절하지 않은 것은?

선생님: 1946년 일본에서 제정된 새로운 헌법에 대해 알고 있는 것을 말해 볼까요?

① 갑: '평화 헌법'이라고도 불립니다.
② 을: 주권이 국민에게 있음을 밝혔습니다.
③ 병: 인권 보호의 원칙을 반영하였습니다.
④ 정: 경찰 예비대 편성의 근거가 되었습니다.
⑤ 무: 천황을 상징적인 존재로 규정하였습니다.

03 다음 내용의 조약이 체결된 회담에 대한 설명으로 옳은 것을 〈보기〉에서 고른 것은?

연합국은 일본 및 그 영해에 대한 일본 국민의 완전한 주권을 승인한다.

보기
ㄱ. 6·25 전쟁이 일어나는 데 영향을 주었다.
ㄴ. 중국의 공산화에 위기를 느낀 미국이 주도하였다.
ㄷ. 중국, 한국 등 제2차 세계 대전의 피해국은 제외되었다.
ㄹ. 제2차 세계 대전의 전범 처벌을 위한 재판을 열기로 합의하였다.

① ㄱ, ㄴ ② ㄱ, ㄷ ③ ㄴ, ㄷ
④ ㄴ, ㄹ ⑤ ㄷ, ㄹ

04 (가), (나) 정당에 대한 설명으로 옳지 않은 것은?

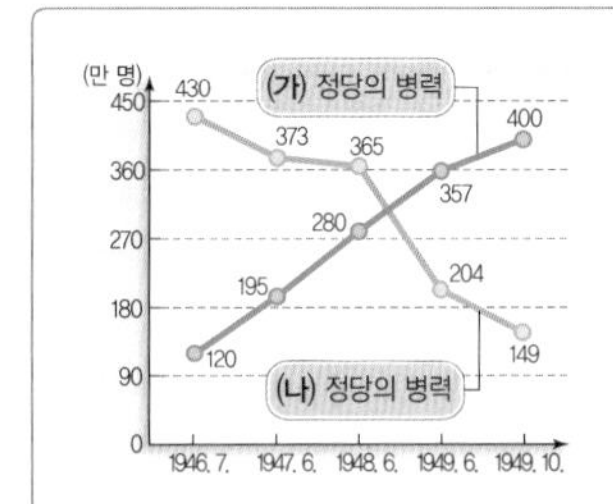

그래프는 제2차 세계 대전 이후 동아시아에서 내전을 벌인 두 정당의 병력 증감을 비교한 것이다. 대립 종결 시점에 양당의 병력 상황이 역전되었음을 알 수 있다.

① (가) – 중화 인민 공화국의 수립을 선포하였다.
② (가) – 유격 전술로 중국 대부분의 지역을 차지하였다.
③ (나) – 내전 중에 토지 개혁을 실시하여 민심을 얻었다.
④ (나) – 내전 초기 미국의 지원을 받아 옌안을 점령하였다.
⑤ (나) – (가)에게 밀려 중국 본토에서 타이완으로 이동하였다.

05 다음과 같이 전개된 전쟁이 동아시아에 미친 영향으로 적절한 것을 〈보기〉에서 고른 것은?

북한은 기습적으로 남침을 강행하였고, 낙동강 일대를 제외한 지역까지 장악하였다.

미국을 중심으로 한 유엔군과 중국군의 참전으로 치열한 공방전이 계속되었다.

전쟁이 장기화되자 정전 협상이 시작되었고, 2년여에 걸친 논의 끝에 정전 협정이 체결되었다.

보기
ㄱ. 타이완과 일본의 국교가 단절되었다.
ㄴ. 일본은 전쟁 특수로 경제 호황을 누렸다.
ㄷ. 사회주의권에서 중국의 위상이 강화되었다.
ㄹ. 한반도에서 남한만의 총선거가 실시되었다.

① ㄱ, ㄴ ② ㄱ, ㄷ ③ ㄴ, ㄷ
④ ㄴ, ㄹ ⑤ ㄷ, ㄹ

06 (가)~(라)는 1950년 이후 베트남에서 있었던 일들이다. 이를 일어난 순서대로 나열한 것은?

(가) 남베트남만의 선거로 베트남 공화국이 수립되었다.
(나) 미국이 통킹만 사건을 구실로 북베트남을 공격하였다.
(다) 북베트남이 남베트남에 대한 총공세를 벌여 사이공을 점령하였다.
(라) 국제 사회에서 반전 여론이 고조되자 미국이 베트남에서 군대를 철수하였다.

① (가) – (나) – (다) – (라) ② (가) – (나) – (라) – (다)
③ (나) – (가) – (라) – (다) ④ (나) – (라) – (다) – (가)
⑤ (다) – (나) – (라) – (가)

07 다음 외교 원칙이 발표된 이후의 동아시아 국제 관계로 볼 수 없는 것은?

• 강대국의 핵에 의한 위협의 경우를 제외하고는 내란이나 침략에 대하여 아시아 각국이 …… 대처하도록 한다.
• 미국은 아시아 국가들의 경제 발전에 필요한 원조를 제공할 것이며 …….

① 한·일 기본 조약이 체결되었다.
② 한국이 베트남과 국교를 수립하였다.
③ 미국과 중국이 공동 성명을 발표하였다.
④ 중국과 일본이 전쟁 상태의 종결을 선언하였다.
⑤ 일본이 중국을 유일한 합법 정부로 인정하였다.

08 ㉠~㉤ 중 옳지 않은 것은?

일본의 경제는 1950년대 ㉠ 6·25 전쟁 특수로 회복세를 보였다. 이에 힘입어 1960년대에는 ㉡ 연평균 10% 이상의 고도성장을 달성하였다. 1970년대에는 ㉢ 두 차례 석유 파동으로 침체되기도 하였고, 1980년대에는 ㉣ 주가와 부동산 가격이 폭등하여 거품 경제가 형성되었다. 1990년대에 이르러 일본은 ㉤ 3저 현상에 힘입어 아시아의 4대 신흥 공업국으로 성장하였다.

① ㉠ ② ㉡ ③ ㉢ ④ ㉣ ⑤ ㉤

09 (가) 시기 한국과 타이완의 경제 상황으로 옳은 것은?

(가)
▲ 한국, 5·18 민주화 운동 전개
▲ 타이완, 천수이볜 총통 선출

① 한국에서 제1차 경제 개발 5개년 계획이 추진되었다.
② 타이완은 세계 경기 침체로 마이너스 성장률을 기록하였다.
③ 한국은 외환 위기를 맞아 국제 통화 기금(IMF)의 지원을 받았다.
④ 타이완은 수입 물품을 대체하기 위해 경공업 분야를 집중적으로 육성하였다.
⑤ 한국은 베트남 특수를 바탕으로 수출 주도형의 중공업 생산 체제를 갖추었다.

10 다음 대담의 소재가 된 중국의 경제 운동에 대한 설명으로 옳은 것을 <보기>에서 고른 것은?

• 사회자: 반갑습니다. 오늘 발표하신 생산력 증대 방안에 대해 구체적으로 설명해 주시기 바랍니다.
• 마오쩌둥: 네, 농업과 공업 부문에서 대규모 증산을 달성하기 위한 여러 가지 방법을 마련하였습니다. 우선, 15년 이내에 영국의 철강 생산량을 따라잡기 위해 마을마다 용광로를 만들어 노동력을 집중시키고자 합니다.

보기

ㄱ. 경제특구를 통해 해외의 자본과 기술을 도입하였다.
ㄴ. 농촌의 생산력 저하와 산업 간의 불균형을 초래하였다.
ㄷ. 농업, 공업, 국방, 과학 기술 부문에서 현대화를 추진하였다.
ㄹ. 농촌에 인민공사를 조직하여 농민들의 재산과 토지를 국유화하였다.

① ㄱ, ㄴ ② ㄱ, ㄷ ③ ㄴ, ㄷ
④ ㄴ, ㄹ ⑤ ㄷ, ㄹ

11 다음과 같은 어려움을 극복하기 위해 북한이 전개한 노력으로 옳은 것은?

> 북한은 소련의 원조 감소, 막대한 군사비 지출, 경직된 체제 등으로 인해 경제 성장이 둔화되었다. 특히, 동유럽 사회주의권 국가들이 몰락하자 북한의 경제적 어려움은 더욱 커졌다.

① 모든 농지를 협동농장으로 만들었다.
② 국영 기업을 중심으로 경제 체제를 재편하였다.
③ 대중 노동력을 동원하여 천리마운동을 추진하였다.
④ 합영법을 제정하여 외국 자본을 유치하기 위해 힘썼다.
⑤ 3개년 계획을 실시하여 공업 생산력을 높이고자 하였다.

12 빈칸에 들어갈 내용으로 가장 적절한 것은?

> 베트남 정부가 ____________한 결과 쌀 생산량이 크게 늘어났고, 이에 힘입어 베트남은 세계 3대 쌀 수출국으로 성장하였다.

① 한국과 수교
② 캄보디아 내전에 개입
③ 도이머이 정책을 추진
④ 주요 기업들을 국영화
⑤ 농민들을 집단 농장에 편입

13 다음과 같은 변화가 나타난 배경으로 적절한 것을 〈보기〉에서 고른 것은?

> 동아시아 교역망은 미국을 중심으로 한국, 일본, 타이완이 연결된 형태에서 한국, 중국, 일본 중심으로 변화하였다.

보기
ㄱ. 냉전 체제의 붕괴
ㄴ. 일본 내 거품 경제의 형성
ㄷ. 중국의 개혁·개방 정책 추진
ㄹ. 한국에 대한 미국의 대규모 경제 원조

① ㄱ, ㄴ　② ㄱ, ㄷ　③ ㄴ, ㄷ
④ ㄴ, ㄹ　⑤ ㄷ, ㄹ

14 (가)~(라) 중 다음 다큐멘터리에 포함될 장면을 모두 고른 것은?

> **다큐멘터리 제작 계획서**
> • 주제: 동아시아의 정치 변화
> • 기획 의도: 1987년에 동아시아 여러 나라에서 공통적으로 나타난 정치 변화를 짚어 보고, 그 의의를 되새긴다.
> • 준비할 장면
> (가) 3·15 부정 선거 무효를 외치는 한국의 고등학생
> (나) 계엄령 해제 소식을 듣고 기뻐하는 타이완의 시민들
> (다) 대통령 직선제 개헌을 요구하며 행진하는 한국의 청년들
> (라) 미·일 안전 보장 조약 개정안 반대 시위를 벌이는 일본의 시민들

① (가), (나)　② (가), (다)　③ (나), (다)
④ (나), (라)　⑤ (다), (라)

15 다음은 일본의 정치 변화 과정을 나타낸 것이다. (가) 시기에 있었던 일이 아닌 것은?

> 미국의 중재로 연합국과 샌프란시스코 강화 조약을 체결하였다.

↓

> (가)

↓

> 총선거에서 야당인 민주당이 승리하면서 단일 정당에 의한 최초의 정권 교체가 이루어졌다.

① 안보 투쟁이 일어났다.
② 사회당의 좌우파가 통합하였다.
③ 호소카와 연립 내각이 수립되었다.
④ 수도에 연합군 최고 사령부가 설치되었다.
⑤ 록히드 사건으로 자민당이 위기를 맞았다.

16 다음 사건을 다룬 책의 제목으로 적절한 것은?

> 중국 정부가 1989년 톈안먼에서 전개된 시위를 강경 진압하여 많은 희생자가 발생하였다.

① 마오쩌둥, 왜 무너졌나?
② 덩샤오핑의 집권에 대한 다양한 반응
③ 홍위병들의 등장과 주자파 처단 과정
④ 주체사상, 어떻게 유일 노선이 되었나?
⑤ 공산당 일당 독재에 대한 반대 움직임

17 밑줄 친 '이 지역'을 (가)~(마)에서 고른 것은?

> 이 지역은 현재 러시아가 영유하고 있으나 일본이 러·일 전쟁 이전부터 자국의 영토였다며 러시아에 반환을 요구하고 있다.

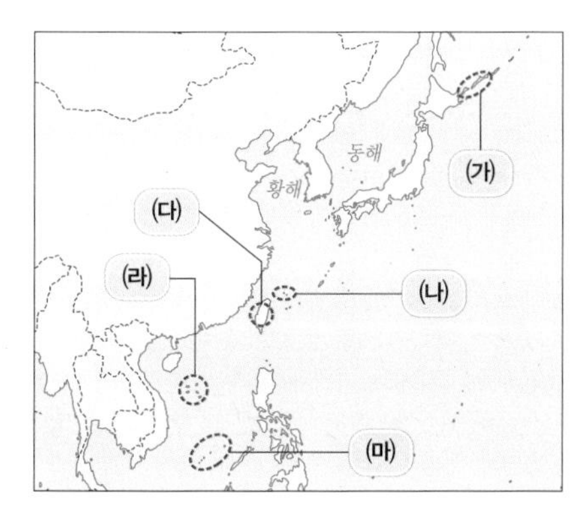

① (가) ② (나) ③ (다) ④ (라) ⑤ (마)

18 (가) 지역과 관련된 설명으로 옳지 않은 것은?

> 숙종 때 일본 어민들이 울릉도와 (가) 을/를 계속 침범하자, 안용복이 일본에 건너가 조선의 영토임을 확인하였다.

① 현재 한국이 영토 주권을 행사하고 있다.
② 대한 제국이 칙령 41호를 통해 고유 영토임을 밝혔다.
③ 일본이 시마네현 고시를 내세워 영유권을 주장하고 있다.
④ 중국이 16세기 이후 자국의 부속 도서로 편입되었다고 주장하고 있다.
⑤ 「연합국 최고 사령관 각서 제677호」의 부속 지도에 한국 영토로 명시되어 있다.

19 밑줄 친 부분과 유사한 역사 인식을 보여 주는 사례를 <보기>에서 고른 것은?

> **동아시아사 신문**
>
> **일본 관료들, 야스쿠니 신사를 공식 참배하다!**
>
> 일본의 정부 관료들이 야스쿠니 신사를 공식 참배하였다. 일본의 한 정치인은 이번 신사 참배에 대해 "국가를 위해 목숨 바친 사람들을 위로하기 위한 것으로 아무런 문제가 되지 않는다."라고 말한 것으로 알려졌다.

보기

ㄱ. 일본에서 고노 담화를 발표하였다.
ㄴ. 일본의 우익 세력이 침략 전쟁을 미화하는 역사 교과서를 펴냈다.
ㄷ. 한국, 중국, 일본의 학자들이 모여 하나의 역사 교재를 만들었다.
ㄹ. 일본 정부가 일본군 '위안부' 피해자들에 대한 직접 배상을 회피하고 있다.

① ㄱ, ㄴ ② ㄱ, ㄷ ③ ㄴ, ㄷ
④ ㄴ, ㄹ ⑤ ㄷ, ㄹ

20 두 자료와 관련된 문제를 해결하기 위한 노력으로 적절하지 않은 것은?

> • 발해는 말갈족 출신인 대조영이 세운 국가로 고구려와는 관계가 없으며, 당에 예속된 지방 정권이었다.
>
> – 중국의 어느 연구 내용 일부
>
> • 고구려의 광개토왕 비문에는 왜의 군대가 바다를 건너 백제, 신라를 '신민'으로 삼았기 때문에 고구려왕이 이를 격퇴하고자 병사를 보냈다고 기록되어 있다.
>
> – 일본의 어느 역사 교과서 내용 일부

① 여러 시민 단체 간 국제 연대를 도모한다.
② 연구자 개인이 공동 역사 연구에 나서는 것을 자제한다.
③ 인류 보편적 가치를 함양할 수 있는 역사 교육을 강화한다.
④ 정부 차원에서 다자간 협력체를 구성하여 문제 해결을 위해 협력한다.
⑤ 문화 교류를 통해 동아시아에 속한 여러 국가들에 대한 이해의 폭을 넓힌다.

Memo

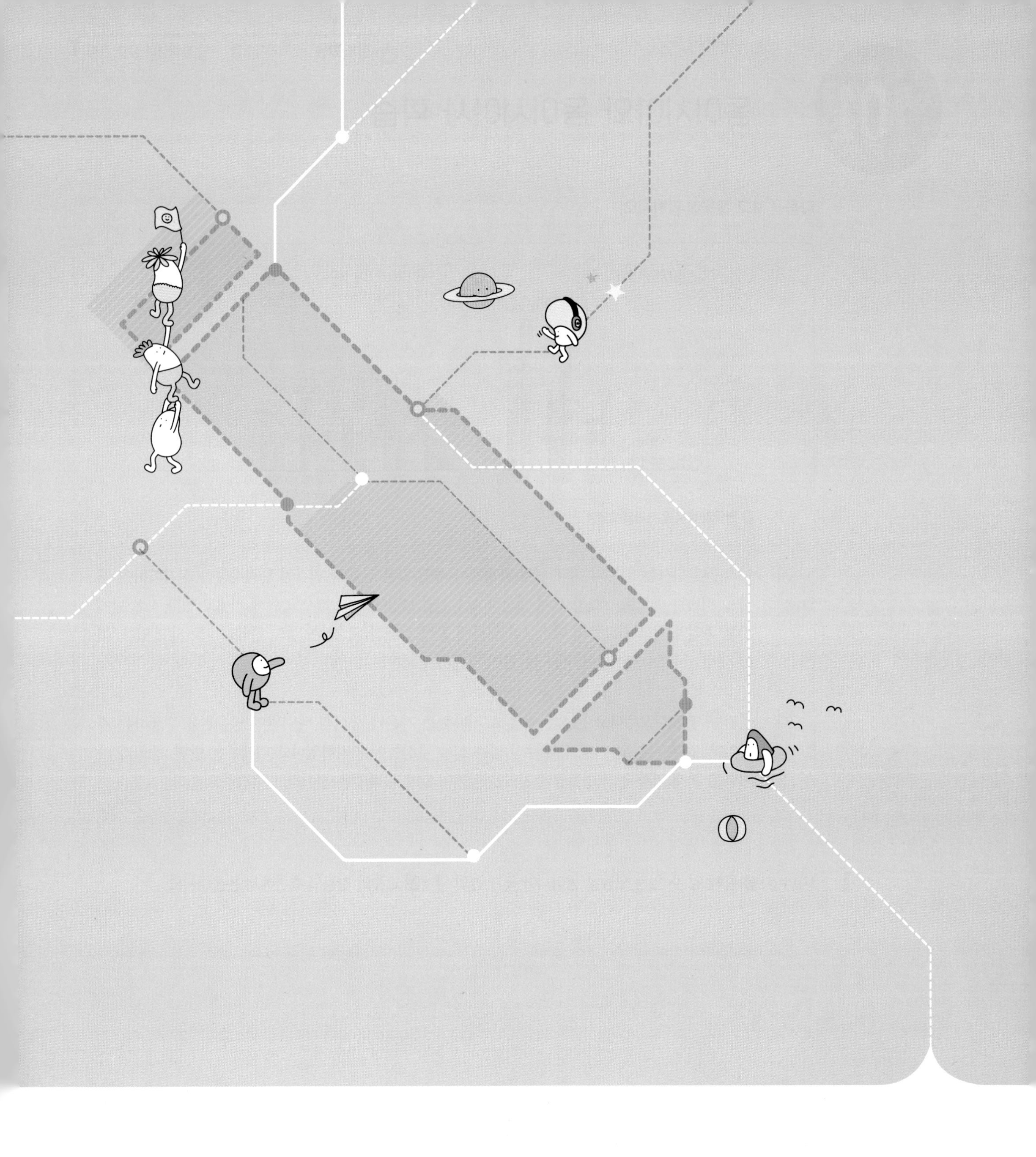

논술형 문제

>> 정답친해 69쪽

동아시아와 동아시아사 학습

다음을 보고 물음에 답하시오.

(가)

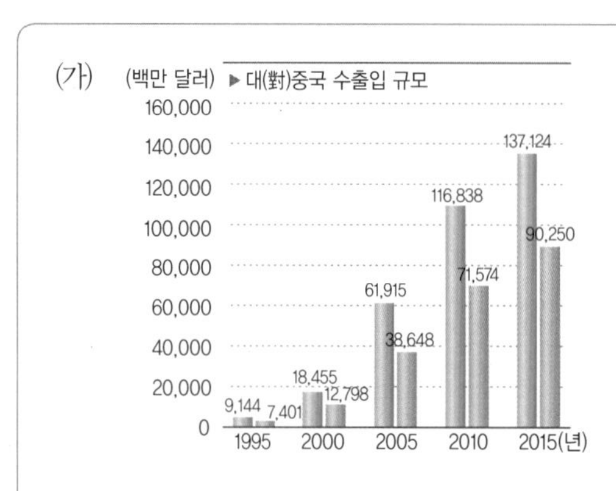

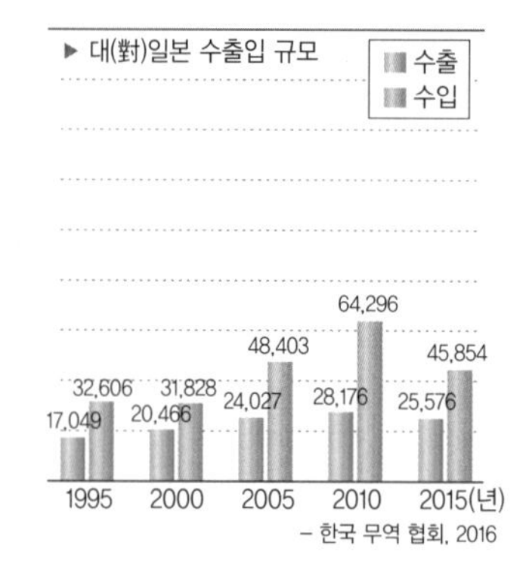

– 한국 무역 협회, 2016

▲ 한국의 중국·일본과의 교역량

(나) 야스쿠니 신사는 일본의 침략 전쟁 과정에서 숨진 일본 군인과 민간인 협력자들을 신격화하여 제사를 지내는 곳으로, 제2차 세계 대전의 A급 전범 14명에 대한 제사도 함께 지내고 있다. 1985년에 일본 총리와 정부 관료들이 야스쿠니 신사에 공식 참배한 뒤 정치인들의 참배가 이어지고 있다. 이에 대해 한국을 비롯한 아시아 국가들이 강력하게 비판하고 있다.

(다) 센카쿠 열도(댜오위다오)는 일본이 실효 지배하는 가운데 중국과 타이완이 영유권을 주장하는 지역이다. 일본은 청·일 전쟁 당시 주인 없는 섬을 자신들이 차지하였다고 내세우는 반면, 중국과 타이완은 본래 명과 청의 영토였던 지역을 일본이 강제로 빼앗은 것이라고 주장하고 있다.

1 (가)~(다)를 통해 알 수 있는 오늘날 동아시아 국가 간의 관계를 교류와 갈등의 측면에서 논술하시오.

2 1을 토대로 동아시아사를 학습해야 하는 이유를 논술하시오.

진의 국가 체제 정비

다음을 보고 물음에 답하시오.

(가) 진은 각 제후국에서 사용되던 화폐를 반량전으로 통일하고, 문자를 하나로 합쳤다. 또한 추의 길이, 부피, 무게 등을 재는 단위인 도량형을 통일하였다.

반량전

전서체

곡식의 양을 측정하는 되

(나)

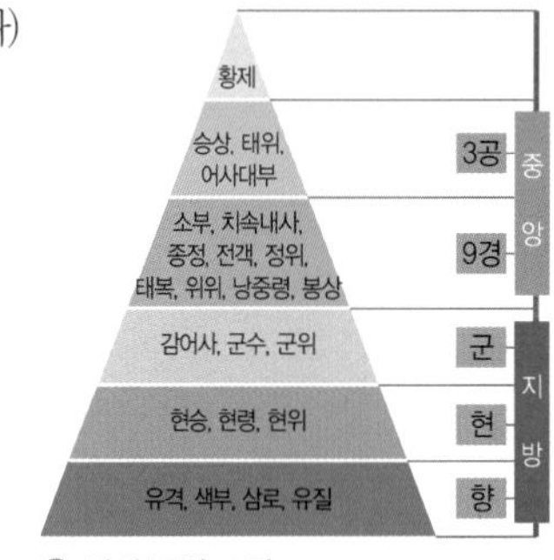

진의 통치 조직

(다) "학술, 저서를 가지고 있는 자에게 이것을 거두어 들여 불태워야 합니다. 가져도 좋은 것은 의약과 복서, 농사에 관한 서적에 국한해야 합니다." …… 시황제는 시서와 백가의 저서를 몰수하여 불태우고 비판하는 자들을 구덩이를 파고 묻어버렸다. – 『사기』 이사 열전

1 진의 시황제가 (가)~(다)에 나타난 정책을 시행한 목적을 서술하시오.

2 (가)~(다)를 참고하여 국가를 통치하기 위해 필요하다고 생각하는 요소들을 논술하시오.

당 대의 국제 관계

다음을 읽고 물음에 답하시오.

(가) 당 고조 4년(621), 백제 무왕이 사신을 보내 와 과하마를 바쳤다. 7년에 또 대신을 보내 와 표문을 올리고 조공을 바쳤다. …… 고조는 정성을 가상히 여겨, 사신을 보내 대방군왕 백제왕으로 책봉하였다. …… 고구려가 길을 막고 중국과의 왕래를 허락하지 않는다고 (백제가) 호소하므로, 조서를 내려 주자사를 사신으로 보내 (두 나라를) 화해시켰다. - 「구당서」

(나) 토번의 송첸캄포는 군대 이십만 명을 동원하여 송주를 침범하고, 사자로 하야금 쇠붙이로 만든 갑옷을 바치고 다시 공주를 맞이하겠다고 이르게 한 뒤 좌우에게 말하기를, "공주가 오지 않으면 내가 다시 깊이 침입할 것이다."라고 하였다. …… 정관 15년(641), 태종은 종실의 딸인 문성 공주를 토번으로 출가시켜 …… 송첸캄포는 …… 사위의 예를 극진히 하였다. - 「신당서」

(다) 중원 백성은 금, 은, 비단을 어려움 없이 우리에게 준다. 중원 사람은 달콤한 말을 부드러운 비단으로 속여 먼 곳에 사는 백성을 자기들에게 가까이 오게 한다고 한다. 이 백성이 가까이 자리 잡으면 중원 사람은 나쁜 생각을 한다고 한다. …… 중원 사람의 달콤한 말과 부드러운 비단에 속은 돌궐 백성아! 너희들은 많이 죽었다. 다시 속는다면 너희는 분명히 죽을 것이다. - 퀼 테긴 비문

1 (가)에서 백제가 당과의 외교를 통해 얻은 이익을 서술하시오.

2 (가)~(다)를 토대로 농경 민족과 유목 민족에 대한 당의 외교 정책의 차이점을 논술하시오.

사실 이해 + 역사적 판단력 + 정보 활용

율령에 기초한 법치와 유교

다음을 읽고 물음에 답하시오.

(가) 법이란 명문화하여 백성에게 제시하는 것, 곧 법률이다. 법은 철저하게 널리 알려야 한다. …… 두 개의 손잡이로 신하를 마음껏 조종해야 한다. 두 개의 손잡이란 무엇인가? 바로 상과 벌이다. 군주는 상과 벌의 집행권을 남에게 넘겨주어서는 안 된다. …… 명확한 기준을 정하고 그 기준에 따라 엄격하게 운용할 때 비로소 상과 벌의 효과가 발생한다. -『한비자』

(나) 황제의 물음에 동중서가 답하였다. "제왕은 하늘의 뜻을 받들어 정치를 행해야 합니다. 따라서 덕과 교화의 힘을 빌려 다스릴 뿐 형벌의 힘을 빌려 다스리지는 않습니다. …… 옛날의 제왕은 이 점을 깨달았기 때문에 …… 수도에는 태학을 세워 교육을 시행하였고, 읍에는 학교를 설립하여 백성을 교화시켰습니다. 백성을 인(仁)에 젖어들게 만들고, 백성을 의(義)로 도야했으며, 백성을 예절로 절제하게 하였습니다. 따라서 형벌을 아주 가볍게 시행했음에도 불구하고 국가에서 금하는 것을 백성이 범하지 않았습니다. 교화가 잘 시행되어 풍속이 아름다웠기 때문입니다." -『한서』

1 **중원 왕조가 (가), (나)에 나타난 사상을 융합한 내용을 서술하시오.**

2 **(가), (나)에 나타난 사상을 국가의 통치 이념으로 삼을 때 효율적이라고 생각한 방식을 선택하고, 그 이유를 근거와 함께 논술하시오.**

자료 분석과 해석 + 역사적 판단력 + 정보 활용

성리학이 동아시아에 미친 영향

다음을 읽고 물음에 답하시오.

- "신(信)은 부녀자의 덕이니, 한 번 더불어 함께 하였으면 종신토록 고치지 않는다."라고 하였다. 이러므로 *삼종지의가 있고 어기는 예가 없더니, 풍속이 천해지면서 여자의 덕이 부정하여 가풍을 무너뜨리니, …… 재가한 여자의 자손을 벼슬에 나란히 하지 않음으로써 풍속을 바르게 하라. -『성종실록』

- 이경은 이소의 양자이다. 이경이 대답하기를, "저는 이소와 25촌 사이이고, …… 제 양모가 제사를 받드는 일은 아주 중요하니 천첩의 소생으로 적통을 이을 수는 없다고 여기고, 후사를 세우려 하여 제가 16세에 양자로 가서 이소의 뒤를 이었습니다."라고 하였다. -『영조실록』

*삼종지의(三從之義): 어려서는 아버지를 따르고, 혼인해서는 남편을 따르고, 남편이 죽은 뒤에는 아들을 따름

1 자료를 토대로 성리학의 보급 이후 조선에서 여성의 지위가 어떻게 변화하였는지 이유와 함께 서술하시오.

2 성리학이 오늘날 동아시아에 끼친 영향을 긍정적 측면과 부정적 측면을 고려하여 논술하시오.

3 오늘날 성리학의 가치를 계승·발전시킬 수 있는 방안에 대해 자신의 생각을 논술하시오.

자료 분석과 해석 + 역사적 판단력

임진왜란에 대한 동아시아 삼국의 시각

다음을 읽고 임진왜란을 지칭할 때 동아시아 지역에서 공통적인 용어를 사용할 수 있을지에 대해 자신의 의견을 논술하시오.

• [한국 교과서의 내용]

16세기 말 도요토미 히데요시는 전국 시대의 혼란을 수습하고 일본을 통일하였다. …… 일본은 대륙 침략을 결정하고, 명을 공격하기 위한 길을 빌린다는 구실로 조선을 침략하였다(임진왜란, 1592). …… 명의 원군이 전쟁에 참여하면서 왜란은 국제전의 양상을 보였다. …… 3년여에 걸친 휴전 회담이 결렬되자 왜군은 다시 침입하였다(정유재란, 1597). …… 왜군은 결국 도요토미 히데요시가 병사하자 본국으로 철수하였다.

– 고등학교 「한국사」

• [일본 교과서의 내용]

(도요토미) 히데요시는 일본에 조공하고, 명을 침공할 때 앞장서라고 조선에 요구하였다. 조선이 이 요구를 거절하자, 1592년(분로쿠 원년) 조선에 16만여 명의 대군을 보내 침략 전쟁을 시작하였다(분로쿠의 역). …… 명으로부터 원군이 도착하고, 각지에서 조선 민중이 의병을 일으켰다. …… 히데요시는 명과의 강화 교섭을 위해 휴전하였지만, 교섭은 결렬되었다. 1597년(게이초 2), 히데요시는 다시 조선과 전쟁을 시작하였다(게이초의 역).

– 「신선 일본사B」

• [중국 교과서의 내용]

1592년, 도요토미 히데요시는 수군과 육군 약 20만 명을 이끌고 바다를 건너 조선을 침략하였다. …… 민족이 위기에 처했을 때 조선 군민은 의병을 조직해서 힘차게 일어나 저항하였다. …… 명은 조선의 요구를 받아들여 병사를 보내 조선을 도왔다. …… 어렵고 힘든 전투를 거쳐 조선과 명의 군민은 마침내 일본 침략군을 축출하고 보국(保國) 전쟁에서 승리를 거두었다.

– 「역사」

명과 조선의 은 유통

다음을 읽고 물음에 답하시오.

(가) 16세기 명에서 금과 은의 교환 비율은 1대 6이었다. 같은 시기 유럽에서의 1대 12에 비해 은의 가치가 두 배나 높았다. 만일 유럽 상인이 중국에서 거래할 일이 있으면, 유럽에서 상대적으로 싼 은을 구입하여 중국에 가져가는 것만으로 100%의 환차익을 누릴 수 있었다. – 주경철, 『문명과 바다』

(나) 오늘날 지폐는 통용되지 않고, 동전만이 겨우 작은 교역에만 사용될 뿐 모든 조세 업무를 은 하나로 아우르니 은이 부족하게 되었다. …… 재정 지출이 많아진 이래 북경에 모인 은이 모두 변경 밖으로 빠져 나가고, 부유한 상인, 고관, 교활한 관리들은 북방에서 남방까지 자신의 힘을 가지고 천하의 금·은을 모두 거두어 갔다. …… 은이 부족해지는데도 부세(賦稅)는 옛날 그대로이고 교역도 변함이 없다. 은을 구하고자 해도 어디에서 구하겠는가? …… 나는 은납화를 폐지하지 않으면 안 된다고 생각한다. – 황종희, 『명이대방록』

(다)
- 임진왜란에 이르러 명에서 은을 우리나라에 내려주고 군량과 군공 포상도 모두 은으로 쓰게 하니, 이로 말미암아 은화가 크게 유행하였다. – 신흠, 『상촌잡록』
- 경사대부가 다투어 사치를 일삼고 노복하천까지도 중국의 물건을 쓴다. 베이징에 가는 사람들이 공공연히 은을 싣고 가는데, 한 사람이 3천 냥 이상을 가져간다. – 『중종실록』

1 (나)의 상황이 조선에 미친 영향을 (다)를 참고하여 서술하시오.

2 (가)~(다)를 토대로 황종희의 주장에 대한 자신의 의견을 논술하시오.

사실 이해 + 자료 분석과 해석

동아시아 각국의 근대화 운동

다음을 읽고 물음에 답하시오.

(가) 기계 제조라는 이 일은 오늘날 외국의 도전을 막아 내기 위한 바탕이 되며, 자강(自强)의 근본입니다. …… 신이 애써 밝히고자 하는 것은 서양식 기계는 농경이나 직포·인쇄·도자기 제조 등의 용구를 모두 제조할 수 있고, 백성의 생계와 일상용품에 도움이 되며, 군사상의 무기만을 위해 만들어진 것은 아니라는 점입니다. …… 중국의 제도는 서양보다 우수합니다. 우리가 위기를 안정으로 돌리고 허약함을 강력함으로 바꾸는 길은 전적으로 기계를 모방하여 제조하는 데서 비롯됩니다.

– 양식 철공소·기계의 설치에 대한 이홍장의 상소문

(나) 우리 일본의 국토는 아시아 동쪽 끝에 있지만 그 국민정신은 이미 아시아의 고루함을 벗어나 서양 문명으로 옮겨 갔습니다. 그런데 불행한 것은 이웃에 나라가 있는데, 하나는 중국이고, 다른 하나는 조선입니다. …… 우리는 이웃 나라인 청과 조선의 개화를 기다려 함께 아시아를 번영시킬 여유가 없습니다. 오히려 그 대오에서 이탈하여 서양의 근대 문명을 받아들여 일본의 낡은 틀을 벗어나고, 아시아에서도 벗어나야 합니다. 악한 친구와 친한 자는 그와 함께 악하다고 여겨질 수 있습니다. 우리는 마음으로부터 아시아의 악한 친구를 사절해야 합니다.

– 후쿠자와 유키치, 『탈아론』

1 (가)를 바탕으로 추진된 근대화 운동의 한계를 서술하시오.

2 (나)에 나타난 근대화 방안에 따라 시행된 일본의 근대화 정책을 서술하시오.

일본의 침략 전쟁과 동아시아인의 고통

다음을 읽고 물음에 답하시오.

(가) 미국과 영국은 자국의 번영을 위해 타 민족을 억압하고 …… 대동아를 예속화하고 안정을 해치려고 하였다. 이것이 대동아 전쟁의 원인이다. 대동아 각국은 서로 제휴하여 대동아 전쟁을 완수하고 대동아를 미국과 영국의 속박으로부터 해방시켜 공존공영, 자주독립, 인종적 차별이 없는 공영권을 건설함으로써 세계 평화의 확립에 이바지하고자 한다.
– 「대동아 공영 선언」

(나) 하루 작업 시간은 정해진 양을 다 해야 교대가 되었고, 양을 다 채우지 못하면 10시간도 넘게 일을 하였습니다. 옷을 주지 않아 매일 입던 옷을 그대로 기워서 입었습니다. …… 쓰레기장에서 무토막 따위의 먹을 것만 눈에 띄면 다 주워 먹었습니다. 제일 참지 못한 것이 배고픔이었기 때문입니다. 도망가다 잡히면 죽을 지경으로 구타당하기 때문에 도망갈 엄두도 못 내었습니다.
– 가이지마 탄광 주식회사 오노우라 탄광에서 근무하였던 한국인 노동자 박노식의 이야기

(다) 열일곱 살이 되던 해인 1940년에 마을을 찾아온 일본인 모집 업자의 "일본 공장에 넣어 준다."라는 말에 속아 타이완으로 끌려가 일본군 '위안부' 생활을 시작하였습니다. …… 그곳에서는 '후지코'라는 일본식 이름으로 불렸으며, …… 밥도 제대로 주지 않아 굶기 일쑤였습니다. '위안소'에서 오른쪽 허벅지가 심하게 부어오르는 병에 걸려 수술을 받아야 하였습니다. 또한 '위안소' 주인과 관리인에게 심하게 구타당한 것이 원인이 되어 귀도 멀었습니다.
– 1924년 9월 2일 경상남도 밀양에서 출생한 박두리 할머니의 이야기

1 (가)의 밑줄 친 이른바 '대동아 전쟁'이 일어나게 된 원인을 서술하시오.

2 (나), (다)를 토대로 (가)의 주장을 비판적으로 논술하시오.

동아시아 역내 교역의 변화

다음을 보고 물음에 답하시오.

(가)

구분	2000년		2015년	
	수입액	수출액	수입액	수출액
한국 – 중국	128	185	903	1,371
한국 – 일본	318	205	459	256
일본 – 중국	415	417	1,357	1,430

⊙ 동아시아 역내 교역량의 변화 (단위: 억 달러)

(나) 1997년 7월 태국에서 외환 위기가 발생하여 연쇄적으로 말레이시아, 인도네시아, 필리핀 등을 거쳐 한국까지 확산되었다. 이 국가들은 국제 유동성 부족으로 인한 외환 위기가 경제 전반의 침체로 이어져 경제 위기를 겪었다. 또한 각국 정부가 IMF의 구제 금융을 받는 조건으로 긴축 정책을 실시하면서 경제 위기가 심화되었다. 그 결과는 국내 자산 시장 붕괴, 광범위한 은행 파산, 수많은 기업의 부도 등이었다. – 세종연구소, 「중장기 세계 경제 위기 전망과 외교적 대응 방안」

(다) 2000년 5월에 태국의 치앙마이에서 열린 동남아시아 국가 연합(ASEAN) + 3(한·중·일) 재무 장관 회의에서는 아시아 공동 기금인 '치앙마이 이니셔티브'가 탄생하였다. 이는 필요할 경우 역내 국가들로부터 일정액의 미국 달러화를 제공받을 수 있도록 함으로써 아시아 국가에서 일시적인 외화 유동성 부족으로 인해 외환 위기가 발생하는 것을 방지하는 제도이다.

1 (가)를 통해 알 수 있는 동아시아 역내 교역의 양상을 서술하시오.

2 (가), (나)를 토대로 동아시아에서 (다)와 같은 움직임이 나타나고 있는 이유를 논술하시오.

동아시아의 역사 갈등

(가), (나)에 나타나는 중국과 일본의 공통적인 역사관을 서술하고, 이러한 역사관이 동아시아 지역에 미치는 영향을 논술하시오.

(가)
- 고구려는 중국의 고대 소수 민족이 중국 영토 내에 세운 지방 정권이다.
- 수·당과 고구려의 전쟁은 중국 내부의 통일 전쟁으로, 중앙에 항거한 지방 정권의 반란을 평정한 것이었다.
- 발해는 말갈족 출신인 대조영이 세운 국가로, 고구려와는 관계가 없다. 또한 국왕이 당의 책봉을 받았으므로, 당의 지방 정권이었다.

– 동북공정에 따른 중국의 주장 일부

(나) 1941년(소화 16) 12월 8일, 일본 해군은 하와이의 미군 기지를 공격하여 태평양 함대에 커다란 손해를 입혔습니다. 또한 말레이 반도에 상륙한 일본 육군은 영국군을 격파하고 싱가포르로 남하하여 단기간에 점령하였습니다. 일본은 영국과 미국에 선전 포고를 하고 이 전쟁을 '자존자위'의 전쟁이라고 선언한 다음 대동아 전쟁이라고 명명하였습니다(전후는 태평양 전쟁이라고 부르게 되었습니다). …… 일련의 전쟁은 일본, 독일, 이탈리아와 미국, 영국, 네덜란드, 소련, 중국 등의 연합국 간 전면 전쟁이 되었습니다.

–『이쿠호사 교과서』

15개정 교육과정

· 완벽한 자율학습서 ·

Wi 완자

완자네 새주소

자율학습시 비상구 정답친해로 53

정확한 **답**과 **친**절한 **해**설

동아시아사

책 속의 가접 별책 (특허 제 0557442호)
'정답친해'는 본책에서 쉽게 분리할 수 있도록 제작되었으므로 유통 과정에서 분리될 수 있으나 파본이 아닌 정상제품입니다.

visang

ABOVE IMAGINATION
우리는 남다른 상상과 혁신으로
교육 문화의 새로운 전형을 만들어
모든 이의 행복한 경험과 성장에 기여한다

자율학습시
비상구
정답친해로
53

정확한 답과 친절한 해설

동 아 시 아 사

I. 동아시아 역사의 시작

01 동아시아의 자연환경과 선사 문화

STEP 1 핵심 개념 확인하기 016쪽

1 (1) × (2) × (3) ○ 2 ㉠ 밭농사, ㉡ 벼농사 3 (1) 정착 (2) 강하였다 4 (1) ㄷ (2) ㄱ, ㄴ, ㄹ 5 허무두 문화 6 빗살무늬 토기

STEP 2 내신 만점 공략하기 016~020쪽

01 ⑤ 02 ③ 03 ④ 04 ⑤ 05 ① 06 ① 07 ⑤ 08 ② 09 ④ 10 ① 11 ④ 12 ③ 13 ② 14 ③ 15 ⑤ 16 ① 17 ②

01 동아시아 지역의 특징

동아시아 지역은 유라시아 대륙의 동쪽에 있고 북서 태평양과 접해 있다. 또한 동서로 일본 열도에서 티베트고원, 남북으로 베트남 북부에서 몽골고원에 이른다. 동아시아에는 한민족, 한족, 일본 민족, 몽골족 등이 거주하며 일찍부터 활발하게 교류하였다. 특히 동아시아의 한국, 중국, 일본은 역사적으로 영향을 주고받으면서 다양한 문화 요소를 공유하였다. 그중에서도 한자, 불교, 유교, 율령은 중요한 공통 문화 요소이다.

02 오늘날의 동아시아

제시된 신문 기사는 센카쿠 열도(댜오위다오)를 둘러싼 분쟁에 대한 내용이다. 오늘날 동아시아 국가들은 영토 주권과 역사 인식의 차이 등으로 여러 갈등을 겪고 있다. 이러한 갈등을 해결하기 위해서는 동아시아 국가 간 교류를 확대하여 상호 간 이해의 폭을 넓히고 신뢰를 회복해야 한다. 또한 상호 이해와 평화를 지향하는 균형 잡힌 시각으로 각국의 역사와 문화를 이해해야 한다.

바로 알기 ③ 배타적 민족주의에서 벗어나 객관적이고 균형 잡힌 시각으로 해결 방안을 모색해야 한다.

03 동아시아의 지형

(가)는 티베트고원에 해당한다. 동아시아의 서쪽에 펼쳐진 티베트고원은 평균 해발 고도가 4,500m 이상으로, 높고 험준한 지형을 이루고 있다. 티베트고원은 세계에서 가장 높은 고원 지대여서 '세계의 지붕'이라고 불린다. 이 티베트고원을 중심으로, 동쪽으로 갈수록 고도가 점차 낮아진다.

바로 알기 ①은 동아시아의 북쪽 지형, ②, ⑤는 동아시아의 동쪽 지형, ③은 동아시아의 남쪽 지형에서 나타나는 특징이다.

완자 정리 노트 동아시아의 지형

구분	특징
해발 고도 4,500m 이상	티베트고원 위치, 거대한 산맥들이 사방으로 뻗어 나감
해발 고도 1,000m~2,000m	고원과 산간 분지 분포, 사막 지대 형성
해발 고도 1,000m 이하	중국 동부, 한반도 등 구릉과 평원 지대 분포
해안과 섬	일본 열도, 오키나와, 타이완 등(환태평양 조산대의 일부에 해당)

04 동아시아의 생업

(가)는 벼농사, (나)는 밭농사, (다)는 유목이다. 연평균 기온이 높고 연 강수량이 600mm가 넘는 중국 화이허강 이남 지역과 한반도 중·남부 일대, 일본 열도에서는 주로 벼농사가 이루어진다. 강수량이 상대적으로 적은 중국 화이허강 이북 지역과 한반도 북부 지역에서는 주로 밭농사가 이루어진다. 연 강수량이 400mm 미만이며 토지가 척박한 몽골과 티베트 일대에서는 계절에 따라 일정 지역을 순회하며 가축을 기르는 유목이 행해진다.

바로 알기 ①, ②는 (나), ③, ④는 (가)에 해당하는 내용이다.

05 벼농사의 전파

벼농사는 기원전 6000년경에 기온이 높고 강수량이 풍부하며 늪지가 많은 창장강 중·하류 지역에서 시작되었다. 벼농사는 재배 과정이 복잡하고 집중적인 노동력과 다양한 농기구가 필요하기 때문에 기술뿐만 아니라 사람이 함께 이동하면서 전파되었을 것으로 보고 있다.

바로 알기 ①은 조, 수수, 기장, 콩 등 밭에서 기르는 잡곡에 대한 설명이다.

06 농경민의 생활

자료 분석

농사를 지으면서 비단으로 옷을 해 입고, 가축을 길러 단백질원으로 삼는 농경민의 생활 모습이 나타나 있어.

5무를 가진 집에 뽕나무를 심으면 오십 먹은 사람이 비단 옷을 입을 수 있고, 때를 놓치지 않고 닭, 돼지, 개를 기르면 칠십 먹은 사람이 고기를 먹을 수 있다. 100무의 땅에 때를 놓치지 않고 농사를 지으면 식구 수가 많아도 굶주리지 않을 것이고, 학교에서 효도와 우애를 힘써 가르치면, 머리가 희끗희끗한 사람들이 길에서 물건을 이고 지지 않아도 될 것이다. -『맹자』

농경민은 계절에 따라 농사를 지었고 경작지 근처에서 정착 생활을 하였다. 또한 농사를 짓기 위해 저수지, 제방 등의 대규모 수리 시설을 쌓고 관리하는 데 노력을 기울였다.

바로 알기 ㄷ, ㄹ은 유목민의 생활과 관련이 있다.

07 유목민의 생활

사진은 유목민의 전통 가옥인 게르이다. 게르는 조립하거나 해체하기 쉬운 구조로 되어 있어 이동 생활에 적합하였다. 유목민들은 여름에는 기온이 서늘한 산등성이의 고지대로 이동하였고, 겨울에는 추위를 피하기 위해 저지대로 이동하였다. 이들은 소, 말, 양과 같은 가축을 키워 고기와 유제품을 만들어 먹었으며, 가축의 털과 가죽으로 의복과 이동식 가옥의 천막을 만들고 배설물은 땔감으로 활용하였다.

바로 알기 ⑤는 농경민에 대한 설명이다. 농경민은 농작물의 성장과 수확에 영향을 주는 비를 중요하게 여겼으며, 하늘에서 비를 내려 준다고 여겨 하늘을 신앙의 대상으로 숭배하였다.

08 동아시아의 구석기 인류

지도는 구석기 시대 동아시아에 살았던 인류를 보여 준다. 동아시아에서 구석기 문화는 약 100만 년 전부터 중국 중·동부 지역과 몽골, 한반도 일대에서 나타났다. 동아시아 대부분의 지역에 사람들이 살게 된 것은 약 20만 년 전이다. 약 4만 년 전에는 현생 인류가 살기 시작하여 후기 구석기 문화를 일구었다. 중원 지역의 베이징인과 산딩둥인, 한반도의 흥수아이, 일본 열도의 미나토가와인 등이 구석기 시대에 살았던 대표적인 인류이다. 이들은 사냥감을 쫓아 무리지어 이동 생활을 하였고, 동굴이나 강가에 막집을 짓고 살았다.

바로 알기 ①, ③, ④, ⑤는 신석기 인류에 대한 설명이다.

09 구석기 시대의 생활

제시된 도구는 주먹도끼로, 구석기 시대에 등장하였다. 구석기인들은 주로 뗀석기를 사용하였고, 뼈 도구를 만들었다. 초기에는 찍개, 주먹도끼와 같은 도구를 여러 용도로 사용하다가 석기를 제작하는 기술이 발전하면서 점차 용도가 뚜렷한 작은 석기들을 만들었다. 구석기 시대의 사람들은 열매 채집이나 물고기잡이로 식량을 얻었다. 또한 사냥감을 쫓아 무리지어 이동하는 생활을 하였다. 이들은 불을 사용하였고, 동굴이나 바위 그늘에 살거나 강가에 막집을 짓고 살았다. 한편, 구석기인들은 동굴 벽이나 바위 등지에 들소나 사슴 등의 모습을 그렸는데, 여기에는 사냥의 성공을 기원하는 의미가 담겨 있다.

바로 알기 ④ 뼈바늘은 신석기 시대에 등장하였다.

10 신석기 시대 사람들의 생활

신석기 시대에는 농경과 목축을 통해 식량을 생산하였고, 큰 강이나 해안가를 중심으로 움집을 짓고 살았다. 신석기 시대의 사람들은 갈돌과 갈판으로 곡식을 가루로 만들어 조리하였고, 뼈바늘을 이용하여 옷감과 그물을 만들었다. 또한 토기를 만들어 곡식이나 열매를 저장하고 조리하였다. 한편, 신석기 시대의 사람들은 다산과 풍요를 기원하며 사람이나 동물 모양의 토우를 만들었다.

바로 알기 ① 막집은 구석기인들이 거주하던 곳이다.

완자 정리 노트 구석기 시대와 신석기 시대

구분	구석기 시대	신석기 시대
도구	뗀석기	간석기, 뼈 도구, 토기
경제	채집, 수렵, 어로	농경, 목축
주거	이동 생활, 동굴이나 막집에 거주	정착 생활, 움집 거주
문화	동굴 벽이나 바위에 그림 제작	원시 신앙 등장(애니미즘, 토테미즘 등)

11 신석기 시대의 사회 모습

밑줄 친 '이 시대'는 신석기 시대이다. 신석기 시대에는 움집을 만들거나 옷감을 짜고 토기를 제작하는 기술이 점차 향상되어 씨족 구성원들 사이에 분업이 이루어졌다. 또한 잉여 생산물이 생기면서 구성원들 사이에 갈등이 늘어나자 이를 해결하기 위한 규약이 만들어졌으며, 갈등을 조정하고 중재하는 부족장의 권한도 조금씩 강해졌다.

바로 알기 ㄱ, ㄷ. 국가가 형성되고, 강력한 권력을 가진 지배자가 등장한 것은 청동기 시대이다.

12 중원 지역의 신석기 문화

제시된 글은 다원커우 문화에 대한 설명이다. 동아시아에서는 큰 강과 해안가를 중심으로 각기 고유한 신석기 문화가 형성되었는데, 이는 제작된 토기의 특징으로 구분할 수 있다. 황허강 하류 지역에서는 다원커우 문화가 발전하였고 전기에는 홍도, 후기에는 흑도를 제작하였다. 다원커우 문화는 양사오 문화와 함께 룽산 문화로 발전하였다. ③은 다원커우 문화의 세발 달린 주전자이다.

바로 알기 ①, ④는 훙산 문화의 토기이다. ②는 만주·한반도 지역의 빗살무늬 토기이다. ⑤는 양사오 문화의 채도이다.

13 랴오허강 유역의 신석기 문화

제시된 글은 훙산 문화가 발전한 랴오허강 유역에 대한 설명이다. 랴오허강 유역에서는 대규모의 신전 유적과 밭농사 유적지가 발견되었다. 또한 채도를 비롯한 다양한 토기와 용 모양의 옥기, 봉황 모양의 옥기, 눈을 옥으로 만든 여성 머리 모양의 조각상 등이 출토되었다.

14 동아시아의 신석기 문화와 토기

(가)는 허무두 문화의 돼지 그림 토기이고, (나)는 일본 열도의 조몬 토기이다. ㄴ. 허무두 문화는 창장강 유역에서 발전하였고, 이 지역에서는 흑도·회도·홍회도 등이 제작되었다. ㄷ. 일본 열도의 신석기 문화는 조몬 토기가 특징적이다. 조몬 토기란 이름은 토기 표면에 새끼줄 무늬가 새겨졌다는 의미로 붙여졌다.

바로 알기 ㄱ. (가)는 창장강 유역에서 발굴되었다. ㄹ. (나)는 일본 열도의 신석기 문화와 관련이 있다.

15 일본 열도의 신석기 문화

제시된 자료는 일본 열도의 신석기 시대에 제작된 여성 모양의 토우 사진과 이에 대한 설명이다. 일본 열도의 신석기 시대에는 농경보다 어로, 사냥, 채집 등으로 생계를 유지하였다. 사람들은 바닷가나 물을 얻기 쉬운 곳에 움집을 짓고 살면서 어패류를 주식으로 삼고, 사슴이나 멧돼지를 사냥하였다.

바로 알기 ①은 황허강 유역의 룽산 문화에 대한 설명이다. ② 랴오허강 유역을 중심으로 발전한 신석기 문화는 훙산 문화이다. ③은 창장강 유역의 허무두 문화에 대한 설명이다. ④ 한반도의 신석기 시대 초기에 이른 민무늬 토기와 덧무늬 토기가 제작되었다.

16 빗살무늬 토기

(가)에 들어갈 유물은 빗살무늬 토기이다. 한반도의 신석기 시대에는 이른 민무늬 토기와 덧무늬 토기가 만들어졌다. 이후 만주와 한반도 북부, 시베리아 지역에서는 빗살무늬 토기가 제작되었다. 빗살무늬 토기는 겉면에 줄무늬가 새겨져 있고, 아랫부분이 뾰족한 것이 특징이다. 이때 빗살무늬는 토기의 겉면을 짤막한 줄로 누르거나 그어서 만들었고, 빗살 모양의 무늬 새기개를 이용하기도 하였다.

바로 알기 ②는 다원커우 문화의 세발 달린 주전자, ③은 훙산 문화의 원통형 토기, ④는 룽산 문화의 흑도, ⑤는 일본 열도의 조몬 토기이다.

17 신석기 문화의 교류

(가)에 들어갈 탐구 주제는 신석기 문화의 교류이다. 동아시아 지역의 신석기 문화는 지역 간 교류가 이루어지면서 서로 영향을 주고받았다. 시베리아부터 중국의 동북 지역, 한반도, 일본 열도 등 동아시아 지역 전반에 걸쳐 덧무늬 토기가 널리 분포하고 있다. 또한 한반도 동남부 지역에서는 일본 규슈 지역의 흑요석이 발견되었다. 한편, 창장강 유역에서 시작된 벼농사는 황허강 유역, 랴오둥반도를 거쳐 한반도와 일본 열도 등지로 전파되었다.

서술형 문제

020쪽

01 주제: 동아시아의 생업

(1) (가) 유목, (나) 밭농사, (다) 벼농사

(2) 예시 답안 연평균 기온이 높고 연 강수량이 600mm가 넘는 지역에서는 벼농사가 이루어진다. 벼농사 지역보다 기온이 낮고 연 강수량이 400~600mm인 지역에서는 밭농사가 발달하였다. 연 강수량이 400mm에 미치지 못하는 지역에서는 유목이 행해진다.

채점 기준

상	벼농사, 밭농사, 유목이 이루어지는 기후 조건을 모두 서술한 경우
중	위의 내용 중 두 가지를 서술한 경우
하	위의 내용 중 한 가지만 서술한 경우

02 주제: 동아시아의 신석기 문화

(1) (가) 다원커우 문화, (나) 허무두 문화

(2) 예시 답안 다원커우 문화에서는 전기에는 홍도, 후기에는 흑도가 제작되었고, 양사오 문화와 함께 룽산 문화로 발전하였다. 허무두 문화에서는 흑도와 회도가 만들어졌고 벼농사가 발달하였다. 또한 옥기를 특징으로 하는 량주 문화로 발전하였다.

채점 기준

상	대표적인 토기와 다른 문화로의 발전 양상을 포함하여 두 문화권의 특징을 모두 서술한 경우
중	각 문화권을 대표하는 토기를 중심으로 두 문화의 특징을 서술한 경우
하	다원커우 문화, 허무두 문화 중 한 문화의 특징만 서술한 경우

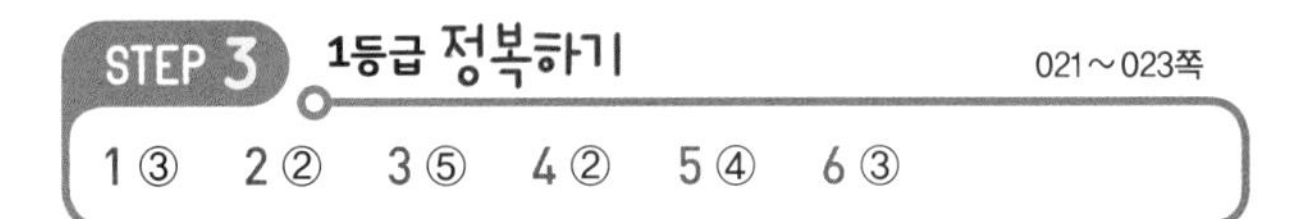

STEP 3 1등급 정복하기

021~023쪽

1 ③ 2 ② 3 ⑤ 4 ② 5 ④ 6 ③

1 동아시아의 자연환경과 생업

갑이 다녀온 지역은 벼농사가 발달한 (다)이다. 중국 동부 지역에는 큰 강을 따라 낮은 평원 지대가 형성되어 있다. 이곳은 기온이 온화하고 강수량이 풍부하여 일찍부터 농경 문화가 발달하였다. 을이 다녀온 지역은 동아시아 서쪽의 티베트고원이 위치한 (가)이다. 동아시아의 서쪽에는 평균 해발 고도 4,500m 이상의 티베트고원이 있다. 이곳은 기온이 낮고 강수량이 적어 농경이 어렵다.

2 농경민과 유목민의 생활 모습

(가)는 농경민의 생활 모습이고, (나)는 유목민의 생활 모습이다. 농경민은 계절에 맞추어 씨를 뿌리고 곡물을 수확하였다. 이들은 농사를 짓기 위해 저수지, 제방 등의 대규모 수리 시설을 쌓았고, 개간이나 간척을 통해 농경지를 늘려 나갔다. 유목민은 고지대와 저지대를 오가며 가축을 길렀고, 이동식 가옥에서 거주하였다.

바로 알기 ㄴ은 유목민의 생활 모습이다. 유목민은 생활에 필요한 생필품을 가축으로부터 얻었다. ㄹ. 유목민은 기마 능력과 전투 능력을 바탕으로 흩어진 부족을 통합하고 강력한 유목 국가를 건설하였다.

3 선사 시대의 변화

지도는 한반도와 일본 열도의 형성을 보여 준다. 마지막 빙하기가 끝나 가던 기원전 1만 년경, 기온이 따뜻해져 해수면이 상승하였다. 그 영향으로 한반도와 일본 열도가 분리되어 동아시아는 현재의 모습을 갖추었다. 이 시기에는 매머드와 같은 대형 동물이 줄어들고 사슴, 멧돼지와 같은 작고 날렵한 동물이 번성하였다. 사람들은 이러한 동물들을 사냥하기 위해 활과 화살을 만들기 시작하였다. 이후 신석기 시대로 넘어가면서 돌을 작고 정교하게 갈아 만든 간석기를 사용하였다.

| 바로 알기 | ①은 청동기 시대, ②, ④는 구석기 시대에 대한 설명이다. ③ 이 시기에는 작고 날렵한 동물이 번성하였다.

4 신석기 시대의 생활 모습

선생님이 보여 준 사진은 신석기 시대의 집터 유적이다. 신석기 시대의 사람들은 농경과 목축을 통해 식량을 생산하였고, 뼈바늘을 이용하여 옷감과 그물을 만들었다. 또한 큰 강이나 해안가를 중심으로 씨족 중심의 마을을 형성하였고, 씨족 구성원들 사이에 초보적인 수준의 분업이 이루어졌다. 그리고 씨족 구성원들 사이에 갈등이 발생하자 이를 해결하기 위한 규약이 만들어졌다. 한편, 사람들은 풍성한 수확을 기원하면서 자연 현상이나 특정 동물, 자신들의 조상 등을 신으로 모시고 공동으로 제사를 지내기도 하였다.

| 바로 알기 | ②는 구석기 시대의 생활 모습이다.

5 신석기 시대의 토기

제시된 자료는 양사오 문화에 관한 것이다. 기원전 5000년경 황허강 중류 지역에서는 채도가 특징인 양사오 문화가 발전하였다. 당시 사람들은 풍요와 번성을 기원하는 마음으로 채도에 사람 얼굴 무늬, 물고기 무늬 등을 그려 넣었다. 양사오 문화는 다원커우 문화와 함께 룽산 문화로 발전하였다. ④는 양사오 문화에서 사용된 채도이다.

| 바로 알기 | ①은 일본 열도의 조몬 토기, ②는 훙산 문화의 원통형 토기, ③은 다원커우 문화의 세발 달린 주전자, ⑤는 허무두 문화의 돼지 그림 토기이다.

6 동아시아의 신석기 문화

지도의 (가)는 황허강 중류 지역, (나)는 랴오허강 유역, (다)는 창장강 유역, (라)는 한반도, (마)는 일본 열도이다. ③ 창장강 유역에서는 허무두 문화가 발전하였다. 이 지역에서는 흑도, 회도, 홍회도 등이 만들어졌으며, 다양한 형태의 간석기, 나무로 만든 농기구, 볍씨 등이 출토되어 벼농사가 이루어졌음을 알 수 있다. 집의 바닥을 지면에서 띄운 고상 가옥이 만들어지기도 하였다. 허무두 문화는 옥기를 특징으로 하는 량주 문화로 발전하였다.

| 바로 알기 | ①은 (마) 일본 열도의 조몬 문화, ②는 (라) 한반도의 신석기 문화, ④는 (나) 랴오허강 유역의 훙산 문화, ⑤는 (다) 창장강 유역의 허무두 문화에 대한 설명이다.

완자 정리 노트 동아시아의 신석기 문화

지역	내용
황허강 유역	양사오 문화(채도), 다원커우 문화(홍도, 흑도) → 룽산 문화로 발전(흑도)
창장강 유역	허무두 문화(홍도, 회도) → 량주 문화로 발전(옥기)
랴오허강 유역	훙산 문화 형성(채도, 옥기)
만주·한반도	이른 민무늬 토기, 덧무늬 토기 제작 → 빗살무늬 토기 문화 형성
일본 열도	조몬 문화 형성(조몬 토기, 토우)

02 국가의 성립과 발전

STEP 1 핵심 개념 확인하기 030쪽

1 (1) ㉡ (2) ㉠ (3) ㉢ 2 봉건제 3 (1) × (2) × (3) ○
4 ㄱ, ㄴ 5 흉노 6 (1) 부여 (2) 삼한

STEP 2 내신 만점 공략하기 030~034쪽

01 ④ 02 ⑤ 03 ① 04 ④ 05 ③ 06 ② 07 ③
08 ④ 09 ④ 10 ④ 11 ③ 12 ① 13 ⑤ 14 ⑤
15 ③ 16 ② 17 ⑤ 18 ① 19 ①

01 청동기의 사용

밑줄 친 '이 도구'는 청동기이다. 청동은 돌보다 정밀한 도구를 만들 수 있고, 날이 무뎌지거나 부러지면 녹여서 다시 새 도구를 제작할 수 있다는 장점이 있다. 그러나 주재료인 구리와 주석이 흔하지 않아 청동기는 주로 지배층만 사용할 수 있었다. 한편, 신석기 시대 말부터 농경 기술이 발전하여 생산력이 높아지면서, 잉여 생산물이 축적되고 인구가 증가하기 시작하였다. 또한 사유 재산 제도가 출현하였고, 계층의 분화가 이루어졌다. 이 과정에서 청동기를 먼저 보유한 집단이 주변의 약한 집단을 정복하거나 통합하면서 지배자가 등장하였다. 그리고 지배자가 주변 집단을 통합하면서 사회의 규모가 커지고 국가도 출현하였다.

| 바로 알기 | ④ 청동기 시대에 농기구나 일상생활 도구는 주로 돌이나 나무로 만들었다.

02 중원 지역의 청동기 문화

제시된 유물은 얼리터우 유적에서 출토된 청동 술잔이다. 중원 지역에서는 기원전 2000년경부터 청동기를 사용한 얼리터우 문화가 발전하였다. 얼리터우 문화 유적에서는 궁전터와 성벽을 갖춘 도시가 나타났는데, 문헌상 최초의 국가인 하 왕조가 이곳에 세워진 것으로 추정하고 있다. 중원 지역의 청동기 문화는 기원전 16세기경에 상 왕조가 성립되면서 더욱 발전하였다.

| 바로 알기 | ①은 몽골 초원 지대의 청동기 문화, ②, ③은 만주·한반도 지역의 청동기 문화, ④는 일본 열도의 청동기 문화에 대한 설명이다.

03 몽골 초원 지대의 청동기 문화

(가) 몽골 초원 지대에서는 기원전 2000년경 청동으로 된 기마 도구와 무기를 활용한 독자적인 문화가 나타났다. 유목민들은 동물 모양의 청동기와 재갈을 제작하였고, 기마에 적합하도록 고리가 달린 단검을 만들어 사용하였다. 이 지역에서는 사슴돌, 판석묘, 거대한 돌무지 제사 유적 등이 만들어졌다.

04 만주·한반도 지역의 청동기 문화

자료분석

비파형 동검과 탁자식 고인돌은 만주·한반도 지역의 청동기 문화를 대표하는 유물과 유적이다. 청동기 시대 만주와 한반도 일대에서는 비파형 동검과 같은 청동제 무기를 사용하였고, 지배층의 무덤으로 추정되는 고인돌을 만들었다. 생활 용구는 돌이나 나무로 만들었는데, 곡식의 이삭을 따는 반달 돌칼이 대표적이다.

바로 알기 ① 만주와 한반도 지역에서 발전하였다. ②는 중원 지역의 청동기 문화, ③은 일본 열도의 청동기 문화, ⑤는 베트남의 청동기 문화에 대한 설명이다.

05 일본 열도의 청동기 문화

(가)에 들어갈 유물은 청동으로 만든 종인 동탁으로, 일본 열도의 야요이 시대에 제작되었다. 일본 열도에서는 기원전 3세기경 청동기와 철기, 벼농사 기술이 한반도로부터 전해졌다. 그리하여 농경에 바탕을 둔 야요이 시대가 시작되었고, 청동으로 제기와 장신구를 제작하였다.

바로 알기 ①은 청동북으로, 베트남의 동선 문화 시기에 제작되었다. ②는 중원 지역의 상에서 제작된 청동 제기이다. ④, ⑤는 만주와 한반도 지역에서 출토된 청동 거울과 청동 방울이다. (주로 군장이 하늘에 제사를 지낼 때 의식용 도구로 사용하였어.)

완자 정리 노트 동아시아 각 지역의 청동기 유물과 유적

지역	내용
중원 지역	청동 솥, 세발 달린 술잔 등 제사 의식용 도구 제작
몽골 초원 지대	• 도구: 고리 달린 단검, 등자 등 기마 생활과 관련된 도구 제작 • 무덤: 사슴돌, 판석묘, 돌무지 제사 유적 등 조성
만주·한반도	• 도구: 비파형 동검, 청동 거울, 청동 방울 등 제작 • 무덤: 고인돌, 돌널무덤 등 조성
일본 열도	동탁, 쇠를 덧댄 농기구 등 제작

06 상의 성립과 발전

제시된 유물은 상의 갑골문이다. 상은 왕이 제사장을 겸하는 제정일치 사회였다. 국가의 중요한 일은 점을 쳐서 결정하였고, 이 점괘의 내용과 결과를 갑골문으로 기록하였다. 상은 주변의 소국들을 정복하며 세력을 확대해 나갔지만 소국들의 국가 운영은 독립적으로 이루어졌다. 소국 중에는 왕의 권위에 도전하는 세력들도 있었다. 그중 하나였던 주가 상을 멸망시키고 중원을 장악하였다.

바로 알기 ② 문헌에 나타난 동아시아 최초의 국가는 하이다.

07 주의 성립과 발전

(가) 국가는 주이다. 주는 기원전 11세기경 상을 멸망시킨 후 정복한 지역을 봉건제로 다스렸다. 주 왕은 백성을 덕으로 다스려야 한다는 덕치주의와 천명을 받은 사람이 나라를 다스려야 한다는 천명사상을 내세워 왕의 통치를 정당화하였다.

바로 알기 ㄱ은 상에 대한 설명이다. ㄹ. 철제 농기구를 사용한 것은 춘추·전국 시대부터이다.

08 주의 봉건제

제시된 도표는 주에서 실시한 봉건제를 나타낸 것이다. 주는 왕이 수도 부근을 직접 통치하고, 나머지 지역은 왕족과 공신 등을 제후로 보내어 다스리게 하였다. 그러나 후대로 갈수록 왕과 제후의 혈연관계가 멀어지면서 제후는 점차 왕의 통제에서 벗어났고, 그에 따라 주 왕의 권위도 약해졌다.

바로 알기 ① 영토를 나누어 다스리고 세습하도록 하였던 봉건제는 지방 분권적 성격이 강하였다. ② 봉건제는 주에서 처음 시행되었다. ③ 봉건제와 군현제를 절충한 제도는 군국제이다. ⑤ 봉건제가 시행되면서 제후들의 권한이 강화되었다.

09 춘추·전국 시대의 전개

지도는 여러 제후국들이 경쟁하던 춘추·전국 시대의 형세를 보여 준다. 춘추·전국 시대에는 제후들이 스스로 왕이라 칭하면서 주변의 소국을 병합하였고, 제후들이 부국강병을 위해 인재를 등용하는 과정에서 제자백가가 등장하였다. 제후들은 관료제를 시행하여 신분보다 능력이 뛰어난 사람을 관리로 뽑았다. 인재 등용에서 능력이 중시되자, 지식과 학문을 갖춘 사(士) 계층이 크게 성장하였다. 또한 춘추·전국 시대에는 우경과 철제 농기구가 보급되어 농업 생산력이 크게 증대되었고, 철제 무기가 도입되어 군사력이 강화되었다.

바로 알기 ④ 춘추·전국 시대에는 농업 생산력이 증대되면서 경작 방식이 마을 단위에서 가족 단위로 바뀌었다.

10 진 시황제의 정책

왕의 칭호를 '황제'로 바꾸는 내용에서 밑줄 친 '왕'이 진 시황제임을 알 수 있다. 시황제는 수도와 지방을 연결하는 도로망을 건설하고 전국의 도량형과 문자를 통일하였으며, 화폐를 반량전으로 일원화하였다. 이로써 세금 징수와 교역에 통일된 기준을 적용하였다. 또한 사상을 통제하기 위해 분서갱유를 일으켰다. 그러나 시황제가 죽은 후 진은 급속히 쇠퇴하였고, 대규모 토목 공사와 엄격한 법치에 대한 불만으로 농민들의 봉기가 잇따라 일어났다.

바로 알기 ① 시황제는 전국적으로 군현제를 실시하여 각 군과 현에 중앙에서 뽑은 관리를 파견하였다. 군국제는 한 고조가 실시하였다. ②, ③, ⑤는 한 무제가 실시한 정책이다.

11 한 고조의 통치

(가)는 한 고조(유방)이다. 진이 혼란에 빠지자 유방과 항우가 군사를 일으켜 다투었고, 그 결과 유방이 세운 한이 중원을 재통일하였다. 한 고조(유방)는 중앙에 3공 9경을 두어 통치를 담당하게 하였다. 그리고 세력이 강성하였던 지방 세력을 효율적으로 다스리기 위해 군현제와 봉건제를 절충한 군국제를 시행하였다.

바로 알기 ①, ⑤ 상앙을 등용하고, 법가 사상을 통치 이념으로 삼은 것은 진이다. ② 8조법은 고조선에서 제정되었다. ④ 소금과 철의 전매제를 시행한 인물은 한 무제이다.

12 한 무제의 정책

한 무제는 군현제를 확대 실시하여 중앙 집권을 이루었고, 주변 국가와 전쟁을 벌여 영토를 대대적으로 확대하였다. 한 무제는 흉노를 고비 사막 이북으로 축출하고, 깐수 지역에 군현을 설치한 후 군대를 배치하였다. 또한 흉노를 견제하고자 장건을 서역에 파견하였는데, 이를 계기로 비단길을 장악하였다. 한편, 한 무제는 남비엣과 고조선을 멸망시킨 뒤 그 지역에 군현을 설치하였다. 고조선을 정복한 것은 고조선이 한과 한반도 남부를 잇는 중계 무역을 독점하여 경제적으로 성장하고 있었고, 흉노와 연합할 가능성이 있었기 때문이다.

바로 알기 ① 3공 9경의 관료제를 처음 시행한 인물은 진 시황제이다.

완자 정리 노트 한 무제의 정책

대내 정책	유학 장려, 소금과 철의 전매제 시행, 군현제 확대 실시 등
대외 정책	흉노 정벌, 남비엣과 고조선 정복 등

13 한 대 유교의 통치 이념화

자료 분석

유교로써 나라를 다스릴 것을 주장하였어.

제왕은 하늘의 뜻을 받들어 정치를 행해야 합니다. 따라서 형벌의 힘을 빌려 다스리지 말고 덕과 교화의 힘을 빌려 다스려야 합니다. …… 옛날의 제왕들은 수도에는 태학을 설립하여 교육을 시행하였고, 읍에는 학교를 세워 백성을 교화시켰습니다. …… 그리하여 형벌을 가볍게 시행했음에도 불구하고 백성은 국가에서 금지하는 것을 하지 않았습니다.

–「한서」

제시된 글은 동중서가 한 무제에게 건의한 내용으로, 유교를 통치 이념으로 채택할 것을 주장하고 있다. 한 무제는 동중서의 건의를 받아들여 유교를 통치 이념으로 삼고, 유교적 교양이 있는 인물을 관리로 선발하였다.

바로 알기 ① 진 시황제가 사상 통일을 위해 분서갱유를 단행하였다. ② 춘추·전국 시대에 제후들이 부국강병을 위해 능력 있는 인재를 경쟁적으로 모집하면서 제자백가가 등장하였다. ③ 한 무제는 재정 악화를 해결하기 위해 소금과 철의 전매제를 시행하였다. ④ 춘추·전국 시대에 인재 등용에서 능력이 중시되자, 사(士) 계층이 성장하였다.

14 흉노의 성립과 발전

제시된 글은 흉노 제국에 대한 설명이다. 흉노는 유라시아 대륙 북부의 유목 지대에서 성장하였으며, 기원전 3세기경 동아시아 최초의 유목 민족 국가를 건설하였다. 기원전 209년에 즉위한 묵특 선우는 동쪽으로 동호를 복속하고 서쪽으로는 월지를 몰아냈다. 한을 압박하여 한 고조를 굴복시키기도 하였다. 그러나 흉노는 한 무제의 공격을 받아 세력이 약해졌고, 후한 대에 선우 자리 계승을 둘러싼 분쟁이 발생하여 남북으로 분열되었다. 한편, 흉노는 최고 통치자인 선우가 중앙을 통치하고, 나머지는 좌현왕과 우현왕 등을 두어 동방과 서방을 다스리게 하였다. 행정 조직은 곧 군사 조직이었기 때문에 흉노의 정치 체제는 농경 국가보다 비교적 단순하고 느슨한 편이었다.

바로 알기 ⑤는 고조선에 대한 설명이다.

15 고조선의 발전 과정

청동기 문화를 바탕으로 랴오닝 지역에서 한반도 북부에 걸쳐 성립한 고조선은 기원전 3세기경 (나) 상, 대부, 장군 등의 관직을 설치하고 국가 체제를 정비하였다. 진에서 한으로 교체되던 시기에는 위만이 추종 세력을 이끌고 고조선으로 망명하였고, (가) 기원전 194년 위만이 준왕을 몰아내고 왕위에 올랐다. 이후 고조선은 철기 문화를 본격적으로 수용하여 (라) 한과 한반도 남부를 연결하는 중계 무역으로 경제적 이득을 얻었다. 고조선이 주변 지역을 통합하며 성장하자 (다) 한 무제는 고조선을 침략하였다. 고조선은 1년여에 걸쳐 저항하였으나 수도 왕검성이 함락되면서 멸망하였다(기원전 108).

16 고조선의 8조법

제시된 법은 고조선의 8조법이다. 고조선은 사회의 기본 질서를 유지하기 위해 8조법을 제정하였고, 이 중 세 가지 조항이 전해진다. 8조법을 통해 고조선 사회가 개인의 생명과 노동력을 존중하고, 사유 재산을 중시하였음을 알 수 있다. 또한 8조법은 고조선 사회가 형벌과 노비가 존재한 계급 사회였음을 보여 준다.

바로 알기 ㄴ. 남을 다치게 한 사람은 곡식으로 갚는다는 내용을 통해 고조선에서 농업을 중시하였음을 알 수 있다. ㄹ. 도둑질한 사람은 노비로 삼는다는 내용을 통해 고조선이 계급 사회였음을 알 수 있다.

17 일본 열도의 국가 성립

일본 열도에서는 기원을 전후한 시기에 100여 개의 소국이 등장하였다. 2세기 말 '왜국대란'이라고 불리는 소국들의 대립으로 혼란하던 일본 열도는 3세기 히미코 여왕이 다스리는 야마타이국을 중심으로 30여 개의 소국이 형성되면서 점차 안정되었다.

바로 알기 ①, ②는 일본 열도의 신석기 시대 모습이다. ③ 기원전 3세기경 한반도로부터 청동기, 철기, 벼농사 기술이 전래되면서 야요이 시대가 시작되었다. ④ 기원 전후에 야요이 시대의 농업 생산력 발전에 힘입어 여러 정치체가 출현하였다.

18 동아시아의 국가 체제 정비

국가 성립 초기에 동아시아의 여러 왕들은 종교적인 권위를 이용하여 권력을 강화하였다. 이후 정복 전쟁이 확대되고 제도가 정비되면서 왕권이 강화되었다. 전국 7웅 중 하나였던 진은 법가 사상가를 등용하여 제도를 정비하였다. 이를 기반으로 전국을 통일한 시황제는 3공 9경의 관료를 두어 업무를 담당하게 하였다. 한에서는 무제 때 군현제를 확대 실시하여 중앙 집권 체제를 확립하였다. 고조선은 사회 질서를 유지하기 위해 8조법을 만들어 시행하였다.

바로 알기 ① 상은 왕이 종교적 권위에 의지하여 국가를 통치하였으므로, 제도의 정비를 통한 왕권 강화의 사례로 보기 어렵다.

완자 정리 노트 동아시아 각국의 체제 정비

구분	진	한	고조선
통치 이념, 법률	법가	유가	8조법
지방 통치 방식	군현제	군국제 → 군현제	–
통치 조직, 관료제	3공 9경	3공 9경	상, 대부, 장군 등

19 중원 왕조와 흉노

기원전 3세기 후반 진 시황제는 장군 몽염에게 군대를 주어 흉노를 공격하게 하였고, 흉노를 북방 초원 지대로 몰아냈다. 그 후 흉노의 재침입을 막기 위해 전국 시대에 여러 나라가 쌓은 장성을 연결하여 만리장성을 건설하였다. 한편, 한 무제는 흉노와의 전쟁을 준비하면서 대월지와 동맹을 맺기 위해 장건을 서역에 파견하였다.

서술형 문제

034쪽

01 주제: 장건의 서역 파견

(1) 한 무제

(2) 예시 답안 한 무제는 대월지와 동맹을 맺어 흉노를 견제하고자 장건을 서역에 파견하였다. 장건의 서역 파견으로 한은 비단길을 장악하였고, 동서 교역의 주도권을 확보하였다.

채점 기준

상	장건을 서역에 파견한 목적과 장건의 서역 파견이 한에 미친 영향을 모두 서술한 경우
하	장건을 서역에 파견한 목적과 장건의 서역 파견이 한에 미친 영향 중 한 가지만 서술한 경우

02 주제: 흉노의 통치 체제

(1) 흉노 (제국)

(2) 예시 답안 흉노의 최고 통치자 선우는 제국을 셋으로 나누어 자신이 중앙을 통치하고, 나머지는 좌현왕과 우현왕 등이 다스리게 하였다. 각 왕은 영토와 군사 소식을 보유하고 하위 관료 조직을 두었다. 또한 흉노의 행정 조직은 군사 조직과 형태가 일치하였다.

채점 기준

상	제국을 셋으로 나누어 통치, 각 왕이 각기 영토와 군사 및 관료 조직 보유, 행정 조직과 군사 조직의 형태 일치를 모두 서술한 경우
중	위의 내용 중 두 가지를 서술한 경우
하	위의 내용 중 한 가지만 서술한 경우

STEP 3 1등급 정복하기

035~037쪽

1 ② 2 ⑤ 3 ④ 4 ④ 5 ⑤ 6 ④

1 동아시아의 청동기 문화

(가)는 중원 지역이다. ㉡ 황허강 중류 지역에서는 기원전 2000년경부터 얼리터우 문화가 발전하였는데 이곳에서 궁전터와 성벽을 갖춘 도성이 발견되었다. 이 유적은 초기 도시 국가의 모습을 보이는데, 문헌상 최초의 국가인 하 왕조가 이곳에 세워진 것으로 추정하고 있다.

2 진의 통치 정책

전국 시대를 통일한 진은 전국을 효율적으로 다스리기 위해 중앙 집권 체제를 강화하였다. 진 시황제는 전국을 하나의 기준으로 통치하기 위해 도량형, 화폐, 문자를 통일하였다. 또한 전국을 36개의 군으로 나누어 관리를 파견하는 군현제를 실시하였고, 수도와 지방을 잇는 도로망을 건설하였다. 대외적으로는 북방의 흉노를 견제하기 위해 만리장성을 축조하였다. 그러나 진은 시황제가 죽은 후 급속하게 쇠퇴하였다. 엄격한 법치와 대규모 토목 공사에 대한 백성들의 불만이 높았고, 농민 봉기가 잇달아 일어났다.

완자 정리 노트 진 시황제의 정책

정책	내용
황제 칭호 사용	왕의 권위 전파 목적, 스스로 '시황제'라 칭함
군현제 시행	전국을 군과 현으로 나누고 관리를 파견하여 통치
도로망 정비	수도와 변방 연결 → 지방에 대한 통제력 강화
제도 통일	도량형, 화폐, 문자 등 통일
대외 정책	만리장성 축조, 베트남 북부 지역으로 진출

3 한의 대외 정책

자료 분석

(가) 은/는 병사를 이끌고 가서 그들을 공격하였는데 …… 묵특은 거짓으로 싸움에 져 달아나는 척하여 한의 군대를 유인하였다. (가) 이/가 선두에 서 평성에 이르렀다. 한의 보병이 도착하기 전에 묵특은 정예 기병 40만 명을 풀어 황제를 백등산에서 이레 날 동안 포위하였다. – 『사기』

└ 한 고조는 직접 흉노 정벌에 나섰지만 흉노의 기마병에 포위되었다가 간신히 살아났어.

(가)는 한 고조, (나)는 한 무제이다. 한 고조가 중원을 재통일한 직후 흉노가 만리장성을 넘어 한을 공격하였고, 한 고조는 직접 군대를 이끌고 원정을 떠났지만 대패하였다. 그 후 한은 필요한 물자를 제공하는 조건으로 흉노와 화친을 맺었다. 그러나 한 무제가 즉위하면서 상황이 달라졌다. 한 무제는 흉노에 대한 전면전을 시작하였고 승리를 거두어 흉노를 고비 사막 이북으로 축출하였다.

바로 알기 ㄱ은 위만, ㄷ은 진 시황제에 대한 설명이다.

4 흉노의 성장과 쇠퇴

자료분석

한 무제 때 흉노와의 전쟁에서 활약한 곽거병의 묘 앞에는 말이 흉노인을 밟고 있는 형태의 석상이 있어. 한이 흉노보다 우위에 있었다는 것을 나타낸 거야.

밑줄 친 '이 국가'는 흉노 제국이다. 흉노 제국은 여러 부족을 통합한 연맹체적 국가였고, 그 영역은 크게 셋으로 나뉘었다. 최고 통치자인 선우가 중앙을 직접 통치하고, 동방과 서방에 좌현왕과 우현왕 등을 배치하였다. 각 왕은 영토와 군사 조직을 보유하고 하위 관료 조직을 두었다. 흉노의 국가 통치 기구는 그대로 군사 조직의 형태를 띠었다.

바로 알기 ④ 한반도로부터 청동기와 철기 제작 기술을 받아들인 지역은 일본 열도이다.

5 위만 집권 시기의 동아시아 정세

제시된 글은 진·한 교체기에 위만이 연으로부터 무리를 이끌고 고조선에 들어온 내용이다. 위만은 고조선의 변경 일을 담당하면서 세력을 키워 준왕을 몰아내고 고조선의 왕이 되었다(기원전 194). 이 무렵부터 고조선은 철기 문화를 본격적으로 받아들이고 주변의 소국을 정복하면서 크게 발전하였다.

바로 알기 ① 진은 기원전 221년에 중원을 통일하였다. ② 신은 8년에 건국되었다. ③ 광무제는 220년에 후한을 세웠다. ④ 기원전 3세기경 흉노가 유목 민족 국가를 수립하였다.

6 지방 통치 제도의 정비

㉠은 봉건제, ㉡은 군현제이다. 주는 혈연관계를 바탕으로 한 종법적 봉건제를 실시하였다. 그러나 후대로 갈수록 왕과 제후의 혈연관계가 멀어지면서 제후는 점차 왕의 통제에서 벗어났고, 그에 따라 주 왕실의 권위도 약해졌다. 군현제는 전국을 군과 현으로 나누어 중앙에서 관리를 파견하여 다스리게 한 제도로, 진 시황제 때 전국적으로 실시되었다. 진 이후 중원 지역을 다시 통일한 한은 고조 때 봉건제와 군현제를 절충한 군국제를 시행하였고, 무제 때에는 군현제를 확대 실시하여 중앙 집권 체제를 확립하였다.

바로 알기 ①, ②는 군현제, ③, ⑤는 봉건제에 대한 설명이다.

완자 정리 노트 중국 지방 통치 제도의 변천

주		진		한
봉건제 실시	→	군현제 실시	→	• 고조: 군국제 실시(봉건제와 군현제 절충) • 무제: 군현제 확대 실시

대단원 실력 굳히기 040~043쪽

01 ② 02 ④ 03 ① 04 ⑤ 05 ② 06 ② 07 ③
08 ⑤ 09 ① 10 ⑤ 11 ③ 12 ④ 13 ② 14 ③
15 ④ 16 ① 17 ②

01 동아시아 세계

제시된 글은 동아시아 지역에 대한 설명이다. 동아시아 지역의 북쪽은 사막과 초원 지대로 이루어져 있고, 남쪽은 늪지대와 열대 우림 지대로, 서쪽은 사막과 산맥으로, 동쪽은 바다로 가로막혀 있다. 이러한 지형 조건 때문에 동아시아 지역과 외부 지역과의 교류가 쉽지 않았다. 그러나 동아시아 각국은 육로와 해로를 통해 교류하였으며, 한자·불교·유교·율령 등의 문화 요소를 공유하였다.

바로 알기 ② 동아시아 지역에서 공동체 설립의 필요성이 높아지고 있다.

02 동아시아사 학습

동아시아사 학습을 통해 동아시아 각국의 다양성을 존중하고, 동아시아 공동체의 갈등 해결을 위한 실마리를 찾을 수 있다. 따라서 동아시아의 역사를 학습할 때에는 동아시아를 하나의 단위로 보아 상호 공통성을 파악하고, 다양성을 인정하는 자세가 필요하다.

바로 알기 동아시아사를 학습할 때에는 배타적 민족주의를 버리고 동아시아의 상호 공통성을 파악한다. 또한 자국사의 틀에서 벗어나 각국의 역사와 문화를 존중해야 한다.

03 동아시아의 자연환경

동아시아의 지형은 서쪽에 평균 해발 고도 4,500m 이상의 티베트 고원이 있으며, 동쪽에는 해발 고도 1,000m 이하의 낮고 평평한 지대가 이어진다. 동아시아 지역은 열대, 건조, 온대, 냉대, 고산 기후 등 다양한 기후가 분포한다. 또한 계절풍의 영향을 받아 여름철에는 덥고 습한 날씨가 나타나며, 겨울철에는 춥고 건조한 날씨가 이어진다.

바로 알기 ① 동아시아 지역은 서쪽에서 동쪽으로 갈수록 고도가 점차 낮아진다.

04 동아시아의 생업

(가)는 연 강수량이 400mm 미만인 지역으로, 주로 유목이 행해진다. (나)는 연 강수량이 400~600mm인 지역으로, 주로 밭농사가 이루어진다. (다)는 연 강수량이 600mm 이상인 지역으로, 벼농사가 활발히 이루어지며 중국 남부, 베트남 등 일부 지역에서는 이기작이 가능하다.

바로 알기 ①, ② (가)는 연 강수량이 400mm 미만인 지역으로 농경에 불리하다. ③, ④는 (가)에 해당하는 내용이다.

05 유목민의 생활

자료 분석

유목으로 생계를 유지하였음을 알 수 있어.

가축의 고기를 먹고 그 젖을 마시며 그 가죽으로 옷을 만들어 입는다. 물과 풀을 찾아 철마다 옮겨 다니며, 성곽도 정주지도 경작지도 없다. 문서를 사용하지 않고 구두로 약속을 한다. 어린아이도 말을 타고 활을 쏘아 새나 쥐를 맞히고, 좀 더 자라면 여우나 토끼를 잡아 음식으로 하며, 장정은 강궁을 사용하고 모두 기병이 된다.

–「사기」

제시된 글은 유목민의 생활 모습을 보여 준다. 유목민들은 계절에 따라 가축에게 먹일 물과 풀을 찾아 이동 생활을 하였기 때문에 이동식 가옥에서 생활하였다. 한편, 우수한 기마 전술을 바탕으로 강력한 유목 국가를 건설하기도 하였다.

바로 알기 ㄴ, ㄹ은 농경민의 생활 모습이다.

06 동아시아의 구석기 문화

(가)는 구석기 문화이다. 구석기 시대의 사람들은 열매 채집이나 물고기잡이 등으로 식량을 얻었고, 주로 뗀석기를 사용하였다. ② 뗀석기인 주먹도끼는 구석기 시대를 대표하는 유물이다.

바로 알기 ①은 청동기 시대에 만들어진 비파형 동검이다. ③은 갈판과 갈돌, ④는 양사오 토기, ⑤는 빗살무늬 토기로, 모두 신석기 시대를 대표하는 유물이다.

07 중원 지역의 신석기 문화

밑줄 친 '이 지역'은 (다) 창장강 유역이다. 창장강 하류 지역에서는 기원전 5000년경부터 벼농사를 기반으로 한 허무두 문화가 발전하였다. 이곳에서 짐승 뼈나 나무 등으로 만든 농기구와 볍씨가 출토되어 벼농사가 이루어졌음을 알 수 있다. 또한 흑도, 회도 등이 만들어졌고, 움집 대신 고상 가옥을 지어 생활하였다. 허무두 문화는 옥기를 특징으로 하는 량주 문화로 발전하였다.

08 동아시아의 청동기 문화

청동기는 재료가 풍부하지 않아 주로 지배층의 무기와 장식품, 의식용 도구로 사용되었다. 사람들이 청동 무기를 사용하게 되면서 정복 전쟁이 일어났고, 이때 강력한 집단이 주변 집단을 통합하면서 국가가 형성되었다.

바로 알기 ①, ②, ③, ④는 신석기 시대의 특징이다.

09 몽골 초원 지대의 청동기 문화

(가)에 들어갈 유물은 북방식 청동 단검이다. 북방식 청동 단검은 몽골 초원 지대의 청동기 문화를 대표하는 유물로, 동검의 손잡이에는 고리나 동물 문양이 장식되어 있다. 기원전 2000년에서 기원전 1700년 무렵 몽골 초원 지대에서는 중원 지역과는 계통을 달리하는 청동기 문화가 나타났다. 몽골 초원 지대에서는 주로 무기·재갈 등의 마구, 솥과 같은 생활 도구를 제작하였다. 또한 이 지역에는 사슴돌, 판석묘와 같은 청동기 시대의 유적이 많이 남아 있다.

바로 알기 ②는 야요이 시대의 청동기 유물인 동탁, ③은 다원커우 문화의 세발 달린 주전자, ④는 중원 지역의 얼리터우 유적에서 나온 청동 술잔이다. ⑤는 만주·한반도 지역의 청동기 시대에 제작된 비파형 동검이다.

10 주의 세력 범위

지도는 주의 세력 범위를 나타낸 것이다. 주는 상을 무너뜨리고 호경에 도읍하여 중원을 지배하였으며, 정복한 지역을 봉건제로 다스렸다. 주 왕은 스스로 하늘의 명을 받아 나라를 다스리는 천자라 불렸으며, 백성을 무력이 아닌 덕으로 다스려야 한다는 덕치주의를 내세웠다. 그러나 시간이 지나면서 주 왕실의 통치력은 점차 약화되었으며, 이러한 가운데 서북쪽에서 견융족이 침입하자 주는 수도를 동쪽으로 옮겼다. 이에 따라 주 왕실은 제후들에 대한 통제력을 잃고 점차 쇠퇴하였다.

바로 알기 ①, ②는 상, ③은 하에 대한 설명이다. ④ 철기 제작 기술이 보급된 것은 춘추·전국 시대이다.

11 춘추·전국 시대의 전개

(가)는 춘추·전국 시대로, 주의 수도가 호경에서 동쪽의 낙읍(뤄양)으로 이동한 이후부터 진이 중원을 통일할 때까지의 시기이다. 기원전 8세기 견융족이 침략하자 주는 수도를 동쪽으로 옮겼다. 이때부터 춘추 시대라 하는데, 유력 제후들이 왕을 받든다는 명분을 내세워 정치를 주도하였다. 기원전 5세기에는 전국 시대가 시작되었다. 전국 시대는 제후들이 스스로 왕이라 칭하면서 주변의 소국을 병합하였다. 춘추·전국 시대에는 우경과 철제 농기구가 보급되어 농업 생산력이 크게 증대되었고, 제후들은 부국강병을 추진하면서 철제 무기를 도입하였다. 이러한 상황에서 각 제후국은 봉건제를 대신하여 중앙 집권적인 군현제로 통치하였다.

바로 알기 ①은 한, ②, ⑤는 진에 대한 설명이다. ④ 춘추·전국 시대에는 각국에서 군사력 강화를 위해 철제 무기를 적극적으로 도입하였다.

완자 정리 노트 춘추·전국 시대의 변화

정치	철제 무기 보급(→ 군사력 강화), 군현제 실시, 관료제 정비
경제	철제 농기구·우경 보급, 상공업과 도시 발달, 화폐 유통 활발
사회	제자백가 출현, 능력 중심의 인재 등용, 사(士) 계층의 성장

12 진 시황제의 정책

군현제를 전국적으로 실시하고, 전국을 연결하는 도로망을 정비하였다는 대화를 통해 밑줄 친 '황제'가 진 시황제임을 알 수 있다. 전국을 통일한 진 시황제는 황제라는 칭호를 사용하는 한편, 전국에 군과 현을 설치하여 황제가 임명한 관리들을 직접 파견하였다. 또한 진 시황제는 흉노를 견제하기 위해 만리장성을 축조하였다.

바로 알기 ① 장건을 서역에 파견한 인물은 한 무제이다. ②, ③ 진 시황제는 법가 사상을 통치 이념으로 삼았고, 군현제를 실시하여 관리를 전국에 파견하였다. ⑤는 상과 관련된 내용이다.

13 한의 경제 정책

제시된 글은 한 대 소금과 철의 전매제 시행에 대한 내용이다. 한 무제는 주변 국가와 전쟁을 벌여 영토를 확대하였지만, 그 후유증으로 재정이 크게 약화되었다. 이에 한 무제는 재정을 확보하기 위해 상공업을 통제하고 소금과 철 등을 국가에서 독점 판매하는 경제 정책을 시행하였다.

14 흉노의 성립과 발전

기원전 3세기 후반 진 시황제는 흉노를 북방 초원 지대로 몰아내고 오르도스 지방을 차지하였다. 흉노는 진의 공격을 받아 근거지를 상실하고 큰 타격을 입었으나, 진의 멸망 이후 세력을 회복하였다. 흉노는 묵특 선우 시기에 한을 공격하였고, 한과 흉노의 대군이 평성에서 부딪쳤다. 이때 한 고조는 직접 전투에 나섰는데 흉노에 포위되었다가 가까스로 포위망에서 빠져나왔다. 이후 한 고조는 흉노에 공물을 바치고 황실의 여성을 선우에게 보냈다.

바로 알기 ①, ②, ④, ⑤는 한 무제가 즉위한 이후의 상황이다. 흉노는 한 무제의 공격을 받아 세력이 약해졌고, 후한 대에 선우 자리 계승을 둘러싼 분쟁이 발생하여 남북으로 분열되었다.

15 흉노의 통치 조직

제시된 자료는 흉노의 통치 조직을 보여 준다. 흉노 제국은 여러 부족이 연합한 연맹체적 국가로, 최고 통치자인 선우 아래 좌현왕과 우현왕 등이 각각 영토를 다스리는 통치 체제를 갖추었다. 각 왕은 영토와 군사 조직을 보유하고 하위 관료 조직을 두었다. 또한 흉노의 행정 조직은 군사 조직과 일치하였다.

바로 알기 ㄱ은 군국제에 대한 설명이다. ㄷ. 흉노의 정치 체제는 농경 국가보다 비교적 단순하고 느슨한 편이었다.

16 고조선의 문화 범위

(가) 국가는 고조선이다. 고조선은 랴오닝 지역에서 한반도 북부에 걸쳐 성립하였고, 비파형 동검과 탁자식 고인돌의 분포를 통해 그 문화 범위를 짐작할 수 있다. 고조선은 기원전 3세기경 왕위를 세습하고 관직 체제를 정비하였다. 위만이 집권한 이후에는 본격적으로 철기 문화를 받아들였고, 한과 한반도 남부를 연결하는 중계 무역으로 경제적 이득을 얻었다.

바로 알기 ① 고조선은 청동기 문화를 토대로 성립하였다.

완자 정리 노트 고조선의 성립과 발전

성립	청동기 문화를 바탕으로 성립
발전	위만 집권 이후 본격적으로 철기 문화 수용, 한과 한반도 남부를 잇는 중계 무역으로 이익 획득
정치	왕위 세습, 왕 밑에 관직 설치(상, 대부, 장군 등)
사회	8조법으로 사회 질서 유지(계급 사회, 개인의 생명과 노동력 중시, 사유 재산의 개념 존재)

17 초기 국가들의 특징

제시된 글은 초기 국가의 통치 형태를 보여 준다. 야마타이국의 히미코 여왕과 고조선의 단군왕검은 정치적 지배자이자 제사장이었다. 이를 통해 당시 사회가 제정일치 사회였음을 알 수 있다. 동아시아 지역에서는 국가 성립 초기에 왕이 종교적인 권위를 이용하여 권력을 강화하였다. 왕은 자신을 하늘과 인간을 연결해 주는 신성한 존재로 내세우며 제사를 주관하였다. 이때 왕은 정치적 지배자이자 제사장이었다.

바로 알기 ①, ③, ④, ⑤ 동아시아 지역에서는 정복 전쟁이 확대되고 각종 제도가 정비되면서 왕권이 강화되어 갔다. 왕은 아들에게 왕위를 세습하였고, 왕을 보좌하는 관료를 양성하여 업무를 담당하게 하였다. 각국은 중앙의 통치 조직뿐만 아니라 지방 조직도 정비하였고, 법률을 만들어 통치의 기본으로 삼으며 사회 질서를 유지하고자 하였다.

Ⅱ. 동아시아 세계의 성립과 변화

01 인구 이동과 정치·사회 변동

STEP 1 핵심 개념 확인하기 050쪽

1 (1) ㉢ (2) ㉣ (3) ㉡ (4) ㉠ 2 (1) ○ (2) × 3 남북조 4 다이카 개신 5 대조영 6 신라－수·당 7 (1) 고구려 (2) 헤이안쿄 8 국풍 문화

STEP 2 내신 만점 공략하기 050~053쪽

01 ② 02 ② 03 ① 04 ③ 05 ④ 06 ③ 07 ③ 08 ④ 09 ② 10 ④ 11 ④ 12 ④ 13 ② 14 ⑤ 15 ① 16 ⑤

01 인구 이동의 결과

자료는 5호의 침략으로 화북 지역을 빼앗긴 한족이 창장강 이남으로 이동하여 동진을 세운 상황을 보여 준다. 한족의 이동으로 중원 지역의 농업과 토목 기술이 창장강 이남 지역에 전해지면서 강남 지역의 농업 생산력이 꾸준히 높아졌다.

바로 알기 ①은 북위가 추진한 한화 정책의 영향으로 볼 수 있다. ③ 만주 북부의 쑹화강 지역에서 살던 부여족 내부에서 분열이 일어나자 주몽 집단이 이동하였다. 이들은 압록강 유역의 졸본 지역에서 고구려를 세웠다. ④, ⑤는 도왜인의 이동이 끼친 영향으로 볼 수 있다.

02 남북조 시대의 상황

(가) 시기는 남북조 시대이다. 5호가 세운 여러 나라는 선비족이 세운 북위가 통일하였다. 북위는 한족의 문물을 적극 수용하는 한화 정책을 시행하여 한족과의 융합을 시도하였다. 이때 균전제 시행, 선비어의 사용 금지 등의 정책을 펼쳤다. 한편, 남쪽에 자리한 한족의 왕조는 송, 제, 양, 진으로 이어졌다. 창장강 이남으로 이주한 한족들이 중원의 농업 기술과 토목 기술 등을 강남에 전하면서 이 지역의 개발을 촉진하였다.

(이들이 남조의 권력을 독점하였어.)

바로 알기 ㄴ. 5호(흉노, 저, 강, 선비, 갈족)가 국가를 세운 것은 위·진 시대이다. ㄹ. 대운하는 남북조 시대를 통일한 수 대에 완성되었다.

03 인구 이동과 국가의 성립

(가)는 고구려, (나)는 신라이다. 부여족인 주몽 집단이 졸본 지역으로 남하하여 토착 세력과 함께 고구려를 세웠다. 점차 세력을 강화한 주몽 집단은 토착 세력을 누르고 주도권을 장악하였나. 졸본에서 국내성으로 천도한 후 고구려의 국력은 더욱 신장되었다.

바로 알기 ②는 (나) 신라와 관련이 있다. 진한의 소국 가운데 하나인 사로국에서 출발한 신라는 주변 소국을 병합하면서 진한의 주도 세력으로 발전하였다. ③은 백제, ④는 가야, ⑤는 고구려와 백제에 대한 설명이다.

04 가야의 발전

제시된 유물은 일본 열도에서 제작된 스에키이다. 스에키는 가야의 영향을 받아 만들어진 회청색 토기이다. 가야는 뛰어난 제철 기술을 바탕으로 생산한 철기를 일본 열도에 전파하여 한 군현과 한반도, 일본 열도를 연결하는 교역의 중심지로 발전하였다.

바로 알기 ①, ②는 백제, ④는 신라, ⑤는 고구려에 대한 설명이다.

05 도왜인의 활동

중국 대륙과 한반도 등지에서 일본 열도로 이주한 사람들을 도왜인이라고 한다. 이들은 4세기경 야마토 지방을 중심으로 형성된 야마토 정권의 발전에 기여하였다. 또한 각종 선진 문물을 전파하여 아스카 문화의 발전에 이바지하였다.

완자 정리 노트 인구 이동에 따른 영향

부여족의 이동	주몽 세력이 고구려 건국 → 고구려 일부 세력이 남하하여 백제 건국 → 신라와 함께 삼국 형성
5호의 이동	• 북위의 한화 정책 추진 → 유목 민족과 한족의 문화 융합 • 한족의 강남 이동 → 강남 지역의 경제력 향상
도왜인의 이동	일본 열도에 중원 지역과 한반도의 선진 문물 전파 → 야마토 정권의 성립과 아스카 문화의 발전에 기여

06 일본 열도로의 인구 이동

삼국 간의 항쟁이 격화되고 정치적인 변화가 있을 때마다 고구려인, 백제인, 신라인, 가야인이 일본 열도로 이주하였다. 오랜 전란에 시달리던 한족도 한반도를 거쳐 이 대열에 동참하였다. 도왜인은 토기 제작법이나 옷감 짜는 법 등 선진 기술을 일본 열도에 전해 주었다. 나아가 국가 운영에 필요한 유학, 불교 등을 전함으로써 야마토 정권과 아스카 문화의 발전에 기여하였다.

바로 알기 ③ 국풍 문화는 8세기 말에 성립한 헤이안 시대에 유행하였다.

07 북위의 한화 정책

황족인 선비족의 성씨를 한족의 성씨인 원씨로 바꾸었다는 점, 선비어를 쓰지 못하게 하였다는 점 등을 바탕으로 제시된 대화가 북위의 효문제가 시행한 한화 정책과 관련이 있음을 알 수 있다.

완자 정리 노트 북위의 한화 정책

배경	대규모 인구 이동 → 유목민(이주민)과 농경민(토착민)의 문화적 차이로 인한 갈등 발생
통치 정책	균전제 실시, 부족 단위의 행정 체제 해체
호한 융합 정책	뤄양으로 천도, 선비족의 풍습 금지, 한족의 언어와 의복 수용, 선비족의 성을 한족의 성으로 바꿈

08 수의 고구려 침공

제시된 자료에는 수와 고구려의 전쟁이 나타나 있다. 수는 6세기 후반 남북조의 분열을 통일하고 대운하를 건설하여 통일 제국의 기반을 다졌으며, 대외 확장을 꾀하였다. 동아시아의 패권을 장악하기 위해 고구려를 수차례 공격하였으나 실패하였고, 이것이 주요 원인이 되어 멸망하였다.

바로 알기 ①은 북위, ②는 진, ③, ⑤는 당에 대한 설명이다.

09 삼국의 발전과 항쟁

한반도에서 가장 먼저 주도권을 잡은 것은 백제였다. 이에 고구려는 신라를 지원하고 백제를 압박하면서 5세기에 삼국의 주도권을 장악하였다. 6세기에는 신라가 한강 유역을 장악하면서 남북조와 직접 교류하였고, 이후 수·당과 연합하였다. 이에 맞서 고구려는 백제, 돌궐, 왜와 연합하였다.

고구려에게 밀린 백제는 수도를 웅진으로 옮겼어.

바로 알기 ② 백제는 남조, 왜 등과 연결하여 세력을 유지하려고 하였다. 특히 남조와 교류하면서 선진 문물을 수용하였다.

10 야마토 정권의 발전

제시된 유적은 다이센 고분으로, 고대 일본의 전형적인 전방후원분의 형태를 띠고 있다. ④ 일본 열도에서는 4세기경 유력 호족이 연합하여 야마토 정권을 세웠다. 야마토 정권은 각지의 호족을 중앙 정치 체제로 편입하기 위해 씨성 제도를 시행하였고, 한반도와 중원에서 선진 문물을 수용하며 점차 발전하였다. 야마토 정권의 지배자들은 거대한 무덤을 만들어 권력을 과시하고자 하였다.

바로 알기 ①, ⑤는 수, ②는 고구려에 대한 설명이다. ③ 일본에서 헤이안쿄가 수도였던 시기를 헤이안 시대라고 부른다.

11 7세기 전반의 동아시아

(가)는 돌궐, (나)는 고구려, (다)는 신라, (라)는 왜이다. ㄴ. 신라가 삼국을 통일하기 전 당은 돌궐·고구려와 패권을 겨루었고, 신라는 백제와 경쟁하였다. 이 과정에서 당은 고구려 침공에 실패하였으며, 신라는 백제의 공격을 받아 어려움을 겪었다. 돌궐, 고구려, 백제, 왜가 연합하면서 고립된 신라는 당과 연합하여 백제, 고구려를 차례로 멸망시켰다. ㄹ. 나·당 연합군이 백제를 멸망시키자 왜는 백제 부흥 세력에 지원군을 보냈다. 그러나 왜와 백제의 연합군은 백강 전투에서 나·당 연합군에게 패하였다.

바로 알기 ㄱ. 고구려는 나·당 연합군에게 멸망하였다. ㄷ. 신라가 삼국을 통일한 후 고구려의 옛 영토에서 발해가 건국되었다. 이로써 한반도에는 통일 신라와 발해가 병존하는 남북국 시대가 펼쳐졌다.

12 당의 발전

자료는 백강 전투에 대한 내용으로, 밑줄 친 '이 나라'는 당이다. 수의 뒤를 이어 중원을 통일한 당은 율령에 기반을 둔 지배 체제를 정비하고, 적극적인 팽창 정책을 추진하였다. 변방을 통치하기 위해 도호부를 설치하고 기미 정책을 실시하였으며, 신라와 연합하여 백제와 고구려를 멸망시켰다. 한편, 당이 개방적인 대외 정책을 펼치면서 동아시아 각국은 당의 수도를 중심으로 서로 교류하였고, 당의 문화는 동아시아 각지로 전해졌다. 일본은 당의 선진 문물을 수용하기 위해 견당사를 파견하였으며, 당의 장안성을 본떠 헤이조쿄를 건설하기도 하였다.

바로 알기 ④는 선비족이 세운 북위에 대한 설명이다.

13 남북국의 발전

고구려의 옛 영토에 세워진 발해는 고구려 계승 의식을 드러냈어.

자료 분석

부여씨와 고씨가 망한 다음 김씨의 (가) 이/가 남에 있고 대씨의 (나) 이/가 북에 있으니 이것이 남북국이다. 남북국사가 있어야 하는데 고려가 편찬하지 않은 것은 잘못이다. 대씨가 차지하고 있던 땅은 어떤 땅인가. 바로 고구려 땅이다.

제시된 자료는 조선 후기에 유득공이 저술한 『발해고』의 일부이며, (가)는 통일 신라, (나)는 발해를 가리킨다. ㄱ. 신라는 삼국을 통일한 후 통치 체제를 정비하였다. 전국을 9주 5소경으로 편제하고, 국왕의 직속 부대인 9서당을 정비하였다. ㄷ. 발해는 문왕 이후 당, 일본과 교류를 확대해 가면서 동아시아 세계의 한 축으로 성장하였다.

바로 알기 ㄴ, ㄹ은 고구려에 대한 설명이다.

14 신라의 통치 체제 정비

나·당 전쟁으로 당을 축출하고 통일을 완성한 신라는 늘어난 영역과 백성을 효율적으로 다스리기 위해 통치 체제를 정비하였다. 9주 5소경을 설치하고 9서당을 정비하면서 고구려, 백제의 유민들을 포용하여 안정적인 질서를 확립하고자 하였다.

15 헤이안 시대의 발전

제시된 소설이 쓰인 시대는 헤이안 시대이다. 8세기 말 헤이조쿄에서 헤이안쿄로 천도한 이후부터 12세기에 가마쿠라 막부가 등장할 때까지를 헤이안 시대라고 한다. 9세기 말 견당사 파견이 중지된 이후 일본인의 생활과 풍토에 어울리는 문화가 나타났는데, 이를 국풍 문화라고 한다.

바로 알기 ②, ③, ④, ⑤는 야마토 정권에 대한 설명이다.

16 견당사의 파견

일본은 견당사 파견을 통해 당의 선진 문물을 받아들여 국가의 기틀을 다졌다. 당의 제도를 수용하여 율령 체제를 정비하였고, 당의 장안성을 본떠 헤이조쿄를 건설하였다.

바로 알기 ①, ③ 쇼소인에 소장된 유리잔과 비파는 서역과의 교류를 짐작하게 해 준다. ② 도왜인이 철제 기술을 전하면서 왜에서 철제 갑옷과 투구가 만들어졌다. ④ 고류사 목조 미륵보살 반가 사유상은 고구려, 백제, 신라에서 유행한 반가 사유상과 형태, 표현 기법 등이 유사하다. 이를 통해 삼국의 문화가 일본 열도에 전파된 사실을 짐작할 수 있다.

서술형 문제

053쪽

01 주제: 인구 이동의 특징

예시 답안 전쟁이나 침략으로 인해 혼란한 상황에서 인구가 이동하였고, 선진 문물의 전파로 이주한 지역의 문화가 발달하였다.

채점 기준

상	전쟁이나 침략으로 인해 인구가 이동하였고, 이동 후 선진 문물이 전파되어 이주지의 문화가 발달하였다고 서술한 경우
중	인구 이동의 배경과 영향 중 한 가지만 서술한 경우
하	혼란한 상황에서 인구가 이동하였다고만 서술한 경우

02 주제: 도왜인의 이동

(1) 도왜인

(2) 예시 답안 도왜인은 호족 연합 정권인 야마토 정권의 성립과 발전에 기여하였다. 또한 선진 문물을 전파하여 아스카 문화의 발전에 이바지하였다.

채점 기준

상	야마토 정권의 성립과 발전(정치), 아스카 문화의 발전(문화)에 기여하였다고 서술한 경우
하	정치적·문화적 영향 중 한 가지만 서술한 경우

03 주제: 효문제의 한화 정책

(1) 효문제

(2) 예시 답안 효문제는 호한 융합 정책을 통해 선비족과 한족의 갈등을 줄여 정권의 안정을 꾀하고, 이를 바탕으로 남조를 통일하고자 하였다.

채점 기준

상	선비족과 한족의 갈등 해소, 정권의 안정, 중원 통일의 목적을 모두 서술한 경우
중	선비족과 한족의 갈등을 줄여 정권의 안정을 도모하였다고 서술한 경우
하	선비족과 한족의 갈등을 없애기 위해서였다고만 서술한 경우

STEP 3 1등급 정복하기

054~055쪽

1 ② 2 ⑤ 3 ③ 4 ⑤

1 동아시아의 인구 이동

① 삼국이 항쟁하던 시기에 일본 열도로 이주한 한반도 주민들과 남북조 시기의 오랜 전쟁에 시달리다 일본 열도로 이주한 중원 지역의 사람들은 야마토 정권의 성립과 발전에 기여하였다. ③ 위만은 진·한 교체기에 무리를 이끌고 고조선의 영역으로 들어왔고, 이후 왕위를 차지하였다. ④, ⑤ 4세기 초반 5호가 화북 지역으로 남하하여 국가를 세우면서 화북 지역에 있던 한족은 창장강 이남으로 내려와 동진을 수립하였다. 이주 과정에서 유입된 중원 지역의 농업 기술은 강남 지역이 발전하는 토대가 되었다.

바로 알기 ② 진이 혼란한 가운데 항우와 유방이 군사를 일으켜 각축을 벌였고, 그 결과 유방이 세운 한이 새로운 통일 왕조로 들어섰다(기원전 202). 한의 중원 통일은 인구 이동에 따른 정세 변동으로 보기 어렵다.

2 다원화된 국제 관계

수도를 평성에서 뤄양으로 옮겼다고 한 점, 한화 정책을 실시하였다는 점을 통해 (가) 왕조가 북위임을 알 수 있다. 북위가 있었던 시기(386~534)에 중원은 북조와 남조로 분열되어 있었고, 각국은 실리를 추구한 대외 정책을 펼쳤다. 고구려는 남북조와 각각 외교 관계를 맺어 대외 안정을 꾀하는 한편, 5세기에 남진 정책을 펼쳐 백제를 밀어내고 한강 유역을 차지하였다. 이에 백제와 신라는 동맹을 맺어 고구려에 대항하였다.

바로 알기 ① 고선지는 당 대에 활약하였다. 당은 618년에 건국되었다. ②는 9세기 말의 상황이다. ③ 대조영은 698년에 발해를 세웠다. ④ 기원전 1세기에 백제가 건국되었다.

3 7세기 동아시아의 정세

자료 분석

— 수는 대군을 동원하여 고구려를 공격하였어. 하지만 고구려 정복에 실패하였고, 오히려 오랜 전쟁 후유증으로 멸망하였어.

(가) 수의 9군이 패한 다음 하루 낮과 밤 동안 450리를 걸어 압록강으로 돌아갔다. 처음 9군이 랴오허강을 건널 때는 30만 5천 명이었는데, 요동성으로 돌아온 것은 다만 2천7백 명이었다.

– 『수서』

(나) 여러 성에서 도망하고 항복하는 자가 서로 이어졌다. …… 보장왕이 천남산을 보내 수령 98인을 거느리고 백기(白旗)를 가지고 (당의) 이적에게 나아가 항복하였는데 이적이 이를 예로 접대하였다. …… (당) 고종이 (고구려) 3만 8천3백 호를 강남, 회남, 산남, 경서 등 여러 주의 빈 땅으로 옮겼다.

— 고구려의 보장왕이 항복하자 당 고종은 고구려 주민을 강제로 이주시켰어.

– 『삼국사기』

(가)는 수의 고구려 침략(612) 때의 상황, (나)는 고구려 멸망(668) 이후 당이 고구려인을 이주시키는 상황이다. ㄴ. 나·당 연합군의 사비성 함락은 660년에, ㄷ. 백강 전투는 663년에 일어난 일이다.

바로 알기 ㄱ. 신라가 당을 축출하고 삼국 통일을 완성한 것은 676년이고, ㄹ. 발해가 건국된 것은 698년이다. 모두 (나) 이후의 상황이다.

4 일본 열도의 변화

밑줄 친 '정권'은 야마토 정권이다. 4세기경 성립된 야마토 정권은 다이카 개신(645)을 계기로 중앙 집권 체제를 정비하였다. 이때 백제계로 추정되는 소가 씨가 타도되었으며, 당을 모방하여 중앙 집권 체제의 확립을 꾀하였다.

바로 알기 ①은 나라 시대(8세기), ②는 왜의 노국(1세기), ③, ④는 헤이안 시대(8세기 말~12세기)의 상황이다.

02 국제 관계의 다원화

STEP 1 핵심 개념 확인하기 062쪽

1 (1) × (2) × (3) ○ (4) ○ 2 화번공주 3 (1) ㉠ (2) ㉢ (3) ㉡ 4 (1) ㄴ (2) ㄷ 5 (1) 맹안·모극제 (2) 윤관 (3) 역참 (4) 아시카가 요시미쓰

STEP 2 내신 만점 공략하기 062~066쪽

01 ③ 02 ⑤ 03 ⑤ 04 ② 05 ③ 06 ⑤ 07 ② 08 ④ 09 ③ 10 ① 11 ④ 12 ① 13 ② 14 ④ 15 ⑤ 16 ② 17 ④ 18 ① 19 ④ 20 ④ 21 ③ 22 ④

01 한의 외교 관계

제시된 자료에는 한과 흉노의 관계가 나타나 있다. 한은 고조 때 흉노에게 패한 후 화친 정책을 펼치다가 무제 때 흉노를 정벌하였다. 동아시아의 강대국으로 성장한 한은 주변국과 외교 관계를 맺을 때 조공과 책봉의 형식을 적용하였다.

바로 알기 ①은 북위, ②는 야마토 정권에 대한 설명이다. ④ 견당사는 당의 문물을 받아들이기 위해 주변국이 파견하였다. ⑤는 북제와 북주에 대한 설명이다.

02 조공과 책봉

자료 분석

> 건무 중원 2년(57), 왜 노국의 사신이 공물을 가지고 와서 스스로 신하라 칭하였고, 광무제는 관직을 하사하였다.

– 중원 왕조(후한)와 왜의 노국이 조공·책봉 관계를 맺었음을 알 수 있어.

조공과 책봉은 의례적 외교 관계이자 국제 무역의 한 형태로, 중원과 주변국의 상황에 따라 형식이 변화하였고, 국가별로 다르게 적용되었다. 주변국은 중원 왕조에게 조공품을 바치고 많은 답례품을 받았기 때문에 경제적 이익을 얻는 경우가 많았다. 중원 왕조는 책봉을 통해 대국으로서의 위신과 변경의 안정을 도모하였다.

바로 알기 ⑤ 조공·책봉 관계는 직접적인 지배 형태가 아니며, 서로의 필요에 의해 이루어진 의례적인 것이었다.

03 5세기경 동아시아의 정세

지도의 형세는 5세기 무렵의 동아시아 정세를 나타낸다. 당시 동아시아에서는 북위가 가장 강성하였고, 남조의 송, 유연, 토욕혼, 고구려가 서로 동맹 또는 적대 관계를 형성하였다. 고구려는 남북조 모두와 조공·책봉 관계를 맺는 외교를 통해 실리를 추구하였다.

바로 알기 ① 전연의 맹약을 체결한 중원 왕조는 10세기에 건국된 송이다. ② 왜는 북위에 조공 사절을 보내지 않았다. ③ 화번공주는 중원 왕조가 평화를 유지하기 위해 유목 민족의 국가에 파견하였다. ④는 당에 대한 설명이다.

04 고구려의 대외 관계

제시된 자료에는 (가) 고구려가 남북조 양측과 조공·책봉 관계를 맺은 사실이 나타나 있다. 만주에서 독자적인 세력을 형성한 고구려는 남북조의 대립을 이용하여 남조와 북조에 동시에 조공하였다. 이를 바탕으로 남하 정책을 펼치면서 동아시아 지역에서 패권을 유지하려 하였다.

– 고구려는 스스로 천손 국가라고 생각하며 독자적인 천하관을 드러냈어.

바로 알기 ①은 당, ③은 백제, ④는 5대 10국의 분열을 통일한 송, ⑤는 왜의 노국에 대한 설명이다.

05 돌궐의 성장

밑줄 친 '이 민족'은 돌궐이다. 6세기경 돌궐의 세력이 강성해지면서 북조는 돌궐과 친선을 맺기 위해 여러 차례 사절을 파견하였다. 북조가 북주와 북제로 분열된 다음 두 나라는 돌궐의 공주를 황후로 맞이하려고 경쟁하기도 하였다. 남북조를 통일한 수, 수 왕조 이후에 들어선 당도 건국 초기에 돌궐에 신하라고 자처하며 조공 사절을 보냈다.

바로 알기 ①, ④는 북위를 세운 선비족, ②, ⑤는 흉노에 대한 탐구 활동으로 적절하다.

완자 정리 노트 돌궐과 중원 왕조의 관계

남북조	• 북조: 북주와 북제가 돌궐의 공주를 황후로 맞이하려고 경쟁 • 남조: 돌궐과 사절 교환
수	돌궐에 신하를 자처하며 조공 사절 파견(고구려 견제의 목적)
당	건국 초기 돌궐에 조공 사절 파견 → 돌궐의 세력이 약해지자 돌궐 토벌

06 당의 대외 관계

수 왕조를 이은 점, 장안이 수도인 점을 통해 대화의 주제가 된 왕조가 당임을 알 수 있다. 당은 7세기 전반 고구려를 공격하였으나 복속하지 못하였고, 이후 신라와 동맹을 맺고 백제와 고구려를 공격하여 멸망시켰다. 국력이 강성해진 당은 자국 중심의 조공·책봉 관계를 요구하였다. 신라는 당군을 격퇴한 후 문물 수용과 무역 이익 도모, 발해 견제 등을 위해 당과 조공·책봉 관계를 맺었다. 발해도 초기에는 당과 대립하였지만 점차 조공·책봉을 수용하였다. 일본은 문화적·경제적 이익을 위해 당에게 조공하고, 견당사를 파견하였다. 한편, 당은 군사적으로 우세를 보인 북방 민족에게는 화번공주를 파견하여 화친을 추진하였다. 이에 토번에 문성 공주, 돌궐에 의성 공주, 위구르에 함안 공주 등을 보냈다.

바로 알기 ⑤는 수에 대한 설명이다. 7세기에 왜(야마토 정권)는 '천자'라는 칭호를 쓴 국서를 수에 보냈다. 이를 통해 중원 왕조와 대등하다는 위상을 과시하려고 하였다.

07 7세기의 동아시아 정세

(가)는 돌궐, (나)는 고구려, (다)는 신라, (라)는 왜이다. ㄱ. 6세기경 북방 지역에서 돌궐이 성장하자 서로 대립하던 북주와 북제는 정권의 정통성을 확인하고 정치적 입지를 확보하기 위해 돌궐에 조공하였다. ㄷ. 신라와 당의 연합군이 백제를 멸망시키자 백제와 우호 관계를 맺고 있던 왜는 군대를 파견하였다. 663년에 일어난 백강 전투에서 나·당 연합군이 승리하였다.

바로 알기 ㄴ은 당에 대한 설명이다. ㄹ. 왜는 견당사를 파견하여 당의 선진 문물을 수용하였다.

08 동아시아 각국의 천하관

제시된 자료에서는 왜가 '천자'라는 칭호를 써서 중원 왕조와 대등한 위치에 있음을 스스로 내우고 있다. 동아시아 각국은 국력이 성장하자 중원 왕조 못지않은 국력을 갖추었다는 자부심이 반영된 천하관을 드러내기도 하였다. ①, ②, ③, ⑤는 동아시아 각국이 자국 중심의 천하관을 드러낸 사례이다.

바로 알기 ④ 발해는 당의 장안성을 본떠 수도인 상경성을 건설하였다. 이는 발해와 당이 교류하였던 사실을 보여 준다.

09 요(거란)의 성장

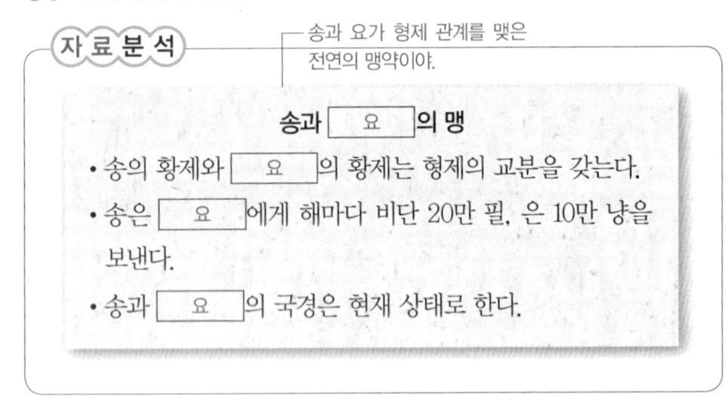

916년 야율아보기가 건국한 거란은 936년에 후진을 도운 대가로 만리장성 이남의 연운 16주를 차지하였다. 이후 연운 16주를 되찾으려는 송과 전쟁을 벌여 승리하면서 전연에서 평화 조약을 맺었다. 전연의 맹약에 따라 요는 송으로부터 매년 막대한 양의 비단과 은을 제공받았다.

거란은 947년에 국호를 요로 바꾸었어.

바로 알기 ①은 금(여진)에 대한 설명이다. 요는 북면관제와 남면관제로 백성을 다스렸다. ②는 고려, ④는 송, ⑤는 몽골에 대한 설명이다.

10 금(여진)의 성장

(가) 국가는 금(여진)이다. 12세기 초 여진의 아구다가 부족을 통합하여 금을 세웠다. 금은 송과 연합하여 요를 멸망시킨 후 송까지 공격하여 수도 카이펑을 함락시켰다. 이로써 송으로부터 매년 막대한 물자를 받았으며, 고려에게도 조공을 요구하여 군신 관계를 맺었다. 한편, 금은 요의 이원적 통치 정책을 계승하여 유목민은 맹안·모극제로, 농경민은 주현제로 다스렸다.

바로 알기 ㄷ은 거란, ㄹ은 원(몽골)에 대한 설명이다.

11 서하의 성립과 발전

티베트 계통의 유목민이 세운 서하는 비단길을 장악하여 동서 무역의 이익을 얻었고, 고유문화를 유지하기 위해 독자적인 문자를 사용하였다. 송과 오랜 전쟁 끝에 맹약을 체결하고 세폐를 받는 등 성장하였지만, 13세기 몽골 군대의 침략을 받아 멸망하였다.

바로 알기 ④ 서하는 송과 맹약을 체결하여 송으로부터 매년 비단, 은, 차를 제공받았다.

12 10~12세기 동아시아의 국제 관계

㉠은 고려, ㉡은 거란(요)에 해당한다. 고려는 건국 초부터 친송 정책과 북진 정책을 추진하면서 거란을 적대시하였다. 거란은 송과의 전쟁을 준비하는 과정에서 후방의 안정을 도모하기 위해 고려를 침략하였다. 이에 고려는 거란군의 남하를 저지한 후 서희를 보내 외교 담판을 벌였다. 그 결과 송과 관계를 끊겠다는 조건으로 거란과 강화를 맺고 강동 6주를 획득하였다. 이후 고려, 송, 거란 사이에 세력 균형이 이루어졌으며, 고려는 거란과 조공 관계를 맺어 평화를 유지하면서 일본과 문화적·경제적으로 교류하였다.

바로 알기 ① 화번공주는 중원 왕조가 화친을 추진하기 위해 유목 민족의 국가에 파견하였다.

13 송의 발전과 쇠퇴

㉢은 송을 가리킨다. 5대 10국의 분열을 통일한 송은 문치주의를 채택하였다. 그러나 문치주의는 군사력의 약화를 가져왔고, 송은 거란, 서하, 여진 등에 군사적인 열세를 보였다. 이러한 상황에서 왕안석이 재정 수입을 늘리고 국방력을 강화하기 위해 신법을 시행하였다. 한편, 송은 취안저우, 광저우 등 주요 항구에 시박사를 설치하였고, 이 시기 송을 중심으로 한 해상 교역이 발달하였다.

바로 알기 (1)은 거란(요), (2)는 여진(금), (3)은 원에 대한 설명이다.

14 10~12세기 동아시아의 국제 교류

고려가 건국된 것은 918년, 미나모토노 요리토모가 가마쿠라 막부를 수립한 것은 1185년이다. 10세기 이후 동아시아에서는 송을 중심으로 한 해상 교역이 발달하였다. 이는 조선술의 발달과 나침반의 이용 등으로 원거리 항해의 안정성이 높아지며 가능하였다. 그 결과 송의 취안저우, 고려의 벽란도 등이 무역항으로 성장하였다.

바로 알기 ④ 가마쿠라 막부는 주변국과 공식 외교 관계를 맺지 않았다.

15 몽골 제국의 성립과 발전

칭기즈 칸은 군사 조직을 재편하고 친위 부대를 편성하여 강력한 군사력을 갖추었다. 먼저 서하와 금을 공격한 후 이어 호라즘 왕국을 무너뜨리고 비단길을 장악하였다. 칭기즈 칸의 후계자들은 금을 정복하여 화북 지역을 차지하고 러시아와 유럽 지역까지 원정하여 대제국을 건설하였다. 쿠빌라이 칸은 제국 지배의 중심을 대도로 옮기고 국호를 원으로 바꾸었다.

바로 알기 ㄱ, ㄴ은 국호를 원으로 바꾼 이후의 상황이다.

16 몽골의 침략과 각국의 항쟁

① 베트남은 쩐흥다오의 활약으로 몽골군을 격퇴하였다. 이 과정에서 민족적 자긍심이 높아져 쯔놈 문학이 유행하였고, 『대월사기』가 편찬되었다. ③ 몽골이 침략하자 고려는 수도를 강화도로 옮겨 장기전에 대비하였다. 그러나 최씨 무신 정권이 무너지면서 고려는 몽골에 항복하였고, 당시 태자였던 고려의 원종이 쿠빌라이 칸과 강화를 맺었다. ④ 몽골은 두 차례에 걸쳐 일본 원정을 단행하였으나 모두 태풍의 영향으로 실패하였다. 이를 계기로 일본에서는 신국 의식이 확산되었다. ⑤ 몽골이 대제국을 건설하면서 동서 교역망이 통합되고 교류가 활발해졌다.

바로 알기 ②는 북송에서 일어난 일이다. 북송이 멸망한 후 임안(항저우)을 수도로 남송이 세워졌다. 남송은 몽골의 침략을 받아 멸망하였다.

17 몽골의 일본 원정

원은 고려를 복속한 후 일본에 조공을 요구하였다. 가마쿠라 막부가 이를 거절하자 원은 고려와 연합군을 결성하여 일본을 공격하였다. 그러나 태풍의 영향으로 일본 정벌에 실패하였다.

18 동서 교역망의 통합

중앙의 명령이 제국 내 전 지역으로 신속하게 전달될 수 있었어.

제시된 자료에는 몽골 제국의 역참 사용 모습이 나타나 있다. 몽골 제국은 전역에 도로망을 건설하고 일정한 간격으로 역참을 설치하였으며, 항저우, 취안저우 등에 시박사를 두고 해외 무역선을 관리하였다. 또 동서 교역망이 통합되면서 제국 전역에서는 단일 화폐인 교초가 유통되었다. 한편, 몽골 제국은 몽골 지상주의에 따라 몽골인을 가장 우대하였고, 색목인을 그 다음으로 우대하여 재정과 행정 업무를 담당하게 하였다.

바로 알기 ① 일본은 7세기부터 9세기 말까지 견당사를 파견하였다.

19 원 대의 동서 문화 교류

원 대에 동서 교역망이 통합되면서 동서 교류가 어느 시기보다 활발해졌다. 원의 종교 관용 정책에 따라 다양한 종교가 유입되어 발전하였고, 교역로를 따라 많은 여행가들이 원을 방문하였다. 이 시기 이슬람의 천문학, 역법, 수학, 지도학 등이 중국에 소개되어 원에서 수시력이 제작되었다.

바로 알기 ① 경교가 중원 지역에 전해진 것은 당 대이다. ②는 송 대, ③은 수 대에 있었던 일이다. ⑤ 청해진은 통일 신라의 장보고가 완도에 설치한 것이다. 당시의 중원 왕조는 당이다.

20 명의 건국과 발전

제시된 인물은 명을 건국한 주원장이다. 명을 건국한 후 주원장(홍무제)은 한족 문화를 회복하기 위해 몽골 풍습을 금지하고, 이갑제를 실시하였다. 또 육유를 제정하여 유교적 통치를 시행하는 한편, 재상제를 폐지하여 황제권을 강화하였다.

바로 알기 ㄱ, ㄷ은 명의 영락제가 추진한 정책이다.

21 명의 건국과 동아시아 질서의 재편

명과 조선이 건국되고 무로마치 막부가 수립되면서 동아시아의 국제 질서가 재편되었다. 명은 각지에 사신을 보내 조공을 요구하였고, 조선, 일본, 대월 등이 이를 수용하면서 조공·책봉 관계가 성립하였다. 사대교린을 추구한 조선은 명의 문화를 받아들이고 일본, 여진 등과도 교류하였다. 일본은 아시카가 요시미쓰가 명으로부터 국왕에 책봉된 것을 계기로 조공 질서에 참여하였다. 대월에서는 레 왕조가 명의 문물을 도입하며 왕권을 강화하였다.

바로 알기 ③ 쩐흥다오는 몽골의 침략에 항전하는 과정에서 「격장사」라는 격문을 작성하여 병사들의 사기를 높이고자 하였다.

22 무로마치 막부의 발전

무로마치 막부의 3대 쇼군인 아시카가 요시미쓰는 분열된 남북조를 통일하였다. 이후 명의 책봉을 받아 통치의 정당성을 확보하고, 감합 무역을 통해 경제적 이익을 추구하였다.

서술형 문제

066쪽

01 주제: 당의 대외 관계

(1) 화번공주

(2) 예시 답안 화번공주를 맞이하는 국가는 군주권을 강화하는 한편, 공주가 가져오는 지참금이나 문물을 통해 경제적·문화적 이익을 얻을 수 있었다.

채점 기준

상	군주권을 강화하고 경제적·문화적 이익을 얻을 수 있었다고 서술한 경우
하	군주권 강화, 경제적·문화적 이익 획득 중 한 가지만 서술한 경우

02 주제: 유목 민족 국가의 통치 정책

예시 답안 북위는 한화 정책을 통해 호족과 한족의 융합을 꾀하였다. 반면, 금은 이원적 통치 정책을 통해 유목 민족 고유의 관습을 유지하여 한족의 문화에 동화되지 않고자 하였다.

채점 기준

상	금이 이원적 통치 정책을 실시한 목적을 북위의 한화 정책 실시 목적과 비교하여 서술한 경우
하	금이 이원적 통치 정책을 실시한 목적만 서술한 경우

03 주제: 원의 몽골 지상주의

(1) 색목인

(2) 예시 답안 색목인은 이란, 아라비아, 중앙아시아 등 이슬람교를 믿던 서역인으로, 원에서 재정과 행정 업무를 담당하였다.

채점 기준

상	색목인의 출신 성분과 원에서 수행한 역할을 모두 서술한 경우
하	색목인의 출신 성분, 원에서 수행한 역할 중 한 가지만 서술한 경우

STEP 3 1등급 정복하기 067~069쪽

1 ② 2 ③ 3 ② 4 ④ 5 ⑤ 6 ②

1 다원화된 국제 관계

지도는 남북조 시기 동아시아의 형세를 나타내며, (가)는 북위, (나)는 남조의 송이다. 고구려가 세력을 확장하며 남진 정책을 추진하자 백제는 북위에 사절을 보내 고구려를 공격해 달라고 요청하였다. 그러나 북위가 이를 거부하였고, 백제는 북위에 대한 조공을 중지하고 남조와 조공·책봉 관계를 맺었다.

바로 알기 ① 백제는 주로 남조와 교류하면서 우호 관계를 유지하였다. ③ 남조와 북조는 서로 대립하면서도 사절단을 교환하였다. ④ 신라는 주로 고구려와 백제를 통해 중국과 교류하였다. 6세기에 백제의 중개를 받아 남조와 조공·책봉 관계를 맺었고, 한강 유역을 확보한 후에는 남조와 직접 교류하였다. ⑤ 왜는 5세기에 남조와 책봉 관계를 맺었으며, 신라와 백제에 사절단을 보냈다.

2 당의 외교 관계

제시된 자료는 당의 화번공주 파견과 관련이 있는 것으로, (가) 왕조는 당이다. ① 당은 7세기에 신라와 연합하여 백제, 고구려를 멸망시켰다. ② 6세기경 돌궐이 크게 성장하자 당은 신하라 칭하며 돌궐에게 조공하기도 하였다. ④ 일본은 7세기부터 9세기 말까지 견당사를 파견하여 당의 선진 문물을 받아들였다. ⑤ 당이 개방적인 대외 정책을 펼치면서 동아시아 각국은 당의 수도인 장안을 중심으로 서로 교류하였다.

바로 알기 ③ 당은 군사적 열세에 놓여 있던 유목 민족에게 화번공주를 파견하여 화친을 유지하였다. 신라, 발해 등 농경 민족은 당 중심의 조공·책봉 관계를 받아들였다.

3 11~12세기 동아시아의 정세

첫 번째 조약은 요와 송이 1004년에 맺은 전연의 맹약, 두 번째 조약은 금과 남송이 1142년에 맺은 화의 조약이다. ② 1115년 건국된 금은 송과 연합하여 요를 멸망시킨 후 송의 수도 카이펑까지 함락하였다. 이후 송을 굴복시켜 맹약을 체결하고 송으로부터 매년 막대한 물자를 받았다.

바로 알기 ① 고려의 서희가 거란과 외교 담판을 벌인 것은 993년이다. ③ 역참은 몽골 제국 시기에 설치되었다. ④ 아시카가 다카우지가 무로마치 막부를 수립한 것은 1336년이다. ⑤ 베트남(대월)에서는 몽골의 침략에 대응하는 과정에서 민족의식이 성장하여 『대월사기』가 편찬되었다.

4 거란(요)과 여진(금)의 발전

(가)는 거란(요), (나)는 여진(금)이다. ㄴ. 연운 16주는 만리장성 이남에 자리한 16개의 주를 말한다. 거란은 후진을 세운 석경당으로부터 군사적 지원의 대가로 이 지역을 할양받았다. ㄹ. 금은 송과 연합하여 요를 무너뜨린 후 송까지 공격하여 멸망시키고 화북 지역을 차지하였다. 또 남송을 압박하여 남송의 황제가 금의 황제에게 신하의 예를 취하고 매년 세폐를 바친다는 내용의 강화 조약을 체결하였다. ㅁ. 거란(요)과 여진(금)은 한족의 문화에 동화되지 않기 위해 고유 문자를 만들어 사용하였다.

바로 알기 ㄱ은 원, ㄷ은 송에 대한 설명이다.

완자 정리 노트 거란(요)과 여진(금)

구분	거란(요)	여진(금)
건국	야율아보기가 부족 통합(916)	아구다가 부족 통합(1115)
성장	• 발해 공격 • 화북 지역의 연운 16주 차지 • 전연의 맹약 체결(1004, 매년 은과 비단을 받는 조건으로 송과 화친) • 세 차례에 걸쳐 고려 침입	• 송과 연합하여 요 공격 • 송 황제를 포로로 삼고 화북 지역 차지(→ 북송 멸망 → 남송 건국) • 고려, 남송, 서하와 군신 관계 체결
멸망	송과 금에게 멸망	몽골에게 멸망

5 몽골의 침략과 동아시아의 대응

카라코룸과 대도를 수도로 삼았던 (가)는 몽골 제국(원)이다. 한반도에 위치한 (나)는 고려, 일본 열도의 (다)는 가마쿠라 막부이고, 탕롱을 중심으로 한 베트남 지역의 (라)는 대월이다. ① 몽골은 우구데이 칸 때 유라시아 대륙까지 영역을 확장하였다. ② 고려는 몽골의 침략을 격퇴하려는 염원을 담아 8만여 판의 『재조대장경』을 완성하였다. ③ 가마쿠라 막부는 몽골과 고려가 연합한 군대의 침략을 받았으나 결사 항전과 태풍의 영향으로 이를 물리쳤다. 그러나 외적 침략의 영향으로 쇠퇴의 길로 접어들었다. ④ 대월은 몽골의 공격을 받아 수도가 함락당하는 위기에 처하였으나 쩐흥다오 장군의 활약으로 몽골군을 격퇴하였다.

대월: 1054년부터 1804년까지 사용된 베트남의 국호야.

바로 알기 ⑤ 태풍의 영향으로 몽골·고려 연합군의 침략을 막아 내자 (다)에서는 이 바람을 '신이 보내준 바람'이라고 생각하였고, 자신의 나라를 '신이 지켜 주는 나라'라고 여기게 되었다. (라)에서는 몽골 항전의 승리로 민족적 자부심이 높아졌다.

6 명의 건국과 동아시아 질서의 재편

밑줄 친 '이 황제'는 명의 영락제이다. 영락제는 수도를 베이징으로 옮기고 적극적인 대외 정책을 펼쳤다. 몽골을 원정하고 대월을 점령하였으며, 정화에게 대규모 항해에 나서게 하였다. 이를 계기로 명은 각지의 조공을 받게 되었다. 한편, 외교 관계를 맺기 위해 무로마치 막부가 사신을 파견하자 영락제는 아시카가 요시미쓰를 일본 국왕으로 책봉하였다.

바로 알기 ②는 명을 건국한 주원장(홍무제) 재위 시기에 있었던 일이다.

03 율령과 유교에 기초한 통치 체제

STEP 1 핵심 개념 확인하기

074쪽

1 (1) 법가 (2) 동중서 (3) 영 2 전시 3 태형 4 (1) ○ (2) × (3) ○
5 (1) ㄱ (2) ㄹ (3) ㄷ

STEP 2 내신 만점 공략하기

074~076쪽

01 ④ 02 ③ 03 ③ 04 ① 05 ④ 06 ③ 07 ③
08 ③ 09 ③ 10 ④

01 한의 통치 이념 정비

제시된 자료에는 한 대에 육형이 폐지되는 상황이 나타나 있다. 한 대에는 유교가 국가의 통치 이념으로 떠올랐다. 유교의 천명사상이 황제의 통치를 정당화하기에 유용하고, 군주에 대한 충성을 강조하는 유교의 의례가 제국을 운영하는 데 도움이 되었기 때문이다.

바로 알기 ①은 진, ②는 수와 당에 대한 설명이다. ③ 과거제는 수 대에 시작되어 이후의 중원 왕조에서도 실시되었다. ⑤ 춘추·전국 시대에 제자백가가 등장하였다. 전국 시대에 많은 국가들은 제자백가를 등용하여 부국강병을 꾀하였다.

02 한의 유교 진흥책

한 대의 유학자 동중서는 한 무제에게 교화로 나라를 다스려야 한다고 주장하였다. 한 무제는 동중서의 건의를 받아들여 태학을 설치하고 오경박사를 두어 학생들에게 오경을 가르치게 하였으며, 유교 도덕에 충실한 인물을 관리 후보자로 임명하였다. 그 결과 유학의 교양과 덕목을 익힌 사람이 관리가 된다는 원칙이 세워졌고, 유교가 국가의 통치 이념으로 자리 잡았다.

바로 알기 ① 국자감은 당 대에 처음 설립되었다. 유교가 전파된 후 고려에서도 세워졌다. ②는 일본의 율령 정비에 대한 설명이다. ④ 과거제는 수 대에 도입되었다. ⑤ 독서삼품과는 통일 신라에서 시행되었다.

03 유교의 성립과 확산

① 덕과 예의를 강조한 유가는 형벌과 법의 효율성을 주장한 법가와 대립하였다. ② 유교의 천명사상은 황제의 통치를 정당화하고 권위를 뒷받침하였다. 또한 인, 효, 예를 중시하는 유교 사상은 향촌 질서를 유지하는 데 효과적이었다. ④ 신라의 원광법사는 세속오계에서 충, 효 등의 유교적 가치를 강조하였다. ⑤ 일본은 백제를 통해 유교를 받아들였다. 백제의 아직기와 왕인이 왜에 한자와 유학을 전해 주었다.

바로 알기 ③ 고구려는 수도에 태학을 설립하고 지방에 경당을 세워 유학을 가르쳤다. 주자감은 발해의 유학 교육 기관이다.

04 통치 이념으로서의 유교

자료 분석 공자는 유가의 대표적인 사상가야. 법과 형벌을 중시하는 법가를 비판하고 덕과 예를 강조하였어.

공자께서 말씀하셨다. "백성을 다스리되 덕(德)과 예(禮)로 하면 백성은 부끄러움을 알아 장차 선에 이를 것이다."

자료에 나타난 사상은 유교 사상이다. ㄱ. 한 대에 유교가 통치 이념으로 자리 잡으면서 국가를 정교한 법으로 통제하려는 인식과 가족 및 공동체의 질서를 존중하는 유교적 사고가 율령에 반영되었다. ㄴ. 한 대에는 유학 교육 기관인 태학을 설립하고 유교적 소양을 갖춘 인재를 관리로 등용하였다. 이후 수에서 유교 경전을 시험 과목으로 하는 과거제가 도입되었다. 유교가 동아시아 각국으로 전파되면서 유학 교육 기관이 설립되고, 과거제를 비롯한 관리 선발 제도가 시행되었다.

바로 알기 ㄷ은 법가 사상, ㄹ은 대승 불교에 대한 설명이다.

05 유학 교육 기관의 설립

④ 조선 시대에는 과거제가 정비되어 중요한 관리 선발 제도로 자리 잡았다. 최고 교육 기관인 성균관을 비롯하여 4부 학당, 향교 등에서 유학을 교육하였다.

바로 알기 ①, ②, ⑤는 모두 중앙 통치 기구이다. ③은 제사를 담당하였다.

06 율령 체제의 성립과 확산

형벌 위주의 법률과 행정 관련 법률로 이루어진 (가)는 율령이다. 율령은 진 대에 엄격한 법치를 시행한 이래 각 왕조에서 정비 과정을 거치며 체계화되었다. 유교적 이념이 반영된 율령과 통치 체제는 한반도의 여러 나라와 일본, 베트남 등에 전해져 동아시아 문화권을 형성하는 데 기여하였다. 이때 동아시아 각국은 통치의 형태, 신분 질서, 백성의 권리 등에서 독자적인 기준을 세워 율령 체제를 정비하였다.

바로 알기 ③ 율령은 전국 시대부터 정비되어 이전 왕조인 주의 봉건제와 직접적인 관련이 없다. 주는 혈연관계에 바탕을 둔 종법 제도를 기본으로 한 봉건제를 실시하였는데, 왕은 직할지만 다스리고 나머지 지역은 제후에게 통치하게 하였다.

07 율령의 정비

제시된 자료는 당 대의 율령과 관련이 있다. 율령 체제는 수·당 대에 완성되어 중앙 집권 체제를 정비하는 데 기여하였다. 당 대에는 신체에 가혹한 형벌을 내리는 육형은 시행하지 않았고, 신체를 감금하거나 노역을 시키는 형벌의 비중이 늘어났다. 율을 적용할 때에는 유교의 가족 윤리를 반영하고 고의와 과실을 구분하였으며, 신분에 따라 법의 적용을 다르게 하였다. (2), (4), (5) 문항이 정답이므로 이 학생이 받을 점수는 6점이다.

바로 알기 (1) 육형은 한 대에 폐지되었다. (3) 수·당 대에는 형벌의 처벌 강도가 이전 시기보다 완화되었다.

08 당의 통치 제도

(가)는 부병제, (나)는 조용조 제도이다. 당은 균전제를 실시하여 농민에게 토지를 나누어 주고, 이에 대한 대가로 조용조(조세, 노역, 공물)를 납부하게 하였다. 또 토지를 지급받은 성인 남성에게 교대로 군역의 의무를 지게 하였는데, 이들을 부병이라 한다. 부병제는 농민의 병역 의무를 바탕으로 한 국가 상비군 제도였다. 이러한 수취·군사 제도를 통해 국가는 토지와 백성에 대한 지배권을 강화할 수 있었다.

바로 알기 ③ 반전수수법은 일본의 토지 제도로, 당의 균전제에서 영향을 받았다. 일본은 국가가 토지와 백성을 소유하고 백성의 생활을 보장해야 한다는 이념을 내세워 백성에게 토지를 골고루 나누어 주는 반전수수법을 시행하였다.

09 고려의 율령 수용

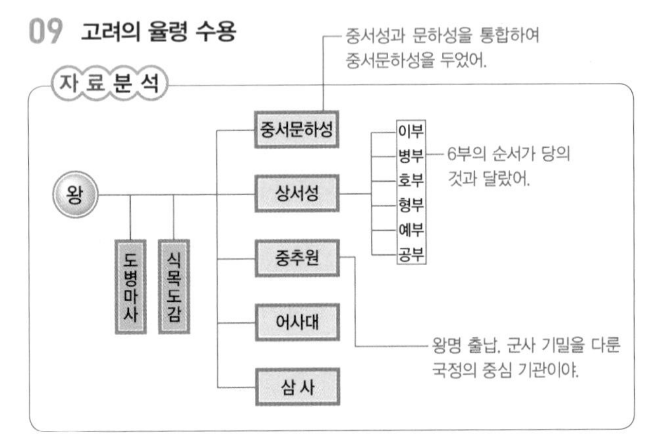

자료는 고려의 관제표이다. 고려는 당의 율령을 수용하여 자국의 실정에 맞게 운영하였다. 3성 6부제를 변형하여 2성 6부제로 운영하였고, 도병마사나 식목도감 같은 독자적인 기구를 두었다. 한편, 고려는 광종 때부터 과거제를 시행하였고, 최고 교육 기관으로 국자감을 설립하여 유교 경전을 가르쳤다.

바로 알기 ①은 당과 일본, ②는 백제, ④는 발해, ⑤는 통일 신라에 대한 설명이다.

10 율령의 지역적 특징

① 고려는 당의 3성 6부제를 수용하였으나 이를 변형하여 2성 6부제로 운영하였다. ② 베트남은 당률을 기본으로 하면서 고유의 관습과 사회 제도를 유지하였다. 과거제가 시행되었지만 정기적이지 않았고, 선발 인원도 적었다. ③ 3성 6부제를 운영한 발해는 3성의 명칭을 당과 다르게 정당성, 선조성, 중대성으로 바꾸었고, 6부를 3부씩 나누어 이원적으로 운영하였다. 6부의 명칭도 유교 덕목을 나타내는 것으로 바꾸었다. ⑤ 신라는 골품제와 연계하여 관직을 운영하였으며, 관리 등용 방법으로 과거제가 아니라 독서삼품과를 실시하였다.

바로 알기 ④ 씨성 제도는 4세기경 성립한 야마토 정권이 마련하였다. 일본이 당의 율령 체제를 수용한 것은 7세기 중반이다. 이때 집권 세력은 다이카 개신을 단행하여 당의 율령을 본떠 군주 중심의 중앙 집권화를 도모하였다. 701년에는 당의 율령을 수용하여 다이호 율령을 반포하였다.

완자 정리 노트 동아시아 각국의 율령 체제

공통점	정치 조직과 제도 수용(→ 통치 제도 정비, 율령 반포, 유학 교육 기관 설립 등)
지역적 특징	• 신라: 골품제적 특징 유지 • 발해: 3성 6부제의 이원적 운영, 독자적 명칭 사용 • 고려: 2성 6부제 운영 • 일본: 2관 8성제 운영, 과거제를 도입하지 않음 • 베트남: 과거제의 시행 횟수와 선발 인원 적음

서술형 문제

076쪽

01 주제: 과거제의 실시

(1) (가) 수, (나) 전시

(2) 예시 답안 송은 황제가 직접 과거의 최종 시험을 주관하는 전시를 도입하여 황제권을 강화하고 과거 시행 과정에서 부정이 개입되는 것을 방지하고자 하였다.

채점 기준

상	황제권 강화, 과거 시험의 부정 방지 목적을 모두 서술한 경우
하	황제권 강화, 과거 시험의 부정 방지 목적 중 한 가지만 서술한 경우

02 주제: 당의 통치 체제

예시 답안 당은 토지를 지급받은 농민에게 조용조를 걷었고, 성인 남성에게 교대로 군역의 의무를 지게 하였다. 이를 통해 토지와 백성에 대한 지배권을 강화할 수 있었다.

채점 기준

상	조용조 수취, 군역의 의무 부과를 통해 토지와 백성에 대한 지배권을 강화하였다고 서술한 경우
중	조용조를 수취하고 군역의 의무를 부과하였다고 서술한 경우
하	백성에 대한 지배권을 강화하였다고만 서술한 경우

03 주제: 율령의 지역적 변용

(1) (가) 당, (나) 발해

(2) 예시 답안 (가), (나)는 공통적으로 3성 6부제를 운영하고 유학 교육 기관을 두었다. (나)는 3성의 명칭을 (가)와 다르게 중대성, 선조성, 정당성으로 바꾸었고, 6부를 3부씩 나누어 이원적으로 운영하였다. 또 6부의 명칭을 유교 덕목을 나타내는 것으로 바꾸었다.

채점 기준

상	3성 6부제의 운영과 유학 교육 기관의 설립(공통점), 3성 6부의 명칭 변경과 이원적 운영(차이점)을 모두 서술한 경우
중	3성 6부제의 운영과 유학 교육 기관의 설립(공통점), 3성 6부의 명칭 변경과 이원적 운영(차이점) 중에서 한 가지씩 서술한 경우
하	(가), (나) 중앙 관제의 공통점과 차이점 중 한 가지만 서술한 경우

STEP 3 1등급 정복하기 077쪽

1 ② 2 ①

1 과거제의 시행

(가)에 들어갈 제도는 과거제이다. 과거제는 수 대에 시작되어 당 대에 정비되었다. 송 대에 이르러 3년 주기로 정례화되고 전시가 도입되면서 관리를 선발하는 핵심적인 제도로 자리 잡았다. 북방 민족이 세운 왕조인 요, 금, 원에서는 과거제가 관리 등용에서 차지하는 비중이 낮았고, 이에 따라 문인 관료층도 위축되었다. 명·청 대에는 과거제와 학교 제도가 결합하여 관직을 역임한 자와 과거 응시 자격을 가진 자로 구성된 신사층이 지방의 지배층을 형성하였다. 한반도에는 고려 광종 때 과거제가 도입되었다. 고려는 관리 등용 제도로 과거제와 음서를 함께 운영하였다. 조선 시대에는 과거제가 관리 선발 제도의 핵심이 되었다.

바로 알기 ② 일본에서는 과거제가 시행되지 않았다.

완자 정리 노트 동아시아의 과거제

중국	수·당	수 대에 시작되어 당 대에 정비
	송	전시 도입, 3년 주기 확정
	요·금·원	관리 등용에서 차지하는 비중이 낮음
	명·청	생원(공립 학교 학생)에게만 응시 자격 부여 → 신사층 형성
한국	고려	과거제와 함께 음서가 큰 비중을 차지함
	조선	음서의 요건 축소, 과거제가 관리 선발의 핵심이 됨

2 일본의 율령 체제

제시된 자료는 일본에서 실시된 토지 제도와 관련이 있다. 일본은 701년 다이호 율령을 반포하고 2관 8성의 통치 조직을 갖추었다. 2관 중에서는 제사를 담당하는 신기관의 기능을 행정을 담당하는 태정관의 기능보다 중시하였다. 태정관 아래에 8성을 두어 행정 실무를 담당하게 하였는데, 8성은 좌변관과 우변관이 각각 4성씩 나누어 관장하는 이원적 방식으로 운영하였다.

바로 알기 ㄷ은 통일 신라, ㄹ은 발해, ㅁ은 당에 대한 설명이다.

04 불교의 전파와 성리학의 확산

STEP 1 핵심 개념 확인하기 084쪽

1 (1) ○ (2) ○ (3) ○ (4) × 2 원효 3 신토 4 안향
5 (1) 무구정광대다라니경 (2) 사서집주 (3) 강항 6 (1) ㄷ (2) ㄱ (3) ㄴ

STEP 2 내신 만점 공략하기 084~088쪽

01 ④ 02 ⑤ 03 ④ 04 ② 05 ⑤ 06 ② 07 ⑤
08 ② 09 ③ 10 ④ 11 ① 12 ① 13 ③ 14 ③
15 ② 16 ① 17 ③ 18 ④ 19 ⑤ 20 ④ 21 ③
22 ⑤

01 대승 불교의 전파

지도는 대승 불교의 전파 경로를 나타낸 것이다. 기원전 1세기경 재가자들을 중심으로 이타행을 강조하는 새로운 불교 운동이 나타났다. 이들은 석가모니를 초월자로 신격화하고, 부처의 자비로 중생이 구제될 수 있음을 강조하는 한편, 이상적인 존재로서 보살이라는 개념을 만들어 냈다.

'석가족 출신의 성인'이라는 의미야.

바로 알기 ㄱ, ㄷ은 상좌부 불교에 대한 설명이다. 대승 불교에서는 출가하지 않은 수행자들을 중심으로 부처의 자비로 모든 중생이 구제될 수 있다고 하였다.

02 북조의 불교 발전

제시된 석굴은 윈강 석굴 불상으로, 북위의 황제가 '현세의 부처'를 자처하면서 자신의 모습을 본떠 만들게 한 것이다. 북조의 군주들은 '황제가 곧 부처'라는 논리로 지배 체제를 정당화하였으며, 거대한 사원과 불상을 건립하여 권위를 과시하고자 하였다.

바로 알기 ①, ②, ③, ④는 윈강 석굴 불상이 건립된 이후의 동아시아 불교에 대한 설명이다.

03 가마쿠라 시대의 불교 발전

가마쿠라 시대의 승려 신란은 자신의 노력만으로 성불할 수 없고 오로지 아미타불에 의지하여 염불할 때 해탈할 수 있다고 하였다.

04 동아시아의 호국 불교

동아시아에서 불교는 호국 불교의 성격을 가졌다. 이는 동아시아 각국의 지배층이 군주권을 강화하고 사회를 안정시키기 위한 이념으로 불교를 받아들였기 때문이다. 군주들은 왕즉불 사상을 통해 자신의 권위를 세우고 백성의 충성을 유도하였으며, 귀족들도 일반 백성과 차별되는 지위를 인정받았다.

16 전쟁을 통한 동아시아 문물 교류

동아시아에서는 전쟁 중 인적·물적 이동에 따라 문물 교류가 이루어지기도 하였다. 조선에서는 항왜를 통해 사격 기술이 향상되었고, 일본에서는 포로로 끌려간 조선 도공들의 영향으로 도자기 기술이 발전하였다. 또한 조선에 관우를 숭배하는 중국인의 신앙이 전파되었다. 한편, 17세기를 전후하여 조선에 담배를 비롯한 신작물이 전해졌다.

바로 알기 ④ 16세기 중반에 포르투갈 상인이 일본에 조총을 전하였다.

서술형 문제

107쪽

01 주제: 명의 임진왜란 참전 의도

(1) 임진왜란

(2) 예시 답안 명은 일본의 침략을 막고 랴오둥을 보호하여 수도의 안전을 확보하기 위해 임진왜란에 참전하였다.

채점 기준

상	일본의 침략 방지, 랴오둥 보호, 수도의 안전 확보를 모두 서술한 경우
하	위의 내용 중 일부만 서술한 경우

02 주제: 병자호란의 발발 배경

예시 답안 청이 조선에 군신 관계를 요구한 것에 대해 조선 조정에서는 척화론이 우세해졌고, 조선은 청의 군신 관계 요구를 거절하였다. 이에 반발한 청의 홍타이지가 대규모 병력을 이끌고 조선을 침략하면서 병자호란이 발발하였다.

채점 기준

상	청의 군신 관계 요구를 둘러싼 척화론의 대두, 척화론이 우세해진 이후 청의 조선 침략을 모두 서술한 경우
하	위의 내용 중 일부만 서술한 경우

03 주제: 17세기 이후 동아시아 각국의 화이관

(1) 예시 답안 청에서는 전통적인 중화와 이적의 구분은 의미가 없고, 청이 명을 계승한 새로운 중화라는 의식이 대두하였다. 조선에서는 조선이야말로 중화 문명을 계승한 후계자라는 조선 중화주의가 확산되었다. 일본에서는 만세일계의 천황이 다스리는 일본을 중화로 인식하는 경향이 나타났다.

채점 기준

상	청, 조선, 일본의 화이관을 모두 서술한 경우
중	청, 조선, 일본 중 두 국가의 화이관을 서술한 경우
하	청, 조선, 일본 중 한 국가의 화이관만 서술한 경우

(2) 예시 답안 청, 조선, 일본은 모두 자신이 속한 집단을 중화로 인식하고 주변국을 이적으로 보았나. 각국은 이러한 인식을 바탕으로 자국의 정체성을 확립하고자 하였다.

채점 기준

상	자신이 속한 집단을 중화로 인식하였고, 이를 자국의 정체성 확립에 활용하였다고 서술한 경우
중	자신이 속한 집단을 중화로 인식하였다고 서술한 경우
하	화이관을 자국의 정체성 확립에 활용하였다고만 서술한 경우

STEP 3 1등급 정복하기

108~109쪽

1 ② 2 ⑤ 3 ② 4 ③

1 명, 조선, 일본의 상황

제시된 지도는 명이 북로남왜의 침입에 시달리던 16세기경의 상황을 보여 준다. 이 시기 명에서는 장거정이 재상에 올라 대내외의 어려움을 극복하기 위해 개혁을 실시하였다. 조선은 향촌을 기반으로 성장한 사림이 정권을 장악한 후 붕당을 형성하여 공론 정치를 추구하였다. 그러나 군역 제도가 문란해져 전쟁에 동원 가능한 군사의 수가 줄어드는 등 국방력이 크게 약화되었다. 한편, 일본에서는 오닌의 난 이후 전국 각지의 유력한 다이묘 세력이 패권을 다투는 센고쿠 시대가 전개되었다.

바로 알기 ② 14세기 무렵 명을 건국한 홍무제가 이갑제를 실시하였다. 그러나 16세기경 이갑제 중심의 향촌 질서가 해체되면서 명 사회는 동요하였다.

2 임진왜란의 전개와 영향

자료의 '천자가 명의 군대를 자주 출동시켰다.'라는 내용을 통해 밑줄 친 '전쟁'이 1592년에 발발한 임진왜란임을 알 수 있다. 임진왜란 이후 일본에서는 도쿠가와 이에야스가 도요토미 히데요시를 따르던 무리들을 제거하고 에도 막부를 수립하였다.

바로 알기 ㄱ. 인조는 병자호란 중 남한산성으로 피신하여 청에 항전하였다. ㄴ. 북학론은 청의 선진 문물을 수용하자는 주장으로, 18세기 조선에서 대두되었다.

3 명 대 이후 중원의 세력 변화

자료 분석

기미년에 그대 나라가(조선) 명과 협력해서 군사를 일으켜 우리를 해쳤으나, 그래도 짐은 이웃 나라와 지내는 도리를 생각하여 경솔하게 전쟁을 일으키지 않았다. 하지만 우리가 요동을 얻고 난 뒤 그대 나라가 다시 명을 도와 우리를 노엽게 하였으니 (가) 10년 전에 군사를 일으킨 것은 바로 이 때문이다. 그런데 맹약을 맺어 강화를 한 후에도 그대 나라의 군신들이 여전히 우리를 배반하였으니 (나) 이번에 군사를 동원하게 된 단서가 또한 그대 나라에 있는 것이다.

- 후금이 랴오둥으로 진출하자 위협을 느낀 명의 요청으로 조선은 군사를 파견하여 후금을 공격하였어.
- 정묘호란을 계기로 조선과 후금은 형제 관계를 맺었어.

(가)는 1627년, (나)는 1636년이며, 이 시기에 일어난 사건은 각각 정묘호란과 병자호란이다. 조선이 친명배금 정책을 표방하자 이에 반발한 후금이 조선을 침략하였고, 조선은 후금과 형제 관계를 맺고 세폐를 바친다는 조건으로 강화하였다. 그러나 정묘호란 이후에도 조선 조정은 친명 정책을 고수하면서 청의 군신 관계 요구를 거부하였다. 이에 청 태종은 1636년 직접 군대를 이끌고 조선을 침략하였다(병자호란).

바로 알기 ㄴ. 강홍립이 사르후 전투에서 후금에 투항한 것은 정묘호란이 발발하기 이전의 일이다. ㄹ. 임진왜란 중 일본군이 북상하여 한성을 위협하자 선조는 의주로 피란하면서 명에 지원군을 요청하였다.

4 동아시아 국가들의 화이관 변화

(가)는 청, (나)는 조선의 화이관을 보여 준다. 이와 같은 대외 인식은 모두 명이 멸망하고 청이 중원의 지배권을 확립한 시기에 확산되었다. 청의 옹정제는 『대의각미록』을 편찬하여 한족이 아니더라도 인과 예를 지키면 중원을 지배할 수 있다며 만주족의 중원 지배를 합리화하였다. 한편, 조선에서는 명이 멸망한 이후 송시열을 비롯한 지식인들 사이에서 조선이 중화 문명의 정통 계승자라는 조선 중화주의가 확산되었다.

바로 알기 ③ 일본에서 혈통과 종족을 기준으로 중화와 이적을 구분하는 화이관이 등장하였다. 청에서는 인과 예의 실천 등 문화적 요소를 강조하는 화이사상이 대두하였다.

완자 정리 노트 동아시아 전쟁 이후 각국의 화이관

구분	청	조선	일본
내용	명을 계승한 새로운 중화로서 중원 지배 정당화	조선이 중화 문명의 유일한 계승자라고 주장	만세일계의 천황이 다스리는 일본의 우월함 강조
공통점	자신이 속한 집단을 중화로 인식		

02 교역망의 발달과 은 유통

STEP 1 핵심 개념 확인하기 114쪽

1 감합 2 (1) × (2) ○ 3 ㉠ 슈인장, ㉡ 신패 4 (1) 난학 (2) 갈레온 무역 5 지정은제 6 연은 분리법(회취법)

STEP 2 내신 만점 공략하기 114~117쪽

01 ④ 02 ⑤ 03 ④ 04 ⑤ 05 ④ 06 ③ 07 ⑤ 08 ④ 09 ④ 10 ④ 11 ② 12 ① 13 ⑤ 14 ③ 15 ④

01 명의 무역 정책

제시된 글은 명에 대한 설명이다. 정화의 항해 이후 명과 각 지역 국가 사이에 조공과 책봉의 질서가 형성되었다. 명은 건국 초부터 해금 정책을 실시하여 민간인이 국외로 나가 무역하는 것을 금지하고 정규 조공 사절단에게만 교역을 허락하였다. 일본의 무로마치 막부에는 무역 허가증인 감합을 발급하였다.

바로 알기 ㄱ, ㄷ은 청의 무역 정책이다. 청은 천계령을 반포하여 반청 세력의 접근을 막고자 하였다. 천계령을 해제한 이후인 18세기에는 유럽 상인과 결탁한 한인들이 반청 운동을 일으키는 것을 우려하여 유럽 상인들에게 지정된 항구에서 공행을 통해서만 무역하도록 하였다.

02 14~16세기 동아시아의 교역

지도는 14세기 후반부터 16세기 전반까지의 동아시아 교역망을 나타낸 것이다. 이 시기에 조선, 류큐, 일본 등은 명과 조공 무역의 형태로 교역하였다. 조선과 일본은 삼포에 설치된 왜관을 통해 무역을 하였다. 한편, 명이 해금 정책을 실시하여 사무역이 자유롭지 못하자 명과 일본의 상인들이 왜구로 가장하여 밀무역에 나섰다. 이러한 상황 속에서 류큐가 동아시아 여러 지역을 잇는 중계 무역의 거점으로 성장하였다.

바로 알기 ⑤는 17세기 이후의 상황이다. 청이 천계령을 해제하여 나가사키에 들어오는 청 상인들이 많아졌고, 청과 일본의 교역량이 크게 증가하였다. 이에 따라 일본에서 은 유출이 지속되자 에도 막부는 신패를 발급하여 청 상인들의 무역량을 제한하였다.

03 슈인장의 발행 목적

(가) 문서는 슈인장이다. 에도 막부는 일본인의 해외 도항이 증가하자 17세기 초반 슈인장을 발행하여 특정 상인에게만 교역을 허가하였다. 슈인장을 받은 상인들은 베트남, 캄보디아, 시암(타이) 등지로 진출하여 일본산 은을 주고 중국산 생사, 약재, 비단 등을 수입하였다.

| 바로 알기 | ① 왜관은 조선에 있던 일본인 거주지이자 일본과 조선의 통상 거점이었다. ②, ③은 신패에 대한 설명이다. ⑤는 감합에 대한 설명이다. 무로마치 막부는 명에 조공하고 명으로부터 무역 허가증인 감합을 지급받아 명과 교역하였다.

완자 정리 노트 명과 일본이 발행한 무역 관련 문서

문서 명칭	발행처	발행 목적	발행 대상과 용도
감합	명	대외 무역 통제	정규 조공 사절단의 조공 무역 허용
주인장	에도 막부		허가받은 자국 상인의 해외 도항 허용
신패			외국 상인(청)의 나가사키 입항과 무역 허용

04 동아시아 각국의 무역 정책

17세기에 청은 반청 세력이 연안 주민과 결탁하지 못하도록 하기 위해 천계령을 실시하였다. 반청 세력이 진압된 후 천계령을 해제하자 나가사키를 방문하는 청 상선의 수가 급증하여 청과 일본의 직접 교역이 활발해졌다. 그러나 일본의 은 유출이 심각해지자 에도 막부는 신패를 발급하여 교역을 통제하고자 하였다.

| 바로 알기 | ① 삼포 왜란은 1510년 조선의 삼포에 거주하던 일본인들이 일으킨 폭동이다. ② 조선과 일본 간에 국교가 재개된 것은 청이 건국되기 이전의 일이다. ③ 명은 건국 초에 은의 사용을 금지하고 보초와 동전을 유통시켰다. ④ 포르투갈은 16세기 초에 마카오에 진출하여 명의 물품을 수입하였다.

05 조선, 일본의 대외 교역 거점

(가)는 조선이 일본과의 외교 관계를 회복한 후 설치한 왜관에 대한 설명이다. 왜관에서는 일본 상인의 왕래가 빈번하였고, 이들은 은·구리·유황 등을 가져와 조선의 인삼을 주로 수입해 갔다. (나)는 에도 막부 때 일본인들이 네덜란드와 교역하던 나가사키의 데지마에 대한 설명이다. 데지마에는 포르투갈인들이 거주하였으나, 크리스트교 금교령이 내린 이후 네덜란드인들만 통상을 위해 머무를 수 있었다.

| 바로 알기 | ㄱ. 공행은 청 대 광저우에서 서양 상인들과의 무역에 종사한 상인들이다. ㄷ. 에스파냐는 필리핀에 마닐라를 건설하여 이곳을 중심으로 갈레온 무역을 전개하였다.

06 류큐의 중계 무역

밑줄 친 '이 나라'는 류큐이다. 류큐는 명과 조공 무역을 하였고, 조선과도 교류하여 불경과 유교 경전들을 수입하였다. 명이 해금 정책을 실시한 이후에는 동아시아와 동남아시아의 중간 지점에 위치한 지리적 이점을 앞세워 동아시아 여러 나라를 잇는 중계 무역으로 번성하였다. 그러나 류큐의 중계 무역은 16세기 중반 명이 해금을 완화하여 명 상인들이 활동하고 포르투갈 상인들이 진출하면서 점차 쇠퇴하였다.

| 바로 알기 | ③ 정성공 세력은 타이완에서 반청 운동을 전개하였다.

07 유럽의 동아시아 진출이 미친 영향

제시된 글은 포르투갈과 에스파냐 상인들이 동아시아에 진출하였고, 이들이 일본과 아메리카의 은으로 중국의 물품을 구매하여 유럽에 판매하는 방식으로 무역을 전개하였음을 알려 준다. 유럽 상인들이 주로 구매하던 상품은 중국산 도자기, 비단 등이었으므로 거래 대금으로 사용된 은은 대부분 중국으로 유입되었다. 이에 따라 중국과 일본을 비롯한 동아시아 국가들에서도 은이 무역의 결제 수단으로 사용되었다.

| 바로 알기 | ㄱ. 18세기 후반 영국이 청과의 무역 적자를 만회하기 위해 삼각 무역의 형태로 청과 교역하였다. ㄴ. 포르투갈 상인들의 진출로 동아시아 각국을 연결하던 류큐의 역할은 크게 축소되었다.

08 16~17세기 교역망의 확대와 문물 교류

16세기 이후 유럽 상인들의 진출로 동아시아 교역망이 세계로 확대되었다. 상품 거래 수단으로 은이 사용되면서 은은 국제 통화로서 자리 잡았다. 명에서는 조세 은납화의 영향으로 은 수요가 증가하면서 외국 은에 대한 의존도가 높아졌다. 교역망이 확대되는 과정에서 동아시아에 아메리카가 원산지인 감자, 옥수수, 고구마 등 신작물이 확산되었고, 중국과 일본의 도자기가 유럽에 수출되어 도자기 복제 기술에 영향을 주기도 하였다.

| 바로 알기 | ④ 13세기 무렵 몽골 제국이 동아시아와 유럽을 아우르는 대제국을 건설하면서 교역망이 통합되었다. 이때 상인들이 이동하던 육로와 해로를 따라 이슬람교와 마니교가 중국에 유입되었다.

09 마테오 리치의 활동

(가) 인물은 마테오 리치이다. 마테오 리치는 명의 학자와 함께 「곤여만국전도」를 제작하였다. 이 세계 지도는 조선과 일본에 전해져 서양의 지리학 지식을 보급하는 데 기여하였고, 중국을 세계의 중심으로 인식하던 동아시아 사람들의 세계관에 변화를 불러일으켰다.

| 바로 알기 | ① 조총은 포르투갈 상인에 의해 일본에 전해졌다. ②, ⑤는 아담 샬에 대한 설명이다. 아담 샬은 청 대 시헌력 제작에 참여하였고, 조선의 소현 세자와 교류하며 서양의 종교와 과학 지식을 전하였다. ③ 『동방견문록』은 마르코 폴로가 원과 주변국을 방문하고 남긴 여행기이다.

10 일본의 서양 문물 수용

에도 막부는 17세기 초 크리스트교 금교령을 내린 이후 유럽의 여러 나라 중 유일하게 네덜란드만을 직접적인 교역국으로 삼았다. 이에 네덜란드를 통해 일본에 서양 학문이 유입되었고, 이를 연구하는 과정에서 난학이 발달하였다. 서양의 해부학 서적을 일본어로 직접 번역한 『해체신서』의 발간은 일본에서 본격적으로 난학이 발전하는 계기가 되었다.

| 바로 알기 | ① 일본은 무로마치 막부 때 명과 조공 무역을 하였다. ② 일본의 고유 문자는 헤이안 시대에 만들어졌다. ③ 신국 사상은 가마쿠라 막부 때 확산되었다. ⑤ 임진왜란 중에 일본에 끌려간 조선인 학자들은 일본의 성리학 발전에 기여하였다.

11 16세기 중국의 은 유입 증가

명 대에는 일조편법이 전국적으로 시행되면서 은 수요가 크게 증가하였다. 중국에서 유통되던 은의 가치는 유럽보다 두 배 정도 높았기 때문에 많은 양의 외국 은이 중국으로 유입될 수 있었다. 청 대에 이르러 상공업이 발달하고 지정은제가 시행되면서 은 수요는 더욱 증가하였다.

바로 알기 ㄴ. 18세기 후반 청과 교역을 시작한 영국 상인들은 찻값으로 지불하는 은이 많아져 무역 적자가 발생하자 이를 만회하기 위해 청에 인도산 아편을 몰래 팔았다. ㄹ. 신패는 에도 막부가 자국의 은 유출을 막기 위해 청 상인에게 발행한 무역 허가증이다.

12 명 대 은 유통의 확대

명 대 지폐인 보초가 남발되어 가치가 하락하자 보초에 대한 불신이 높아지면서 점차 은이 민간 거래에 사용되었다. 16세기에 명 조정은 은 유통이 확산되자 세금을 은으로 거두는 일조편법을 전국적으로 확대 시행하였다. 이에 따라 은 수요가 크게 증가하였고, 직간접적으로 유입되는 외국 은에 대한 의존도가 높아졌다. 이렇듯 세금 납부와 민간 거래에 은이 사용되면서 명에서 은 본위 경제 체제가 확립되었다.

바로 알기 ① 지정은제는 18세기 초부터 청에서 시행되었다.

완자 정리 노트 명·청 대 조세 은납화와 경제 상황의 변화

구분	일조편법	지정은제
시행 국가	명	청
내용	여러 항목의 세금을 토지세, 인두세로 단순화	인두세인 정세를 토지세에 포함시킴
공통점	세금을 은으로 납부	

↓

은 본위 경제 체제 확립, 외국 은의 유입량에 따라 경제 상황 변화

13 조선의 은 유통 확대

자료 분석

조선 초에 요구하여 명으로 보내는 공물(은자)을 면제받았으나 그것을 화폐로 쓸 수도 없으므로 왕께서 은 채굴을 금지하는 법령을 제정하셨다. …… 그 후 2백 년이 지나 은화가 유행하였다.

(조선 전기에는 은이 민간 거래에 사용되지 않았어.)

– 신흠, 『상촌고』

명은 임진왜란 때 조선에 파견한 군인들에게 은으로 비용을 지불하였다. 은을 받은 군인들이 조선의 상인들과 물품을 거래하면서 조선에서 민간 거래에 은이 사용되기 시작하였고, 점차 은 유통이 활발해졌다.

바로 알기 ① 연은 분리법은 16세기 초반 조선에서 개발되어 일본으로 전래되었다. ② 명은 16세기 중반에 해금 정책을 완화하였다. ③ 조선은 세종 때 일본의 요구를 받아들여 삼포를 개방하였다. ④ 연행사는 조선에서 청에 파견한 조공 사절단이다.

14 연은 분리법이 일본의 은 생산에 미친 영향

제시된 글을 통해 조선에서 개발된 연은 분리법(회취법)이 일본에 전해졌음을 알 수 있다. 16세기 중반 이와미에서 은광이 개발되자 다이묘들은 연은 분리법을 도입하여 은을 산출하기 시작하였다. 일본의 은 생산량은 연은 분리법 도입과 은광 개발에 힘입어 비약적으로 증가하였고, 16세기 말에 이르러 전 세계 은 생산량의 3분의 1을 차지할 정도로 많아졌다.

바로 알기 ① 조선은 세종 때인 15세기 초반에 왜구의 근거지였던 쓰시마섬을 토벌하였다. ② 임진왜란을 계기로 조선과 일본의 국교가 단절되었다. ④ 명은 건국 초부터 15세기 초반까지 조선에 금과 은을 공물로 요구하였다. ⑤ 임진왜란 때 명군이 조선에서 은을 사용하기 시작한 것을 계기로 조선에서도 민간 거래에 은이 널리 사용되었다.

15 17세기 이후 동아시아의 경제 상황

1684년 청이 천계령을 해제한 후 나가사키에서 일본과 청의 교역량이 늘어나면서 중국산 물품의 수입 대금으로 빠져나가는 일본 은이 늘어났다. 이에 에도 막부는 은 유출을 막기 위한 여러 가지 정책을 실시하였다. 이 시기 조선에서는 청과의 접경 지역에서 공무역인 개시와 사무역인 후시 무역이 활발하였다. 청은 유럽 상인들의 활동 범위를 광저우로 제한하고 허가를 받은 공행을 통해서만 교역하도록 하였다.

바로 알기 ㄱ. 조천사는 조선이 명에 파견한 조공 사절단이다. 조선은 명과 17세기 초반까지 조공 무역을 통해 교역하였다. ㄷ. 일조편법이 전국적으로 시행되기 시작한 것은 명 대인 16세기 후반의 일이다. 청 대에는 지정은제가 실시되었다.

서술형 문제

117쪽

01 주제: 명과 일본의 무역 제한 정책

(1) (가) 감합, (나) 신패

(2) **예시 답안** 감합과 신패는 모두 발행국이 자국에 들어오고자 하는 외국인에게 발급한 문서이다. 명과 에도 막부는 대외 교역을 통제하기 위해 각각 감합과 신패를 발행하였다.

채점 기준

상	감합과 신패의 용도와 발행 목적을 모두 서술한 경우
하	감합과 신패의 용도와 발행 목적 중 한 가지만 서술한 경우

02 주제: 조선 후기 서양 학문의 수용과 영향

예시 답안 조선 후기에 연행사를 비롯하여 청에 왕래한 사람들을 통해 서양의 천문학과 역법, 지도 등이 조선에 유입되었다. 서양 과학에 관련된 번역서들을 접한 조선의 일부 학자들은 지구 구형설과 같은 서양 과학의 성과를 받아들였고, 점차 중국 중심의 세계관에서 벗어나게 되었다.

채점 기준

상	청에 왕래한 사람들을 통한 서양 문물 유입, 서양 과학의 성과 수용을 모두 서술한 경우
하	서양 문물의 영향을 받았다고만 서술한 경우

03 주제: 중국의 은 유입 증가 배경

예시 답안 16세기 후반 (가) 명에서 일조편법이 전국적으로 실시되어 은에 대한 수요가 크게 늘었고, 유럽보다 은값이 비싸 유럽 상인들을 통해 외국 은이 대량으로 유입되었다.

채점 기준

상	일조편법의 시행에 따른 은 수요 증가, 중국 은과 유럽 은의 가치 차이를 모두 서술한 경우
하	위의 내용 중 한 가지만 서술한 경우

STEP 3 1등급 정복하기 118~119쪽

1 ③ 2 ⑤ 3 ② 4 ④

1 동아시아 각국의 무역

밑줄 친 '이들'은 청 대 광저우에서 활동한 공행이다. 청은 18세기 중반에 대외 무역항을 광저우로 제한하고 공행을 설치하여 서양 상인들과 거래하도록 하였다. 공행은 서양 상인들과의 거래를 독점하였을 뿐만 아니라 관세 징수, 외국 상인 감독 등의 행정 업무까지 맡았다. 18세기 일본은 나가사키의 데지마를 통해 네덜란드 상인과 교역을 지속하였고, 조선은 임진왜란 이후 다시 설치한 왜관을 거점으로 중국산 물품과 인삼 등을 거래하였다.

바로 알기 ㄱ. 송과 일본 사이의 교역은 11세기에 이루어졌다. ㄴ. 원은 13세기 무렵 영토를 넓혔으며, 해로와 육로를 통해 동아시아 각국과 교역하였다. ㅁ. 15세기에 조선, 일본, 류큐 등이 명에 조공하면서 이들 사이에 직간접적인 교역망이 형성되었다.

2 류큐의 중계 무역

(가)는 류큐이다. 16세기 명의 해금 정책 실시로 명 상인들이 자유롭게 사무역을 하지 못하였다. 류큐는 이러한 상황에서 동아시아와 동남아시아의 중간에 위치한 지리적 이점을 이용하여 명과의 조공 무역을 중심으로 명, 일본, 동남아시아를 잇는 중계 무역을 통해 번성하였다.

바로 알기 ①은 청, ②는 당·송·원, ③은 에도 막부, ④는 명의 무역 정책과 관련된 설명이다.

3 동아시아 교역망의 확대와 서양 문물의 유입

16세기부터 서양 선교사들의 활동으로 동아시아에 다양한 서양 문물이 전해졌다. 마테오 리치는 세계 지도인 「곤여만국전도」를 제작하여 서양의 지리 지식을 전하였고, 아담 샬은 청 대에 태음력에 태양력의 원리를 더하여 시헌력을 만들었다.

바로 알기 ① 「수시력」은 원 대에 곽수경이 제작하였다. ③ 마르코 폴로는 원을 방문하고 견문록을 남겼다. ④ 「해체신서」는 일본의 학자들이 네덜란드를 통해 받아들인 서양의 해부학 서적을 번역한 것이다. ⑤ 만권당은 고려의 충선왕이 원의 수도에 세운 독서당이다.

4 동아시아 은 유통망의 형성

자료 분석

(16세기에 은광이 개발되었어.)

- 양인 김감불과 장례원 노비 김검동이 단천에서 산출된 연철(鉛鐵)로 이것을 제련하여 바치며 아뢰기를, "무쇠 화로나 작은 솥 안에 재를 둘러놓고 연철을 조각내어 그 안에 채운 다음, 깨진 질그릇으로 사방을 덮고 숯을 위 아래로 피워 녹이면 됩니다."라고 하였다. – 「연산군일기」
- 왜인이 옛날에는 이것을 제련하는 법을 몰랐는데, 한 상인이 조선인 기술자를 데리고 가서 그 방법을 가르쳐 주었다. 이로부터 왜인이 우리나라에 올 때 많이 가지고 왔으며, 배에 싣고 명에 가서 교역의 수단으로 사용하기도 하였다. – 「대동야승」

(조선에서 연은 분리법(회취법)을 도입한 후 일본의 은 생산이 증가하였음을 알 수 있어.)

밑줄 친 '이것'은 은이다. ㄴ. 16세기 후반 명에서는 복잡한 세금을 통합하여 은으로 징수하는 일조편법이 전국적으로 실시되었다. ㄹ. 일본에서는 국내의 거래 수단뿐만 아니라 외국 상인과의 거래 대금으로도 은을 사용하였다. 이에 따라 일본 은이 국제 거래에서 화폐로 사용되었다.

바로 알기 ㄱ. 조선에서는 임진왜란 이후부터 민간 거래에서 은 사용이 확대되었다. ㄷ. 영국은 청과의 교역에서 무역 적자가 발생하자 이를 만회하기 위해 인도산 아편을 밀수출하였다.

03 사회 변동과 서민 문화의 발달

STEP 1 핵심 개념 확인하기 126쪽

1 (1) ○ (2) × 2 (1) 시진 (2) 조카마치 3 시사 4 가부키
5 (1) ㄷ (2) ㄴ (3) ㄱ 6 사고전서

STEP 2 내신 만점 공략하기 126~130쪽

01 ③ 02 ② 03 ① 04 ⑤ 05 ② 06 ③ 07 ①
08 ② 09 ② 10 ⑤ 11 ⑤ 12 ④ 13 ⑤ 14 ④
15 ③ 16 ④ 17 ⑤ 18 ⑤ 19 ② 20 ③ 21 ③
22 ④

01 중국의 인구 증가

중국에서는 17세기 무렵부터 집약적 농업이 확산되어 단위 면적당 수확량이 증가하고 농기구 개량, 농서 보급 등으로 농업 생산력이 증대되었다. 또한 의학 기술의 발달로 질병으로 인한 사망자 수가 감소하여 인구가 증가하였다.

바로 알기 ㄱ. 균전제는 북위, 수, 당에서 실시하였다. ㄹ. 4~5세기 무렵 북방 민족이 화북 지역으로 진출하자 이 지역에 거주하던 한족이 강남으로 이동하면서 한족의 농업 기술이 강남에 전파되었다.

02 인구 증가의 영향

18, 19세기를 거치며 중국의 인구는 4억 명에 이를 정도로 급격히 증가하였다. 이에 따른 부작용이 나타나 식량과 농경지가 부족해졌고, 생활이 어려워진 농민들은 비밀 결사나 농민 봉기에 가담하였다. 또한 산간이나 변경 지역으로 이동하는 사람들이 늘어나면서 여러 지역에서 계투가 만연하였다.

바로 알기 ② 16세기 북쪽의 몽골과 남쪽의 왜구(북로남왜)가 명에 자주 침입하여 사회가 혼란하였다.

03 신작물의 전래

16세기에 아메리카 대륙에서 동아시아에 들어온 고구마, 감자, 옥수수 등은 척박한 토양에서도 잘 자라 동아시아 각국의 식량 증산에 기여하였다. 또한 구황 작물로 활용되어 17세기 이후 동아시아 지역에서 인구가 증가하는 데 영향을 주었다.

바로 알기 ㄷ. 신작물은 조선을 비롯한 동아시아 각국에서 널리 재배되었다. ㄹ. 중국의 산시 상인은 소금의 판매권을 독점하여 부를 축적하였다.

04 조선 후기의 인구 증가

(가) 시기 조선에서는 전쟁 피해를 복구하기 위해 양전 사업이 추진되어 경지 면적이 늘었고, 모내기법과 시비법이 전국으로 확산되는 등 농업 기술이 발전하면서 농업 생산력이 향상되었다. 또한 장시의 발달로 상품의 유통이 활발해지자 일부 농민들이 면화, 담배, 채소 등 상품 작물을 재배하였다. 이러한 요인들로 인해 조선의 인구는 점차 증가하였다.

바로 알기 ㄱ. 면화는 고려 말 원에서 전래되었다. ㄴ. 이갑제는 명 태조가 실시한 촌락 자치 행정 제도이다.

05 18세기 후반 일본의 인구 변화

17, 18세기까지 일본의 인구는 농업 생산량 증가와 생활 수준의 향상에 힘입어 폭발적으로 늘어났다. 그러나 18세기 후반에 이르러 다이묘들의 수탈이 심해졌고, 아사마 화산 폭발과 같은 자연재해와 덴메이 대기근의 발생, 전염병의 유행 등으로 사망자 수가 증가하여 인구 성장이 정체되었다.

바로 알기 ①, ⑤ 16세기에 일본은 센고쿠 시대가 전개되었다. 이때 다이묘들이 포르투갈에서 전해진 조총을 전투에 사용하기 시작하였다. ③ 일본이 외적의 침략을 받은 것은 13세기 몽골의 일본 원정 때이다. ④ 도왜인은 야요이 시대부터 7세기 무렵까지 중원과 한반도에서 일본 열도로 이주하였다.

06 청 대의 경제 상황

밑줄 친 '이 시기'는 청의 수도 베이징이 대도시로 성장하였던 18세기이다. 중국에서는 명·청 대를 거치며 민영 수공업이 발달하였고, 대운하와 도로망이 확대되면서 상업이 크게 번성하였다. 이에 따라 전국 각지의 상품 유통이 활발해지고 화북과 강남 일대에 도시가 발달하였다.

바로 알기 ① 춘추·전국 시대에 철제 농기구가 보급되기 시작하였다. ② 시박사는 당 대에 처음 설치되었다. ④ 중국과 일본 간 감합 무역은 명 대인 16세기 중반까지 이루어졌다. ⑤ 에도 막부가 네덜란드 상인들만 나가사키의 데지마에서 활동할 수 있도록 허용하였다.

완자 정리 노트 청 대의 경제 발전

배경	명 대 이래 민영 수공업과 상업 발달, 은의 대량 유입, 대운하 발달
양상	상품의 전국적 유통, 대외 수출 활발, 산시 상인·휘저우 상인 활동
영향	수도 번성, 강남의 도시 성장 → 도시 인구 급증, 소비문화 발달

07 시진의 성장

지도는 강남 시진의 분포를 보여 준다. 시진은 주로 수로 교통의 요지에 형성되었다. 명·청 대에 이르러 대운하와 창장강을 통한 물자 유통이 증가하고 강남을 거점으로 한 휘저우 상인들의 활동으로 그 수가 크게 늘어났다. 시진이 많아지고 수로망을 통해 연결되면서 시진 사이를 잇는 유통망이 형성되었고, 이에 힘입어 강남 전체가 도시화되었다.

바로 알기 ② 무로마치 막부와 명과의 감합 무역은 명 초기인 15세기 초부터 이루어지다가 16세기 중반에 중단되었다. ③은 조선 후기의 경제 발전과 관련된 탐구 활동이다. ④ 신패는 에도 막부가 청 상인에게 발급한 교역 허가증으로, 청의 천계령 해제와 관련이 있다. ⑤ 병농 분리 정책은 중국과 관련이 없다.

08 18세기 동아시아의 상황

「고소번화도」는 18세기 청 건륭제 시기에 제작되었다. 이 시기 동아시아에서는 고구마와 같은 구황 작물의 재배가 확산되면서 인구가 증가하였고, 조선의 송상과 일본의 오미 상인 등 대상인들이 각국에서 전국을 무대로 활동하였다. 또한 일본에서는 다이묘와 무사들에게 물품을 공급한 조닌들의 활동에 힘입어 조카마치를 중심으로 상업이 발달하였다.

바로 알기 ② 교초는 원 대에 사용된 지폐이다.

09 동아시아의 도시 발달

(가)는 한양, (나)는 오사카이다. 두 도시에서는 상업과 수공업이 발달하였고 대상인들이 활동하였다. 한양에서는 경강상인이 한강을 근거지로 삼아 서남해를 오가며 미곡과 어물을 거래하여 부를 쌓았다. 오사카에서는 오사카 상인이 성장하여 일본의 쌀 시장을 장악하였다.

바로 알기 ① 왜관은 조선과 일본의 국교 재개 후 부산의 초량에 설치되어 양국의 외교와 무역의 중심지 역할을 하였다. ③ 중국에서 대운하를 통해 강남의 물자들이 베이징을 비롯한 주요 도시로 운송되었다. ④ 개시와 후시 무역은 조선과 청의 접경 지역인 의주, 일본과 가까운 왜관에서 이루어졌다. ⑤ 쇼군은 에도에 거주하였다. 다이묘들과 물자의 이동이 활발해지면서 에도는 일본에서 가장 큰 조카마치로 성장하였다.

완자 정리 노트 동아시아의 주요 도시

베이징	명·청 대 수도, 인구 100만 명에 이르는 소비 중심지로 발달
한양	조선의 수도, 인구 30만 명 정도의 상업 중심지로 성장
에도	막부의 쇼군 거주, 인구 100만 명 정도의 최대 조카마치로 번성

10 산킨코타이 제도

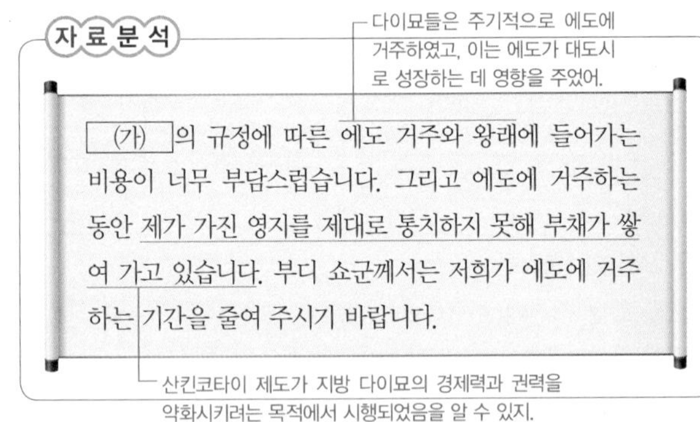

(가)는 산킨코타이 제도이다. 에도 막부는 각지의 다이묘들을 통제하기 위해 산킨코타이 제도를 실시하여 다이묘들을 격년으로 에도에 거주하게 하였다. 이 제도의 시행으로 전국에서 에도로 가는 도로가 정비되었고, 여관업과 상업이 발달하였다.

바로 알기 ① 장원은 헤이안 시대에 형성되었다. ②, ③은 에도 막부 수립 이전의 상황이다. 도요토미 히데요시는 병농 분리 정책을 시행하여 무사와 상공업자는 조카마치에, 농민은 농촌에 거주하게 하였다. 한편, 도요토미 히데요시는 1592년 조선을 침략하였다. ④ 오닌의 난은 1467년에 일어났다.

11 17~19세기 동아시아의 상황

첫 번째 사진은 중국의 전통 공연인 경극, 두 번째 사진은 한국의 판소리를 공연하고 있는 모습이다. 17세기 이후 중국과 조선에서는 서민층이 주도하는 문화가 발달하였다. 경극은 베이징을 중심으로 서민들에게 인기를 끌었고, 판소리는 조선 후기에 장시와 포구 등 주로 서민들이 많이 모이는 장소를 중심으로 공연되어 큰 인기를 얻었다.

바로 알기 ① 불교는 기원 전후에 중원 지역에 전해졌다. 만주와 한반도에 불교가 전파된 것은 삼국 시대이며, 일본 열도에는 6세기 중반 백제를 통해 유입되었다. ② 중국의 한자는 상의 갑골문에 기원을 두고 있다. 조선의 한글은 15세기, 일본의 가나 문자는 헤이안 시대에 만들어졌다. ③ 과거제는 수 대에 시작되었고, 한반도에는 고려 시대에 도입되었다. 일본에서는 과거제를 실시하지 않았다. ④ 7세기에 신라와 일본이 외교 문화 사절로 당에 견당사를 파견하였다.

12 서민 의식의 성장

동아시아에서 서민들의 경제력과 사회적 지위가 향상되면서 이들의 교육열이 높아졌고, 각국에 교육 기관이 늘어났다. 조선에서는 서당, 일본에서는 데라코야가 확산되어 교육을 받는 서민이 많아졌다. 이러한 교육의 확대는 지식의 보급을 촉진하여 서민 의식의 성장으로 이어졌다. 또한 출판업의 발달로 서적이 널리 보급되면서 대중 소설이 인기를 끌었고, 조선에서는 중인들이 시사를 조직하여 문학 활동을 하기도 하였다.

바로 알기 ④ 『왕오천축국전』은 신라의 혜초, 『불국기』는 동진의 법현이 각각 인도 지역을 순례하고 쓴 기행문이다.

13 에도 시대의 문화

ㄷ. 에도 시대에는 사회적·경제적으로 성장한 상공업 계층을 중심으로 독자적인 조닌 문화가 발달하였다. 가부키와 같은 공연 예술이 유행하였고, 조닌이 주인공으로 등장하는 소설 『일본영대장』이 인기를 얻었다. ㄹ. 에도 시대에는 나가사키의 네덜란드인들을 통해 다양한 서양 학문이 유입되면서 난학이 발달하였다. 막부는 전문 부서를 설치하여 난학 연구를 장려하였다.

바로 알기 ㄱ. 도다이사는 8세기에 건립되었다. ㄴ. 엔닌은 당에 유학한 승려로, 당에서 보고 들은 것과 경험한 일들을 담아 『입당구법순례행기』를 저술하였다.

14 동아시아의 서민 문화

17세기 이후 동아시아에서는 문화의 향유 계층이 서민층으로까지 확대되면서 문학, 공연 예술, 그림 등에서 서민의 취향이 반영된 작품들이 유행하였다. 문학 작품으로는 『홍루몽』(중국)·『춘향전』(조선) 등 소설이 널리 읽혔고, 공연 예술로는 경극(중국)·탈춤(조선)·분라쿠(일본)가 인기를 끌었다. 또한 일상생활을 묘사한 풍속화, 서민들의 기원을 담은 민화가 유행하였다. 일본에서는 채색 목판화인 우키요에가 많이 제작되었다.

바로 알기 ④ 「고사관수도」는 15세기에 그려진 작품이다.

15 17~19세기 동아시아 각국의 문화

제시된 첫 번째 그림은 조선의 민화, 두 번째 그림은 일본의 우키요에 작품이다. 민화와 우키요에는 동아시아에서 서민 문화가 발달한 17~19세기에 유행하였다. 이 시기 중국에서는 경극이 인기를 끌었고, 조선에서는 『홍길동전』과 같이 신분 차별과 사회의 모순을 비판하는 내용을 담은 한글 소설이 널리 읽혔다.

바로 알기 ㄱ. 일본에 선종이 도입된 것은 12세기이다. ㄹ. 『대월사기』는 13세기 후반 베트남이 몽골의 침략에 대응하는 과정에서 편찬되었다.

16 실용적 학문의 발달

17세기 이후 상공업 발달, 서양 학문의 수용과 확산, 사회 질서의 변화 등으로 동아시아 각국에서는 경세치용과 실사구시에 바탕을 둔 학풍이 등장하였다. 이는 실용적인 학문에 대한 관심을 불러일으켰고, 과학 기술과 농업 기술에 대한 연구로 이어졌다. 중국에서는 여러 분야의 산업 기술을 망라한 『천공개물』, 조선에서는 농업 기술을 정리한 『농가집성』이 편찬되었다. 일본에서는 『농업전서』가 저술되었고, 천문학과 생물학 등이 발전하였다.

바로 알기 ①은 13세기의 상황과 관련이 있다. ② 17세기 이후 서민 의식의 성장으로 서민층이 주도하는 문화가 발달하였다. 주로 문학, 공연 예술, 그림 분야에서 새로운 경향이 나타났다. ③ 크리스트교는 유럽 상인들의 동아시아 진출을 계기로 서양 선교사들이 중국과 일본에 들어온 이후 전해졌다. 이때 선교사들을 통해 전래된 서양 학문은 동아시아의 과학 기술 발달에 영향을 주었다. ⑤는 실용적 학문의 발달과 관련이 없다.

17 성리학에 대한 비판

자료분석

성리학의 가르침이 절대적이라는 기존의 경향을 비판하고 있어.

> 나는 이미 육경과 공자·맹자의 말을 깊이 읽고 이것들을 사서의 주석에 있는 말과 비교해, 주석이 …… 공자·맹자의 말과는 다르다는 것을 발견하였다.
> – 『경운루집』

성리학자들이 자의적으로 경전을 해석하였음을 지적하였어.

성리학은 17세기 이후 교조화되는 경향을 보이며 사회를 이끌어 갈 지도 사상으로서의 기능을 점차 잃어 갔다. 이에 따라 일부 지식인들을 중심으로 경세치용과 실사구시를 중시하는 학풍이 형성되었다. 이는 고증학과 실학이 발달하는 토대가 되었다.

바로 알기 ① 13세기 고려에서 몽골의 풍습이 유행하였다. ②는 일본에서 난학이 발전하게 된 배경과 관련이 있다. ③은 전국 시대 진에서 법가 사상을 국가 통치 이념으로 삼은 이유와 연결된다. ④는 공양학의 등장과 관련이 있다. 공양학은 19세기 청이 서양 세력의 통상 요구로 대외적 위기에 처하자 사회 변혁에 도움이 되지 않는 기존의 학문 경향을 반성하면서 등장하였다.

완자 정리 노트 새로운 학풍의 형성과 학문 발달

배경		결과		발달
• 상공업의 발달 • 서양 학문의 유입 • 성리학의 교조화와 절대화 → 비판 고조	→	경세치용, 실사구시의 연구 경향 등장	→	• 중국: 고증학 발달 • 조선: 실학, 국학 발달 • 일본: 고학, 국학, 난학 발달

18 청 대 고증학의 발달

자료는 청 대 만들어진 『사고전서』에 대한 것으로, 밑줄 친 '이 학문'은 고증학이다. 고증학은 엄격한 증거를 토대로 한 실증적인 학문 연구를 강조하였다. 이러한 학문 경향은 객관적인 학문 연구 기풍을 확립하였고, 경학·사학·금석학의 발달에 영향을 주었다. 또한 고증학을 받아들인 조선의 일부 학자들은 성리학을 비판하면서 사회 개혁을 위한 여러 방안을 제시하였다.

바로 알기 ㄱ. 『공양전』은 공양학의 학문적 기반이 되었다. ㄴ. 우주의 원리를 이와 기로 설명하는 성리학의 이분법적 인식이 국제 관계로 확장되면서 화이론이 강화되었다.

19 공양학의 특징

(가) 학문은 공양학이다. 공양학은 청이 대내외적 위기에 처하자 고증학을 비롯한 기존의 학문 연구 경향에 대한 비판이 일어나면서 등장하였다. 학자들은 현실을 비판하고 정치 개혁을 추구하는 사상적 근거로 공양학을 활용하였다. 이러한 학문 활동은 변법자강 운동에 영향을 주기도 하였다.

바로 알기 ① 심즉리, 지행합일은 양명학의 이론이다. ③, ⑤는 성리학의 특징이다. 성리학은 이와 기로 우주의 법칙을 설명하였고, 인간의 순수한 본성을 지키기 위한 수양 방법으로 거경궁리와 격물치지를 강조하였다. ④는 청 대 발달한 고증학에 대한 설명이다.

20 조선과 일본의 양명학

명 말기에 등장한 양명학은 조선과 일본으로 전해져 17세기 이후 본격적으로 발전하였다. 조선에서는 정제두를 비롯한 소론 학자들이 연구하였고, 일본에서는 나카에 도주를 중심으로 연구가 심화되었다. 양명학은 조선과 일본에서 성리학을 비판하고 실천을 중시하는 성격의 학문으로 발달하였다.

바로 알기 ① 『해체신서』는 일본의 난학자들이 편찬한 해부학 서적이다. ② 조선의 강항은 일본의 후지와라 세이카와 교유하면서 조선의 성리학을 전하였다. ④ 에도 막부는 성리학을 관학으로 채택하여 제도와 의례 정비에 활용하였다. ⑤ 조선에서 서학이 확산된 이후 천주교를 믿는 사람들이 평등사상을 내세우고 제사를 거부하여 조선 정부의 탄압을 받았다.

21 조선의 실학과 국학 발달

조선 후기에 지식인들이 사회 개혁 방안을 모색하는 과정에서 실학이 등장하였다. 유형원, 정약용 등 농업 중심 개혁론자들은 토지 제도 개혁과 자영농 육성을 통해 농촌 사회를 안정시켜야 한다고 주장하였다. 북학파로 불린 박지원, 박제가 등은 청의 선진 문물 수용과 상공업 진흥을 내세웠다. 실학의 발달과 더불어 역사, 지리, 국어 분야의 연구가 활발해지면서 『발해고』, 『동사강목』, 「대동여지도」 등이 제작되었다.

바로 알기 ③ 조선 중기에 성리학이 사회 규범으로 확산되면서 엄격한 위계질서와 도덕 윤리가 강조되었다. 그러나 성리학이 상공업 발달과 신분 질서 동요 등 사회 변화에 제대로 대처하지 못하자 이에 대한 비판으로 실학이 등장하였다.

22 일본 국학의 특징

제시된 글은 모토오리 노리나가의 저술 『고사기전』에 대한 설명으로, 『고사기전』에서는 국학의 연구 경향이 드러난다. 18세기 후반 일본에서는 일본의 신화와 역사를 실증적으로 연구하여 이를 통해 일본 문화의 우월성을 강조하는 국학이 발달하였다. 이러한 연구 경향은 천황에 대한 충성심을 일깨워 에도 시대 말기 막부 타도 운동이 일어나는 데 영향을 주었다.

| 바로 알기 | ㄱ. 에도 막부는 성리학을 토대로 국가 의례를 정비하였다. ㄷ. 고대 유학으로의 복귀는 고학의 핵심 주장이다.

서술형 문제

130쪽

01 주제: 산킨코타이 제도의 실시와 일본의 변화

(1) 산킨코타이 제도

(2) 예시 답안 산킨코타이 제도가 시행되면서 전국의 다이묘들이 에도에 이르는 길을 중심으로 도로망이 정비되고, 주변 지역의 여관업과 상업이 발달하였다.

채점 기준

상	도로망 정비, 여관업과 상업 발달을 모두 서술한 경우
하	도로망 정비, 여관업과 상업 발달 중 한 가지만 서술한 경우

02 주제: 고증학과 고학의 공통점

(1) (가) 고증학, (나) 고학

(2) 예시 답안 고증학과 고학은 모두 성리학을 비판하면서 등장하였으며, 유교 경전을 비롯한 고대 중국의 고전을 실증적인 방법으로 연구하였다.

채점 기준

상	고증학과 고학의 공통점을 등장 배경과 연구 방법론을 모두 포함하여 서술한 경우
중	두 학문의 등장 배경과 연구 방법론 중 한 가지만 서술한 경우
하	두 학문이 모두 고전을 연구하였다고만 서술한 경우

03 주제: 동아시아 서민 문화의 발달 배경

예시 답안 17세기 이후 동아시아 각국에서는 상공업과 도시의 성장으로 서민들의 경제력이 향상되었고, 서민 교육이 확대되었다. 이에 따라 서민 의식이 성장하면서 서민층에서 문화를 향유하려는 욕구가 커졌고, 이는 서민 문화의 발달로 이어졌다.

채점 기준

상	서민들의 경제력 향상, 교육의 확대에 따라 서민 의식이 성장하였다고 서술한 경우
중	서민 교육이 확대되어 서민 의식이 성장하였다고 서술한 경우
하	서민들의 경제력 향상, 교육의 확대 중 한 가지만 서술한 경우

STEP 3 1등급 정복하기

131~133쪽

1 ④ 2 ⑤ 3 ② 4 ③ 5 ① 6 ⑤

1 중국과 일본의 인구 변화

그래프를 보면 중국의 경우 17세기 중반 이후 인구가 늘어나기 시작하여 18세기에 인구가 꾸준히 증가한 반면 일본은 18세기 중반 이후 인구 정체 현상이 나타났음을 알 수 있다. 18세기 중국에서는 농업 생산력 증대, 의료 기술의 향상, 구황 작물의 재배 확대에 힘입어 사망자가 줄고 인구가 증가하였다. 일본에서는 다이묘의 수탈이 지속되는 가운데 자연재해에 따른 흉작과 기근, 전염병 확산 등으로 인해 17세기의 인구 증가 추세가 이어지지 못하고 일시적으로 정체되었다.

| 바로 알기 | ㄱ. 5세기 초 북방 민족의 세력 확대에 밀려 화북 지역의 한족이 창장강 유역으로 이주하였다. ㄷ. 일본에서는 무로마치 막부가 수립된 14세기 초반에 남조와 북조가 대립하는 형세가 나타났다.

2 대상인의 활동

인삼 취급, 송방 설치를 통해 (가)는 조선 후기에 활동한 송상임을 알 수 있다. 창장강 유통로 이용, 소금과 면포 거래를 통해 (나)는 명·청 대 양저우를 거점으로 활동한 휘저우 상인임을 알 수 있다. 송상의 근거지인 개성은 한양과 의주를 잇는 육로 교통의 요지에 있었고, 휘저우 상인의 근거지인 양저우는 대운하와 창장강이 만나는 교차 지점에 있어 여러 지역으로 물류를 운송하기에 유리하였다.

| 바로 알기 | ①, ②는 (나) 상인이 말한 내용이다. 휘저우 상인을 비롯한 중국 상인들이 각지에 회관과 공소를 두어 이익을 꾀하였고, 강남 지역에서 상업 활동을 전개하여 이 지역의 시진이 성장하는 데 기여하였다. ③은 조선의 공인, ④는 일본의 상공업자 계층인 조닌과 관련된 내용이다.

완자 정리 노트 동아시아의 주요 상인들

명·청 대	• 산시 상인: 화북 지역의 상권 장악, 소금 판매로 부 축적 • 휘저우 상인: 창장강 유통로 장악, 소금과 쌀 판매로 성장
조선 후기	• 관허 상인: 공인(대동법 실시로 등장, 관청에 물품 조달) • 사상(私商): 경강상인(한양), 송상(개성), 만상(의주) 등
에도 시대	오사카 상인(일본의 쌀 시장 장악), 오미 상인 등

3 에도 시대의 경제 상황

밑줄 친 '이곳'은 조카마치이다. 조카마치는 에도 시대에 각 번의 정치, 경제, 문화 중심지로 성장하였다. 에도 시대에는 산킨코타이 제도가 실시되면서 많은 다이묘들이 에도에 모여들었고, 이 과정에서 에도를 중심으로 한 도로망이 정비되고 상업과 여관업이 발달하였다. 17~19세기 중국에서는 상공업과 유통이 발달하면서 강남 지역 시진의 수가 크게 증가하였고, 산시 상인과 휘저우 상인이 대상인으로 성장하였다. 또한 조선에서는 대동법의 실시를 계기로 등장한 공인들이 활동하면서 상품 화폐 경제가 발달하였다.

| 바로 알기 | ② 예성강 하류의 벽란도는 고려 시대에 국제 무역항으로 성장하였다.

4 동아시아의 학문 발달

'억지로 문법을 세우면 안 됨', '학문의 길을 사실에서 추구', '기록의 같고 다름을 조목별로 분석하여 의심을 없게 함' 등의 내용을 통해 고증학에 대한 자료임을 알 수 있다. 고증학은 성리학자들의 주관적인 해석을 비판하면서 엄격한 증거에 따른 실증적인 연구를 강조하였다. 청 정부가 주도한 대규모 편찬 사업을 통해 연구가 심화되었고, 객관적인 학문 연구 풍토를 만들어 경학·역사학·금석학이 발달하는 데 기여하였다. 그러나 경전 자체의 내용을 있는 그대로 분석하는 고증학의 연구 방법은 학자들의 관심을 현실에서 멀어지게 하였다.

| 바로 알기 | ㄱ, ㅁ은 성리학에 대한 설명이다. 명, 조선, 에도 막부는 성리학을 토대로 문물과 제도를 정비하였다. 송 대 성리학을 집대성한 주희가 인간의 본성을 회복하기 위한 수양 방법으로 거경궁리와 격물치지를 강조하였다.

5 조선과 일본의 학문 발달

자료 분석

(가) 저들이 변발을 하고 옷깃을 외로 여미는 오랑캐라고 하자. …… 법이 훌륭하고 제도가 좋다고 할 것 같으면 오랑캐라도 찾아가 스승으로 섬기며 배워야 하거늘, 더구나 저들은 규모가 광대하고 사고가 정미하여 제작이 굉장하고 문장이 빼어나서, 하·상·주 삼대 이래의 한·당·송·명의 고유한 문화를 간직하고 있지 않은가? – 「북학의」

(오랑캐인 청에게서도 배울 점이 있다면 받아들여야 한다며 청 문물의 수용을 주장하였어.)

(나) 아마테라스 오미카미(일본의 태양신)는 우주 사이에서 견줄 바 없는 존재로서, 크리스트교의 하나님이나 유교의 천명(天命)도 이에 미치지 못한다. 아마테라스가 태어난 일본은 만국의 중심이 되는 나라이고, 그 후손인 천황의 대군주로서의 지위는 불변하며 …… 천황이 선하든 악하든 옆에서 살피고 판단할 수는 없다. – 「고사기전」

(일본 문화의 우수성을 강조하였어.)

(천황을 신성하게 여겼음을 알 수 있어. 이는 존왕 운동에 영향을 주었지.)

(가)는 조선 후기의 북학파인 박제가, (나)는 일본의 국학자인 모토오리 노리나가의 주장이다. 병자호란 이후 조선에서는 반청 의식이 강하였으나, 점차 청의 문물을 접한 학자들을 중심으로 청의 선진 문물을 수용하여 사회의 모순을 개혁하려는 움직임이 나타났다. 한편, 18세기 일본에서는 고학파의 학문 연구에 자극을 받아 일본의 고전을 중시하는 국학이 등장하였다. 조선의 북학파는 청을 인정하고 배울 것을 주장하였다는 점, 일본의 국학은 일본을 세계의 중심으로 생각하였다는 점에서 한족 중심의 중화사상에서 벗어났다는 공통점이 있다.

| 바로 알기 | ① (가)는 청의 문물을 받아들여야 한다는 주장으로 북벌론과는 관련이 없다. 조선에서는 병자호란 이후인 효종 때 청에 당한 치욕을 씻기 위해 청을 정벌하자는 북벌론이 대두하였다.

6 동아시아 문화의 새 경향

자료 분석

[장면1] 상점가에서 두 인물의 대화
- 학자: 거리가 시끌벅적 하군요. 무슨 일이 있습니까?
- 가게 주인: 서양 상인들이 막부의 명령에 따라 나가사키로 모두 이주해야 한다고 하네요. 그래서 다들 짐을 옮기고 있는 중이랍니다.

(에도 막부는 네덜란드의 상관을 나가사키로 옮기고 상인들을 모두 이주시켰어.)

[장면2] 나가사키의 어느 건물에서 통역사와 학자의 대화
- 통역사: 반갑습니다. (학자에게 책을 건네며) 말씀드린 책들입니다.
- 학자: 고맙습니다. 서양의 천문학, 의술, 지리학까지 종류가 다양하군요. 데지마까지 오기를 잘했어요. 저는 친구와 함께 인체 해부에 관한 책을 읽고 번역하기로 하였지요. 책이 완성되면 보여 드리겠습니다.

(일본인들은 데지마에 거주하던 네덜란드인들을 통해 서양의 학문을 받아들였지.)

(서양의 해부학 서적을 번역한 「해체신서」가 발간되면서 난학 연구가 심화되었어.)

에도 시대에는 언어와 의학을 중심으로 난학이 발달하였고, 조닌들 사이에서 가부키와 우키요에 등이 사랑을 받았다. 이 시기 조선에서는 서민층을 중심으로 한글 소설, 사설시조, 판소리, 탈춤 등이 인기를 끌었다. 중국에서는 명·청 대를 거치며 대중 소설, 경극, 풍속화와 민화 등이 유행하였다.

| 바로 알기 | ㄱ. 아스카 문화는 7세기경 삼국과 중국 남조의 영향을 받아 형성되었다. ㄴ. 「사서집주」는 12세기에 주희가 저술한 유학 관련 서적이다.

대단원 실력 굳히기 136~139쪽

01 ②	02 ④	03 ⑤	04 ②	05 ④	06 ③	07 ①
08 ②	09 ⑤	10 ④	11 ⑤	12 ④	13 ②	14 ④
15 ⑤	16 ④	17 ③	18 ②	19 ⑤	20 ③	

01 16세기 동아시아의 정세

제시된 글은 오닌의 난 이후 전개된 센고쿠 시대의 상황을 나타내고 있다. 이 시기에는 각지의 다이묘들이 대립하여 혼란이 지속되었다. 이때 오다 노부나가가 조총을 활용한 전술을 앞세워 세력을 강화하였고, 그의 뒤를 이은 도요토미 히데요시가 센고쿠 시대를 통일하였다(1590). 16세기에 명은 몽골과 왜구의 침략에 시달렸고, 이러한 가운데 환관 세력의 횡포로 사회 혼란이 가중되었다. 조선은 군역 제도의 모순으로 국방력이 약화되었다.

바로 알기 ㄴ. 베이징 함락(1644) 이후 명의 잔여 세력이 강남에 새로운 정권을 세웠다(남명 정권). 그러나 남명 정권은 청의 공격을 받아 무너졌다. ㄹ. 광해군은 1623년에 일어난 인조반정으로 왕위에서 축출되었다.

02 도요토미 히데요시의 정책

'병'이 말한 '일본의 센고쿠 시대를 평정하고 통일을 이룬 인물'은 도요토미 히데요시이다. 도요토미 히데요시는 통일 이후 사회 안정을 위해 도검몰수령을 내려 농민의 무장을 해제하고, 신분 간 이동을 금지하였다. 또한 농민과 무사의 거주지를 구분하였다. 그 결과 일본에서 병농 분리의 사회 질서가 확립되었다.

바로 알기 ①은 누르하치, ②는 명의 홍무제, ③은 장거정, ⑤는 명의 영락제에 대한 설명이다.

03 임진왜란과 정유재란

지도는 임진왜란과 정유재란의 전개 과정을 보여 준다. 1592년 도요토미 히데요시는 대외 진출을 명분으로 조선을 침략하였다(임진왜란). 일본군이 북상하자 선조는 의주로 피란하면서 명에 원군을 요청하였고, 명이 참전하면서 전쟁은 동아시아 국제전으로 확대되었다. 벽제관 전투 이후 명과 일본은 강화 협상을 시작하였으나, 협상은 결렬되었고, 1597년 일본이 조선을 다시 침략하였다(정유재란). 그러나 도요토미 히데요시가 사망하면서 일본군은 본국으로 철수하였다. 명은 임진왜란 중 무리하게 군사비를 지출하여 점차 쇠퇴하였고, 조선에서는 명이 원군을 보내 '재조지은'을 베풀었다며 명을 숭앙하는 분위기가 확산되었다.

바로 알기 ⑤ 일본의 무로마치 막부가 명과 감합 무역을 하였다. 양국의 무역은 무로마치 막부의 3대 쇼군 아시카가 요시미쓰가 명과 조공·책봉 관계를 맺은 후 시작되었다.

04 16~17세기 동아시아의 정세

(가) 시기는 정유재란이 발발한 1597년 직후부터 정묘호란이 종결된 1627년 직전까지이다. 왜란이 끝난 후 즉위한 광해군은 명과 후금 사이에서 중립적인 태도를 지키려 하였다. 그러나 인조반정(1623)을 일으켜 광해군을 몰아내고 정권을 잡은 서인 세력은 친명배금의 외교 노선을 내세웠고, 후금은 이를 빌미로 조선을 침략하였다(정묘호란).

바로 알기 ① 명 멸망(1644), ③ 삼번의 난(1673~1681)은 정묘호란이 종결된 이후의 일이다. ④ 삼포 왜란(1510), ⑤ 토목보의 변(1449)은 정유재란이 발발하기 이전에 일어났다.

완자 정리 노트 16~17세기 동아시아 전쟁과 정세 변화

임진왜란·정유재란 → 명 쇠퇴, 후금의 세력 확대 → 정묘호란 → 병자호란 → 명 멸망 → 반청 세력 진압 → 청의 중원 지배권 확립

05 병자호란의 결과와 영향

제시된 글은 청이 조선을 침략하면서 일어난 병자호란(1636)의 전개 과정과 결과에 대한 것이다. 병자호란 당시 인조는 남한산성으로 옮겨 가 항전하였으나 결국 청에 항복하고 청과 군신 관계를 맺었다. 이후 효종 때 청에 당한 수모를 갚고 명에 대한 의리를 지키기 위해 청을 정벌하자는 북벌론이 대두하였다.

바로 알기 ㄱ. 청은 1661년 반청 운동의 확산을 막기 위해 천계령을 선포하였다. ㄷ. 누르하치가 여진족을 통일한 것은 후금을 건국(1616)하기 이전의 일이다.

06 17세기 이후 동아시아 각국의 화이관

명이 멸망한 이후 송시열을 비롯한 조선의 지식인들은 조선이야말로 중화 문명의 정통 계승자라는 조선 중화주의를 내세워 조선의 정체성을 재확립하고자 하였다. 화이관의 변화는 중국과 일본에서도 나타났다. 청의 옹정제는 『대의각미록』에서 오랑캐라 하더라도 인과 예를 알면 중원을 지배할 수 있다고 주장하였고, 일본에서는 만세일계의 천황이 다스리는 일본의 우월성을 강조한 화이 사상이 대두하였다.

바로 알기 ① 『사서오경왜훈』은 일본의 후지와라 세이카가 저술한 성리학 연구 서적이다. ② 신불습합은 일본에 불교가 전래된 후 일본의 신토와 불교가 결합하는 과정에서 나타났다. ④ 북학 운동을 이끈 조선의 학자들은 청이 오랑캐라 하더라도 그들의 선진 문물을 받아들여야 한다고 주장하였다. ⑤ 일본은 청과 조공·책봉 관계를 맺지 않았고, 이러한 상황에서 일본 중심의 화이관이 등장하였다.

07 전쟁을 통한 동아시아의 문물 교류

17세기 전후 동아시아 전쟁 과정에서 군인이나 포로의 강제 이주 등을 통해 문물 교류가 이루어졌다. 조선에는 명의 군사들을 통해 관우 숭배 사상이 전해졌고, 일본에는 포로로 끌려간 조선인 도공들을 통해 조선의 도자기 기술이 전파되었다.

바로 알기 ② 율령은 수·당 대에 완성되어 동아시아 각국으로 전파되었다. 한반도에서는 삼국과 발해의 통치 체제 정비에 활용되었다. ③ 왜관은 일본인 거주지로 조성되어 조선과 일본의 교역 창구로 활용되었다. ④ 유럽 상인들이 동아시아에 진출하면서 서양의 종교와 신작물이 유입되었다. ⑤ 16세기 중반에 명과 일본의 감합 무역이 중단된 이후 일본은 중원 왕조와 조공·책봉 관계를 맺지 않았다.

08 명의 해금 정책과 동아시아 지역 내 교역

명이 해금 정책을 실시하여 명 상인들의 사무역이 자유롭지 못하였다. 류큐는 이러한 상황을 이용하여 명, 조선, 일본, 동남아시아 국가들 사이에서 중계 무역으로 번영하였다. 그러나 포르투갈 상인들이 동아시아에 진출하고, 16세기 후반 명이 해금을 완화하면서 류큐의 중계 무역은 점차 쇠퇴하였다.

바로 알기 ① 몽골 제국이 제국 전역에 역참을 설치하면서 이를 이용한 상인의 왕래와 교역이 활성화되었다. ③ 청해진의 설치, ⑤ 일본의 견당사 피견은 당 대에 있었던 일이다. ④ 명의 해금 정책으로 생계를 위협받게 된 명과 일본 상인들이 활동하면서 밀무역이 성행하였다.

09 에도 막부의 무역 통제 정책

자료분석

○월 ○일부터 외국 상선(청 상선)의 나가사키 입항을 제한합니다. 입항을 원하는 선단은 무역 허용량을 기재한 신패를 발급받아 소지하여야 합니다. 신패가 없는 선단은 앞으로 나가사키에서 무역을 하지 못하게 되니 꼭 발급받으시길 바랍니다.

에도 막부는 나가사키에 내항하는 청 상선의 수를 줄이고자 하였어.

제시된 안내문은 에도 막부가 대외 무역을 통제하기 위해 신패를 발급한 것과 관련이 있다. ⑤ 청이 천계령을 해제한 이후 나가사키로 입항하는 청 상선이 급증하여 일본과 청의 교역량이 증가하면서 일본의 은 유출이 심화되었다. 이에 에도 막부는 신패를 발급하여 나가사키에 들어오는 청 상선의 무역량을 제한하는 정책을 실시하였다.

바로 알기 ① 에도 막부는 크리스트교가 확산되자 금교령을 내리고 포교 활동을 하지 않았던 네덜란드인들의 교역만 허용하였다. ② 일본과 명의 조공 무역은 에도 막부 수립 이전에 중단되었다. ③ 기유약조는 조선과 일본이 17세기 초 국교를 회복한 후 체결한 조약이다. ④ 조선은 15세기 초에 왜구의 근거지인 쓰시마섬을 토벌한 후 일본에 삼포를 개방하였다.

10 17~19세기 동아시아 각국의 대외 교역

자료의 '모든 배가 정박하는 곳', '온갖 물건을 파는 점포였다.'라는 내용을 통해 오사카가 유통의 중심지로 성장한 17세기 이후임을 추론할 수 있다. 이 시기 청의 천계령이 해제되면서 일본과 중국 사이에 사무역이 발달하였고, 조선과 청의 접경 지역인 의주와 경원 등지에서는 개시 무역과 후시 무역이 활발하였다. 청은 반청 세력을 억제한다는 명분을 내세워 대외 무역항을 광저우로 제한하고 공행을 설치하였다. 한편, 영국은 청과의 무역에서 발생한 적자를 만회하기 위해 인도산 아편을 밀수출하였고(삼각 무역), 이로 인해 청의 막대한 은이 유출되었다.

바로 알기 ④ 무로마치 막부가 명과 조공·책봉 관계를 맺고 감합 무역을 시작한 것은 15세기 초반의 일이다.

11 유럽 상인들의 동아시아 진출

(가)는 에스파냐, (나)는 네덜란드이다. 16세기에 포르투갈을 선두로 동남아시아와 동아시아 지역에 에스파냐, 네덜란드 상인들이 진출하였다. 유럽 상인들의 진출로 아메리카의 은이 동아시아에 유입되면서 동아시아의 교역망이 세계로 확대되었다. 또한 일본이 네덜란드만을 직접적인 교역국으로 정한 이후 이들의 영향으로 일본에서 서양 학문을 연구하는 난학이 발달하였다.

바로 알기 ①, ②는 영국, ③은 포르투갈에 대한 설명이다. ④ 연은 분리법은 16세기 초 조선에서 개발되었고, 이후 일본에 전해졌다.

12 곤여만국전도의 제작과 그 영향

제시된 지도는 명에서 활동한 예수회 선교사 마테오 리치가 제작한 「곤여만국전도」이다. 이 지도는 청을 통해 조선과 일본에도 전해져 동아시아 사람들에게 서양의 지리학과 지도 제작 기술을 전달하였다. 동아시아인들은 이 지도에서 중국이 5개 대륙 중 하나에 속한 작은 나라로 그려진 것을 보면서 더 이상 중국이 세계의 중심이 아님을 인식하게 되었다.

바로 알기 ㄱ. 「곤여만국전도」가 보급된 것은 17세기부터이다. 전례 문제는 18세기에 일어났다. 전례 문제는 중국인들이 서양의 과학 기술을 부정적으로 인식하는 데 영향을 주었다. ㄷ. 「혼일강리역대국도지도」는 15세기 초에 만들어졌다. 원을 거쳐 한반도로 유입된 이슬람 과학의 영향을 받았다.

13 동아시아의 은 유통

(가)는 은이다. 중국에서는 명·청 대 일조편법과 지정은제의 실시로 은의 수요가 증가하였고, 유럽에서보다 은값이 더 높았기 때문에 유럽 상인들을 통해 아메리카의 은이 중국으로 많이 유입되었다. 조선에서는 임진왜란을 계기로 많은 양의 은이 유입되어 이후 민간 거래에서 은이 널리 사용되었다. 일본에서는 16세기 초 조선에서 도입된 연은 분리법과 이와미 은광 개발에 힘입어 은 생산량이 비약적으로 증가하였다. 또한 은이 국내에서 화폐로 활발하게 유통되었고 무역의 결제 대금으로도 쓰였다.

바로 알기 ② 명 대 지폐인 보초의 가치가 하락하여 불신이 높아지면서 점차 은이 민간 거래에서 결제 수단으로 사용되었다.

명 조정이 보초를 남발하였기 때문이야.

14 16~19세기 동아시아 인구 증가의 원인

제시된 표를 통해 명·청 대와 조선 후기에 각국의 인구가 크게 증가하였음을 알 수 있다. 이는 농경 기술의 발달과 신작물 재배에 따른 농업 생산량 증가, 의학 기술의 발달에 따른 사망자 수 감소로 인해 나타난 결과였다.

바로 알기 ㄱ. 중국에서는 춘추·전국 시대, 한반도에서는 삼국 시대에 철제 농기구가 보급되었다. ㄷ. 몽골 제국은 13세기에 영토를 넓히고 세력을 확대하였다. 그러나 14세기 무렵 세력이 약화되었고, 명이 건국된 이후 몽골 초원 지역으로 밀려났다.

15 에도 시대 동아시아의 경제 상황

제시된 글은 에도 막부가 실시한 산킨코타이 제도에 대한 설명이다. 산킨코타이 제도의 실시로 전국의 다이묘들이 에도로 모여들면서 에도는 상업 도시로 변모하였다. 지방에서는 각 번의 조카마치를 중심으로 상공업이 발달하고 도시가 성장하였다. 이 시기 중국에서는 시진이 중소 상공업 도시로 성장하였고, 점차 그 수가 늘어났다. 조선에서는 모내기법이 전국으로 확산되어 농업 생산력이 증대되었고, 이에 힘입어 상품 화폐 경제가 발달하였다. 각국에서 상업이 발달하면서 중국의 산시 상인, 조선의 송상, 일본의 오사카 상인 등이 각국에서 전국을 무대로 활약하였다.

바로 알기 ⑤ 교초는 원 대에 발행되었다.

16 명·청 대 동아시아 각국의 도시 발달

밑줄 친 '이 도시'는 베이징이다. 베이징은 명·청의 수도였고, 18세기경 인구 100만 명에 가까운 대도시로 성장하였다. 베이징에는 강남의 상공업 도시에서 생산된 물자가 대운하를 따라 운송되었다. 이는 베이징의 상업 발달을 촉진하여 경제력을 갖춘 상인과 서민층이 등장하였다. 이들의 취향이 반영된 문화가 발달하면서 경극이 유행하였다.

바로 알기 ① 서시는 당의 수도였던 장안에 있었다. ② 시박사는 취안저우, 광저우 등 국제 무역항에 설치되었다. ③ 경강상인은 한양을 근거지로 활동한 조선의 상인 집단이다. ⑤ 에도 시대에 '천하의 부엌'으로 불린 오사카는 쌀을 비롯한 각종 물자가 집결하는 유통 거점이었다.

17 동아시아 서민 문화의 발달

17세기 이후 동아시아의 상공업 발달과 도시 성장은 지배층 중심의 문화에서 벗어나 서민들이 주도하는 새로운 문화의 흐름을 만들어 냈다. 문화를 향유하려는 서민들의 욕구가 커지면서 동아시아 각국에서는 서민 문화가 발달하였다. 대중 소설이 인기를 끌었고, 판소리와 가부키 등의 공연 예술이 발달하였으며, 민화와 우키요에 등이 많이 제작되었다.

바로 알기 ③ 일본의 호류사 5층 목탑은 7세기에 건립되었다.

18 고증학의 발달

마인드맵은 고증학의 발달과 관련된 내용을 정리한 것이다. 청 대 발달한 고증학은 객관적으로 학문을 연구하는 기풍을 형성하였고, 경학·사학·금석학 발달에 기여하였다. 또한 고증학을 받아들인 조선의 일부 학자들이 성리학을 비판하고 사회 모순을 해결할 방안을 연구하면서 조선에서 실학이 등장하였다.

바로 알기 ①, ③ 명 중기에 관학인 성리학을 비판하면서 양명학이 등장하였고, 이후 고증학이 발달하였다. ④ 19세기에 등장한 공양학이 현실을 비판하고 정치 개혁을 추구하는 근거가 되었다. ⑤ 일본의 양명학과 국학이 막부 타도를 주장하는 무사들에게 영향을 주었다.

19 조선의 실학과 일본의 국학 발달

(가)는 조선의 실학, (나)는 일본의 국학에 대한 설명이다. 두 학문은 모두 17세기 이후 동아시아에서 형성된 학풍인 경세치용, 실사구시의 영향을 받아 실증적인 학문 연구를 중시하였다.

바로 알기 ①, ③은 성리학과 관련이 있다. 성리학은 우주의 이치를 이와 기를 중심으로 설명하였고, 조선에서는 사림의 근거지인 서원을 통해 확산되었다. ② 명 중기에 치양지, 지행합일을 강조하는 양명학이 등장하였다. ④ 일본에서는 에도 시대에 양명학을 연구한 나카에 도주가 평등을 강조하여 막부 타도를 주장하는 무사들에게 영향을 주었다.

20 난학의 발달

에도 막부는 서양의 여러 국가 중 네덜란드와만 직접 교역하였다. 이에 따라 네덜란드를 통해 유입된 서양의 학문을 연구하는 난학이 발달하였다. 난학을 다루는 사람들은 대부분 네덜란드어 통역사나 의사였기 때문에 언어와 의학이 난학 연구의 중심이 되었다. 19세기 초에는 막부가 난학을 담당하는 전문 부서를 설치하여 연구를 장려하기도 하였다.

바로 알기 ① 『농정전서』, 『천공개물』은 각각 명에서 편찬된 농학 서적, 산업 기술 서적이다. ② 공양학은 19세기에 청이 서양 세력의 침입과 농민 봉기 등으로 대내외적 위기에 처한 상황에서 등장하였다. ④ '성즉리'는 성리학의 핵심 주장 중 하나이다. ⑤ 고학파는 성리학을 비판하면서 등장하였고, 고대 성인의 가르침을 따라야 한다고 주장하였다.

Ⅳ. 동아시아의 근대화 운동과 반제국주의 민족 운동

01 새로운 국제 질서와 근대화 운동

STEP 1 핵심 개념 확인하기 146쪽

1 제1차 아편 전쟁 2 (1) ○ (2) ○ (3) × 3 (1) ㄷ (2) ㄴ (3) ㄱ 4 ㉠ 자유 민권 운동, ㉡ 대일본 제국 헌법(메이지 헌법) 5 대한국 국제

STEP 2 내신 만점 공략하기 146~149쪽

01 ① 02 ③ 03 ④ 04 ⑤ 05 ⑤ 06 ④ 07 ③
08 ① 09 ③ 10 ④ 11 ③ 12 ④ 13 ③ 14 ③
15 ④ 16 ①

01 청의 은 유출과 아편 전쟁

제시된 그래프에서 1826년 이후 청의 아편 밀수입액과 은 유출액이 증가하고 있다. 영국은 19세기 초까지 공행을 통해 청의 물품을 구입하고 은을 지불하는 방식의 무역을 하였다(편무역). 이 과정에서 영국의 대청 무역 적자가 심화되자, 영국은 이를 극복하기 위해 청에 인도산 아편을 밀수출하였다(삼각 무역). 그러자 청에서 아편 중독자가 급증하여 사회 문제가 발생하였고, 아편 구매량이 늘어나 은이 해외로 유출되고 조세 수입이 감소하는 등 국가 재정이 악화되었다. 청 정부가 임칙서를 광저우에 파견하여 아편을 몰수하고 단속을 강화하자, 영국이 이를 구실 삼아 청을 공격하면서 제1차 아편 전쟁이 일어났다(1840).

바로 알기 ㄷ. 영국은 제1차 아편 전쟁의 결과 난징 조약을 체결하여 공행을 폐지하였다. 그러나 영국의 무역 상황이 나아지지 않자, 영국은 애로호 사건을 빌미로 제2차 아편 전쟁(1856)을 일으켰다. ㄹ. 영국은 대청 무역 적자를 극복하기 위해 청과의 무역을 편무역에서 삼각 무역으로 바꾸었다.

02 난징 조약의 내용

제시된 조약은 제1차 아편 전쟁의 결과 청과 영국이 체결한 난징 조약(1842)이다. 난징 조약의 체결로 청은 상하이를 비롯한 5개 항구를 개항하였고, 공행을 폐지하였다. 또 관세 자주권을 상실하였으며, 영국에 홍콩을 할양하였다. 한편, 일본은 청이 아편 전쟁에서 패하자 서양과의 무력 충돌을 피하기 위해 쇄국 정책을 완화하였다.

바로 알기 ③ 난징 조약을 체결한 이후에도 영국의 대청 무역 적자는 해소되지 않았다.

03 강화도 조약의 체결

밑줄 친 '근대적 조약'은 강화도 조약(1876)이다. 일본이 운요호 사건(1875)을 일으켜 무력시위를 하며 조선에 개항을 요구하자, 조선은 일본과 강화도 조약을 체결하였다. 이 조약에 따라 조선은 부산을 비롯한 3개 항구를 개항하였다.

바로 알기 ① 강화도 조약에서는 조선의 영토 할양을 명시하지 않았다. ②는 난징 조약(1842), ③은 미·일 화친 조약(1854)에 대한 설명이다. ⑤ 조선은 청의 간섭에서 벗어나 독자적으로 러시아와 조·러 수호 통상 조약(1884)을 체결하였다.

04 일본과 베트남의 개항

(가)는 미·일 수호 통상 조약(1858), (나)는 베트남과 프랑스가 체결한 제1차 사이공 조약(1862)이다. 일본은 페리 제독의 무력시위에 굴복하여 미국과 미·일 화친 조약(1854)을 체결하고 개항하였다. 이후 미국이 통상의 자유를 요구하자, 일본은 미·일 수호 통상 조약을 체결하여 가나가와를 비롯한 항구를 추가로 개항하고 미국의 영사 재판권(치외 법권)을 인정하였다. 베트남은 프랑스가 프랑스인 선교사를 박해하였다는 구실로 일으킨 전쟁에서 패하여 제1차 사이공 조약을 체결하고 개항하였다. 이 조약에는 베트남의 전쟁 배상금 지급, 코친차이나의 동부 3성 할양, 선교의 자유 등이 포함되었다. 두 조약은 모두 일본과 베트남에 불리한 내용을 담은 불평등 조약이었다.

바로 알기 ① 미·일 수호 통상 조약은 메이지 정부 수립 이전에 체결되었다. ② 일본이 서양과 체결한 최초의 근대적 조약은 미·일 화친 조약이다. ③ 공행의 폐지를 명시한 조약은 청과 영국이 체결한 난징 조약이다. ④는 청·프 전쟁(1884~1885)에 대한 설명이다.

완자 정리 노트 동아시아 각국의 근대적 조약과 개항

난징 조약(1842)	상하이를 비롯한 5개 항구 개항, 홍콩 할양, 공행 폐지, 청의 관세 자주권 상실
미·일 수호 통상 조약(1858)	가나가와·나가사키 등의 항구 추가 개항, 미국의 영사 재판권 인정
강화도 조약(1876)	조선을 자주국으로 명시, 부산을 비롯한 3개 항구 개항, 일본의 영사 재판권 인정
제1차 사이공 조약(1862)	3개 항구 개항, 선교의 자유 허용, 코친차이나 동부 3성 할양

05 태평천국 운동의 전개

(가) 근대화 운동은 태평천국 운동(1851~1864)이다. 난징 조약의 체결 이후 청에서는 전쟁 비용 처리와 배상금의 지불로 인해 백성의 조세 부담이 높아졌다. 이러한 상황에서 홍수전은 배상제회를 조직하고 태평천국 운동을 일으켰다. 청 왕조의 타도를 내세운 태평천국군은 토지의 균등 분배와 남녀가 평등한 사회를 약속하여 민중의 지지를 받았다.

바로 알기 ①은 갑신정변, ②는 신해혁명, ③은 양무운동, ④는 삼번의 난에 대한 설명이다.

06 양무운동의 추진

제시된 인물은 양무운동을 주도한 이홍장이다. 두 번의 아편 전쟁과 태평천국 운동을 겪으면서 서양 무기의 우수성을 인식한 이홍장, 증국번 등 청의 한인 관료들은 양무운동을 전개하여 근대화를 추진하였다. 중체서용을 표방한 양무파 관료들은 군사력의 강화를 목표로 군수 공장, 기선 회사 등을 설립하였다. 그러나 양무운동은 제도의 개혁 없이 서양의 기술만 받아들였으며, 자금 부족과 보수파의 견제로 국가 차원에서 체계적으로 이루어지지 못하였다. 결국 양무운동은 청·일 전쟁에서 패하며 그 한계를 드러냈다.

바로 알기 ① 1896년 서재필을 비롯한 조선의 일부 지식인들은 「독립신문」을 발간하고 독립 협회를 창립하였다. ② 청 정부는 흠정헌법 대강(1908)을 발표하여 입헌 군주제를 확립하고자 하였다. ③ 조선 정부는 개항 이후 개화 정책을 추진하는 과정에서 일본에 조사 시찰단을 파견하였다. ⑤는 독립 협회의 활동에 대한 설명이다.

07 존왕양이 운동의 전개

(가)는 존왕양이 운동이다. 개항 이후 일본에서는 외국 상품이 들어오고 물가가 폭등하면서 경제적 혼란이 나타나자, 개항에 반대하던 하급 무사들을 중심으로 한 막부 타도 세력이 반막부·반외세의 성격을 띤 존왕양이 운동을 전개하였다.

바로 알기 ①은 베트남의 판보이쩌우가 베트남 청년들을 일본에 유학시켜 신식 학문을 배우게 한 근대화 운동이다. ②는 청의 캉유웨이, 량치차오 등이 메이지 유신을 본떠 입헌 군주제의 도입을 목표로 추진한 개혁이다. ④는 조선에서 농민들이 정치와 사회의 개혁 및 외세 척결을 주장하며 일으킨 봉기이다. ⑤는 1870년대 일본에서 서구식 의회의 설치와 헌법 제정을 주장한 운동이다.

08 메이지 유신

밑줄 친 '새로운 정부'는 메이지 정부이다. 메이지 정부는 모든 사람이 평등하게 자유와 권리를 가진다는 사민평등의 원칙 아래 신분제를 폐지하였다. 또 기존의 번을 폐지하고 현을 설치하여 관리를 파견하는 폐번치현을 단행하였고, 징병제를 실시하여 군사력을 정비하였다.

바로 알기 ②는 이홍장, 증국번 등 청의 한인 관료들이 추진한 양무운동, ③, ⑤는 개항 이후 조선 정부가 추진한 개화 정책에 해당한다. ④ 조선은 일본의 개혁 요구를 계기로 갑오개혁을 추진하여 근대적 내각제를 수립하였다.

09 갑신정변

제시된 자료는 갑신정변(1884) 때 발표되었던 개혁 정강 14개조의 일부이다. 임오군란(1882) 이후 청의 내정 간섭과 더딘 개혁에 불만을 가졌던 김옥균, 박영효 등의 급진 개화파는 일본의 지원을 받아 갑신정변을 일으켰다. 이들은 메이지 유신을 본보기로 삼아 입헌 군주제를 지향하고 문벌을 폐지하려 하였으며, 인민 평등권 확보, 조세 제도 개혁 등을 주장하였다. 그러나 갑신정변은 보수 세력의 반발과 청군의 개입으로 3일 만에 실패하였다.

바로 알기 ③ 통리기무아문은 개항 이후 조선 정부가 개화 정책을 추진하는 과정에서 설치한 근대적 행정 기구로, 외교, 군사, 산업, 병기 제조 등을 담당하는 12사를 두었다.

10 갑오개혁과 을미개혁

제시된 표는 갑오개혁과 을미개혁(1894~1895)에 대해 정리한 것이다. 동학 농민 운동을 계기로 조선에 군대를 파병한 일본은 조선 정부의 철군 요구를 거부하고 군사력을 동원하여 조선의 내정 개혁을 요구하며 경복궁을 점령하였다. 이에 따라 왕실과 정부의 분리, 근대적 내각제 수립, 신분제 해체, 노비제 폐지, 조세 제도 개혁, 단발령·태양력 시행 등 여러 분야에서 개혁을 실시한 갑오·을미개혁이 추진되었다. 그러나 개혁이 추진되던 중에 일본이 명성황후를 시해하였다(을미사변). 이에 반발한 유생들이 의병을 일으켜 일본에 저항하였고, 고종이 러시아 공사관으로 피신(아관 파천)하면서 개혁이 중단되었다.

11 자유 민권 운동의 전개

제시된 글은 일본의 의회 설립을 요구한 청원서(1874)이다. 일본에서는 이 청원서가 신문에 보도된 것을 계기로 서양식 의회 설치와 헌법 제정을 요구하는 자유 민권 운동이 시작되었다. 메이지 정부는 자유 민권 운동을 탄압하면서도 한편으로 서구식 선진 제도의 필요성을 인정하였다. 이에 따라 대일본 제국 헌법(메이지 헌법)을 제정(1889)하고, 중의원 선거를 실시하여 제국 의회를 설립(1890)하였다.

바로 알기 ① 자유 민권 운동은 입헌 군주제 수립을 목표로 하였다. ② 메이지 정부는 자유 민권 운동을 탄압하였다. 그러나 서구식 선진 제도의 필요성을 인정하였다. ④는 존왕양이 운동, ⑤는 청의 태평천국 운동에 대한 설명이다.

12 대일본 제국 헌법(메이지 헌법)의 내용

제시된 자료는 메이지 정부가 제정한 대일본 제국 헌법(1889)이다. 일본에서는 대일본 제국 헌법을 통해 입헌 군주제에 바탕을 둔 근대 국가의 제도적 토대가 마련되었다. 그러나 이 헌법은 천황에게 군 통수권과 입법권, 조약 체결, 문무관의 임명과 해임 등의 많은 권한을 부여하면서 국민의 기본권을 제한하는 한계를 가졌다.

바로 알기 ① 제국 의회는 대일본 제국 헌법이 제정된 이후인 1890년에 중의원 선거를 통해 설립되었다. ② 대일본 제국 헌법은 입헌 군주제를 표방하였다. ③ 흠정헌법 대강은 대일본 제국 헌법의 영향을 받아 공포(1908)되었다. ⑤ 존왕양이 운동은 메이지 유신 이전에 전개되었다.

완자 정리 노트 동아시아 각국의 근대 헌법 제정

구분	대일본 제국 헌법	대한국 국제	흠정헌법 대강
반포 시기	1889년	1899년	1908년
의회 설립	○	×	○
민권 규정	○	×	○

13 독립 협회의 활동

독립 협회는 서재필을 비롯한 조선의 일부 지식인들이 창립하였다. 이들은 「독립신문」을 한글로 발간하여 민중을 계몽하고자 하였으며, 만민 공동회를 개최하여 조선에 대한 열강의 이권 침탈을 반대하고 정부에 재정 개혁과 의회 설립 등을 요구하였다. 그리고 관민 공동회에서 헌의 6조를 결의하고 입헌제 도입을 위한 의회 설립 운동을 전개하였다.

14 대한 제국의 수립

(가)는 대한 제국이다. 러시아 공사관에서 환궁한 고종은 1897년 대한 제국의 수립을 선포하고 황제에 즉위하였다. 대한 제국은 부국강병을 목표로 구본신참에 입각한 개혁을 추진하였다(광무개혁). 이에 따라 상공업을 진흥하고, 인재를 양성하기 위해 근대식 학교를 설립하였다. 이어 황제의 무한한 권력을 명시한 대한국 국제를 선포하였다(1899).

바로 알기 ①, ②는 대한 제국 수립 이전에 추진된 개혁 정책이다. ④ 독립 협회 창립(1896), ⑤ 임오군란(1882)은 대한 제국 수립 이전의 일이다.

15 변법자강 운동

자료 분석

강유웨이는 메이지 유신을 본보기로 삼아 개혁을 추진하자고 주장하였어.

> 일본의 유신에서 귀감을 찾아야만 합니다. …… 유신의 초기에 바꿔야 할 것은 아주 많았지만, 그 핵심은 세 가지였습니다. 첫째는 군신과 더불어 서약함으로써 국시(國是)를 정한 것이고, 둘째는 대책을 세워 현명한 인재를 모집한 것이며, 셋째는 지도국을 열고 헌법을 정한 것이었습니다.

제시된 자료는 캉유웨이가 청의 광서제에게 올린 글이다. 청·일 전쟁에서의 패배로 양무운동의 한계가 드러나고, 청의 낡은 제도가 청·일 전쟁에서 패배한 원인이라고 판단한 캉유웨이, 량치차오 등은 입헌 군주제의 도입을 목표로 과거제 폐지, 근대 학교 설립 등 여러 분야에서 개혁을 추진하였다. 그러나 서태후를 비롯한 보수 세력의 반발로 100여 일 만에 실패하였다.

바로 알기 ④는 일본의 메이지 유신에 대한 설명이다.

16 신해혁명

청 정부가 재정난을 타개하기 위해 민영 철도를 국유화하고 이를 담보로 외국 차관을 도입하려 하자, 전국 각지에서 철도 국유화 반대 운동이 일어났다. 이어 우창에서 신식 군대를 중심으로 봉기가 일어났다. 우창에서 시작된 봉기는 전국으로 확산되어 약 2개월 만에 17개의 성이 청으로부터 독립을 선언하였다(신해혁명, 1911). 그 결과 쑨원이 임시 대총통으로 추대되고, 아시아 최초의 공화국인 중화민국이 수립되었다(1912).

바로 알기 ②는 1899년, ③은 1851년, ④는 1895년, ⑤는 1858년의 일이다.

서술형 문제

149쪽

01 주제: 동아시아 각국의 개항

(1) (가) 제1차 아편 전쟁, (나) 운요호 사건

(2) 예시 답안 (가), (나) 조약은 각각 청과 조선에 불리한 내용을 담은 불평등 조약이었으며, 이 조약을 통해 청과 조선은 문호를 개방하였다.

채점 기준

상	청과 조선에 불리한 내용을 담은 불평등 조약이었고, 조약의 체결 결과 청과 조선이 개항하였다고 서술한 경우
하	불평등 조약의 성격, 조약 체결의 결과(개항) 중 한 가지만 서술한 경우

02 주제: 중국의 근대화 운동

(1) 양무운동

(2) 예시 답안 양무운동은 중체서용의 원칙에 따라 서양의 군사력과 과학 기술 수용을 추진하였다. 그러나 서양의 기술만 받아들였을 뿐 의식이나 제도의 개혁은 이루어지지 않았다.

채점 기준

상	중체서용의 원칙에 따른 서양의 군사력과 과학 기술의 수용 추진(의의), 의식이나 제도의 개혁 부족(한계)을 모두 서술한 경우
하	의의와 한계 중 한 가지만 서술한 경우

STEP 3 1등급 정복하기

150~151쪽

1 ③ 2 ④ 3 ④ 4 ②

1 동아시아의 근대적 조약과 개항

(가)는 난징 조약(1842), (나)는 미·일 수호 통상 조약(1858), (다)는 강화도 조약(1876)이다. ① 난징 조약은 청의 공행 폐지, 홍콩 할양 등을 규정하였다. ② 미·일 수호 통상 조약에는 일본의 추가 개항, 미국의 영사 재판권 인정 등의 내용이 포함되었다. ④, ⑤ 일본이 운요호 사건(1875)을 빌미로 개항을 요구하자, 조선은 강화도 조약을 체결하였다. 일본은 강화도 조약에서 조선을 자주국으로 인정하여 조선에 대한 청의 간섭을 차단하고자 하였다.

바로 알기 ③ 미·일 수호 통상 조약은 미국이 일본에 통상 자유화를 요구하면서 체결되었다.

2 양무운동

밑줄 친 '근대화 운동'은 양무운동이다. 양무운동을 추진한 이홍장, 증국번 등 한인 관료들은 서양식 해군을 창설하고 군수 공장을 설립하여 군사력을 강화하고, 기선 회사, 방직 공장을 설립하여 경제 발전을 도모하였다. 그러나 양무운동은 중체서용의 관념을 벗어나지 못하였고, 그 결과 청·일 전쟁에서 패배하며 한계를 드러냈다.

바로 알기 ① 대한 제국은 구본신참에 입각한 근대적 개혁을 추진하였다(광무개혁). ② 아시아 최초의 공화국인 중화민국은 신해혁명의 결과 수립되었다(1912). ③은 변법자강 운동, ⑤는 메이지 유신과 관련이 있다.

3 동아시아 각국의 근대화 운동

(가)는 메이지 유신, (나)는 갑신정변이다. 메이지 유신은 막부 타도 운동의 결과 수립된 메이지 정부가 추진하였다. 이때 메이지 정부는 폐번치현 단행, 징병제 실시, 신분제 폐지 등을 추진하였다. 갑신정변은 임오군란 이후 김옥균을 비롯한 급진 개화파가 일으켰다. 이들은 문벌 폐지와 능력에 따른 인재 등용을 모색하였다.

바로 알기 ①은 갑신정변, ②는 양무운동에 대한 설명이다. ③은 독립 협회의 활동이다. ⑤ 메이지 정부는 서양과 체결한 불평등한 조약을 개정하기 위해 서양 각국으로 이와쿠라 사절단을 파견하였다.

완자 정리 노트 동아시아 각국의 근대화 운동

청	• 태평천국 운동(1851~1864): 홍수전이 청 왕조 타도, 토지 균분, 평등 사회 건설 주장 • 양무운동(1861~1894): 이홍장을 비롯한 한인 관료가 주도, 중체서용을 표방한 개혁 추진
일본	메이지 유신(1868): 문명개화론에 입각한 개혁 추진(폐번치현 단행, 징병제 실시, 신분제 폐지, 식산흥업 추진 등)
조선	• 정부의 개혁 추진: 통리기무아문 설치, 별기군 창설, 청·일본에 사절단 파견 • 갑신정변(1884): 급진 개화파가 주도, 개혁 정강 14개조 발표 • 갑오·을미개혁(1894~1895): 왕실과 정부의 분리, 신분제 해체와 노비제 폐지, 태양력·단발령 시행 등 추진

4 동아시아 각국의 헌법

(가)는 대일본 제국 헌법(1889), (나)는 대한국 국제(1899), (다)는 흠정헌법 대강(1908)이다. 대일본 제국 헌법은 자유 민권 운동의 영향을 받아 제정되었으며, 천황에게 막강한 권한을 부여하였다. 고종은 황제의 무한한 권력을 명시한 대한국 국제를 발표하여 대한 제국의 정치 체제가 전제 군주정임을 표방하였다. 청은 흠정헌법 대강을 제정하여 입헌 군주제를 확립하고자 하였으나, 청의 멸망으로 헌법 제정으로는 이어지지 못하였다.

바로 알기 ② (나) 대한국 국제는 (가) 대일본 제국 헌법의 영향을 받아 제정되었고, (다) 흠정헌법 대강은 대한국 국제가 반포된 이후에 공포되었다.

02 제국주의 침략과 민족 운동

STEP 1 핵심 개념 확인하기 156쪽

1 (1) ○ (2) ○ 2 시모노세키 조약 3 의화단 운동 4 을사조약 5 3·1 운동 6 ㄱ, ㄴ

STEP 2 내신 만점 공략하기 156~158쪽

01 ② 02 ④ 03 ⑤ 04 ③ 05 ③ 06 ④ 07 ① 08 ④ 09 ② 10 ⑤

01 동학 농민 운동

밑줄 친 '봉기'는 동학 농민 운동이다. 동학 농민 운동은 관리의 수탈과 외세의 침략에 반발하여 일어났다(1894). 조선 정부의 파병 요청으로 청과 일본이 각각 군대를 파견하자, 동학 농민군은 외세의 간섭을 우려하여 조선 정부와 전주 화약을 체결하고 자진 해산하였다. 이에 조선 정부가 청과 일본에 철군을 요구하였으나, 일본은 이를 거부하고 조선의 내정 개혁을 요구하면서 경복궁을 점령하였다. 그리고 청군을 공격하며 청·일 전쟁을 일으켰다.

바로 알기 ㄴ은 태평천국 운동, ㄹ은 신문화 운동에 대한 설명이다.

동학 농민군이 일본군 타도를 내걸고 재봉기하는 배경이 되었어.

02 청·일 전쟁

(가)는 청·일 전쟁, (나)는 시모노세키 조약이다. 청·일 전쟁에서 승리한 일본은 청과 시모노세키 조약을 체결하였다. 청은 이 조약을 통해 조선에 대한 권리를 포기하였고, 랴오둥반도와 타이완을 일본에 할양하였다. 일본은 청으로부터 받은 배상금으로 군비 확장과 근대적인 산업화를 이루었으며, 동아시아 국제 질서의 주도권을 잡고 본격적인 제국주의 팽창 정책을 추진하였다.

바로 알기 ①은 제1차 아편 전쟁과 관련된 내용이다. ② 일본은 제1차 세계 대전이 발발하자, 독일이 점령하고 있던 중국의 산둥반도를 점령하고 중국에 '21개조 요구'를 제출하였다. ③은 제1차 세계 대전과 관련된 내용이다. ⑤ 5·4 운동(1919)은 일본의 산둥반도 이권 계승을 인정한 파리 강화 회의의 결과에 반발하여 전개되었다.

03 의화단 운동의 결과

의화단 운동은 열강의 이권 침탈과 크리스트교에 대한 반감이 확산되면서 전개되었다. 의화단은 '청 왕조를 도와 서양 세력을 몰아내자(부청멸양)'라는 구호를 내걸고 베이징과 톈진 지역까지 세력을 확장하였다. 청 정부도 의화단을 이용하여 서구 열강에 대항하고자 하였으나, 의화단은 일본을 비롯한 8개국 연합국에 의해 진압되었다. 청 정부는 열강과 신축 조약(1901)을 체결하여 배상금을 지급하고, 베이징에 외국 군대가 주둔하는 것을 허용하였다.

| 바로 알기 | ⑤ 베이징 조약(1860)은 제2차 아편 전쟁의 결과 체결되었다.

04 러·일 전쟁의 결과

러·일 전쟁에서 승리한 일본은 미국의 중재로 러시아와 포츠머스 조약을 체결하였다(1905). 일본은 이 조약을 통해 남만주 철도 경영권과 북위 50도 이남의 사할린섬을 획득하였고, 러시아로부터 뤼순·다롄 지역에 대한 조차권을 양도받았다. 한편, 청은 만주선후조약(1905)을 통해 일본이 러시아로부터 양도받은 영토와 각종 권리를 승인하였다. 일본은 이를 통해 한반도와 만주 지배를 위한 기반을 마련하였다.

| 바로 알기 | ③ 한·일 의정서는 러·일 전쟁이 전개되는 과정에서 체결되었다(1904).

05 일본의 21개조 요구

제시된 글은 일본이 1915년 중국 베이징 정부에 제출한 '21개조 요구'의 일부이다. 제1차 세계 대전이 발발하자, 일본은 영·일 동맹을 구실로 연합국 측에 가담하여 독일이 점령하고 있던 산둥반도를 공격하여 점령하였고, 이후 중국에 '21개조 요구'를 제출하였다. 일본은 이 요구를 통해 각종 이권의 확보와 중국에 대한 내정 간섭을 시도하려고 하였다.

| 바로 알기 | ①, ② '21개조 요구'는 제1차 세계 대전 중에 제시되었으며, 중국인들의 강력한 반발을 불러일으켰다. ④는 파리 강화 회의에서 채택된 민족 자결주의에 해당한다. ⑤ 중국 국민당과 공산당은 군벌 타도를 목적으로 제1차 국·공 합작을 이루었다.

06 워싱턴 회의

(가) 회의는 워싱턴 회의이다. 워싱턴 회의는 동아시아에 대한 열강의 이해관계를 조정하기 위해 1921년 미국의 주도로 개최되었다. 이 회의에서는 각국의 해군 군비 제한과 영·일 동맹 폐기가 결정되었으며, 중국 문제에 대한 재논의가 이루어졌다. 회의의 결정에 따라 일본은 산둥반도의 이권을 중국에 반환하는 등 '21개조 요구'의 일부를 철회하였다. 그리고 중국은 주권과 독립 및 영토 보전을 약속받았으며 열강들의 중국 진출에 기회 균등을 보장하였다. 이로써 '워싱턴 체제'라 불리는 아시아·태평양 지역의 새로운 국제 질서가 성립되었고, 이에 따라 동아시아에서 열강 간의 세력 균형이 이루어졌다.

| 바로 알기 | ①, ③, ⑤는 파리 강화 회의와 관련된 설명이다. ② 워싱턴 회의에서 중국의 관세 자주권은 회복되지 못하였다.

완자 정리 노트 제1차 세계 대전 이후 국제 질서의 형성

파리 강화 회의	중국이 '21개조 요구' 철회 요구 → 열강이 산둥반도에 대한 일본의 권익 인정
워싱턴 회의	동아시아에 대한 열강의 이해관계 목적으로 개최 → 일본이 산둥반도 권익 반환, 각국의 해군 군비 제한 등 결정

07 3·1 운동의 전개

첫 번째 자료에는 3·1 운동 당시 만세 시위를 벌였던 한국인들의 모습, 두 번째 자료에는 3·1 운동을 무력으로 진압한 일본의 모습이 나타나 있다. 일본의 무단 통치에 고통받던 한국인들은 파리 강화 회의에서 채택한 민족 자결주의의 영향으로 3·1 운동을 벌였다. 일본은 군대와 헌병 경찰을 동원하여 이를 무력으로 진압하였으나, 3·1 운동은 한반도 전역과 중국, 러시아, 미국 등 국외 한인 사회로 확산되었다.

08 5·4 운동의 전개

자료 분석

5·4 운동이 3·1 운동의 영향을 받아 전개되었음을 알 수 있어.

조선에서는 "독립이 아니면 차라리 죽음을 달라."라고 외쳤습니다. …… 국민 대회를 열고 …… 뜻을 굽히지 않겠다고 전국에 전보로 알리는 것이 오늘의 급무입니다.

제시된 자료는 중국의 5·4 운동(1919) 때 발표된 「베이징 학생계 선언」이다. 파리 강화 회의의 결과 산둥반도의 이권이 일본으로 넘어가자, 베이징 대학의 학생들이 중심이 되어 산둥반도의 이권 반환과 '21개조 요구'의 철회를 촉구하며 5·4 운동을 전개하였다. 정부의 탄압에도 상인과 노동자 등이 가담하면서 시위가 전국으로 확산되자, 이에 굴복한 베이징 정부는 베르사유 조약에 대한 조인을 거부하였다.

| 바로 알기 | ① 워싱턴 체제는 워싱턴 회의(1921~1922)가 개최된 이후에 형성되었다. ②는 한국에서 전개된 민족 유일당 운동의 결과이다. ③ 중국의 제2차 국·공 합작은 중·일 전쟁 발발(1937)이 계기가 되어 이루어졌다. ⑤ 5·4 운동이 일어났으나 중국은 일본의 간섭에서 벗어나지 못하였다.

09 제1차 국·공 합작의 전개

제시된 자료에는 군벌 타도를 위해 국민 혁명이 필요하다는 주장이 드러나 있다. 중국 국민당과 공산당은 군벌 타도의 필요성에 공감하며 1924년 제1차 국·공 합작을 이루었고, 1926년에는 북벌을 시작하였다.

| 바로 알기 | ① 아시아 최초의 공화국인 중화민국은 신해혁명(1911)의 결과 1912년에 수립되었다. ③ 신문화 운동은 1915년부터 전개되었다. ④ 5·4 운동은 1919년에 전개되었다. ⑤ 양무운동은 1861년부터 전개되었다.

10 민족 유일당 운동의 전개

제시된 글은 한국의 사회주의 세력이 민족주의 세력과의 제휴를 주장한 「정우회 선언」(1926)이다. 한국에서는 3·1 운동 이후 사회주의 사상이 확산되어 사회주의 세력도 민족 운동을 활발히 전개하였다. 그러나 민족 운동 세력이 사회주의 세력과 민족주의 세력으로 분열되었고, 사회주의 세력과 민족주의 세력이 갈등을 겪기도 하였다. 이러한 분열을 극복하기 위해 민족 유일당 운동이 추진된 결과 단결과 기회주의 배격 등을 강령으로 내세운 신간회(1927)가 조직되었다. 신간회는 민족 운동의 통합을 도모하였다.

서술형 문제

158쪽

01 주제: 청·일 전쟁

(1) 청·일 전쟁

(2) 예시 답안 청·일 전쟁에서 승리한 일본은 조선에 대한 영향력을 확대하고 랴오둥반도와 타이완을 할양받았다. 또 청으로부터 받은 배상금을 군수 산업에 투자하여 군비를 확장하고 근대적 산업 발달을 촉진하였다. 이를 바탕으로 일본은 동아시아 질서의 주도권을 잡고 본격적인 제국주의 팽창 정책을 추진하였다.

채점 기준

상	청·일 전쟁 이후 일본이 청으로부터 영토를 할양받고, 전쟁 배상금으로 산업화를 이루어 제국주의적 팽창을 꾀하였다고 서술한 경우
하	청·일 전쟁 이후 일본이 청으로부터 영토를 할양받고 전쟁 배상금을 받았다고 서술한 경우

02 주제: 을사조약

예시 답안 을사조약이 체결되자 한국에서는 근대 지식인을 중심으로 애국 계몽 운동, 양반 유생과 농민 중심의 의병 운동이 전개되었고, 고종은 헤이그 만국 평화 회의에 특사를 파견하여 일제의 국권 강탈을 폭로하고자 하였다.

채점 기준

상	을사조약의 체결로 일어난 저항 운동을 세 가지 서술한 경우
중	을사조약의 체결로 일어난 저항 운동을 두 가지 서술한 경우
하	을사조약의 체결로 일어난 저항 운동을 한 가지만 서술한 경우

03 주제: 3·1 운동의 영향

예시 답안 3·1 운동은 대한민국 임시 정부 수립의 계기가 되었다. 또 국내외 독립운동과 중국의 5·4 운동에 영향을 주었으며, 일제가 통치 방식을 무단 통치에서 이른바 문화 통치로 전환하는 데도 영향을 주었다.

채점 기준

상	대한민국 임시 정부 수립의 계기가 되었고, 국내외 독립운동과 중국의 5·4 운동 및 일제의 통치 방식 변화에 영향을 미쳤다고 서술한 경우
중	위의 내용 중 두 가지를 서술한 경우
하	위의 내용 중 한 가지만 서술한 경우

STEP 3 1등급 정복하기

159쪽

1 ② 2 ⑤

1 제국주의 침략과 동아시아 국제 질서의 재편

(가)는 시모노세키 조약(1895), (나)는 포츠머스 조약(1905)이다. 청·일 전쟁에서 승리한 일본은 시모노세키 조약을 체결하여 청으로부터 랴오둥반도와 타이완을 할양받았고, 청은 조선에 대한 권리를 포기하였다. 러·일 전쟁에서도 승리한 일본은 미국의 중재로 포츠머스 조약을 체결하였다. 이 조약에 따라 일본은 한반도에 대한 영향력을 강화하고 러시아로부터 뤼순·다롄과 북위 50도 이남의 사할린섬을 넘겨받았고, 만주의 철도 부설권을 획득하였다.

바로 알기 ② 양무운동은 두 번의 아편 전쟁과 태평천국 운동을 겪으며 서양 무기의 우수성을 인식한 한인 관료들이 전개하였다.

완자 정리 노트 제국주의 침략과 동아시아 국제 질서의 재편

구분	청·일 전쟁(1894~1895)	러·일 전쟁(1904~1905)
배경	동학 농민 운동을 계기로 양국 군대의 충돌	만주와 한반도를 둘러싼 러·일의 대립 심화
전개	일본이 평양 전투, 황해 해전에서 승리	일본이 봉천 전투, 동해 해전 등 주요 전투에서 승리
결과	시모노세키 조약 체결(청이 일본에 랴오둥반도, 타이완 할양, 배상금 지급)	포츠머스 조약 체결(일본이 뤼순, 다롄의 조차권과 남만주 철도 경영권 획득 등)

2 5·4 운동의 전개

제시된 자료는 중국의 5·4 운동(1919) 때 발표된 「베이징 학생계 선언」이다. 중국에서는 파리 강화 회의의 결과 산둥반도의 이권이 일본으로 넘어가자, 산둥반도의 이권 반환과 '21개조 요구'의 철회를 요구하는 5·4 운동이 전개되었다. 정부의 탄압에도 시위가 전국으로 확산되자, 결국 베이징 군벌 정부는 민중의 요구에 굴복하여 베르사유 조약의 조인을 거부하였다.

바로 알기 ㄱ은 3·1 운동, ㄴ은 신해혁명에 대한 설명이다.

03 침략 전쟁의 확대와 국제 연대

STEP 1 핵심 개념 확인하기 164쪽

1 만주 사변 2 (1) ○ (2) ○ (3) × 3 국가 총동원법 4 (1) ㄱ (2) ㄴ (2) ㄷ 5 안중근 6 아주 화친회

STEP 2 내신 만점 공략하기 164~166쪽

01 ③ 02 ② 03 ③ 04 ⑤ 05 ④ 06 ① 07 ③ 08 ④ 09 ③ 10 ⑤

01 만주 사변

밑줄 친 사건은 만주 사변(1931)에 해당한다. 만주 사변을 일으킨 일본이 청의 마지막 황제인 푸이(선통제)를 앞세워 1932년 만주국을 수립하자, 중국은 일본을 국제 연맹에 제소하였다. 이에 국제 연맹은 만주에 리튼 조사단을 파견하여 일본의 만주 침략을 조사하게 하였고, 리튼 조사단의 보고서를 토대로 일본군의 만주 철수를 요구하였다.

바로 알기 ① 청·일 전쟁은 1894~1895년에 전개되었다. ② 정한론은 일본이 메이지 유신을 추진하는 과정에서 대두되었다. ④ 일본은 제1차 세계 대전 중이었던 1915년 중국 정부에 '21개조 요구'를 제출하였다. ⑤ 제1차 국·공 합작은 군벌 타도를 목표로 1924년에 이루어졌다.

02 중·일 전쟁의 반발

(가) 사건은 루거우차오 사건(1937)이다. 일본군은 루거우차오 부근에서 중국군으로부터 사격을 받았다고 주장하며 다음 날 새벽 루거우차오를 점령하였다. 이후 일본 정부가 중국에 총공격을 개시하면서 중·일 전쟁이 발발하였다.

바로 알기 ①은 1919년, ③은 1932년의 일이다. ④는 중·일 전쟁의 발발한 이후 중국 국민당 정부의 지원을 통해 이루어졌으며, (가) 사건과 관련이 없다. ⑤는 청·일 전쟁의 결과 체결된 시모노세키 조약의 결과로, (가) 사건과 관련이 없다.

03 태평양 전쟁의 전개

지도는 태평양 전쟁의 전개 과정을 나타낸 것이다. 유럽에서 제2차 세계 대전이 시작되자, 일본은 1941년 진주만에 정박 중이던 미국 함대를 기습 공격하면서 태평양 전쟁을 일으켰다. 일본은 '대동아 공영권'을 내세우며 전세를 유리하게 이끌었으나 미드웨이 해전을 기점으로 전쟁의 주도권이 연합군으로 넘어갔다. 한편, 대한민국 임시 정부는 태평양 전쟁이 발발하자 독일과 일본에 선전 포고를 하였고, 한국 광복군은 연합군의 일원으로 참전하였다.

바로 알기 ③ 제2차 국·공 합작은 중·일 전쟁을 계기로 이루어졌다.

04 국가 총동원법의 제정

자료분석 — 일본은 국가 총동원법을 제정하여 자국과 식민지에서 인적·물적 자원을 수탈하였어.

> 정부는 전시에 국가 총동원상 필요할 때는 …… 제국 신민을 징용하여 총동원 업무에 종사하게 할 수 있다.

제시된 자료는 국가 총동원법(1938)의 일부이다. 일본은 중·일 전쟁을 일으킨 후 침략 전쟁을 확대하면서 전쟁 수행에 필요한 인력과 물자를 자국과 식민지에서 효율적으로 동원하기 위해 국가 총동원법을 제정하였다.

05 총동원 체제의 성립

일본은 국가 총동원법을 제정하여 자국과 식민지 국가에서 전쟁 수행에 필요한 자원을 수취하고, 식량과 금속에 대한 공출제를 시행하였다. 또 징용과 징병을 실시하여 식민지 국가의 많은 사람들을 공사 현장과 전쟁터에 강제로 동원하였다. 여자 정신 근로령을 제정하여 여성의 노동력을 강제로 동원하였고, 일본군 '위안부'를 징집하였다. 한편, 일본은 황국 신민화 정책을 추진하여 식민지인에게 황국 신민 서사의 암송과 신사 참배 등을 강요하였다.

06 항일 연대의 형성

제시된 글은 한국 독립군과 중국 항일군의 합의 사항(1931)에 대한 내용이다. 일본이 만주 사변을 일으키자, 한국과 중국의 민족 운동 세력은 일본을 공동의 적으로 규정하고 연합하여 항일전을 전개하였다.

바로 알기 ② 1920년대 중반 한국에서 민족주의 세력과 사회주의 세력이 민족 운동의 분열을 없애고 민족 운동의 힘을 합치려는 목적으로 민족 유일당 운동을 전개하였다. ③ 대한민국 임시 정부는 3·1 운동의 영향을 받아 1919년에 수립되었다. ④ 일본이 중국에 제출한 '21개조 요구'는 5·4 운동의 배경이 되었다. ⑤는 1919년에 일어난 일이며, 3·1 운동에 영향을 주었다.

완자 정리 노트 항일을 위한 한·중 연대

만주 사변(1931) 이후
- 조선 혁명군, 한국 독립군, 동북 항일 연군이 중국군과 연합
- 중국 국민당, 대한민국 임시 정부의 인사들이 한·중 민족 항일 대동맹 결성

↓

중·일 전쟁(1937) 이후

중국 국민당 정부의 지원으로 조선 의용대, 한국 광복군 창설

07 조선 의용대의 활동

(가) 단체는 조선 의용대이다. 조선 의용대는 김원봉이 중국 국민당의 지원으로 창설한 단체로, 중국군과 연계하여 일본군에 대한 정보 수집, 포로 심문 등 후방 작전을 전개하였다. 이들 중 일부는 화북 지역으로 이동하여 조선 의용군을 조직하였다. 조선 의용군은 중국 공산당의 팔로군과 연합하여 항일 전쟁을 수행하였다.

| 바로 알기 | ㄱ은 한국 독립군에 대한 설명이다. ㄹ은 대한민국 임시 정부에 대한 설명이다. 대한민국 임시 정부가 일본과 독일에 선전 포고한 이후 한국 광복군이 연합군의 일원으로 태평양 전쟁에 참전하였다.

08 안중근의 『동양 평화론』

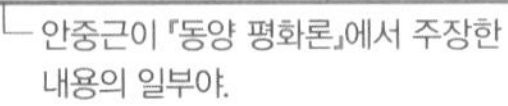

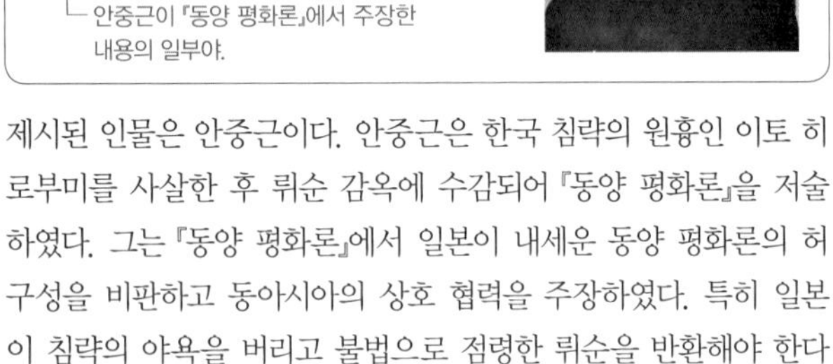

제시된 인물은 안중근이다. 안중근은 한국 침략의 원흉인 이토 히로부미를 사살한 후 뤼순 감옥에 수감되어 『동양 평화론』을 저술하였다. 그는 『동양 평화론』에서 일본이 내세운 동양 평화론의 허구성을 비판하고 동아시아의 상호 협력을 주장하였다. 특히 일본이 침략의 야욕을 버리고 불법으로 점령한 뤼순을 반환해야 한다고 주장하였다. 그리고 뤼순을 한국, 중국, 일본이 공동으로 관리하여 평화의 근거지로 삼자는 방안을 제시하였다.

| 바로 알기 | ① 이홍장을 비롯한 한인 관료가 양무운동을 추진하였다. ②는 김구에 대한 설명이다. ③ 김옥균을 비롯한 조선의 급진 개화파가 갑신정변을 일으킨 후 개혁 정강 14개조를 발표하였다. ⑤는 윤봉길에 대한 설명이다.

09 동아시아의 무정부주의 수용

제시된 글은 무정부주의에 대한 설명이다. 무정부주의는 개인을 지배하는 국가 권력 및 모든 사회적 권력을 부정하고 자유가 행하여지는 사회를 실현하려는 사상으로, 동아시아에서는 개인보다 사회 문제 해결을 위한 대안으로 수용되었다. 1927년 한국, 중국, 일본, 베트남 등지의 무정부주의자들이 결성한 동방 무정부주의자 연맹은 동아시아 무정부주의자들의 국제 연대 강화에 활동의 초점을 두었다. 또 민족의 자주성과 개인의 자유를 확보한 이상적인 사회를 건설하기 위한 노력을 결의하였다.

| 바로 알기 | ① 아주 화친회는 반제국주의를 목표로 결성된 동아시아 최초의 국제 연대 조직이다. ② 한·중 민족 항일 대동맹은 만주 사변을 계기로 중국 국민당과 대한민국 임시 정부가 결성한 단체로, 한·중 연합의 항일 투쟁을 전개하였다. ④ 한인 애국단은 김구가 의열 투쟁을 통해 임시 정부에 활기를 불어 넣고자 조직한 단체이다. ⑤ 일본 반제 동맹은 한국인과 일본인이 일본 제국주의 타도를 목표로 결성한 단체이다.

10 동아시아의 반제·반전 운동

일본의 제국주의와 침략 전쟁을 반대한 움직임으로는 한국의 독립운동가를 변호한 후세 다쓰지, 상하이와 도쿄에서 각각 의거를 일으킨 한인 애국단원 윤봉길과 이봉창, 의회에서 반전 연설을 한 사이토 나가오, 일본군의 투항을 호소하였던 일본 병사 반제 동맹 등이 있다.

| 바로 알기 | ⑤는 의화단 운동과 관련이 있다. 의화단은 서양 열강의 이권 침탈에 반대하며 부청멸양을 내걸고 반외세 운동을 전개하였다.

서술형 문제

166쪽

01 주제: 대동아 공영권의 허구성

예시 답안 일본은 「대동아 공영 선언」을 통해 표면적으로는 대동아 전쟁을 수행하여 미국과 영국 등 서양 세력의 식민지 지배로부터 아시아를 해방시킨다는 이유를 내세웠다. 그러나 실제로는 전쟁 수행에 필요한 물자와 노동력을 조달하기 위해 대동아 공영권을 내세웠다.

채점 기준

상	일본이 「대동아 공영 선언」을 발표한 표면적인 목적과 실질적인 목적을 모두 서술한 경우
하	일본이 「대동아 공영 선언」을 발표한 표면적인 목적과 실질적인 목적 중 한 가지만 서술한 경우

02 주제: 일본의 침략 전쟁 확대로 인한 피해와 고통

(1) 국가 총동원법

(2) 예시 답안 일본이 자국과 식민지 국가에서 식량과 금속에 대한 공출제와 생활필수품의 배급제를 시행하였다. 또 동아시아의 많은 사람들이 징용, 징병, 일본군 '위안부' 등으로 강제 동원되어 희생되었다.

채점 기준

상	인적 수탈과 물적 수탈을 사례를 들어 모두 서술한 경우
하	인적 수탈과 물적 수탈 중 한 가지만 사례를 들어 서술한 경우

03 주제: 항일을 위한 한·중 연대

(1) (가) 조선 의용대, (나) 한국 광복군

(2) 예시 답안 일본이 중·일 전쟁을 일으키며 침략 전쟁을 확대하자, 중국 국민당 정부는 한국 독립운동 세력에 대한 군사적 지원을 통한 연대에 힘썼다. 그 결과 조선 의용대와 한국 광복군이 창설되었다.

채점 기준

상	중·일 전쟁이 발발하고, 이후 중국 국민당 정부의 자원을 바탕으로 창설되었다고 서술한 경우
하	중·일 전쟁이 일어남에 따라 창설되었다고 서술한 경우

STEP 3 1등급 정복하기

167쪽

1 ③ 2 ②

1 제2차 국·공 합작의 성립

제시된 자료는 중국 공산당이 제2차 국·공 합작의 성립을 공포한 선언(1937)이다. 일본이 루거우차오 사건을 구실 삼아 중국에 대한 총공격을 감행하며 중·일 전쟁을 일으키자, 중국 국민당과 공산당은 내전을 중단하고 제2차 국·공 합작을 이루어 항일 투쟁을 전개하였다. 이에 국민당은 수도를 충칭으로 옮겨 항전하였고, 공산당은 농촌 지역에서 항전하였다.

바로 알기 ㄱ. 장제스는 1926년에 반군벌을 목표로 북벌을 전개하였다. 이는 중·일 전쟁 발발 이전의 일이다. ㄹ은 일본이 태평양 전쟁 중에 발표한 「대동아 공영 선언」(1943)에 대한 설명이다.

2 한국 광복군의 활동

제시된 자료는 한국 광복군과 관련이 있다. 한국 광복군은 1940년 대한민국 임시 정부가 중국 국민 정부의 지원을 받아 창설한 부대이다. 한국 광복군은 조선 의용대의 일부를 흡수하여 전력을 강화하였다. 태평양 전쟁이 발발하자 대한민국 임시 정부는 독일과 일본에 선전 포고를 하였다. 이에 한국 광복군이 연합군의 일원으로 참전하였고, 미국의 지원을 받아 미국 전략 정보처(OSS)와 국내 진공 작전을 추진하기도 하였다.

바로 알기 ②는 조선 의용대에 대한 설명이다.

04 서양 문물의 수용

STEP 1 핵심 개념 확인하기

172쪽

1 조계(거류지) 2 (1) ○ (2) ○ 3 철도 4 만국 공법
5 사회 진화론 6 교육입국 조서 7 (1) ㄱ (2) ㄴ

STEP 2 내신 만점 공략하기

172~175쪽

01 ③	02 ①	03 ⑤	04 ③	05 ④	06 ⑤	07 ④
08 ④	09 ④	10 ②	11 ③	12 ④	13 ③	14 ⑤

01 조계(거류지)의 형성

(가)는 조계(거류지)이다. 개항 이후 동아시아에서는 개항장을 중심으로 조계가 형성되었다. 조계는 외국인이 개항장에서 자유롭게 통상하고 거주할 수 있도록 설정한 구역으로, 청과 조선에서는 조계, 일본에서는 거류지라고 불렀다. 동아시아에서는 외국인 거주지가 형성되면서 조계를 중심으로 서양식 건물이 들어서고 근대적 생활 편의 시설이 갖추어지는 등 서구 문물이 유입되었다.

바로 알기 ③ 조계에서는 외국인에게 자치를 허용하고 치외 법권을 인정하였다.

02 동아시아의 근대 도시

(가)는 인천, (나)는 상하이, (다)는 요코하마이다. (가)~(다) 도시는 모두 외국과 불평등 조약을 체결하고 개항하였다. 강화도 조약(1876)으로 개항한 인천에서는 한국 최초의 철도인 경인선(1899)이 부설되었다.

바로 알기 ② 대한민국 임시 정부는 외교 활동이 유리한 상하이에서 수립되었다. ③은 한성, ④는 도쿄에 해당하는 내용이다. ⑤ 「신보」는 상하이에서 창간되었다.

03 서구식 시간관념의 도입

열차의 출발 시간과 도착 시간을 분 단위로 표시한 기차 시간표를 보면서 시간을 분, 초로 나누어 인식하는 현상이 나타났어.

자료 분석

화륜거(열차) 왕래 시간 안내

경인 철도에 화륜거 운전하는 시간은 다음과 같다. 화륜거는 인천에서 동쪽으로 향하며, 매일 오전 7시에 떠나서 유현 7시 6분, 우각동 7시 11분, 부평 7시 36분, 소사 7시 50분, 오류동 8시 15분, 노량진 8시 40분에 도착한다.

제시된 자료는 「독립신문」에 실린 기차의 운행 시간표이다. 개항 이후 동아시아에서는 서구식 시간관념이 도입되면서 대형 시계탑이 세워지고, 손목시계가 사용되기 시작하였다. 또 시간을 양으로 측정할 수 있게 되었고, '시간은 금이다.'라는 말처럼 시간을 화폐처럼 계산할 수 있게 되었다. 운행 시간이 규칙적이고 정확한 철도는 열차를 이용하지 않는 사람들에게도 시간을 알려 주는 중요한 수단이 되었다.

바로 알기 ⑤ 제시된 자료에서 태양력 사용과 관련된 내용은 찾아볼 수 없다.

04 동아시아의 철도 도입

일본은 부국강병의 실현을 위해 철도 건설을 추진하여 1872년 도쿄와 요코하마를 잇는 철도를 건설하였다. 청은 철도 부설의 여부를 두고 논쟁을 벌인 끝에 1889년 철도 부설을 기본 정책으로 확정하였다. 대한 제국의 철도 부설은 일본이 주도하였다. 일본은 한국 최초의 철도인 경인선(1899)을 부설한 뒤 경부선과 경의선을 부설하였다. 이 과정에서 일본이 철도 주변의 토지를 약탈하자, 의병이 철도나 철도 공사장을 공격하기도 하였다. 한편, 청에서는 의화단이 서양과 관련된 시설을 공격하면서 철도도 파괴하였다.

바로 알기 ③ 메이지 정부는 철도를 문명의 이기로 인식하고 일찍부터 부설에 관심을 기울였다.

05 철도의 긍정적 기능

제시된 자료는 최남선이 지은 「경부 철도가」(1908)이다. 철도는 인구 이동과 물자 유통을 촉진하였고, 여행 시간과 거리감을 단축하여 사람들의 활동 공간과 시야를 확대하는 역할을 하였다.

바로 알기 ①은 신문, ②는 사진, ③은 전신, ⑤는 신문에 게재된 광고에 대한 설명이다.

06 만국 공법

제시된 자료는 만국 공법이다. 만국 공법은 서양에서 국가 간에 적용되던 국제법으로, 주권국 간의 대등한 관계를 지향하였다. 또 국가를 문명국, 반문명국, 미개국으로 구분하여 제국주의 열강이 식민 지배를 합리화하는 논리로 활용되었다.

바로 알기 ①은 진화론, ②는 민족 자결주의, ③은 무정부주의에 관련된 설명이다. ④ 만국 공법은 중국 중심의 조공·책봉 질서와 달리 주권 국가 사이의 대등한 관계를 원칙으로 하였다.

07 동아시아의 만국 공법 수용

청은 중화사상을 바탕으로 만국 공법을 대외 관계에서의 참고 문헌이나 실무적 지침서 이상의 의미를 부여하지 않았고, 일본은 만국 공법을 서양 문명을 따라잡기 위한 수단으로 여겼다. 나아가 주변으로의 침략을 정당화하는 근거로 활용하였다. 조선은 만국 공법을 주권을 보존할 수 있는 수단으로 받아들였다. 영국의 거문도 점령 사건을 이 법에 따라 해결하려 하였지만 성공하지 못하였고, 이로 인해 만국 공법의 실효성에 의문을 갖는 사람들이 생겼다.

바로 알기 ㄱ은 조선, ㄷ은 청의 만국 공법 수용과 관련이 있다.

08 사회 진화론의 수용

자료 분석 사회 진화론은 경쟁으로 인한 개인 간의 불평등을 인정하고 약자에 대한 강자의 지배를 당연시하였어.

> 경쟁이란 것은 자존을 위한 싸움이니, 하나의 개체가 다른 개체와 더불어 투쟁함으로써 혹은 살아남고 혹은 멸망하는데, 그 큰 소리침은 자연의 선택으로 귀결된다. – 옌푸, 『천연론』

옌푸는 청·일 전쟁의 패배에 충격을 받고 청에 사회 진화론을 소개하면서 구국의 방법을 찾고자 하였다. 청에서는 사회 진화론의 영향을 받아 변법자강 운동이 전개되었다.

바로 알기 ① 대한국 국제(1899)는 대한 제국 황제의 무한한 권력을 명시하였다. ② 동학 농민 운동은 조선에서 관리의 수탈과 외세의 침략에 반발하여 일어났다. ③ 개항 이후 일본에서는 물가가 폭등하면서 경제적 혼란이 나타났다. 이에 개항에 반대하던 하급 무사 중심의 막부 타도 세력이 존왕양이 운동을 전개하였다. ⑤ 중·일 전쟁이 발발하자, 중국 국민당과 공산당은 제2차 국·공 합작을 이루었다.

09 동아시아 각국의 사회 진화론 수용

제시된 자료는 사회 진화론에 관련된 내용이다. 사회 진화론은 자연과 마찬가지로 사회에서도 적자생존과 약육강식이 이루어진다고 보았다. 동아시아에서는 사회 진화론을 '스스로 힘을 키워야 한다.'라는 자강 운동의 논리로 수용하였다. 이에 중국에서는 사회 진화론의 영향을 받아 변법자강 운동과 신문화 운동이 전개되었다.

바로 알기 ㄱ은 파리 강화 회의에서 채택된 민족 자결주의, ㄷ은 에도 시기에 나가사키로 유입된 서양 학문에 대한 설명이다.

완자 정리 노트 만국 공법과 사회 진화론의 수용

구분	만국 공법	사회 진화론
중국	대외 관계의 참고 문헌이나 실무적 지침서로 간주	변법자강 운동, 신문화 운동에 영향을 줌
일본	서양 문명을 따라 잡기 위한 수단으로 인식	주변으로의 침략을 정당화하는 논리로 활용
한국	주권 보존 수단으로 수용	개화파 중심으로 수용 → 애국 계몽 운동에 영향을 줌

10 일본의 근대 교육 보급

퀴즈의 정답이 되는 문서는 「교육 칙어」(1890)이다. 일본은 「교육 칙어」를 반포하여 충과 효를 중시하는 도덕 교육을 강조하는 등 천황 중심의 국가 체제를 확립하고자 하였다.

바로 알기 ①은 서울의 양반 부인들이 발표하였으며, 여성도 교육받을 권리가 있다는 내용을 담고 있다. ③은 한국의 사회주의 세력 중 일부가 민족주의 세력과의 제휴를 주장한 선언이다. ④는 고송이 넉, 체, 지를 겸비한 교육을 강조한 문서이다. ⑤는 베이징 대학생들이 5·4 운동 때 발표한 선언이다.

11 조선의 근대 교육 보급

제시된 자료는 「교육입국 조서」(1895)이다. 고종은 갑오개혁 때 근대 교육 제도를 정비하고자 「교육입국 조서」를 발표하여 덕, 체, 지를 겸비한 교육을 강조하였다.

바로 알기 ① 육영 공원은 1886년에 설립되었다. ②, ⑤는 일본이 근대 학제를 발표하고 추진한 교육 정책에 해당한다. ④ 일본은 「교육 칙어」를 반포하여(1890) 천황 중심의 국가 체제를 확립하고자 하였다.

완자 정리 노트 교육 칙어와 교육입국 조서

구분	교육 칙어	교육입국 조서
국가	일본	조선
반포 시기	1890	1895
내용	충과 효를 중시하는 도덕 교육 강조	덕, 체, 지를 겸비한 근대 교육 실시
영향	천황 중심의 국가 체제 확립에 활용	근대 학교 설립에 영향을 줌

12 여성 권리 의식의 성장

자료 분석

> 문명개화한 나라를 보면 남녀가 일반 사람이다. 어려서부터 각각 학교에 다니며 재주를 배우고 …… 이제 우리도 새것을 좇아 …… 남녀가 일반 사람이 되게 하고자 여학교를 세우고자 하니 …….
>
> └ 여성도 남성과 동등하게 교육받을 권리가 있다고 주장하였어.
>
> – 「황성신문」, 1898

제시된 자료는 서울의 양반 부인들이 발표한 여권통문(1898, 여학교 설시 통문)이다. 여권통문은 개항 이후 확산된 근대 여성 교육의 영향을 받았으며, 여성 교육과 여성의 사회 진출을 주장하는 내용을 담고 있다. 이들이 주도하여 조직한 여성 단체인 찬양회는 여성 계몽과 여학교 설립 운동을 전개하였다.

바로 알기 ④는 「교육 칙어」에 대한 설명이다.

13 신문의 도입

「신보」는 영국 상인이 상하이 조계지에서 발간하였다. 「독립신문」은 서재필을 비롯한 조선의 지식인들이 발간하였고, 「대한매일신보」는 영국인 베델이 창간하였다. 「요코하마 마이니치 신문」은 요코하마 개항장에서 발간된 일본 최초의 일간지이다.

바로 알기 ③ 「한성순보」(1883)는 조선 정부가 발행한 최초의 근대 신문으로, 관보에 해당한다.

14 요코하마 마이니치 신문

제시된 자료에 등장한 신문은 「요코하마 마이니치 신문」이다. 메이지 정부는 1868년부터 신문 발행 허가제를 실시하여 반정부적 신문에 규제를 가하였다. 이러한 정책 아래 요코하마 개항장에서 「요코하마 마이니치 신문」을 비롯한 여러 신문이 발행되었다. 이러한 신문은 민중의 의식을 성장시켜 자유 민권 운동에도 영향을 주었다.

바로 알기 「독립신문」은 민중 계몽과 이권 수호 운동, 의회 설립 운동 등의 여론을 형성하고 정부의 정책을 비판하였고, 「황성신문」과 「대한매일신보」는 을사조약이 강제로 체결된 이후 일본의 침략을 비판하였다.

서술형 문제

175쪽

01 주제: 사회 진화론의 수용

(1) 사회 진화론

(2) 예시 답안 동아시아에서 사회 진화론은 서구 열강의 위협과 생존 경쟁에서 살아남기 위해 실력을 길러야 한다는 자강의 논리로 수용되었다. 한편, 사회 진화론은 약소국의 입장에서 자국의 낙후된 현실을 인정하고 제국주의 논리에 순응하게 함으로써 일본의 제국주의 침략을 정당화하는 논리로 활용되기도 하였다.

채점 기준

상	사회 진화론이 동아시아에서 자강의 논리로 수용되었다는 특징과 제국주의 침략의 논리를 인정하였다는 한계를 모두 서술한 경우
하	사회 진화론이 동아시아에서 자강의 논리로 수용되었다고만 서술한 경우

02 주제: 일본의 근대 교육 도입

(1) 교육 칙어

(2) 예시 답안 「교육 칙어」에서는 천황을 중심으로 한 가족적 국가관과 충효를 강조하였다. 이를 통해 메이지 정부는 교육에 대한 간섭과 통제를 강화하고자 하였다.

채점 기준

상	천황을 중심으로 한 가족적 국가관과 충효를 강조하고, 교육에 대한 간섭과 통제를 강화하기 위해서였다고 서술한 경우
하	교육에 대한 간섭과 통제를 강화하기 위해서였다고만 서술한 경우

STEP 3 1등급 정복하기

176~177쪽

1 ② 2 ④ 3 ④ 4 ③

1 동아시아의 서구 문물 수용

개항 이후 동아시아 각국은 개항장을 중심으로 서구 문물을 수용하였다. 이에 개항장을 중심으로 근대 도시가 형성되었고, 철도와 우편 등 서구식 교통·통신 시설이 들어섰다. 그리고 근대 학교가 설립되어 서양의 새로운 지식이 확산되었고, 근대 신문이 발행되었다. 한편, 전등이 도입되면서 동아시아의 사람들은 해가 진 이후에도 활동할 수 있었다.

바로 알기 ② 데라코야는 에도 시대에 초보적인 교육이 이루어진 교육 기관이다.

2 동아시아의 사회 진화론 수용

제시된 자료에 반영된 이론은 사회 진화론이다. 사회 진화론은 서양 열강의 입장에서 제국주의적 침략을 뒷받침하였으나, 동아시아에서는 이를 자강의 논리로 수용하여 서양 열강의 위협에 대항하는 수단으로 이용하려 하였다. 일본은 사회 진화론을 주변으로의 제국주의적 침략 행위를 정당화하는 데 활용하였다.

바로 알기 ㄱ. 3·1 운동은 민족 자결주의의 영향을 받아 일어났다. ㄷ. 일본은 만국 공법을 근거로 강화도 조약에서 조선이 자주국임을 명시하였다.

3 동아시아의 근대 교육

일본은 메이지 유신 이후 근대 학제를 발표하여(1872) 소학교의 의무 교육 제도를 도입하였고, 1890년에는 「교육 칙어」를 반포하여 천황 중심의 국가 체제를 확립하고자 하였다. 청은 청·일 전쟁 이후 서양과 일본의 학제를 본떠 개혁을 추진하였다. 이에 국자감을 경사 대학당으로 개편하고 지방에 중·소 학당을 세웠다. 조선에서는 고종이 「교육입국 조서」(1895)를 발표하여 덕, 체, 지를 기반으로 한 근대 교육의 실시를 알렸다. 이에 따라 조선에서는 관립 학교가 설립되었다.

바로 알기 ④ 육영 공원은 갑오개혁 이전인 1886년에 설립되었다.

4 철도의 도입

(가) 문물은 철도이다. 철도는 동아시아에 수용되는 과정에서 긍정적 영향과 부정적 영향을 주었다. 기존의 교통수단보다 빠른 철도는 여행 시간과 거리감을 단축하여 육로 교통 정착에 큰 역할을 하였다. 또한 같은 공간 안에 신분, 남녀 구분 없이 승차해야 하였기 때문에 신분 질서, 남녀차별 등의 인식이 사라지는 데 영향을 주었다. 그러나 동아시아에서는 철도 도입에 대해 제국주의 열강의 침략과 서양인과의 잦은 충돌, 풍수 파괴 등의 문제를 우려한 부정적 입장도 나타났다. 한편, 일본에서는 메이지 정부가 중앙 집권 강화와 부국강병의 실현을 위해 철도를 적극적으로 부설하였다.

바로 알기 ㄱ, ㄹ. 경인선과 경부선은 일본의 주도로 건설되었다. 일본이 철도를 건설하는 과정에서 주변 지역의 토지를 약탈하자, 한국인 의병들이 철도 파괴를 시도하였다.

대단원 실력 굳히기 180~183쪽

01 ①	02 ①	03 ③	04 ①	05 ⑤	06 ②	07 ①
08 ④	09 ④	10 ①	11 ③	12 ⑤	13 ②	14 ③
15 ③	16 ③	17 ④	18 ①	19 ①	20 ③	

01 청과 일본의 개항

(가)는 난징 조약(1842), (나)는 미·일 수호 통상 조약(1858)이다. 제1차 아편 전쟁에서 패한 청은 영국과 난징 조약을 체결하여 상하이를 비롯한 5개 항구를 개항하고, 공행을 폐지하였다. 일본은 미국의 통상 자유화 요구에 따라 미·일 수호 통상 조약을 체결하여 항구를 추가로 개항하고, 미국의 영사 재판권을 인정하였다.

바로 알기 ② 청은 제2차 아편 전쟁 이후 열강과 톈진 조약(1858), 베이징 조약(1860)을 체결하여 크리스트교 포교를 허용하였다. ③ 미·일 수호 통상 조약은 영토의 할양을 규정하지 않았다. ④는 미·일 화친 조약(1854)에 대한 설명이다. ⑤는 (가)에만 해당된다. 일본은 페리 함대의 무력시위에 굴복하여 미·일 화친 조약을 체결하였고, 미국의 계속되는 통상 요구에 따라 미·일 수호 통상 조약을 체결하였다.

02 양무운동

제시된 자료는 양무운동과 관련된 내용이다. 양무운동은 중체서용을 표방하여 군사력의 강화를 목표로 군수 공장, 기선 회사를 설립하며 추진되었으나, 청·일 전쟁에서 패하며 한계를 드러냈다.

바로 알기 ㄷ은 태평천국 운동, ㄹ은 변법자강 운동에 대한 설명이다.

03 갑신정변

제시된 인물은 김옥균이고, 밑줄 친 '정변'은 갑신정변(1884)이다. 김옥균을 비롯한 급진 개화파는 갑신정변 때 개혁 정강 14개조를 발표하고 청에 대한 사대 관계 폐지, 신분제 폐지 등을 추진하였다.

바로 알기 ①, ⑤는 양무운동에 관련된 내용이다. ② 파리 강화 회의의 결과 일본이 산둥반도의 이권을 계승하자, 중국에서는 '21개조 요구'의 철회를 촉구하는 5·4 운동이 전개되었다. ④ 한국의 사회주의 세력 중 일부가 민족주의 세력과의 제휴를 주장하며 「정우회 선언」을 발표하였다.

04 대일본 제국 헌법의 제정

개항 이후 일본에서는 막부 타도 세력이 존왕양이 운동을 전개하였다. 그러나 이들은 서구 열강과 충돌하면서 군사력의 차이를 실감하고 개국을 받아들였으며, 막부를 무너뜨리고 천황 중심의 신정부를 세웠다. 메이지 정부는 신분제를 폐지하고, 식산흥업 정책을 추진하였다. 한편, 일본에서는 의회 설치를 요구하는 자유 민권 운동이 전개되었다. 메이지 정부는 이들의 요구를 일부 수용하여 1889년 대일본 제국 헌법을 제정하였다.

바로 알기 ① 청·일 전쟁은 1894년에 발발하였다. 대일본 제국 헌법 반포 이후의 일이다.

05 대일본 제국 헌법(메이지 헌법)과 대한국 국제

(가)는 대일본 제국 헌법(1889), (나)는 대한국 국제(1899)이다. 대일본 제국 헌법으로 입헌 군주제에 바탕을 둔 근대 국가의 제도적 기반이 마련되었다. 그러나 이 헌법에서는 천황에게 막강한 권한을 부여하고 국민의 기본권을 제한하였다. 대한국 국제에서도 황제의 권한을 강화하였으나 대일본 제국 헌법과 달리 의회 없는 국왕의 전제 정치를 표방하였다.

| 바로 알기 | ① 대일본 제국 헌법은 흠정헌법 대강(1908)에 영향을 주었다. ② 존왕양이 운동은 메이지 유신(1868) 이전에 전개되었다. ③ 대한국 국제에는 의회 제도의 도입을 명시하지 않았다. ④ 자유 민권 운동은 (가) 대일본 제국 헌법의 제정에 영향을 주었다.

06 청·일 전쟁

(가) 전쟁은 청·일 전쟁이다. 청·일 전쟁에서 승리한 일본은 청과 시모노세키 조약(1895)을 체결하여 청으로부터 타이완을 할양받아 식민지로 지배하였다.

| 바로 알기 | ① 일본에서는 메이지 유신이 추진되는 과정에서 정한론이 대두되었다. ③은 만주 사변(1931) 이후의 상황이다. ④는 제2차 아편 전쟁의 결과 체결된 조약의 내용이다. ⑤ 을사조약은 1905년에 체결되었으며, 일본이 러·일 전쟁에서 승리한 뒤 대한 제국에 체결을 강요하였다.

07 파리 강화 회의

제시된 글은 파리 강화 회의(1919)에 대한 설명이다. 제1차 세계 대전이 끝나자 승전국은 파리 강화 회의를 개최하여 전후 처리를 논의하였다. 일본은 승전국의 자격으로 회의에 참석하였으며, 독일이 차지하고 있던 산둥반도의 이권을 계승하였다. 중국이 주장한 '21개조 요구'의 철폐는 받아들여지지 않았고, 열강은 승전국으로 회의에 참여한 일본의 손을 들어주었다. 한편, 한국에서는 이 회의에서 채택된 민족 자결주의의 영향을 받아 3·1 운동이 일어났다.
(└ 민족 자결주의의 영향으로 한국을 비롯한 동아시아에서는 항일 민족 운동이 활발하게 전개되었어.)

| 바로 알기 | ① 1921년 개최된 워싱턴 회의에서 각국의 해군 군비 제한이 이루어졌다.

08 3·1 운동의 영향

자료분석

> 울분이 쌓인 2천만 민족을 구속하는 것은 동양의 평화를 보장하는 길이 아니고 …… 조선의 독립은 조선 사람이 정당한 삶의 번영을 이루게 하고, 일본이 그릇된 길에서 벗어나 동양을 지지하는 자의 책임을 다하게 하는 것이다.
> (└ 3·1 운동은 민족 자결주의의 영향을 받았어.)

제시된 글은 3·1 독립 선언서이다. 일본의 무단 통치에 고통받던 한국인들은 3·1 운동을 벌였다. 이에 일본은 3·1 운동을 무력으로 진압하였고, 한국인의 저항을 무마하고자 이른바 문화 통치를 실시하였다. 3·1 운동을 계기로 국내외에서 독립운동이 더욱 활발하게 전개되어 상하이에서 대한민국 임시 정부가 수립되었고, 만주 지역에서 의열단이 결성되어 암살과 파괴, 폭파 등의 방법으로 의열 활동을 벌였다. 한편, 중국에서는 3·1 운동의 영향으로 '21개조 요구'의 철폐를 요구하는 5·4 운동이 전개되었다.

| 바로 알기 | ④ 고종은 을사조약이 체결되자, 일본의 침략상을 국제 사회에 폭로하기 위해 1907년 헤이그에서 열린 만국 평화 회의에 이상설, 이준, 이위종을 특사로 파견하였다.

09 5·4 운동의 전개

제시된 그림은 5·4 운동(1919)을 나타낸 것이다. 중국에서는 신문화 운동이 전개되면서 민족주의가 점차 확산되었다. 파리 강화 회의의 결과 산둥반도의 이권이 일본에게 넘어갔다는 소식이 전해지자, 베이징 대학생들을 중심으로 '21개조 요구'의 철폐와 산둥반도의 이권 반환을 주장하는 5·4 운동이 전개되었다.

| 바로 알기 | ① 베트남의 독립운동가인 판보이쩌우는 베트남 청년들을 일본에 유학시켜 신식 학문을 배우게 하는 동유 운동(1905)을 전개하였다. ② 5·4 운동은 베이징 대학생들을 중심으로 전개되었다. 한·중 연합은 만주 사변 이후 본격적으로 이루어졌다. ③, ⑤는 3·1 운동에 관련된 설명이다.

10 대한민국 임시 정부

자료분석

> 제1조 대한민국은 대한 인민으로 조직함
> 제2조 대한민국의 주권은 대한 인민 전체에 있음
> 제4조 대한민국의 인민은 일체 평등함
> 제5조 대한민국의 입법권은 의정원이, 행정권은 국무원이, 사법권은 법원이 행사함
> (└ 삼권 분립을 명시하였어.)

제시된 자료는 대한민국 임시 정부가 제정한 대한민국 임시 정부 헌법이다. 대한민국 임시 정부는 민주 공화제를 채택하였다. 또 파리 강화 회의에 독립 청원서를 제출하고, 미국에 구미 위원부를 설치하였다.

| 바로 알기 | ㄷ은 조선 혁명군, ㄹ은 독립 협회에 대한 설명이다.

11 중·일 전쟁의 전개

제시된 과정으로 전개된 전쟁은 중·일 전쟁(1937)이다. 만주 사변 이후 아시아에서의 영향력을 확대하기 위해 기회를 엿보던 일본은 루거우차오 사건을 계기로 중·일 전쟁을 일으켰다. 이에 중국에서는 국민당과 공산당이 제2차 국·공 합작을 통해 항일 투쟁을 전개하였고, 만주 지역에서는 한국과 중국의 민족 운동 세력이 항일을 위한 연대를 형성하였다. 한편, 일본은 중·일 전쟁 초기에 난징에서 수십만 명의 중국인을 학살하였다(난징 대학살). 또한 자국과 식민지 국가에서 전쟁 물자를 보충하기 위해 국가 총동원법(1938)을 제정하였다.

| 바로 알기 | ③ 일본은 1933년에 국제 연맹에서 탈퇴하였다.

12 태평양 전쟁의 전개

(가) 전쟁은 태평양 전쟁이다. 태평양 전쟁은 일본이 하와이 진주만의 미국 태평양 함대를 기습공격하면서 일어났다. 일본은 '대동아 공영권'을 내세우며 전세를 유리하게 이끌었으나, 미드웨이 해전을 기점으로 전쟁의 주도권이 연합군으로 넘어갔다.

| 바로 알기 | ① 태평양 전쟁은 제2차 대전 중에 일어났다. ②, ④는 중·일 전쟁에 관련된 내용이다. ③ 일본은 미국의 원자 폭탄 투하와 소련의 참전으로 태평양 전쟁에서 무조건 항복을 선언하였다(1945. 8. 15.).

13 침략 전쟁으로 인한 동아시아의 피해와 고통

제시된 글은 일본이 태평양 전쟁 중 발표한 「대동아 공영 선언」(1943)이다. 일본은 국가 총동원법을 제정한 이후 전쟁 수행에 필요한 인적·물적 자원을 식민지에서 동원하였다. 이에 많은 사람들이 탄광과 군수 공장 등지로 징용되어 중노동에 시달렸고, 여성들도 강제로 동원되어 군수 공장의 노동자가 되거나 일본군 '위안부'로 징집되었다. 또한 일본은 식량, 금속 등에 대한 공출제를 실시하였으며, 식민지인의 충성심을 확보하고 전쟁에 효율적으로 동원하기 위해 황국 신민화 정책을 추진하기도 하였다.

바로 알기 ② 1904년 일본군이 인천과 뤼순에서 러시아 함대를 선제공격하면서 러·일 전쟁이 발발하였다.

14 항일을 위한 한·중 연대

한국과 중국의 민족 운동 세력은 만주 사변(1931) 이후 항일을 위한 연대를 형성하였다. 중·일 전쟁(1937)이 발발한 이후에는 중국 국민당 정부의 지원을 통한 연대가 이루어졌고, 그 결과 김원봉이 1938년에 조선 의용대를 창설하였다.

바로 알기 ① 한국인 유학생들이 1919년 도쿄에서 「2·8 독립 선언」을 발표하였다. ② 김원봉이 1919년 만주에서 조직한 의열단은 일제 고위 관리를 암살하고 식민 통치 기관을 폭파하는 등의 의열 활동을 벌였다. ④ 김구는 일제의 요인을 제거하는 의열 투쟁을 통해 임시 정부에 활기를 불어 넣고자 한인 애국단을 조직하였다. ⑤ 1907년 도쿄에서 결성된 아주 화친회는 민족 해방, 반제국주의를 목표로 한 동아시아 최초의 국제 연대 조직이다.

15 한국 광복군

제시된 내용은 한국 광복군에 대한 설명이다. 중·일 전쟁이 발발한 이후의 한·중 연대는 중국 국민당 정부의 지원을 통해 이루어졌다. 이에 대한민국 임시 정부가 중국 국민당 정부의 지원을 받아 1940년 한국 광복군을 창설하였다.

바로 알기 ①은 김원봉이 1938년 중국 국민당 정부의 지원으로 창설한 군사 조직이다. ②는 양세봉의 지휘 아래 중국 의용군과 연합하여 항일 전쟁을 수행하였다. ④는 지청천의 지휘 아래 중국 호로군과 연합하여 항일 전쟁을 수행하였다. ⑤는 한국과 중국의 사회주의 세력이 연합하여 결성한 군사 조직이다.

16 동아시아의 근대 도시

(가)는 상하이, (나)는 요코하마이다. ③ 일본 최초의 철도는 1872년 도쿄와 요코하마 사이에 부설되었다.

바로 알기 ① 경사 대학당은 베이징에서 설립되었다. ② 대한 제국 정부가 한성에서 황성 만들기 사업을 추진하였다. ④는 메이지 정부가 도쿄에서 실시한 근대 도시화 정책이다. ⑤ 영국 상인은 (가) 상하이 조계지에서 「신보」를 창간하였다.

17 서양 문물의 수용

개항 이후 동아시아에서는 서구 문물을 수용함에 따라 서구식 시간관념이 형성되었고, 태양력이 채택되었으며 철도가 건설되어 인구 이동과 상품 유통이 활발해졌다. 개항장을 중심으로 서구 문물이 유입되며 근대 도시가 형성되었다. 또한 근대 학교가 설립되어 서구식 교육이 이루어졌고, 여성 교육의 중요성이 커졌다. 한편, 신문이 발행되어 여론을 형성하고 민권 관념을 보급하였다.

바로 알기 ④ 동아시아 각국은 개항 이후 근대화 과정에서 태양력을 채택하였다.

18 만국 공법

제시된 글은 만국 공법에 대한 설명이다. 만국 공법은 주권국 간의 대등한 관계를 지향하였다. 그리고 국가를 반문명국, 문명국, 미개국으로 구분하여 불평등한 국제 질서를 정당화하는 데 활용되었다.

바로 알기 ②는 진화론에 대한 설명이다. ③ 만국 공법은 국가를 반문명국, 문명국, 미개국으로 구분하였다. ④ 조공·책봉 관계는 동아시아의 전통적인 국제 질서이다. 만국 공법은 서구형 국제 질서의 원리이다. ⑤는 사회 진화론에 대한 설명이다.

19 사회 진화론

제시된 글에는 사회 진화론이 나타나 있다. 사회 진화론은 사회에 적자생존과 약육강식의 법칙을 적용하여 서양 열강의 제국주의적 침략을 정당화하는 데 이용되었다. 반면 동아시아 각국은 사회 진화론을 자강의 논리로 수용하여 서양 열강의 위협에 대항하는 수단으로 이용하려 하였다. 사회 진화론은 청에서 변법자강 운동과 신문화 운동이 전개되는 영향을 주었으며, 일본이 주변으로의 침략을 정당화하는 데 활용되었다.

바로 알기 ① 홍수전은 크리스트교의 영향을 받아 배상제회라는 종교 단체를 만들고, 이를 중심으로 태평천국 운동을 전개하였다.

20 동아시아의 근대 교육

(가)는 일본의 「교육 칙어」, (나)는 조선의 「교육입국 조서」이다. ㄴ. 일본은 메이지 유신 이후 근대 학제를 발표하여 소학교의 의무 교육 제도를 도입하였다. ㄷ. 조선은 갑오개혁 때 근대 학제를 도입하고, 「교육입국 조서」를 반포하여 관립 학교를 설립하였다.

바로 알기 ㄱ은 (나) 조선, ㄹ은 청의 근대 교육에 대한 설명에 해당한다.

V. 오늘날의 동아시아

01 제2차 세계 대전의 전후 처리와 냉전 체제

STEP 1 핵심 개념 확인하기 190쪽

1 (1) × (2) ○ (3) ○ (4) ○ 2 신헌법 3 (1) 국민당 (2) 6·25 전쟁 (3) 파리 평화 협정 4 (1) ㄱ (2) ㄷ 5 (1) ㉡ (2) ㉠

STEP 2 내신 만점 공략하기 190~193쪽

01 ③ 02 ① 03 ② 04 ③ 05 ④ 06 ④ 07 ③
08 ⑤ 09 ② 10 ② 11 ③ 12 ③ 13 ⑤ 14 ①
15 ③ 16 ⑤

01 카이로 회담의 결과

제시된 글에서 설명하는 회담은 카이로 회담이다. 카이로 회담에서 참여국의 대표들은 일본의 무조건 항복, 일본 식민지의 독립과 점령지 반환 등을 요구하는 카이로 선언을 발표하였다. 이 선언에서 만주·타이완의 반환과 한국의 독립 등이 약속되었다.

바로 알기 ①은 1951년에 개최된 샌프란시스코 강화 회의에서 결정된 내용이다. ② 제2차 세계 대전 중에 발표된 대서양 헌장(1941)에 따라 1945년 10월에 국제 연합(UN)이 출범하였다. ④는 1954년에 열린 제네바 회담에서 정해진 방침이다. ⑤ 1945년에 개최된 얄타 회담에서 소련의 대일전 참전이 결정되었다.

02 제2차 세계 대전의 종결

맥아더와 히로히토 천황이 만난 것은 1945년 9월이다. 원자 폭탄의 투하와 소련의 참전 등으로 궁지에 몰린 일본은 1945년 8월 15일 제2차 세계 대전에서 무조건 항복하였다. 연합국은 미국이 중심이 되어 일본을 점령하고, 도쿄에 맥아더를 최고 사령관으로 하는 연합군 최고 사령부(GHQ)를 설치하여 군정을 실시하였다.

바로 알기 ②, ③, ④, ⑤는 일본이 제2차 세계 대전에서 항복하기 전에 볼 수 있었던 모습이다.

└ 일본의 군대를 해체하고 군국주의자들을 공직에서 추방하였어.

03 냉전 체제의 형성

밑줄 친 '연설'은 트루먼 독트린(1947)을 의미한다. 제2차 세계 대전이 끝난 후 소련의 지원 아래 동유럽에서 공산화가 진행되자 미국은 트루먼 독트린을 발표하고 서유럽에 대한 대규모 군사적·경제적 지원을 통해 공산주의의 확산을 저지하고자 하였다. 이 과정에서 미국과 소련의 이념 대립이 심화되면서 '냉전(Cold War)'이라는 새로운 국제 질서가 형성되었다.

04 극동 국제 군사 재판(도쿄 재판)

신문 기사에서 다루고 있는 재판은 극동 국제 군사 재판(도쿄 재판)이다. 극동 국제 군사 재판은 제2차 세계 대전이 끝난 후 전쟁 지도부를 처벌하기 1946년 5월부터 2년 반 동안 진행되었다. 일본의 주요 전범 28명에 대한 재판을 진행한 결과 도조 히데키를 비롯한 7명이 사형 판결을 받았다. 그러나 천황을 비롯하여 전쟁에 협력한 관료, 재벌 등은 처벌받지 않았다.

바로 알기 ③ 일본 천황은 극동 국제 군사 재판에 회부되지 않았다. 이 재판에서는 전쟁 책임을 군부에게 물어 천황에게 면죄부를 주었다.

05 미국의 대일본 정책

④ 냉전이 본격화되자 미국은 일본 군국주의 세력의 공직 복귀를 허용하였으며, 일본의 재무장을 위해 경찰 예비대를 창설하였다.

바로 알기 ①, ② 미군정은 일본의 비군사화와 민주화 정착을 목표로 재벌 개혁을 실시하였고, 군국주의자들을 공직에서 추방하였다. ③은 ㉠ 정책이다. ⑤ 샌프란시스코 강화 조약은 1951년 체결되어 1952년에 발효되었다.

06 일본의 신헌법

제시된 과정을 거쳐 제정된 헌법은 일본의 신헌법(1946)이다. 신헌법은 '주권 재민, 평화주의, 인권 존중'을 기본 원칙으로 삼아 천황을 일본의 상징적인 존재로만 규정하였다. 그리고 국민 주권과 기본적 인권 보장, 군사력 보유 금지 등의 내용을 담았다.

바로 알기 ㄱ. 신헌법에서는 군사력 보유를 금지하였다. 그러나 6·25 전쟁 발발 이후 경찰 예비대가 창설되면서 신헌법의 의미가 퇴색하였다. ㄷ. 천황의 절대적 권력을 보장한 제국 헌법과 달리 신헌법에서는 천황을 상징적인 존재로 규정하였다.

07 샌프란시스코 강화 조약

표는 샌프란시스코 강화 조약(1951)에 대해 정리한 것이다. 일본은 샌프란시스코 강화 조약을 통해 주권을 회복하고 국제 사회에 복귀하였다. 또한 미·일 안전 보장 조약을 체결하여 미국과 군사 동맹 관계를 구축하였다.

바로 알기 ①은 샌프란시스코 강화 조약 체결 이전의 사실이다. ② 샌프란시스코 강화 조약 체결 이듬해인 1952년 일본이 주권을 회복하면서 미군정이 막을 내렸다. ④ 제2차 세계 대전 종전 이후에 샌프란시스코 강화 회의가 열렸다. ⑤ 샌프란시스코 강화 조약은 한국, 중국의 참여가 배제되었고, 이 국가들에 대한 일본의 사과와 배상 문제가 제대로 처리되지 않았다.

08 중국의 국·공 내전

충칭 평화 협상이 결렬된 후 중국 국민당과 공산당 사이의 내전이 본격화되었다. 초기에는 미국에게 무기와 재정을 지원받은 국민당이 공산당 본부가 있는 옌안 지역까지 점령하였다. 그러나 국민당 관료들은 무능과 부패로 민심을 잃어 갔고, 공산당은 토지 개혁을 실시하여 농민의 지지를 얻었다. 결국 기동전과 유격전 중심의 전술을 펼친 공산당이 내전에서 승리하여 중화 인민 공화국을 수립하였다. 패배한 국민당은 타이완으로 근거지를 옮겼다.

바로 알기 ⑤ 미국이 중화 인민 공화국을 중국의 합법 정부로 인정한 것은 1972년이다.

09 6·25 전쟁의 영향

제시된 글은 6·25 전쟁 중 체결된 휴전 협정(1953)이다. 6·25 전쟁은 동아시아에서 미국, 한국, 일본, 타이완을 연결한 반공 동맹 강화로 이어졌으며, 냉전 체제를 고착화하는 결과를 낳았다. 일본은 6·25 전쟁 중 유엔군에 군수 물자를 공급하면서 경제 회복의 토대를 마련하였다. 중국은 6·25 전쟁에 참여하면서 타이완 점령의 기회를 잃었으나 사회주의권에서 정치적 위상을 높이고, 국내에서는 정치 통합의 기반을 다질 수 있었다.

(미국과 중국의 대립이 격화되면서 타이완은 미국의 지지를 얻었고, 일본과 국교를 회복하였어.)

바로 알기 ② 중국은 6·25 전쟁을 구실로 공산당에 불만을 가진 세력을 축출하였다. 이를 통해 공산당 내부의 단결을 강화하였다.

10 냉전과 동아시아의 전쟁

제2차 세계 대전이 끝난 후 체제와 이념을 달리하는 미국과 소련은 국제 질서의 재편 과정에서 충돌하였다. 동아시아를 둘러싼 냉전이 심화되는 과정에서 한국과 중국 내에서도 좌우의 이념 대립이 심해지면서 각각 6·25 전쟁과 국·공 내전이 일어났다.

바로 알기 ① 미국은 국·공 내전 때 국민당에게 재정과 무기를 지원하였으나 전투 부대를 보내지는 않았다. ③ 국·공 내전 초기에는 국민당군이 우세하였다. ④ 6·25 전쟁의 결과 한반도에서 분단이 고착화되었다. 국·공 내전의 결과 중국 본토에서 중화 인민 공화국이 수립되었고, 국민당 정부는 타이완으로 이동하였다. ⑤ 두 전쟁은 세계적으로 냉전이 강화되는 시점에 일어났으며, 미국의 군사력 강화에 명분을 주었다.

11 베트남 전쟁

통킹만 사건을 통해 (가) 전쟁이 베트남 전쟁임을 알 수 있다. 냉전이라는 정세 속에서 일어난 베트남 전쟁은 국제전의 양상을 보였다. 한국도 동맹국의 일원으로 대규모의 병력을 파견하였고, 이에 대한 대가로 미국으로부터 각종 자금을 지원받아 경제 건설 자금으로 활용하였다. 전쟁이 장기화되면서 미국은 반전 운동 격화, 재정 문제, 인명 피해 등으로 궁지에 몰렸다. 결국 미국은 닉슨 독트린을 발표(1969)하고, 파리 평화 협정을 체결(1973)하여 베트남에서 철수하였다.

바로 알기 ③ 디엔비엔푸 전투(1954)에서 베트남군이 프랑스군에 승리를 거두면서 베트남 독립 전쟁이 막을 내렸다.

12 파리 평화 협정

자료 분석 (1973년에 체결된 파리 평화 협정이야.)

> 베트남의 재통일은 남·북베트남 간의 논의와 협의에 따라 평화적인 방법으로 서서히 이루어져야 한다. 17도선에 의한 두 지역 사이의 군사 분계선은 1954년의 협정에 따라 잠정적일 뿐이며, 정치적이거나 영토상의 경계는 아니다.

(1954년의 협정: 제네바 협정을 의미해.)

③ 베트남 전쟁의 종결을 위해 미국, 남베트남, 북베트남, 남베트남 민족 해방 전선 사이에 파리 평화 협정이 체결되었다.

바로 알기 ① 제시된 자료는 파리 평화 협정에 포함된 내용이다. ② 파리 평화 협정에서는 주변국의 안전에 대하여 언급하였다. 그러나 베트남은 전쟁에서 승리한 후 캄보디아를 침공하여 파리 평화 협정의 내용을 위반하였다. ④ 파리 평화 협정으로 미군은 베트남에서 철수하였다. ⑤ 호찌민이 공화국을 선포한 것은 1945년이다.

13 한·일 국교 정상화

제시된 조약은 한·일 기본 조약(1965)이다. 한·일 기본 조약이 체결되면서 한국과 일본의 국교가 재개되었다. 이후 한국은 경제 건설을 위해 일본의 자본과 기술을 제공받았고, 일본은 성장을 뒷받침할 수 있는 새로운 수출 시장을 확보하였다.

(한국, 일본, 미국의 필요성에 따라 가능하였어.)

바로 알기 ① 일·화 평화 조약은 1952년에 체결되었다. ② 한국과 일본의 국교 수립은 냉전의 정세 속에서 이루어졌다. 한국과 중국이 국교를 수립한 것은 1992년으로, 냉전이 해체된 이후이다. ③ 한국과 일본이 국교를 정상화하면서 한·미·일의 반공 동맹이 강화되었다. ④ 1946년에 제정된 신헌법에서 일본 천황을 상징적인 존재로 규정하였다.

14 닉슨 독트린의 영향

밑줄 친 부분은 닉슨 독트린의 발표를 의미한다. 1969년 닉슨 독트린이 발표된 후 국제 정세가 변화하면서 미국과 중국의 관계가 개선되었다. 이를 계기로 일본도 중국과의 수교를 추진하였다. 1972년 양국 정부가 중·일 공동 성명에 조인함으로써 일본과 중국의 국교 정상화가 이루어졌다.

바로 알기 ②는 1965년, ③은 1950년의 일이다. ④ 일본과 타이완은 1952년 국교를 맺었다. 그러나 중·일 공동 성명에서 일본이 중화 인민 공화국을 중국의 유일한 합법 정부로 인정하자, 타이완 정부는 일본과의 외교 관계를 단절하였다. ⑤는 1945년에 일어난 일이다.

완자 정리 노트 트루먼 독트린과 닉슨 독트린

구분	트루먼 독트린	닉슨 독트린
발표 연도	1947년	1969년
주요 내용	공산주의의 확산을 막기 위해 서유럽을 지원함	베트남 전쟁과 같은 미국의 직접적인 군사 개입을 피함
영향	냉전의 본격화	냉전의 완화

15 중국과 미국의 관계 개선

1969년 중국과 소련의 국경 지대에서 양국 군대의 무력 충돌이 발생하였다. 중국은 소련을 견제하는 한편, 경제 건설을 위해 미국·일본과의 관계 개선을 꾀하였다. 미국도 베트남에서의 철군을 앞두고 중국과의 관계 개선에 나섰다. 그 결과 1972년 닉슨 대통령이 중국을 방문하고 미·중 공동 성명을 발표하였다. 이후 양국은 1979년에 정식으로 국교를 수립하였다.

바로 알기 ㄱ은 1952년, ㄹ은 1949년의 상황이다. 모두 닉슨의 중국 방문 이전의 사실이다.

16 중·일 공동 성명

제시된 성명서는 중·일 공동 성명(1972)이다. 중·일 공동 성명에서 일본은 중화 인민 공화국을 중국에서 유일한 합법 정부로 인정하였다. 이는 타이완과의 국교 단절을 의미하는 것이었다.

바로 알기 ① 소련은 1991년에 해체되었다. ② 중국이 국제 연합(UN)에 가입한 것은 1971년이다. ③ 한국과 일본은 1965년에 국교를 정상화하였다. ④ 경제 개발 자본 지원에 대한 내용은 중·일 공동 성명에 포함되지 않았다.

서술형 문제

193쪽

01 주제: 동아시아의 열전

예시 답안 애치슨 라인이 발표되면서 북한은 한반도에서 전쟁이 일어나더라도 미국이 개입하지 않을 것으로 여기고, 소련과 중국의 동의·지원을 받아 1950년 6월 남침을 강행하였다.

채점 기준

상	북한이 미국의 대아시아 정책을 판단하고, 소련과 중국의 동의·지원을 받아 남침을 강행하였다고 서술한 경우
하	북한의 남침으로 6·25 전쟁이 일어났다고만 서술한 경우

02 주제: 제2차 세계 대전의 전후 처리와 국교 수립

(1) 샌프란시스코 강화 조약

(2) 예시 답안 샌프란시스코 강화 조약은 일본의 식민 지배와 침략 전쟁의 피해자였던 한국과 중국이 참여하지 못한 채 체결되어 일본의 전쟁 책임과 피해국에 대한 배상 문제가 제대로 처리되지 못하였다. 이에 따라 이후 각국의 국교 수립에 많은 시간이 걸리고 과거사 청산과 피해 보상을 둘러싼 갈등이 나타났다.

채점 기준

상	한국과 중국의 참여 배제를 언급하여 일본의 책임과 배상 문제가 제대로 처리되지 못하였고, 이후 이와 관련된 갈등이 나타났다고 서술한 경우
중	한국과 중국이 조약 체결에 참여하지 않아 일본의 책임과 배상 문제가 제대로 처리되지 못하였다고 서술한 경우
하	한국과 중국이 조약 체결에 참여하지 못하였다고만 서술한 경우

03 주제: 미국의 외교 정책 변화

예시 답안 1960년대 후반 미국은 냉전 체제를 뒷받침하는 데 필요한 군비 확장과 대외 원조, 베트남 전쟁 비용에 따른 재정 부담 등으로 위기에 직면해 있었다. 게다가 베트남 전쟁에서의 인명 피해가 증가하고, 미국 내에서 미군 철수를 요구하는 반전 운동이 확산되자 닉슨 독트린을 발표하고 베트남 전쟁을 종결시켰다.

채점 기준

상	군비 확장·대외 원조·베트남 전쟁 비용에 따른 재정 부담, 베트남 전쟁의 인명 피해, 반전 운동의 확산을 모두 서술한 경우
중	위의 내용 중 두 가지를 서술한 경우
하	위의 내용 중 한 가지만 서술한 경우

STEP 3 1등급 정복하기

194~195쪽

1 ④ 2 ③ 3 ⑤ 4 ⑤

1 일본의 헌법

(가)는 대일본 제국 헌법(1899), (나)는 일본의 신헌법(1946)이다. (가)는 천황을 신성한 원수로 규정하고 천황에게 막강한 헌법상의 권한을 부여한 반면, 국민의 기본권은 제한하였다. (나)의 제9조에서 전쟁 포기와 군사력 보유 및 교전권의 금지를 밝힘에 따라 일본은 정식 군대를 가질 수 없게 되었다. 전쟁을 포기함으로써 국제 평화에 기여한다는 의미로 신헌법을 '평화 헌법'으로 부르게 되었다.

바로 알기 ㄱ은 (나) 헌법에 대한 설명이다. (가)에서는 모든 주권이 국민에게 있는 것(주권 재민)이 아니라 군주인 천황에게 있다고 명시하였다. ㄷ은 (가) 헌법에 대한 설명이다. (나)는 미군정의 주도로 제정되었다.

2 전후 중국과 베트남의 변화

(가)는 중국 공산당과 국민당이 제2차 세계 대전 종전 후 진행한 평화 협정(1945)의 내용이다. (나)는 베트남의 독립과 베트남 공화국의 탄생(1945)을 선포한 선언이다. ③ 제2차 세계 대전이 끝나자 호찌민은 하노이에서 베트남 민주 공화국의 수립을 선포하였다.

바로 알기 ① 중국의 제2차 국·공 합작은 1937년에 이루어졌다. ② 밑줄 친 '주석'은 장제스이다. 장제스가 이끈 국민당은 국·공 내전에서 패배한 후 타이완으로 이동하였다. ④는 제네바 협정과 관련이 있다. ⑤ (가)에서 공산당과 국민당은 내전을 피하겠다는 합의를 이루었다. 그러나 이 협정은 곧 파기되었고, 공산당과 국민당의 전면적인 내전이 시작되었다. (나) 발표 이후 베트남은 프랑스와 독립 전쟁을 치렀다.

3 동아시아의 국교 수립과 정세 변화

첫 번째 문서는 중·일 공동 성명(1972), 두 번째 문서는 한·중 공동 성명(1992)이다. 중국은 일본, 한국과의 수교 시 중화 인민 공화국이 중국 유일의 정부이며, 타이완은 중국의 일부분임을 명시하였다.

바로 알기 ①은 냉전 체제가 심화되면서 나타난 일이다. 두 성명서는 냉전 완화 이후 발표되었다. ② 중화민국은 타이완을 의미한다. 일본과 한국은 중국과 수교하면서 타이완과의 외교를 단절하였고, 그 결과 타이완의 국제적인 고립이 심해졌다. ③은 한·일 국교 정상화의 영향으로 볼 수 있다. ④ 두 성명서에 미군 철수와 관련된 내용은 없다.

4 20세기 동아시아의 수교와 협정

첫 번째 자료는 샌프란시스코 강화 조약(1951), 두 번째 자료는 파리 평화 협정(1973), 세 번째 자료는 한·중 공동 성명(1992)이다. ① 닉슨 독트린이 발표된 것은 1969년이다. ② 1965년 한국과 일본은 국교를 정상화하면서 한·일 기본 조약을 체결하였다. ③ 한국과 미국은 6·25 전쟁이 휴전된 후인 1953년에 상호 방위 조약을 맺었다. ④ 베트남 사회주의 공화국은 1976년에 수립되었다.

바로 알기 ⑤는 (가) 시기에 해당한다. 1972년 일본은 중국과 국교를 맺어 중화 인민 공화국을 중국 유일의 합법 정부로 인정하였다. 그러자 타이완 정부는 일본과의 외교 관계를 단절하였다.

02 경제 성장과 교역의 확대

STEP 1 핵심 개념 확인하기 200쪽

1 미국 2 (1) ○ (2) ○ (3) × 3 거품 경제 4 3저 현상
5 (1) 천리마운동 (2) 인민공사 (3) 시장 경제 체제 6 ㄴ, ㄷ

STEP 2 내신 만점 공략하기 200~203쪽

01 ①	02 ⑤	03 ①	04 ②	05 ④	06 ⑤	07 ②
08 ④	09 ⑤	10 ⑤	11 ①	12 ③	13 ②	14 ④

01 자본주의 국가들의 경제 성장

일본, 한국, 타이완은 제2차 세계 대전 이후 단기간에 급속한 경제 성장을 이루었다. 이들 국가의 고도성장에는 대규모의 경제 원조와 수출 시장을 제공한 미국의 역할이 중요하게 작용하였다. 또한 정부 주도로 기술 개발과 산업을 육성하고 수출 중심의 경제 정책을 추진하였다. 더불어 세 나라는 적극적으로 교육에 투자하여 우수한 인력을 육성하였는데, 이는 경제 성장의 큰 원동력이 되었다.

바로 알기 ① 일본, 한국, 타이완은 성장 위주의 경제 정책을 추진하였다.

02 일본의 경제 발전

일본 경제는 제2차 세계 대전 이후 어려움을 겪었다. 그러나 (라) 미국의 지원과 6·25 전쟁 특수로 경제가 회복되었고, 1950년대 중반부터 1970년대 초반까지 연평균 10% 이상의 고도성장을 이루었다. 이 시기 일본의 경제 구조는 중공업과 전자 산업 위주로 전환되었다. 이후 (다) 두 차례의 석유 파동으로 경제 위기를 겪었으나 기술 개발과 경영 합리화를 통해 위기를 극복하였다. (가) 1980년대의 일본은 경기가 과열되면서 주가와 부동산 가격이 폭등하여 거품 경제가 형성되었다. (나) 1990년대에 이르러 거품 경제가 붕괴되면서 일본은 장기 불황에 빠지게 되었다.

03 일본의 거품 경제

그래프는 일본의 거품 경제 시기에 땅값이 상승하였다가 1990년대 이후 급락하는 것을 보여 준다. 1980년대 중반 엔화의 가치가 상승하자 일본 정부는 수출 기업을 보호하기 위해 대출 금리를 낮추었다. 그러자 저렴한 이자로 대출을 받은 기업과 개인이 부동산과 주식 등에 과잉 투자를 하면서 거품 경제가 형성되었다. 그 결과 1990년대 들어 부동산과 주식 가격이 폭락하였다.

바로 알기 ②, ③, ④ (가) 시기에 일본은 부동산 투자가 감소하였고, 국가 부채 비율이 높아졌다. 또한 일본인의 해외 투자가 감소하였다. ⑤ 1990년대 일본 경제는 장기 불황에 빠졌다.

04 한국의 경제 개발 5개년 계획

자료분석

라. 자연환경과 인적 자원을 합리적으로 결합시킴으로써 생산력의 극대화를 꾀하며, 자본 공급의 확보를 위하여서는 다음과 같이 한다.
(1) 국내 자원을 최대한으로 동원하고, 외화 소득의 조달에 있어서는 외자 도입에 중점을 두며, 정부 보유 달러는 사업 목적을 위하여 계획적으로 사용한다.
(2) 국내 노동력을 최대한 활용하여 자본화를 기한다.
└ 1960년대 한국은 값싼 노동력을 바탕으로 경공업 중심의 수출 주도형 경제 정책을 추진하였어.

제시된 글은 박정희 정부가 1962년부터 추진한 제1차 경제 개발 5개년 계획과 관련된 것이다. 경제 개발 5개년 계획으로 한국 경제는 1960년대 후반부터 연 10% 이상의 경제 성장률을 달성하였다.

바로 알기 ① 1997년 외환 위기가 발생하자 이를 극복하기 위해 기업의 구조 조정이 이루어졌다. ③ 한국은 1960년대에 경공업을 육성하였다. ④는 1950년대, ⑤는 1970년대 한국의 경제 상황과 관련이 있다.

05 한국의 경제 발전

(가)는 1970년대 말 석유 파동으로 경제 위기를 겪은 상황이고, (나)는 1990년대 말 외환 위기를 겪게 된 상황이다. 1970년대 말 한국은 제2차 석유 파동으로 경제 위기를 겪었으나 1980년대에는 저유가·저달러·저금리 현상에 힘입어 경제 호황을 누렸다. 이러한 경제 성장으로 한국은 1990년대에 경제 협력 개발 기구(OECD)에 가입(1996)하였고, 기업은 투자 확대와 사업 확장에 몰두하였다. 이후 경상 수지 적자 누적과 외채의 증가로 1997년에 외환 위기가 발생하면서 심각한 경기 침체를 겪게 되었다.

바로 알기 ㄱ은 1950년대, ㄷ은 1960년대 한국의 경제 상황이다.

06 한국의 경제 위기 극복

제시된 신문 기사는 한국이 국제 통화 기금(IMF) 관리 체제에서 벗어난 내용이다. 한국에서는 1997년에 외환 위기가 발생하면서 국제 통화 기금(IMF)의 긴급 구제 금융을 지원받았다. 그러나 부실 기업 정리, 외자 유치, 규제 철폐 등 정부의 개혁과 금 모으기 운동과 같은 국민의 적극적인 노력에 힘입어 경제 위기를 극복하였다.

바로 알기 ⑤ 한국과 중국은 2015년에 자유 무역 협정(FTA)을 체결하였다.

07 타이완의 경제 발전

타이완은 1950년대 수출에 의한 외형적 발전보다는 국내 시장 개발과 경공업 육성에 중점을 두었다. 1960년대에는 베트남 전쟁에 참전하면서 철강과 석유 화학 등 자본 집약적 산업을 발전시켰다. 1980년대에는 3저 현상에 힘입어 경제 성장을 지속하였고, 반도체를 비롯한 첨단 산업을 육성하였다. 2000년대 초반에는 세계 경기 침체로 마이너스 성장률을 기록하였으나, 이후 완만한 성장세를 이어 가고 있다. (1), (3)이 정답이므로 학생이 받을 점수는 4점이다.

바로 알기 (4) 타이완이 3저 현상에 힘입어 아시아의 4대 신흥 공업국으로 성장한 것은 1980년대이다.

08 동아시아의 사회주의 경제 체제

사회주의 경제 체제를 도입한 중국, 북한, 베트남은 개인 사유제를 부정하고 개인 소유의 토지를 집단 농장으로 재편하였다. 이 국가들은 중공업 육성과 자립 경제 확립을 목표로 국가 주도의 경제 개발 계획을 추진하였다.

바로 알기 ㄱ, ㄷ은 동아시아의 국가들 중 자본주의권에 속한 일본, 한국, 타이완이 공통적으로 추진한 경제 정책이다.

09 중국의 대약진 운동

자료 분석

우리 땅 다섯 무도 전부 인민공사 명의로 재분배되고, …… 며칠 되지도 않아서 집에 있는 솥까지도 인민공사가 다 가져갈 줄을. 들어 보니 강철을 만들기 위해서라더군.
└ 농촌 각지에 용광로를 만들어 철강 증산 운동을 전개하였어.

제시된 소설에 나타난 중국의 경제 운동은 대약진 운동이다. 중국은 마오쩌둥의 주도로 1958년부터 대약진 운동을 추진하였다. 이때 마을마다 용광로가 설치되어 철강 증산 운동이 전개되었고, 대규모 수리 관개 사업이 시행되었다. 또한 공동 생산을 위한 인민공사를 전국적으로 조직하여 전체 농가의 99%를 가입시켰다. 그러나 집단화에 대한 농민들의 불만과 근로 의욕 감소, 기술력의 부족, 대규모 자연재해에 따른 생산력 저하 등으로 운동은 실패하였다.

바로 알기 ⑤ 대약진 운동이 실패한 후 덩샤오핑이 개혁·개방 정책을 실시하였다. 이때 사기업의 설립을 허용하고 기업 경영의 자율성을 보장하였다.

10 덩샤오핑의 개혁·개방 정책

1970년대 말에 정권을 잡은 덩샤오핑은 시장 경제 체제의 요소를 일부 수용하여 개혁·개방 정책을 시행하였다. 이때 정부는 4개 부문(농업, 공업, 국방, 과학 기술)의 현대화를 추진하였고, 농촌에서 인민공사를 해체하였다. 또한 사기업의 설립을 허용하였고, 국영기업을 차츰 민간에 매각하였다. 이러한 정책에 힘입어 중국은 급속한 경제 성장을 이루었다.

바로 알기 ① 덩샤오핑은 경제특구를 설치하여 해외의 자본과 기술을 도입하였다. ②, ③, ④는 1950년대 중국이 사회주의 경제 체제를 확립하기 위해 실시한 정책이다.

11 중국의 경제 성장

제시된 자료는 중국의 개혁·개방 정책의 성과를 보여 준다. 마오쩌둥이 죽은 후 새 지도자가 된 덩샤오핑은 경제 문제를 해결하고자 개혁·개방 정책을 실시하였다. 그 결과 중국은 연 10%에 가까운 고도성장을 이룰 수 있었고, 2010년에는 일본을 제치고 세계 2위의 경제 대국으로 성장하였다.

12 베트남의 도이머이 정책

밑줄 친 내용에 따라 추진된 베트남의 경제 정책은 도이머이 정책이다. 베트남 전쟁이 끝난 후 베트남은 사회주의식 근대 공업 국가 수립을 목표로 경제 개발 계획을 추진하였다. 그러나 오랜 전쟁의 후유증, 농업 집단화에 따른 생산력 저하, 중국과의 전쟁으로 인한 과도한 재정 지출 등으로 베트남은 심각한 경제난에 시달렸다. 그러자 베트남 정부는 1986년부터 도이머이 정책을 추진하여 시장 경제 체제 요소의 일부를 수용하였다. 정부는 농업세를 경감하고 농업 부문에 정부 투자를 집중하였으며, 초과 생산된 쌀을 개인이 팔 수 있게 허용하였다. 이에 따라 베트남의 식량 생산량이 급증하였다. 최근에는 공업 부문에서도 개방 정책과 외자 유치를 추진하며 경제 성장을 이어 나가고 있다.

바로 알기 ③은 베트남을 비롯한 사회주의 국가들이 사회주의 경제 체제를 확립하기 위해 실시한 정책이다.

13 북한의 경제 변화

1980년대 후반 동유럽 사회주의권 국가들이 몰락하자 북한의 경제적 어려움이 커졌다. 이러한 경제 문제를 해결하기 위해 북한은 1984년에 합영법을 제정하여 외국 자본을 유치하였으며, 1991년에는 나진·선봉 지역을 경제특구로 지정하였다. 그러나 체제의 경직성과 미흡한 개방으로 큰 성과를 얻지 못하였다. 여기에 대규모 식량 부족 사태가 겹치면서 경제적 어려움이 심화되자 북한은 1990년대 후반부터 남한과의 경제 교류에 나서며 금강산 관광 사업과 개성 공단 사업을 추진하였다.

바로 알기 ①, ③, ④는 1950년대 북한의 경제 상황이다. ⑤는 중국의 대약진 운동에 대한 설명이다.

완자 정리 노트 북한의 부분적 경제 개방 정책

배경	1970년대 이후 소련의 원조 중단, 경직된 경제 체제, 과도한 군사비 지출 등으로 경제 위기 심화
내용	• 1980년대: 합영법 제정 • 1990년대: 나진·선봉 지역을 경제특구로 지정, 금강산 관광 사업 • 2000년대: 개성 공단 건설

14 동아시아의 역내 교역량 변화

기존의 동아시아 교역망에 있어 한국과 일본의 최대 수출 시장은 미국이었다. 그런데 중국과 베트남 등 아시아의 사회주의권 국가들이 개혁·개방 정책을 통해 대규모 투자를 유치하면서 한국, 일본은 새로운 수출 시장을 확보할 수 있게 되었다. 특히 중국이 2001년에 세계 무역 기구(WTO)에 가입하는 등 외자 유치와 수출 증대에 적극 나서자, 한국과 일본은 중국에 대한 직접 투자를 늘려 나갔다. 이러한 요인으로 인해 동아시아 교역에서 미국의 비중은 상대적으로 줄어들고 중국의 영향력은 점차 커지고 있다.

바로 알기 ㄱ. 자료에서 한국과 일본의 중국 투자가 늘어났음을 알 수 있다. ㄷ. 역내 교역에서 중국의 영향력이 점차 커지고 있다.

서술형 문제

203쪽

01 주제: 일본의 경제 위기

(1) 플라자 합의

(2) 예시 답안 미국과의 플라자 합의로 엔화 가치가 상승하자 일본 정부는 수출 기업을 보호하기 위해 금리를 낮추었다. 그러자 저렴한 이자로 대출을 받은 기업과 개인이 부동산과 주식 등에 과잉 투자를 하면서 거품 경제가 형성되었다. 그 결과 1990년대 들어 부동산과 주식 가격이 폭락하였고, 일본 경제는 장기 불황에 빠졌다.

채점 기준

상	일본 정부의 금리 인하, 거품 경제 형성, 부동산과 주식 가격 폭락을 모두 서술한 경우
중	위의 내용 중 두 가지를 서술한 경우
하	위의 내용 중 한 가지만 서술한 경우

02 주제: 중국의 대약진 운동

(1) 대약진 운동

(2) 예시 답안 대약진 운동은 집단화에 따른 농민들의 불만과 근로 의욕 감소, 기술력의 부족, 대규모 자연재해에 따른 생산력 저하 등으로 실패하였다.

채점 기준

상	농민들의 불만과 근로 의욕 감소, 기술력의 부족, 대규모 자연재해에 따른 생산력 저하를 모두 서술한 경우
중	위의 내용 중 두 가지를 서술한 경우
하	위의 내용 중 한 가지만 서술한 경우

STEP 3 1등급 정복하기

204~205쪽

1 ② 2 ② 3 ① 4 ②

1 일본과 한국의 경제 성장

(가)는 일본, (나)는 한국이다. 일본과 한국의 급속한 경제 성장은 정부 주도 아래 우수한 인력을 이용하여 수출 중심의 경제 정책을 통해 이루어졌다는 공통점이 있다. 또한 이들 국가는 유상 매입 방식의 농지 개혁을 실시하여 자영농을 육성하였는데, 이는 농업 생산력의 향상과 농민의 구매력 증가로 이어졌다. 그리고 대규모의 경제 원조와 수출 시장을 제공한 미국의 역할도 일본과 한국의 고도성장에 중요하게 작용하였다.

바로 알기 ① 일본과 한국은 수출 중심의 경제 정책을 추진하였다. ③은 사회주의 국가들이 추진한 경제 정책이다. ④, ⑤ 일본과 한국은 미국으로부터 경제 원조를 받았으며, 유상 매입 방식의 농지 개혁을 실시하였다.

2 자본주의 국가들의 경제 상황

(가) 시기 일본, 한국, 타이완은 모두 경기 침체를 겪었다. 일본은 1990년대 들어 거품 경제가 가라앉으면서 부동산과 주식 가격이 폭락하여 불황을 겪었다. 한국은 막대한 국가 부채와 외화 유동성 부족, 기업들의 잇단 부도, 주가 하락 등으로 결국 국제 통화 기금(IMF)의 긴급 구제 금융을 지원받았다. 타이완은 1990년대 후반 동남아시아 금융 위기의 여파가 경제를 압박함에 따라 내수 시장이 침체되고, 수출 성장세가 둔화되는 등의 타격을 입었다.

바로 알기 ② 일본은 1970년대에 두 차례의 석유 파동으로 단기적인 불황을 겪었다.

3 중국의 개혁·개방 정책

제시된 인물은 덩샤오핑이다. 덩샤오핑은 시장 경제 체제를 일부 수용하여 개혁·개방 정책을 시행하였다. 정부는 농촌에서 인민공사를 해체하고 가족농업으로 전환하였으며, 농산물 가격을 점진적으로 시장에 맡겼다. 또한 사기업의 설립을 허용하고, 국영 기업을 민간에 매각하였다.

바로 알기 ②는 대약진 운동에 대한 설명이다. ③, ④, ⑤는 중국이 1950년대 사회주의식 경제 체제를 본격적으로 도입하면서 추진한 정책이다.

4 북한의 경제 정책

자료 분석

제1조 세계의 여러 나라들과의 경제 기술 교류와 협조를 확대 발전시키는 것은 조선 노동당과 공화국 정부의 일관한 대외 경제 정책이다. 조선 민주주의 인민 공화국은 공화국의 영역 안에서 우리나라 회사·기업소와 다른 나라의 회사·기업소·개인 사이에 평등과 호혜의 원칙에서 합영하는 것을 장려한다.

└ 북한이 외국의 기술을 도입하기 위해 합영법을 제정하였음이 드러나 있어.

제2조 조선 민주주의 인민 공화국에서의 합영은 공업·건설·운수·과학 기술·관광업을 비롯한 여러 분야에서 할 수 있다.

제시된 법률은 1984년 북한이 외국 자본을 유치하기 위해 제정한 합영법이다. 북한은 1970년대부터 소련의 원조 중단과 막대한 군비 지출로 경제적 위기가 심화되자 이러한 상황을 극복하기 위해 합영법을 제정하였다. 1991년에는 나진·선봉 지역을 경제특구로 지정하여 외국인의 투자를 끌어들이려 하였다. 2000년대에 들어서는 개성 공단을 건설하여 남한과의 경제 교류를 확대하였다.

바로 알기 ㄴ은 사회주의 경제 체제 확립과 관련이 있다. ㄹ. 북한은 1958년에 사회주의 경제를 건설하려는 목적에서 천리마운동을 실시하였다.

03 동아시아의 정치·사회 발전과 화해를 위한 노력

STEP 1 핵심 개념 확인하기 210쪽

1 (1) 4·19 혁명 (2) 6월 민주 항쟁 2 55년 체제 3 국민당
4 (1) ○ (2) × (3) ○ 5 (1) ㄷ (2) ㄱ 6 야스쿠니 신사

STEP 2 내신 만점 공략하기 210~212쪽

01 ① 02 ③ 03 ④ 04 ① 05 ⑤ 06 ① 07 ①
08 ② 09 ② 10 ⑤ 11 ① 12 ④

01 4·19 혁명의 결과

이승만 정부는 두 차례에 걸친 개헌을 통해 장기 집권을 시도하였고, 1960년 3월 15일에 치러진 정·부통령 선거에서 선거 부정을 저질렀다. 이에 많은 시민들이 부정 선거를 규탄하는 시위를 대대적으로 전개하였다(4·19 혁명). 그 결과 이승만이 대통령에서 물러나면서 자유당과 이승만 정부는 붕괴하였고, 민주당의 장면 정부가 수립되었다.

바로 알기 ②, ⑤ 장면 정부 이후 들어선 박정희 정부는 3선 개헌(1969)을 단행하여 장기 집권을 꾀하였고, 1972년 10월 유신을 선포하여 국회를 해산하였다. ③ 1997년 야당 후보인 김대중이 대통령에 당선되면서 광복 이후 최초로 선거를 통한 평화적 정권 교체가 이루어졌다. ④ 1979년에 전두환 중심의 신군부 세력이 정권을 장악하였다(12·12 사태).

02 6월 민주 항쟁

'대통령까지 국민의 손으로 뽑게 될 수 있을 때'라는 내용을 통해 시민들이 대통령 직선제를 요구한 결의문임을 알 수 있다. 한국의 전두환 정부가 대통령 간선제 방식을 고수하며 장기 집권을 꾀하자 시민들은 1987년 6월에 대대적인 민주화 시위를 전개하였다(6월 민주 항쟁).

바로 알기 ① 장면 정부는 1961년에 일어난 5·16 군사 정변을 계기로 무너졌다. ②, ④ 박정희 정부가 1972년 10월 비상계엄을 선포하고 유신 헌법을 만들었다. 유신 체제는 국민의 저항과 1979년 박정희 대통령의 서거로 막을 내렸다. ⑤ 1980년 신군부가 계엄령을 확대하자 광주에서는 신군부 퇴진과 민주화를 요구하는 시위가 일어났다(5·18 민주화 운동).

완자 정리 노트 한국의 민주화 운동

4·19 혁명	5·18 민주화 운동	6월 민주 항쟁
3·15 부정 선거 → 학생, 시민들의 민주화 요구 시위 → 자유당 정권 붕괴	신군부의 계엄령 실시 → 광주 시민들의 민주화 요구 시위 → 신군부의 진압	전두환 정부의 대통령 간선제 고수 → 시민들의 민주화 요구 시위 → 6·29 민주화 선언

03 일본의 자민당

(가) 정당은 자민당이다. 1955년 성립한 일본의 자민당은 사회당과의 양당 구도 속에서 많은 의석수를 차지하며 장기 집권하였다. 자민당은 경제 우선 정책을 실시하였고, 일본의 고도성장에 힘입어 지지 기반을 다졌다. 한편, 평화 헌법의 개정을 시도하였으나 압도적인 의석수에도 불구하고 실패하였다. 1970년대에는 두 차례 석유 파동과 록히드 사건으로 위기를 겪었지만 집권당의 위치를 지켰다. 그러나 1990년대 들어 거품 경제 붕괴에 따른 경제 침체로 자민당의 지지 기반은 약화되었다.

바로 알기 ④ 1960년 자민당은 사회당을 비롯한 다른 정당들과 시민들의 반대에도 불구하고 미·일 안전 보장 조약 개정안을 단독으로 통과시켰다.

04 일본의 '55년 체제' 붕괴

1955년 이후 장기 집권을 이어간 일본의 자민당은 1990년대 이후 경제 침체가 계속되고 관료들의 정경 유착과 부정부패가 드러나면서 무너지기 시작하였다. 1993년에 치러진 총선거에서 비자민당 정당들이 많은 의석수를 차지하고 이들의 연립 내각이 들어서면서 일본의 '55년 체제'는 막을 내렸다.

바로 알기 ㄷ은 한국의 정치 상황과 관련이 있다. 일본에서는 헌법 개정과 관련된 민주화 운동이 일어나지 않았다. ㄹ. 좌우로 분열되었던 일본의 사회당은 1955년 평화 헌법 유지를 주장하며 통합하였다.

05 1980년대 이후 동아시아의 정치 상황

(가)는 1980년 한국의 5·18 민주화 운동, (나)는 2000년 타이완에서 민진당이 집권하였을 때의 상황이다. 1987년 타이완에서는 이전부터 전개된 시민들의 민주화 요구에 따라 국민당 정부가 계엄령을 해제하였다. 이듬해에는 복수 정당제가 도입되고 총통 직선제 개헌이 이루어졌다. 이러한 변화 속에서 2000년에는 민진당의 천수이볜이 총통에 당선되어 최초로 정권이 교체되었다.

바로 알기 ①은 1961년, ②는 1955년, ③은 1960년, ④는 1949년의 일이다.

06 중국의 문화 대혁명

자료 분석

마오쩌둥은 자신과 사회주의 경제 체제에 대한 비판을 억누르고자 하였어.

> 지난 50여 일간 일부 지도층 동지들은 …… 정반대의 길을 따라가고 있으며, …… 프롤레타리아의 혁명 운동을 무너뜨리고 …… 얼마나 악독한 일인가?
> – 마오쩌둥, 1966

밑줄 친 '혁명'은 문화 대혁명이다. 마오쩌둥은 문화 대혁명을 일으켜 시장 경제 체제의 도입을 주장하는 세력을 숙청하고, 청소년들로 조직된 홍위병을 앞세워 전국적으로 '주자파'를 처단하였다. 이로 인해 중국 사회는 극심한 혼란에 빠졌다. 문화 대혁명은 1966년부터 10년 동안 계속되다가 1976년 마오쩌둥이 사망하고 나서야 중단되었다.

| 바로 알기 | ② 문화 대혁명 시기에는 자본주의 사상과 문화에 대한 투쟁이 강조되었다. ③ 1949년 중국 본토에서 국민당을 밀어낸 공산당이 중화 인민 공화국의 수립을 선포하였다. ④ 마오쩌둥이 사망한 후 권력을 잡은 덩샤오핑이 개혁·개방 정책을 추진하였다. ⑤ 마오쩌둥은 대약진 운동이 실패하여 자신의 권력 기반이 흔들리자 이를 만회하기 위해 문화 대혁명을 일으켰다.

07 북한의 정치 변화

(가) 인물은 북한의 김정일이다. 1994년 김일성이 사망하자 김정일은 유훈 통치를 전개하며 권력을 계승하였고, 이후 군대를 앞세운 선군 정치를 실시하여 권력을 강화하였다. 한편, 경제 위기가 심화되자 금강산 관광 사업, 개성 공단 사업 등 부분적인 경제 개방 정책을 시도하기도 하였으나 경제 체제의 한계로 인해 큰 성과를 거두지는 못하였다.

| 바로 알기 | ②, ③, ④, ⑤는 김일성과 관련이 있다. 김일성은 1950년 남한을 침략하였고(6·25 전쟁), 전쟁 이후인 1950년대 후반에는 천리마운동을 실시하여 생산력 증대를 꾀하였다. 1960년대에는 중국과 소련 간 분쟁이 심화되자 주체사상을 표방하였다. 1972년에는 사회주의 헌법을 제정하여 독재 체제를 강화하였다.

08 영토를 둘러싼 갈등

오늘날 해양 자원의 중요성이 높아지면서 동아시아 국가 간의 영토를 둘러싼 갈등은 대부분 바다에서 일어나고 있다. 일본과 중국은 동중국해 해상에 위치한 센카쿠 열도(댜오위다오)를 둘러싸고 갈등을 겪고 있다. 일본은 청·일 전쟁 중 본래 주인 없는 섬인 이곳을 선점하였다고 내세우는 반면, 중국은 16세기 이후 자국의 부속 도서로 편입되었던 것을 일본이 전쟁 중 강제로 빼앗은 것이라며 맞서고 있다.

| 바로 알기 | ㄴ은 쿠릴 열도(북방 도서)와 관련된 쟁점이다. 쿠릴 열도는 현재 러시아가 영유하고 있으나, 일본이 반환을 요구하고 있다. ㄹ은 독도와 관련된 일본의 주장이다.

09 한국 고유의 영토인 독도

독도는 역사적, 국제법상으로 한국의 고유 영토이다. 한국과 일본의 여러 사료와 지도들을 통해 독도가 한국 고유의 영토임을 확인할 수 있다. 『삼국사기』에는 지증왕 때 우산국을 정복하였다는 사실이 나타나 있고, 조선 시대의 지리지와 지도에도 독도가 조선의 영토로 기록되어 있다. 숙종 때 안용복은 일본 어민들이 울릉도와 독도를 침범하자 일본으로 건너가 독도가 조선의 영토임을 확인하였다. 대한 제국은 칙령 제41호를 발표하여 독도가 대한 제국의 고유 영토임을 밝혔다. 광복 이후에는 연합국이 「연합국 최고 사령관 각서 제677호」와 부속 지도를 통해 독도가 한국 영토임을 확인해 주었다.

| 바로 알기 | ② 일본은 러·일 전쟁 중 시마네현 고시를 발표하여 독도를 자국 영토로 편입하였다고 주장하고 있다. 그러나 이러한 주장은 대한 제국이 공식 정부 문서를 통해 독도를 고유 영토로 규정한 사실을 무시하는 것이어서 설득력을 가지지 못한다.

10 동아시아의 역사 갈등

오늘날 동아시아 각국은 긴밀한 관계를 유지하고 있다. 그러나 일본이 제국주의 침략 전쟁에 대한 반성과 사죄에 미온적인 태도를 취하고 심지어 이를 은폐하려는 모습을 보이면서 일본과 주변국 간에 갈등이 심화되고 있다. 일본의 일부 우익 세력은 침략 전쟁을 정당화하고 식민 지배를 미화하는 등 왜곡된 사실이 포함된 역사 교과서를 편찬하였다. 또한 정부 관리들은 주변국의 반발에도 불구하고 제2차 세계 대전의 일부 전범들에 대한 제사를 지내고 있는 야스쿠니 신사를 공식 참배하고 있다.

| 바로 알기 | ⑤ 일본이 태평양 전쟁 중 강제 동원한 일본군 '위안부'의 실체가 피해자들의 증언으로 드러나자 일본에 대한 비난이 고조되었다. 이에 일본 정부는 일본군 '위안부' 동원에 일본군이 직간접적으로 관여하였음을 인정한 고노 담화를 발표하였다.
└ 그러나 최근 이를 부정하는 움직임이 나타나 문제가 되고 있어.

11 동북공정의 목적

밑줄 친 '이 연구 사업'은 중국이 추진한 동북공정이다. 중국은 조선족을 비롯한 소수 민족의 동요를 막고, 한반도의 정세 변화에 대비하며 만주 지역에 대한 역사적 귀속권을 확보하기 위해 동북공정을 추진하였다. 이 과정에서 현재의 국경선을 기준으로 그 영토 안에 있었던 고조선, 고구려, 부여, 발해를 모두 중국 왕조의 지방 정권으로 규정하여 한국의 고대사를 심각하게 왜곡하였다. 동북공정은 2007년에 종료되었지만 중국에서 동북공정의 내용이 반영된 역사 교과서가 편찬되면서 역사 왜곡 문제가 지속되고 있다.

| 바로 알기 | ㄷ. 중국은 한국 학계와의 학술적 교류 없이 일방적으로 만주 지역에 수립되었던 고구려, 발해 등을 중국 역사에 편입하였다. ㄹ. '자학 사관'은 일본의 일부 우익 세력이 침략 전쟁을 반성하는 일본 역사학계의 역사 인식을 비하하여 이르는 말이다. 일본의 일부 우익 세력은 기존의 일본 역사 교과서가 이 '자학 사관'에 따라 기술되었다고 비판하였다.

완자 정리 노트 중국의 동북공정

명분	랴오닝성, 지린성, 헤이룽장성의 역사와 현재 상황 연구
의도	소수 민족의 동요 방지, 만주 지역에 대한 역사적 귀속권 강화
내용	고조선, 부여, 고구려, 발해의 역사를 중국사로 편입
영향	한국과 중국 간 역사 갈등 심화, 일부 내용이 중국의 역사 교과서에 반영되면서 역사 교과서 왜곡 문제 발생

12 동아시아의 갈등을 해결하기 위한 노력

동아시아의 역사와 영토 갈등을 해결하기 위해서는 공동의 노력이 필요하다. 정부 차원과 민간 차원에서 공동 역사 연구가 활발히 이루어져야 한다. 또한 각국 정부가 다자간 협력체를 통해 공동의 문제를 공유하고 이를 해결하기 위해 노력해야 한다. 더불어 시민 단체 간의 국제적인 연대와 동아시아 각국 간 문화 교류의 확대를 통해 상호 이해의 폭을 점진적으로 넓혀 나가야 한다.

| 바로 알기 | ④ 동아시아 국가 간 갈등을 없애기 위해서는 보편적 가치를 함양할 수 있도록 하는 역사 교육이 필요하다.

서술형 문제

212쪽

01 주제: 한국과 타이완의 민주화

예시 답안 한국에서는 5년 단임의 대통령 직선제를 주요 내용으로 하는 헌법 개정이 이루어져 국민이 선거를 통해 대통령을 선출하게 되었다. 타이완에서는 1988년 총통 직선제 개헌, 복수 정당제 도입 등의 제도적 민주화가 이루어졌다.

채점 기준

상	한국에서 대통령 직선제 개헌이 이루어지고, 타이완에서 총통 직선제를 포함한 제도적 민주화가 이루어졌다고 서술한 경우
하	한국과 타이완 중 한 국가의 정치 상황만 서술한 경우

02 주제: 톈안먼 사건의 배경

(1) 톈안먼 사건

(2) 예시 답안 중국에서 개혁·개방이 가속화되고 일부 공산당 관료들의 부정부패가 드러나자 정치 체제의 개혁을 요구하는 목소리가 높아졌다. 이러한 가운데 1989년 시민들이 톈안먼에서 공산당 독재 타도와 민주화를 요구하는 시위를 벌였다.

채점 기준

상	개혁·개방이 가속화되고, 일부 관료들의 부정부패로 정치 개혁 요구가 높아졌다고 서술한 경우
중	개혁·개방의 가속화, 일부 관료들의 부정부패 중 한 가지만 서술한 경우
하	정치 개혁의 요구가 높아졌다고만 서술한 경우

03 주제: 센카쿠 열도(댜오위다오)를 둘러싼 갈등

(1) 센카쿠 열도(댜오위다오)

(2) 예시 답안 일본은 청·일 전쟁 당시 무주지였던 센카쿠 열도를 선점하여 일본 영토에 정식 편입하였다고 주장하고 있다. 반면, 중국은 명·청 대부터 중국의 영토였던 지역을 일본이 빼앗은 것이라고 주장하고 있다.

채점 기준

상	일본과 중국의 주장을 모두 서술한 경우
하	일본과 중국 중 한 국가의 주장만 서술한 경우

STEP 3 1등급 정복하기

213쪽

1 ② 2 ②

1 동아시아 각국의 정치 변화

제시된 사진들은 각각 한국의 5·18 민주화 운동, 중국의 톈안먼 사건을 보여 준다. 두 사건은 모두 1980년대에 한국과 중국에서 전개된 민주화 요구 시위이다. ② 1987년 타이완에서는 시민들의 민주화 요구가 받아들여져 계엄령이 해제되었고, 이듬해 총통 직선제 개헌안이 통과되어 직접 선거에 의한 총통 선출이 가능해졌다.

바로 알기 ①은 1972년, ③은 1945년, ④는 1949년, ⑤는 1960년에 볼 수 있었던 모습이다.

2 동아시아의 영토 분쟁

(가)는 센카쿠 열도(댜오위다오), (나)는 시사 군도(파라셀 제도)이다. 중국과 일본은 서로 센카쿠 열도를 역사적으로 영유하여 왔다고 주장하여 갈등을 빚고 있다. 한편, 중국은 제2차 세계 대전 이후 베트남이 관리하던 시사 군도를 무력으로 점령하였고, 이 지역에 각종 시설을 설치하면서 베트남과 갈등을 겪고 있다.

바로 알기 ㄴ. 난사 군도(스프래틀리 군도) 인근 해역의 자원 가치가 상승하면서 중국, 베트남, 말레이시아, 필리핀 등 여러 국가가 이 지역에 대한 영유권을 주장하고 있다. ㄹ. 일본은 쿠릴 열도의 4개 섬이 러·일 전쟁 이전부터 자국의 영토였다며 러시아에 반환을 요구하고 있다.

대단원 실력 굳히기

216~219쪽

01 ① 02 ④ 03 ③ 04 ③ 05 ③ 06 ② 07 ①
08 ⑤ 09 ③ 10 ④ 11 ④ 12 ③ 13 ② 14 ③
15 ④ 16 ⑤ 17 ① 18 ④ 19 ④ 20 ②

01 카이로 회담의 결정 내용

(가)는 제2차 세계 대전 중이던 1943년 11월에 개최된 카이로 회담이다. 전후 처리에 대해 논의하기 위해 카이로에 모인 미국, 영국, 중국의 대표들은 일본에 무조건 항복을 요구하고 한국을 비롯한 일본의 식민지를 독립시키기로 결정하였다.

바로 알기 ② 포츠담 회담에서 일본의 비무장과 민주주의 이행이 결정되었다. ③ 국제 연합은 대서양 헌장에 따라 창설되었다. ④ 얄타 회담에서 소련의 대일전 참전에 대한 비밀 협정이 체결되었다. ⑤ 미국은 1950년 미국의 태평양 방위선을 발표하였는데(애치슨 선언), 여기서 한반도와 타이완은 제외되었다.

02 일본의 신헌법(평화 헌법)

1946년 일본에서는 미군정의 강력한 권고에 따라 신헌법이 제정되었다. 신헌법은 천황을 상징적인 존재로 규정하였고, 주권 재민과 인권 보호 원칙을 명시하였다. 또한 전쟁을 포기한다는 조항을 포함하였다. 이 때문에 신헌법을 '평화 헌법'이라고도 부른다.

바로 알기 ④ 신헌법에서 일본이 군사력을 보유하지 않는다고 규정하였다. 그러나 6·25 전쟁이 진행되는 동안 미국은 일본의 재무장을 위해 경찰 예비대의 창설을 허용하였고, 이로써 신헌법의 의미가 퇴색되었다.

03 샌프란시스코 강화 회의

제시된 글은 제2차 세계 대전의 종전 이후 일본이 주권을 회복하는 계기가 된 샌프란시스코 강화 조약의 내용이다. 미국은 중국에 공산주의 정권이 들어서고 북한이 전쟁을 일으키는 등 공산주의가 확산되자 일본을 동아시아의 반공 기지로 삼고자 하였다. 나아가 미국은 전후 처리를 위해 샌프란시스코 강화 회의(1951)를 주도하였고, 회담의 결과 연합국과 일본 사이에 강화 조약이 체결되었다. 이 회의에는 대일전에 참가한 국가들이 초청되었지만 중국과 한국 등 피해 당사국은 제외되었다. 이에 따라 일본의 전쟁 책임이 제대로 처리되지 않는 한계를 남겼다.

바로 알기 ㄱ. 샌프란시스코 강화 회의는 6·25 전쟁이 발발(1950)한 이후에 개최되었다. ㄹ. 1946년에 일본의 주요 전범을 처벌하기 위해 극동 국제 군사 재판(도쿄 재판)이 열렸다.

04 중국의 국·공 내전

제시된 그래프를 보면 중국의 국·공 내전 시기(1946~1949) (가) 공산당과 (나) 국민당의 병력 변화를 알 수 있다. 내전 초기 국민당은 미국의 지원을 받아 옌안 지역을 점령하는 등 우세를 보였다. 그러나 공산당이 토지 개혁을 실시하여 대중의 지지를 얻었고, 이를 기반으로 유격 전술을 앞세워 전세를 역전시켰다. 공산당은 중국 대부분의 지역을 차지한 이후 1949년 중화 인민 공화국의 수립을 선포하였다. 패배한 국민당은 타이완으로 이동하여 국민당 정부를 재조직하였다.

바로 알기 ③은 (가)에 대한 설명이다. 국민당은 내전 중 관료들의 부정부패와 물가 상승 등으로 민심을 잃었다.

05 6·25 전쟁의 영향

제시된 글은 6·25 전쟁의 전개 과정을 보여 준다. 6·25 전쟁 중 일본은 유엔군에 각종 보급품과 장비를 공급하며 전쟁 특수를 누렸고, 중국은 전쟁에 참전하였음을 내세워 정권을 안정시키고 사회주의권과 아시아에서 정치적 위상을 강화하였다.

바로 알기 ㄱ. 6·25 전쟁 중인 1952년에 타이완과 일본은 국교를 회복하였다. 타이완과 일본의 국교가 단절된 것은 일본이 중국과 국교를 수립한 1972년의 일이다. ㄹ. 한국에서는 광복 후 신탁 통치와 임시 정부 수립을 둘러싼 갈등이 지속되다가 1948년에 남한만의 총선거가 실시되었다.

완자 정리 노트 6·25 전쟁 이후 동아시아의 정세

한반도	인적·물적 피해 발생, 한·미 상호 방위 조약 체결	미국을 중심으로 한국, 일본, 타이완의 반공 동맹 강화
일본	주권 회복, 미·일 안전 보장 조약 체결	
타이완	일·화 평화 조약 체결, 미국의 지지 획득	
중국	사회주의권에서 정치적 위상 상승, 미국과의 대립 격화	

06 1950년 이후 베트남의 정세

1950년 이후 베트남의 정세는 '(가) 남베트남만의 단독 선거를 통한 베트남 공화국 수립(1955) – (나) 미국의 북베트남 공격(1964) – (라) 베트남에서 미군 철수 시작(1973) – (다) 북베트남의 사이공 점령(1975)'의 순으로 변화하였다.

07 닉슨 독트린 발표 이후의 동아시아

제시된 자료는 1969년 미국의 닉슨 대통령이 발표한 외교 원칙이다. 미국은 닉슨 독트린을 발표하여 남베트남에서 미군을 단계적으로 철수하기로 하였다. 동시에 중국에 대한 봉쇄 정책을 완화하여 화해 분위기가 조성되었다. 1972년에는 닉슨 대통령이 중국을 방문하고 미·중 공동 성명이 발표되면서 미국과 중국의 관계가 크게 개선되었다. 이러한 분위기 속에 중국과 일본이 공동 성명을 발표하였고, 일본은 중국을 유일한 합법 정부로 인정하였다. 이후 양국은 중·일 평화 우호 조약을 체결하여 전쟁 상태의 종결을 선언하였다. 한국은 1992년 중국, 베트남과 공식적으로 국교를 수립하였다.

바로 알기 ① 한·일 기본 조약은 1965년에 체결되었다.

08 일본의 경제 변화

일본은 제2차 세계 대전 이후 미국의 지원과 6·25 전쟁 특수에 힘입어 1955년부터 1973년까지 연평균 10% 이상의 고도성장을 이루었다. 1970년대 중반 두 차례 석유 파동으로 단기적인 경제 불황을 겪었지만 수출이 증가하여 1980년대 중반까지 성장세를 유지하였다. 한편, 엔화 가치 상승으로 거품 경제가 형성되었다. 그러나 1990년대 들어 거품 경제가 붕괴되면서 장기 불황에 빠졌다.

바로 알기 ⑤ 한국과 타이완이 1980년대 중반 이후 3저 호황에 힘입어 아시아의 신흥 공업국으로 성장하였다.

국제적으로 저유가, 저달러, 저금리의 3저 현상이 나타나 경제 호황이 지속되었어.

09 한국과 타이완의 경제 변화

(가)는 한국에서 5·18 민주화 운동이 일어난 1980년 직후부터 타이완에서 천수이볜이 총통에 당선된 2000년 직전까지의 시기이다. 이 시기 한국은 경제 성장을 이어가다가 1997년 외환 위기를 맞았고, 국제 통화 기금(IMF)의 긴급 구제 금융을 지원받았다.

바로 알기 ① 한국에서는 1962년에 제1차 경제 개발 5개년 계획이 시작되었다. ②, ④ 타이완은 산업화 초기 경공업 육성에 주력하였고, 1980년대까지 경제 성장을 이루었다. 그러나 2000년대 초반 세계 경기 침체의 영향을 받아 마이너스 성장률을 기록하였다. ⑤ 한국은 1970년대에 경공업 중심에서 수출 주도형의 중공업 생산 체제로 전환하였다.

10 중국의 대약진 운동

마오쩌둥이 하는 말을 통해 대담이 대약진 운동에 대한 것임을 알 수 있다. 마오쩌둥은 1958년부터 근대적 공산주의 국가 건설을 목표로 대약진 운동을 실시하였다. 농촌에 인민공사를 조직하여 모든 재산과 토지를 국유화하였고, 마을마다 용광로를 만들어 철강 증산을 꾀하였다. 그러나 농촌의 노동력이 중공업에 투입되면서 농업 생산력이 크게 저하되었고, 산업 간 불균형을 초래하였다.

바로 알기 ㄱ, ㄷ은 덩샤오핑이 추진한 개혁·개방 정책의 내용이다.

완자 정리 노트 대약진 운동 이후 중국의 경제·사회 변화

대약진 운동의 추진
- 목표: 근대적 공산주의 국가 건설
- 추진 방식: 농업 집단화(인민공사 조직), 철강 증산에 노동력 동원
- 결과: 농민의 근로 의욕 감소, 자연재해에 따른 생산력 저하 → 실패

마오쩌둥의 권력 약화, 사회주의식 계획 경제에 대한 수정 요구 대두

문화 대혁명
마오쩌둥이 홍위병을 앞세워 내부의 반대파 숙청 → 경제 상황 악화, 사회 혼란 가중

11 북한의 경제 상황

제시된 글은 북한이 경제적 어려움에 직면하게 된 배경과 관련이 있다. 1980년대에 이르러 소련과 동유럽 사회주의권 국가들이 쇠퇴하면서 이들과 수교하던 북한의 경제 상황은 악화되었다. 북한은 경제적 어려움을 해결하기 위해 1984년 합영법을 제정하여 외국 자본과 기술을 도입하였고, 1991년에는 나진·선봉 지역을 경제 특구로 지정하였다. 그러나 체제의 경직성과 미흡한 개방으로 북한은 아직까지 경제적 어려움을 겪고 있다.

바로 알기 ①, ②, ③, ⑤는 1950년대 북한의 경제 상황이다. 북한은 소련과 중국 등의 원조를 받아 3개년 계획을 실시하여 공업 생산력을 6·25 전쟁 이전 수준으로 회복하였다. 또한 협동농장과 국영 기업을 중심으로 사회주의 경제 체제를 갖추었다. 1958년부터는 대중의 노동력을 동원하여 생산력 향상을 추구한 천리마운동을 전개하였다.

12 베트남의 경제 발전

베트남은 농업 집단화의 영향으로 생산력이 저하되고, 중국과의 전쟁에 많은 비용을 소모하면서 경제적 어려움에 빠졌다. 이를 타개하기 위해 베트남 정부는 1986년부터 도이머이 정책을 추진하여 시장 경제 체제의 일부 요소를 수용하였다. 농업세를 낮추고 농업 부문에 집중적으로 투자하였으며, 초과 생산된 쌀을 개인이 팔 수 있도록 허용하였다. 그 결과 베트남은 세계 3대 쌀 수출국으로 발돋움하였다.

바로 알기 ① 베트남은 1992년에 한국과 국교를 맺었다. ② 캄보디아 내전에 개입한 영향으로 베트남의 경제 사정이 어려워졌다. ④, ⑤ 베트남 공산당은 베트남 전쟁 이후 사회주의 경제 체제를 본격적으로 도입하여 주요 기업들을 국영화하고, 농민들을 집단 농장에 편입시켰다.

13 동아시아 역내 교역의 확대

소련의 해체로 냉전 체제가 붕괴되고 중국과 베트남 등 아시아의 사회주의권 국가들이 개혁·개방 정책을 실시하면서 한국과 일본은 새로운 수출 시장을 확보할 수 있게 되었다. 특히, 중국에 대한 두 국가의 직접 투자가 늘어나면서 한국, 중국, 일본 중심의 동아시아 역내 교역이 활성화되었다.

바로 알기 ㄴ. 일본의 거품 경제는 1980년대 중반 이후 부동산과 주식 가격이 급등하면서 나타난 현상으로, 동아시아 역내 교역망의 변화와는 관련이 없다. ㄹ. 냉전이 전개되던 시기에는 한국과 일본이 미국의 대규모 경제 원조와 수출 시장 제공에 의존하여 경제 성장을 이루었다. 이는 미국을 중심으로 한국, 일본, 타이완이 연결되는 동아시아 역내 교역망이 형성되는 데 영향을 주었다.

14 한국과 타이완의 민주화

한국에서는 전두환 정부가 대통령 간선제 방식을 고수하려고 하자 1987년 시민들이 대통령 직선제를 요구하며 시위를 벌였다(6월 민주 항쟁). 결국 정부는 국민의 요구를 수용하였고, 대통령 직선제 개헌이 이루어졌다. 타이완에서는 1949년부터 국민당이 일당 독재를 지속하며 국민의 자유를 제한하였다. 이에 국민은 지속적으로 민주화를 요구하였고, 이 요구가 받아들여져 1987년 국민당 정부가 38년간 유지하던 계엄령을 해제하였다.

바로 알기 (가)는 1960년에 한국에서 일어난 4·19 혁명, (라)는 일본에서 전개된 안보 투쟁과 관련이 있다.

15 일본의 정치 변화

(가)는 일본과 연합국이 샌프란시스코 강화 조약을 체결한 1951년 직후부터 총선거에서 민주당이 승리하여 정권이 교체된 2009년 직전까지의 시기이다. 이 시기 일본에서는 안보와 재무장 문제를 둘러싸고 좌우로 분열되었던 사회당이 통합하였고, 이에 맞서 보수 정당인 자유당과 민주당이 자민당으로 합당하면서 '55년 체제'가 성립하였다. 자민당은 두 차례 석유 파동과 록히드 사건으로 잠시 위기를 겪었으나 경제 우선 정책을 앞세워 다수당으로서 장기 집권하였다. 그러나 1993년 총선거에서 비자민당 정당들이 과반수를 얻어 호소카와 연립 내각이 수립되면서 자민당 중심의 '55년 체제'는 붕괴되었다.

바로 알기 ④ 제2차 세계 대전 종전 후 일본을 단독으로 점령한 미국이 1945년 10월 도쿄에 연합군 최고 사령부를 설치하였다.

16 중국의 톈안먼 사건

제시된 글은 1989년에 중국에서 일어난 톈안먼 사건에 대한 설명이다. 개혁·개방이 가속화되고 공산당 관료들의 부패가 드러나면서 정치 체제의 개혁을 요구하는 목소리가 높아졌다. 이러한 가운데 1989년 많은 시민들이 톈안먼에서 공산당 일당 독재 타도와 민주화를 요구하는 대규모 시위를 전개하였다. 중국 정부는 이를 폭력적 난동으로 규정하여 강경 진압하였고, 그 과정에서 수많은 희생자가 발생하였다.

바로 알기 ① 마오쩌둥은 톈안먼 사건이 일어나기 이전에 사망하였다. ② 덩샤오핑은 1970년대 후반에 집권하였다. ③ 마오쩌둥이 주도한 문화 대혁명 시기 청소년들로 조직된 홍위병이 '주자파'를 대대적으로 처단하였다. ④ 주체사상은 북한의 김일성이 중·소 분쟁이 깊어지는 상황에서 내세운 정치사상으로, 김일성 1인 독재 체제가 강화되는 과정에서 북한 통치의 유일 노선이 되었다.

17 동아시아의 영토 분쟁

밑줄 친 '이 지역'은 일본과 러시아가 영유권 분쟁을 벌이고 있는 (가) 쿠릴 열도(북방 도서)이다. 쿠릴 열도는 제2차 세계 대전 중 소련이 점령한 후 소련을 이은 러시아가 영유하고 있다. 일본은 이 지역이 역사적으로 자국의 영토라며 러시아에 반환을 요구하고 있다.

바로 알기 ② (나)는 센카쿠 열도(댜오위다오), ④ (라)는 시사 군도(파라셀 제도), ⑤ (마)는 난사 군도(스프래틀리 군도)로, 동아시아 각국이 영토 갈등을 겪고 있는 지역이다. ③ (다)는 타이완이다.

18 독도

(가) 지역은 독도이다. 조선 숙종 때 안용복은 일본 어민들이 울릉도와 독도를 침범하자 직접 일본으로 건너가 울릉도와 독도가 조선의 영토임을 확인하였다. 이후 대한 제국 정부가 「대한 제국 칙령 제41호」를 통해 독도가 대한 제국이 관할하는 고유 영토임을 밝혔다. 광복 이후에는 연합국이 「연합국 최고 사령관 각서 제677호」를 발효하여 독도가 한국 영토임을 확인해 주었다. 한국은 현재 독도에 대해 영토 주권을 행사하고 있다. 그러나 일본은 러·일 전쟁 중 발표된 시마네현 고시를 내세워 독도가 일본의 영토에 편입되었다고 주장하고 있다.

일본은 독도가 명백히 한국의 영토임에도 불구하고 독도를 영유권 분쟁지로 만들려고 하고 있어.

바로 알기 ④ 중국은 센카쿠 열도(댜오위다오)에 대해 16세기 이후 자국의 영토였던 것을 일본이 빼앗은 것이라고 주장하고 있다.

19 역사 인식을 둘러싼 갈등

일본 총리를 비롯한 정부 관료들은 주변국의 항의에도 불구하고 야스쿠니 신사를 계속해서 공식 참배하고 있다. 주변국들은 이러한 행위를 일본 정부가 과거 침략 전쟁과 식민지 지배를 반성하지 않는 것으로 받아들여 반발하고 있다. 과거의 잘못을 인정하지 않는 역사 인식은 일부 우익 세력이 편찬한 왜곡된 역사 교과서에 반영되어 있으며, 일본 정부가 일본군 '위안부'에 대한 직접 배상을 회피하는 태도를 통해 드러난다. 이러한 일부 일본인들의 역사 인식은 일본과 주변국들 간 역사 갈등을 심화시키고 있다.

바로 알기 ㄱ. 고노 담화는 일본 정부가 일본군 '위안부' 동원에 일본군이 직간접적으로 개입하였다는 사실을 인정한 성명이다. ㄷ. 한국, 중국, 일본의 학자들은 공동 역사 교재를 만들어 일본 정부의 역사 교과서 왜곡에 대응하고 역사 갈등을 완화하기 위해 노력하고 있다.

20 화해를 위한 노력

자료 분석

- 발해는 말갈족 출신인 대조영이 세운 국가로 고구려와는 관계가 없으며, 당에 예속된 지방 정권이었다.
  중국은 동북공정을 진행하면서 발해를 중국 왕조의 지방 정권으로 규정하였어.
  – 중국의 어느 연구 내용 일부
- 고구려의 광개토왕 비문에는 왜의 군대가 바다를 건너 백제, 신라를 '신민'으로 삼았기 때문에 고구려왕이 이를 격퇴하고자 병사를 보냈다고 기록되어 있다. – 일본의 어느 역사 교과서 내용 일부
  일본이 한반도 남부를 지배하였다는 억지 주장을 내세워 고대사를 왜곡하였음이 드러나.

중국과 일본의 역사 왜곡은 한국, 중국, 일본 간에 역사 갈등을 불러일으키고 있다. 이러한 문제는 여러 나라의 이해관계가 얽혀 있기 때문에 공동으로 해결하여야 한다. 이를 위해 정부 차원의 다자간 협력체 구성 및 참여와 보편적 가치를 함양할 수 있는 역사 교육이 필요하다. 또한 민간 차원에서 각국의 시민 단체들이 연대하여 활동하고, 문화 교류를 통해 서로에 대한 이해의 폭을 넓히려는 노력이 요구된다.

바로 알기 ② 민간 연구자들이 학문 교류를 통해 공동으로 역사를 연구하는 것은 동아시아 역사에 대한 이해를 넓혀 역사 갈등을 해결하고 평화로운 동아시아 공동체를 건설하는 데 도움이 된다.

논술형 문제 풀이

주제 01 동아시아와 동아시아사 학습

논술 SOLUTION

(가)를 통해 1995년부터 2015년까지 한국의 중국·일본과의 수출입 규모가 늘어나고 있음을 알 수 있다.

(나)는 일본의 야스쿠니 신사 참배를 둘러싸고 동아시아 국가 간의 갈등이 고조되고 있음을 보여 준다.

(다)는 센카쿠 열도(댜오위다오)를 둘러싼 분쟁에 대한 내용으로, 동아시아에서 영토 문제로 인한 갈등이 심화되고 있음을 보여 준다.

● POINT ● 오늘날 동아시아 국가 간 교류와 갈등 상황을 파악하고, 이러한 상황에 비추어 동아시아사 학습이 필요한 이유를 논술한다.

1. 예시 답안 오늘날에는 동아시아 국가들의 관계가 긴밀해져 국가 간의 경제적 의존도가 높아지고, 인적 교류와 문화적 교류도 늘어났다. 그러나 역사 인식을 둘러싼 갈등, 영토의 영유권을 둘러싼 분쟁, 일본의 식민 지배와 침략 전쟁에 대한 사과와 배상 문제 등에서 갈등을 겪고 있다.

2. 예시 답안 동아시아의 여러 갈등은 동아시아 국가들의 협력을 어렵게 하고 있다. 이러한 상황에서 균형 잡힌 시각으로 동아시아 각국의 역사와 문화를 이해한다면, 국가 간의 신뢰를 회복하고 동아시아 세계가 당면한 문제의 해결 방안을 모색할 수 있을 것이다. 이를 통해 갈등을 점차 해소하고, 평화로운 동아시아의 미래를 도모할 수 있을 것이다.

주제 02 진의 국가 체제 정비

논술 SOLUTION

(가)는 진이 전국을 통일한 이후 각 제후국마다 달랐던 화폐, 문자, 도량형을 통일한 내용, (나)는 중앙과 지방의 제도를 정비한 내용이다.

(다)를 통해 진의 시황제가 법가 이외의 사상을 통제하기 위해 분서갱유를 일으킨 사실을 알 수 있다.

● POINT ● 진에서 추진한 정책의 내용과 목적을 정리하고, 이를 토대로 효율적인 국가 통치를 위해 필요한 요소를 도출한다.

1. 예시 답안 진의 시황제는 전국 통일로 넓어진 영토를 효율적으로 다스리기 위해 강력한 중앙 집권 정책을 실시하였다. 문자를 통일하여 문서 행정의 효율화를 꾀하였고, 세금 징수의 통일된 기준을 마련하기 위해 화폐와 도량형을 통일하였다. 또한 중앙에 3공 9경의 관료를 두고 지방에 관리를 파견함으로써 황제 중심의 일원적인 지배 체제를 확립하고자 하였다. 한편, 분서갱유를 단행하여 사상을 통제하고 자신에게 반대하는 세력을 억누르려고 하였다.

2. 예시 답안 국가를 통치하기 위해서는 중앙 집권 정책뿐만 아니라 지방 자치가 가능한 제도도 필요하다. 통일된 화폐와 세금 부과 기준이 있어야 하며, 사회 구성원 모두가 사용하는 공용어가 있어야 한다. 그러나 일방적인 사상 통일은 사람들의 반발을 불러일으킬 수 있으므로 국가의 정책에 대한 사회 구성원의 의견이 수용될 수 있는 제도와 사회적 분위기가 형성되어야 한다.

주제 03 당 대의 국제 관계

논술 SOLUTION

(가)에서 백제와 당이 조공·책봉 관계를 맺었음을 알 수 있다. 당은 백제의 요청으로 고구려와 백제의 대립을 중재하였다.

(나)는 유목 민족인 토번과 당의 관계를 보여 준다. 당에게 혼인 요청을 거절당한 토번의 송첸캄포는 당의 지배에 있던 토욕혼을 공격하여 당을 위협하였다. 이에 당 태종이 토번에 문성 공주를 파견하였다.

(다)에서 돌궐은 중원 왕조와의 무역을 통해 필요한 물품을 획득하면서도 중원 왕조(당)에 대한 두려움을 드러내고 있다.

● POINT ● 당 대 동아시아 국제 관계의 양상을 파악하고, 당이 농경 민족과 유목 민족을 상대로 추진한 외교 정책을 비교한다.

1. 예시 답안 백제는 당으로부터 책봉을 받아 통치권을 공고히 하였고, 당의 권위를 빌어 고구려의 군사적 위협을 제거할 수 있었다.

2. 예시 답안 당은 농경 민족에게는 조공을 요구하고 그에 따른 의례와 임무를 강요하였다. 유목 민족과는 경제적 이익 여부에 따라 조공 관계를 유지하거나 파기하였다. 유목 민족이 강력해져 그들을 회유하고 견제할 필요가 있을 때에는 화번공주를 파견하였다.

주제 04 율령에 기초한 법치와 유교

논술 SOLUTION

(가)는 한비자가 군주 중심의 지배 체제 확립과 부국강병의 실현을 위해 엄격한 법치를 주장한 내용이다.

(나)에서 동중서는 인, 의, 예 등 유교에 바탕을 둔 교화를 통해 백성이 스스로 군주를 따르게 해야 한다고 주장하였다.

● POINT ● 법가와 유가에 기초한 통치 체제를 비교하고, 더 적절하고 효율적이라고 생각하는 방식을 근거를 들어 논술한다.

1. 예시 답안 한은 유교를 통치 이념으로 삼아 유학 진흥책을 실시하고, 법률에도 유교 사상을 반영하였다. 이때 국가를 정교한 법으로 통제하는 법가적 원리와 가족 및 공동체의 질서를 존중하는 유가적 원리가 율령을 매개로 결합하였다. 유가와 법가가 융합된 통치 이념은 중원 왕조의 기본적인 통치 사상으로 자리 잡았다.

2. 예시 답안 •**(가)를 선택한 경우**: 법가 사상은 군주의 지배권을 확립하고 중앙 집권을 강화하는 데 필요한 요소이다. 전국 시대를 통일한 진은 법가적 정책을 통해 황제를 정점으로 하는 관료제를 확립하고, 중앙 집권을 강화하였다.

•**(나)를 선택한 경우**: 유교의 천명사상과 엄격한 의례는 황제의 권위를 높이고 통치를 정당화하는 데 유리하다. 또 군주에 대한 충성과 백성에 대한 자애를 강조하는 유교 윤리는 제국을 운용하는 데 도움을 준다.

주제 05 성리학이 동아시아에 미친 영향

논술 SOLUTION

첫 번째 자료에서는 조선 시대 여성에게 삼종지의를 따를 것을 강조하는 모습이 나타나 있다.

두 번째 자료에서 당시 제사를 봉양하는 데 양자 제도가 일반화되었음을 알 수 있다.

● POINT ● 오늘날 성리학의 영향력을 파악하고, 성리학적 원리를 적용하여 현대 사회가 지닌 문제점을 해결할 수 있는 방안을 모색한다.

1. 예시 답안 성리학의 음양 논리가 적용되면서 남성과 여성의 관계가 차별적으로 설정되었다. 성리학에서는 남성 호주가 가족을 대표하기 때문에 성리학이 확산되면서 가부장적 윤리가 확립되었다. 형제자매가 돌아가면서 제사를 지내던 것은 장자 중심의 제사로 바뀌었다. 또 여성의 지위는 상대적으로 하락하였고, 여성에게 정절을 강조하는 현상도 나타났다.

2. 예시 답안 성리학이 끼친 긍정적 영향으로는 효와 예를 중시하는 미풍양속의 확산, 공동체 의식의 형성, 인간과 우주에 대한 철학적 사유의 심화 등을 들 수 있다. 부정적 영향으로는 남존여비 사상에 따른 여성 차별, 타인의 주장에 대한 배타적인 태도 등을 들 수 있다. 또 관혼상제의 허례허식적인 측면도 비판을 받고 있다.

3. 예시 답안 현대 사회의 문제점 중 하나인 개인주의는 효와 예를 바탕으로 가족과 공동체를 중시하는 성리학적 가치에서 대안을 찾을 수 있다. 물질 만능주의가 팽배해진 사회를 살아가는 현대인들에게 정신세계를 강조하는 성리학은 인간이 지닌 가치에 대해 다시 돌아보게 하는 기회를 제공해 줄 수 있다.

주제 06 임진왜란에 대한 동아시아 삼국의 시각

논술 SOLUTION

한국에서 사용하는 '임진왜란'에는 일본이 조선을 침략한 전쟁임을 드러낸 반면, 일본에서 사용하는 '역'이라는 단어에는 침략의 의미가 없다는 것을 알 수 있다.

중국 교과서에서는 '보국 전쟁'(조선을 도운 전쟁)이라는 단어를 사용하여 동아시아 질서 유지를 위한 명의 노력을 강조하고 있다.

● POINT ● 한국, 일본, 중국이 1592년에 동아시아에서 일어난 전쟁을 공통적인 명칭으로 부를 수 있을지에 대한 자신의 생각을 논술한다.

예시 답안 •**공통적인 명칭을 사용할 수 있다는 입장**: 한국에서 부르는 '임진왜란'이라는 용어는 일본에 대한 비하와 함께 일제 강점에 대한 강한 적개심을 내포하고 있다. '임진 전쟁'이나 '동아시아 삼국 전쟁' 등의 용어를 사용한다면 객관적인 시각으로 1592년에 동아시아에서 일어난 전쟁을 이해할 수 있다.

•**공통적인 명칭을 사용할 수 없다는 입장**: 한국, 일본, 중국은 각국의 입장에서 '임진왜란'을 인식하고 있고, 이는 각국의 독자적인 역사 전개 과정에 기반을 두고 있다. 따라서 각국의 시각을 모두 담아내는 객관적인 역사 용어를 만들어 사용하는 것은 불가능하다.

주제 07 명과 조선의 은 유통

논술 SOLUTION

(가)는 명 대 은 유통이 활성화된 배경을 보여 준다.

(나)는 황종희가 은 부족 현상의 심화를 근거로 조세 은납화를 폐지해야 한다고 주장한 내용이다.

(다)는 조선에서 은 수요가 증가하게 된 상황을 보여 준다.

●POINT● 조선에서 은 사용이 확대된 이유를 명과의 관계 속에서 찾고, 은납제의 폐지 주장에 대한 자신의 생각을 논술한다.

1. 예시 답안 명은 임진왜란 때 조선에 파견한 군사들의 봉급과 군수 물자 구매 등을 위해 대량의 은을 사용하였다. 이때 명에서 들어온 은이 조선에서도 사용되었고, 조선의 상인들은 무역의 결제 대금으로 주로 은을 지불하게 되었다.

2. 예시 답안 **•황종희의 주장에 동의하는 경우:** 명 대에는 조세 납부와 거래에 은이 많이 사용되어 은 수요가 증가하였다. 재정 지출, 관리들의 은 독점, 유럽 상인들의 진출에 따른 은 유출로 은은 갈수록 부족해졌다. 이에 따라 농민들의 세금 부담이 가중되었고, 국가의 경제가 은 유입량에 의존하는 경향이 나타났다.

•황종희의 주장에 동의하지 않는 경우: 조세의 은납화는 은 유통을 촉진하였고, 중국의 상품 화폐 경제가 발달하는 데 기여하였다. 또한 조선을 비롯한 동아시아의 상인들, 유럽 상인들과 은을 매개로 한 거래가 늘어나면서 중국과 외국과의 교역이 활성화되었고, 중국의 상품 시장을 세계로 확대시켰다.

주제 08 동아시아 각국의 근대화 운동

논술 SOLUTION

(가)는 양무운동을 주도한 이홍장이 중국의 제도를 유지한 상태에서 서양의 기술을 수용하자고 주장한 내용이다.

(나)는 후쿠자와 유키치가 일본이 근대화에 힘써 서양 열강의 일원이 되어야 한다고 주장한 내용이다.

●POINT● 개항 이후 중국과 일본에서 전개된 근대화 운동의 성격을 비교한다.

1. 예시 답안 양무운동은 서양의 군사력과 과학 기술을 적극 수용하고자 하였다. 그러나 중체서용을 기조로 삼아 의식이나 제도 개혁 등이 뒷받침되지 못해 중국 사회를 근본적으로 변화시키지 못하였다.

2. 예시 답안 메이지 정부는 신분제를 폐지하고 징병제와 근대 국민 교육을 시행하였다. 또 외국에 사절단과 유학생을 파견하고, 근대식 공장을 세우는 식산흥업 정책을 폈다.

주제 09 일본의 침략 전쟁과 동아시아인의 고통

논술 SOLUTION

일본은 (가) 「대동아 공영 선언」을 통해 태평양 전쟁을 일으킨 이유가 아시아의 해방를 위해서라고 하였다.

(나), (다)는 일본이 침략 전쟁을 확대하던 당시 각각 강제 징용과 일본군 '위안부'로 고통받은 사람들의 이야기이다.

●POINT● 일본이 침략 전쟁을 확대하는 과정을 파악하고, 동아시아인들이 받은 고통을 사례로 들어 일본이 내세운 대동아 공영권의 허구성을 비판한다.

1. 예시 답안 중·일 전쟁으로 중국에 대한 침략을 본격화한 일본은 제2차 세계 대전이 발발하자, 유럽 국가들이 아시아 지역에 신경쓰지 못하는 틈을 타 동남아시아를 침략하였다. 이에 미국과 영국이 일본에 대한 경제 봉쇄 조치를 실시하고 중국의 항일전을 지원하자, 일본은 미국의 하와이 진주만 기지를 기습적으로 공격하여 태평양 전쟁을 일으켰다.

2. 예시 답안 일본은 태평양 전쟁을 '대동아 전쟁'이라고 불렀으며, '대동아 전쟁'이 미국과 영국의 속박으로부터 아시아를 해방시키고, 새로운 아시아를 건설하기 위한 전쟁이라고 하였다. 그러나 일본은 전쟁 기간 동안 식민지 국가에서 징용, 징병, 일본군 '위안부' 등으로 인적 자원을 강제로 동원하였고, 식량과 금속의 공출제를 실시하며 물적 자원을 수탈하였다. 이로 인해 동아시아 각국의 민중은 큰 피해를 입고 고통을 당하였다. 결국 일본이 태평양 전쟁을 일으킨 것은 점령 지역의 자원과 노동력을 수탈하고 식민 지배를 확대하기 위해서였다.

주제 10 동아시아 역내 교역의 변화

논술 SOLUTION

(가)는 한국, 중국, 일본 간의 교역량이 늘어나 세 국가의 경제적 관계가 긴밀해졌음을 보여 준다.

(나)를 통해 1990년대 후반 동아시아 여러 국가에서 경제 위기가 발생하였음을 알 수 있다.

(다)는 동아시아 국가들이 경제 협력을 위한 방안으로 '치앙마이 이니셔티브'를 만들었음을 알려 준다.

● POINT ● 동아시아 역내 교역이 활성화되고 있음을 파악하고, 동아시아 국가들이 경제 문제에 공동 대응하기 위해 노력하고 있는 이유를 논술한다.

1. 예시 답안 한국, 중국, 일본 사이의 교역량은 2000년에 비해 2015년 크게 증가하였다. 특히 한국과 일본이 중국을 상대로 거래한 수입액과 수출액이 비약적으로 늘어났다. 이는 중국이 개혁·개방 정책을 지속적으로 추진하여 대규모 투자를 유치하고, 자유 무역에 전면적으로 나선 결과이다. 한국, 중국, 일본 간 교역량의 증가는 서로에 대한 경제적 의존도를 높였다.

2. 예시 답안 동아시아의 역내 교역이 증가하면서 동아시아 각국은 경제적으로 밀접한 관계를 맺고 있다. 이러한 상황에서 1997년과 같이 연쇄적인 경제 위기가 발생한다면 동아시아 전체가 어려움에 빠지게 될 것이다. 이에 동아시아 각국은 '치앙마이 이니셔티브'와 같은 공동 기금을 조성하여 경제 위기 발생이라는 위험에 공동으로 대비하고 있다.

주제 11 동아시아의 역사 갈등

논술 SOLUTION

(가)는 고구려와 발해의 역사가 중국사에 포함된다는 중국 학계의 주장으로, 한국의 고대사를 왜곡하고 있다.

(나)는 일본 역사 교과서에서 태평양 전쟁을 자의적으로 해석하여 미화한 내용이다.

● POINT ● 중국과 일본의 자국 중심 역사관이 동아시아 국가 간의 관계에 미치는 영향을 논술한다.

예시 답안 중국은 고구려와 발해가 현재 중국 영토 내에 있었기 때문에 모두 중국 역사에 포함된다고 주장하고 있다. 일본은 자국이 일으킨 침략 전쟁의 실상을 객관적으로 파악하지 않고, '대동아 공영권'을 내세워 침략 전쟁을 미화하고 있다. 이러한 역사 인식은 모두 자국에게 유리하도록 역사를 왜곡하고, 관련된 주변국의 입장을 고려하지 않는 배타적인 태도에 바탕을 두고 있다. 중국과 일본의 역사 왜곡은 관련 국가들과의 외교 문제로 확대되어 동아시아의 갈등을 증폭시키고 있다.

발행일 2018년 12월 1일
펴낸날 2021년 5월 1일
펴낸곳 (주)비상교육
펴낸이 양태회
신고번호 제2002-000048호
출판사업총괄 최대찬
개발총괄 채진희
개발책임 송경화
디자인책임 김재훈
영업책임 이지웅
마케팅책임 이은진
품질책임 석진안
대표전화 1544-0554
주소 서울특별시 구로구 디지털로 33길 48
대륭포스트타워 7차 20층

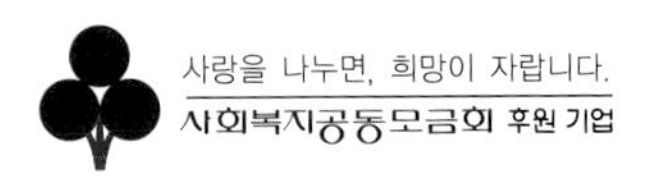